Deutsch als Fremdsprache

Grammatik aktiv

B2/C1

Verstehen ✓
Üben ✓
Sprechen ✓

2. aktualisierte Ausgabe

Grammatik aktiv

Verstehen ✓ Üben ✓ Sprechen ✓

2. aktualisierte Ausgabe

von
Friederike Jin
Ute Voß

Redaktion: CoLibris-Lektorat Dr. Barbara Welzel sowie Alexandra Lemke und Kathrin Schwarz
Umschlaggestaltung: Klein & Halm Grafikdesign, Berlin
Illustrationen: Bettina Nutz, Andreas Terglane (S. 64: *in, an, auf, über, unter, vor, hinter, neben, zwischen*; S. 82; S. 84: *von, aus*; S. 88; S. 90: *Figuren mit Herz und Nebenfiguren*; S. 96; S. 114; S. 156: *Waagen*; S. 287)
Layout und technische Umsetzung: Klein & Halm Grafikdesign, Berlin

Redaktion der 1. Ausgabe
Stephanie Manz und Julia Schulte (Redaktion), Angelika Goedeking und Andrea Rohde (Beratende Mitwirkung)

www.cornelsen.de

2. aktualisierte Ausgabe, 1. Druck 2024

Alle Drucke dieser Auflage sind inhaltlich unverändert und können im Unterricht nebeneinander verwendet werden.

Druck: Mohn Media Mohndruck, Gütersloh

ISBN: 978-3-06-122965-8 (Übungsgrammatik)
Produktnr.: 1100026821 (E-Book)

Vorwort

Liebe Deutschlernende,

Sie möchten die deutsche Grammatik verstehen, systematisch lernen, schriftlich und mündlich trainieren? Oder Sie möchten einzelne Grammatikthemen nachschlagen und die Strukturen üben? Dann haben Sie richtig gewählt:

Grammatik aktiv **Verstehen ✓ Üben ✓ Sprechen ✓**

ist das Ergebnis unserer langjährigen praktischen Erfahrung im Unterricht Deutsch als Fremdsprache. Die Grammatik erklärt die grammatischen Themen bis zum Ende der Niveaustufe C1 des Gemeinsamen europäischen Referenzrahmens mit einfachen Worten, durch Bilder, grafische Darstellungen und Merksätze.

Grammatik aktiv **Verstehen ✓ Üben ✓ Sprechen ✓**

enthält 88 Kapitel, die im Schwierigkeitsgrad ansteigen und die Sie auch unabhängig voneinander bearbeiten können. Auf der linken Seite finden Sie die Erklärung, dann folgen die Übungen.
Auf vielen Seiten gibt es Verweise auf Sprechübungen, die Ihnen helfen, die Strukturen in der mündlichen Kommunikation flüssig zu verwenden. Auch mit den kooperativen Partnerseiten trainieren Sie spielerisch die gelernte Grammatik beim Sprechen und können sich selbst korrigieren.
Die Lösungen befinden sich im Anhang. Alle Audios finden Sie in der PagePlayer-App oder auf www.cornelsen.de/codes.

Grammatik aktiv **Verstehen ✓ Üben ✓ Sprechen ✓**

ist geeignet für das Selbststudium und als kursbegleitendes Material im Unterricht.

Die Vorteile auf einen Blick:
- vollständige MIttelstufengrammatik B2/C1
- einfache und anschauliche Erklärungen
- abwechslungsreiche Übungen von leicht bis schwieriger
- niveaugerechter Wortschatz aus vielen thematischen Bereichen
- hilfreiche Merksätze zu vielen Regeln
- 37 Sprechübungen zur Automatisierung
- 10 Partnerseiten für kooperative Sprechübungen
- 18 Audios zur individuellen Arbeit mit den Partnerseiten

Die Autorinnen, die Redaktion und der Verlag wünschen Ihnen viel Spaß und Erfolg!

Hier sehen Sie die Niveaustufe.

⚠ Das ist eine Ausnahme.

Hier finden Sie einen Merksatz.

02 Unter dieser Tracknummer finden Sie **online** oder in der **App** eine Sprechübung.

Blick ins Buch

Grammatik in kleinen Portionen: Sie haben alles auf einen Blick. Links ist die Erklärung, dann folgen die Übungen. Bei einigen wichtigen Grammatikkapiteln schließt sich eine weitere Doppelseite mit Übungen an.

Der **Titel oben** nennt das Grammatikthema.

Zu vielen Grammatikthemen gibt es ein **Sprechtraining**. Automatisieren Sie die Struktur nebenbei: beim Kochen, im Auto ... Das Sprechtraining finden Sie ab Seite 238.

Der **Titel unten** zeigt die Grammatik in einem Beispielsatz.

Einfache Sätze zeigen die Grammatik im Kontext.

Bilder visualisieren die Struktur.

Strukturierte grafische Darstellung, Beispielsätze und einfache Erklärungen erleichtern das Verständnis.

Gegenüberstellungen und farbliche Markierungen verdeutlichen den Gebrauch.

Die **Übungen** trainieren systematisch, von leicht bis schwieriger. Der **Wortschatz** passt zum Niveau der Grammatik.

Das ist ein **Beispiel** für die Lösung. Die Lösungen finden Sie ab Seite 271 im Buch.

54 Indefinitpronomen für Menschen und Dinge

Beide trinken beides

B2

Sprechtraining

Tee oder Kaffee? Beide trinken beides.

Indefinitpronomen für Dinge	Beispiel	Bemerkung
alles	*Alles ist gut.*	alle Dinge (Dativ: *mit allem*)
nichts	*Nichts ist gut.*	Gegenteil von *alles* oder *etwas* (wird nicht dekliniert)
etwas	*Ich trinke nur etwas.*	ein bisschen von einer unzählbaren Menge / Quantität von Dingen (wird nicht dekliniert)

Die Indefinitpronomen *alles, etwas, nichts* sind in der Grammatik Singular. *Alles, etwas, nichts* können auch vor nominalisierten Adjektiven stehen: *etwas Schönes, nichts Gutes, alles Gute* ▸ Kapitel 51

Dinge	Menschen

alles, beides, einiges*, manches* Dativ: allem, beidem, einigem, manchem statt Genitiv: von allem, von beidem, von einigem, von manchem	**alle, beide, einige*, manche*** Dativ: allen, beiden, einigen, manchen Genitiv: aller, beider, einiger, mancher
Bedeutung: Plural Grammatisch Singular: ***alles ist ...***	Bedeutung: Plural Grammatisch Plural: ***alle sind ...***
Diese Pronomen stehen für Dinge und Abstrakta.	**Diese Pronomen stehen für Menschen** und Tiere. Diese Wörter können auch für Dinge stehen, wenn aus dem direkten Kontext deutlich wird, um welche konkreten Dinge es sich dabei handelt. *Hier stehen viele Autos, alle sind zufällig rot.* (= alle Autos) *Hier stehen Autos und LKWs. Alle sind zufällig rot.* (= alle Fahrzeuge)

* Die Wörter *manche(s)* und *einige(s)* sind synonym.

1 Singular oder Plural? Ergänzen Sie die Verben.

1 Alle *hoffe* _______ *(hoffen)*: Alles _______ *(werden)* gut.
2 Alles _______ *(sein)* im grünen Bereich.
3 Wenn alle _______ *(helfen)*, _______ *(sein)* alles schnell erledigt.
4 _______ *(können)* sich manchmal alle irren?
5 Es gibt keine Person, der alles Spaß _______ *(machen)*. Aber alle _______ *(haben)* an irgendetwas Spaß.
6 Man sollte zufrieden sein, wenn alle gesund _______ *(sein)* und alles in Ordnung _______ *(sein)*.

146

Hier sehen Sie die **Niveaustufe**, zu der dieses Grammatikthema gehört.

Die **Glühbirne: Merksätze** helfen, die wichtigsten Regeln im Kopf zu behalten.

2 MEINE PARTY. Ergänzen Sie *alle* (auch im Dativ) oder *alles*.

Es hat viel Zeit und Energie gekostet, bis ich ________ [1] vorbereitet hatte, aber es hat sich gelohnt. Zu meiner Geburtstagsparty sind ________ [2] gekommen, und ________ [3] haben ein Geschenk oder etwas zu essen mitgebracht und wir haben ________ [4] auf ein Büfett gestellt. So haben bestimmt ________ [5] etwas Leckeres gefunden. Ich konnte nicht mit ________ [6] sprechen, aber ________ [7] haben mir gratuliert. Und ________ [8] hatten Hunger mitgebracht. Es wurde ________ [9] aufgegessen! Später haben ________ [10] getanzt, obwohl gar nicht ________ [11] gut tanzen können. Ich denke, die Party hat ________ [12] gefallen.

alle: Plural
alles: Singular

3 DER GESCHMACK DER KOHLENHYDRATE. Ergänzen Sie *nicht* oder *nichts*.

nichts = negativ für *etwas / alles*
nicht = Satznegation

Hier finden Sie **Hilfe** zum Lösen der Aufgaben.

Bis vor kurzer Zeit hat man gedacht, dass wir außer süß, sauer, salzig und bitter ________ [1] auf der Zunge schmecken können. Andere Geschmacksempfindungen nehmen wir ________ [2] über die Zunge, sondern über die Nase wahr. *(Dies bemerkt man, wenn man wegen eines Schnupfens ________ [3] riechen kann und dann ________ [4] mehr so richtig gut schmeckt).* Nun haben Forscher herausgefunden

dass …
verw…
Gesc…
Gesc…
genie…

4 UMF…

ma…

Mein…
surfe…
uns …
was …
Befra…
liebst…
Zeits…

Partnerseite 8: Adjektivendungen

Partner/-in A

B2

Sie trainieren alleine? Arbeiten Sie mit 39

1 EINE MERKWÜRDIGE TISCHGESELLSCHAFT – GEMEINSAM EIN BILD BESCHREIBEN.
Sie lesen den Satz in Orange und ergänzen die fehlenden Adjektivendungen (wenn nötig). Ihre Partnerin / Ihr Partner kontrolliert. Dann liest Ihre Partnerin / Ihr Partner den nächsten Satz ergänzt die Adjektivendungen (wenn nötig) und Sie kontrollieren mit den Lösungssätzen in Grau.

Lesen Sie am Ende noch einmal gemeinsam und vergleichen Sie den Text mit der Zeichnung. Finden Sie die fünf Fehler? (Lösung auf Seite 299)

1 Das hier abgedruckt... Bild *(n.)* zeigt eine merkwürdig... Tischgesellschaft *(f.)*.
2 An einem runden Tisch sieht man vier sehr unterschiedliche Personen.
3 Ein älter... Herr sitzt vorne rechts an dem schön gedeckt... Tisch *(m.)* und liest in einem dick... Buch *(n.)*.
4 Er sieht sehr konzentriert aus.
5 Vor ihm steht ein voll... Glas *(n.)* und ein leer... Teller *(m.)*.
6 Links neben ihm sitzt ein kleiner, dünner Mann mit strohgelben Haaren.
7 Er trägt ein weiß-blau gestreift... Hemd *(n.)* und eine dunkelblau... Krawatte *(f.)*.
8 Die Jacke seines dunkelblauen Anzugs hat er unordentlich über die Stuhllehne gehängt.
9 Er isst ein groß... Steak *(n.)* und redet laut... auf den lesend... Mann ein.
10 Gegenüber von dem dünnen Mann sitzt eine jüngere, große, sehr schöne Frau.
11 Sie trinkt einen groß... Schluck *(m.)* Wein und schaut interessiert auf den dünn... Mann.
12 Sie möchte ihn auf sich aufmerksam machen und wirft ihm verliebte Blicke zu.
13 Zwischen dieser gutaussehend... Frau und dem dünn... Mann sitzt eine altmodisch... gekleidet..., älter... Frau.
14 Sie trägt einen großen, gelben Hut, ein buntes, sommerliches Kleid und lange lila Ohrringe.
15 Sie ist vielleicht die Gastgeberin dieser ungewöhnlich... Essenseinladung *(f.)*.
16 Vor ihr steht ein großer Suppentopf auf dem Tisch.
17 Sie hat eine Suppenkelle in der link... Hand *(f.)* und möchte die heiß... Suppe *(f.)* verteilen.
18 Leider hält sie die Kelle schräg, sodass ein roter Fleck mit Tomatensuppe auf die weiße Tischdecke getropft ist.
19 Sie schaut entsetzt... auf den sich ausbreitend... Fleck *(m.)* und schämt sich wegen ihrer peinlich... Ungeschicklichkeit *(f.)*.
20 Aber keiner der am Tisch Sitzenden hat es gemerkt.
21 Am link... Rand *(m.)* des Bildes sieht man ein klein... Mädchen *(n.)*.
22 Sie hat einen großen Malblock und mehrere farbige Stifte.
23 Sie schaut interessiert zu den Erwachsen... (Pl.).
24 Offensichtlich findet sie diese chaotische Szene sehr interessant.
25 Auf dem ober... Papier *(n.)* ihres groß... Malblocks *(m.)* sieht man viel... lila... Ohrringe (Pl.).

Mit den **Partnerseiten** können Sie die Grammatik beim Sprechen **kooperativ** üben. Ihr/-e Lernpartner/-in hat die Lösung für Sie.

Wenn Sie **alleine** üben möchten, können Sie sprechen und die Lösung in der **App** hören.

Inhalt

Wortpositionen im Satz

B2 C1 1 Verbposition in einfachen Sätzen — *Heute möchte ich ins Schwimmbad gehen* — 12
B2 2 Verbposition in Satzverbindungen — *Ich gehe ins Schwimmbad, obwohl ich arbeiten müsste* — 16
B2 3 Position von Dativ- und Akkusativobjekt — *Der Kellner holt der Dame den Kaffee und bringt ihn ihr* — 18
B2 4 Position der Angaben im Satz — *wann – warum – wie – wo* — 20
B2 5 Informationen direkt zum Verb — *Er hat gestern drei Stunden lang Tennis gespielt* — 22
B2 6 Position von *nicht* — *Das habe ich nicht gesagt* — 24
C1 7 Position von *auch* und Fokuspartikeln — *Gehst du morgen auch ins Kino?* — 26
C1 8 Informationsverteilung im Satz — *Den Ring zeigt sie einem Freund* — 28

Partnerseite 1: Wortpositionen – Gemeinsam eine Rede halten — 30

Konjunktiv 2

B2 9 Konjunktiv 2 der Gegenwart: Formen — *Wenn ich einen Zauberstab hätte, würde ich ...* — 32
B2 C1 10 Konjunktiv 2 der Vergangenheit: Formen — *Wäre ich doch zu Hause geblieben!* — 34
B2 11 Höflichkeit, Vorschläge, Ratschläge und Vorwürfe — *Würden Sie bitte das Fenster schließen?* — 36
B2 C1 12 Wünsche, irreale Wünsche, irreale Bedingungen — *Wenn ich doch Millionär wäre!* — 38
B2 C1 13 Irreale Vergleiche und irreale Folgen — *Du siehst aus, als ob du müde wärst* — 40

Partnerseite 2: Irreale Bedingungen in Gegenwart und Vergangenheit – Ratespiel — 42

Passiv

B2 C1 14 Passiv in allen Zeiten — *Die Reisegruppe wird informiert* — 44
B2 C1 15 Passiv mit Modalverben in allen Zeiten — *Das muss heute noch erledigt werden* — 48
B2 16 Alternativen zum Passiv — *Das Problem lässt sich lösen* — 52
C1 17 Formen mit Passivbedeutung — *Die zu verkaufenden Bücher gehören ins Fenster gestellt* — 56
C1 18 Passivsätze ohne Subjekt — *Hier wird gelacht!* — 58
C1 19 Wann ist Passiv möglich, wann nicht? — *Warum ist „Es wird geregnet“ falsch?* — 60

Partnerseite 3: Passiv – Wechselspiele — 62

Präpositionen

B2 20 Wechselpräpositionen — *Joggen Sie in den Park oder joggen Sie im Park?* — 64
B2 21 Oft gebrauchte lokale Präpositionen — *wo – wohin – woher* — 66
B2 22 Weitere lokale Präpositionen — *innerhalb und außerhalb des Dorfes* — 68
B2 23 Die wichtigsten temporalen Präpositionen — *am Montag um 18 Uhr auf dem Heimweg* — 70
B2 24 Weitere temporale Präpositionen — *ab Montag und über die Feiertage* — 72
B2 25 Kausale Präpositionen — *vor Wut oder aufgrund eines Fehlers* — 74
C1 26 Präpositionen der Redewiedergabe und Referenz — *laut, zufolge, hinsichtlich, entsprechend* — 76
B2 C1 27 Präpositionen mit verschiedenen Positionen — *davor, dahinter und um das Nomen herum* — 78
C1 28 „Sprechende“ Präpositionen — *zuliebe, mittels, anhand ...* — 80
C1 29 Bedeutungen von *in, an, auf, über, unter, vor* — *am Sonntag, am Strand, an die 100 Leute* — 82
C1 30 Bedeutungen von *um, bei, von, nach, aus, mit, zu* — *um das Haus, um 8 Uhr, um die Wette* — 84

Partnerseite 4: Präpositionen – Spiel: 5 in einer Reihe — 86

Verben, Adjektive, Nomen und ihre Ergänzungen

B2 C1 31 Verben mit Nominativ, Akkusativ und Dativ ... *Ich frage dich und antworte dir* ... 88
C1 32 Verben mit Genitiv ... *Man verdächtigte ihn des Mordes* ... 90
B2 33 Verben, Nomen und Adjektive mit Präpositionen ... *Es kommt darauf an, wann ihr kommt* ... 92
B2 34 Verben, Adjektive und Nomen mit festen Präpositionen mit Akkusativ ... *Danke für das Kompliment* ... 94
B2 35 Verben, Adjektive und Nomen mit festen Präpositionen mit Dativ ... *Ich träume von dir* ... 98

Partnerseite 5: Verben und ihre Ergänzungen – Gemeinsam eine Geschichte erzählen ... 100

Bildung der Zeiten

B2 36 Bildung der Vergangenheitszeiten ... *Das Glas ist zerbrochen, aber wer hat es zerbrochen?* ... 102
B2 C1 37 Besondere Perfektformen: Modalverben und *sehen, hören, lassen* ... *Ich habe gehen müssen* ... 104
B2 38 Gebrauch von Zeiten der Vergangenheit ... *Oh, das wusste ich nicht!* ... 106
B2 C1 39 Vermutung und Zukunft mit dem Futur ... *Er wird den Zug verpasst haben* ... 108
C1 40 Überblick über die Zeiten im Deutschen ... *Plusquamperfekt bis Futur 2* ... 110

Partnerseite 6: Zeiten – Gemeinsam eine Geschichte erzählen ... 112

Modalverben, *lassen* und (un)trennbare Verben

B2 41 Modalverben in der Grundbedeutung ... *Ich will, ich kann, ich muss* ... 114
B2 42 Andere Bedeutung von Modalverben: Vermutungen über die Gegenwart ... *Er muss gleich da sein* ... 118
C1 43 Andere Bedeutung von Modalverben: Vermutungen über die Vergangenheit ... *Sie muss wohl zu Fuß gegangen sein* ... 120
B2 44 Das Verb *lassen* ... *Leben und leben lassen* ... 122
B2 C1 45 Trennbare und untrennbare Verben 1 ... *mitkommen, ankommen, bekommen, entkommen* ... 124
C1 46 Trennbare und untrennbare Verben 2 ... *Er umfährt den Baum, aber er fährt die Mülltonne um* ... 128

Nomen, Artikel und Pronomen

B2 47 Genusregeln ... *Der, die oder das?* ... 130
B2 48 Artikelgebrauch ... *Handwerker, der Handwerker oder ein Handwerker?* ... 132
B2 C1 49 Genitiv ... *Deutschlands Süden* ... 134
B2 50 n-Deklination ... *An Herrn und Frau Schneider* ... 138
B2 51 Drei Deklinationen ... *des Mannes, des Herrn, des Alten* ... 140
B2 52 Deklination der Indefinit- und Possessivpronomen ... *Bringst du mir welche mit?* ... 142
B2 C1 53 Indefinitpronomen für Menschen ... *man, alle, jeder, jemand, niemand* ... 144
B2 54 Indefinitpronomen für Menschen und Dinge ... *Beide trinken beides* ... 146

Partnerseite 7: Deklination – Würfelspiel ... 148

Inhalt

Adjektive

B2 **55** Adjektivdeklination — *Mit dem schnellen Zug fährt man sehr bequem* — **150**

C1 **56** Artikelwörter und Adjektivdeklination — *Alle kleinen Kinder und viele große Kinder mögen Schokolade* — **154**

B2 C1 **57** Komparation — *Der ältere Mann genießt einen der leckersten Kuchen der Welt* — **156**

B2 **58** Partizip I und II als Adjektiv — *Das malende und das gemalte Mädchen* — **160**

Partnerseite 8: Adjektivendungen – Bildbeschreibung — **162**

Indirekte Rede

B2 **59** Indirekte Rede und Konjunktiv 1 — *Er sagte, er sei fertig und komme gleich* — **164**

B2 **60** Indirekte Rede – Vergangenheit — *Sie sagte, sie habe Glück gehabt und sei pünktlich gewesen* — **166**

C1 **61** Wiedergabe von Aufforderungen, Gerüchten und Selbstaussagen — *Er will das nie gesagt haben* — **168**

Nebensätze

B2 **62** Temporale Nebensätze — *Seitdem die Katze kommt, wenn ich koche ...* — **170**

B2 C1 **63** Kausale und konzessive Nebensätze — *weil, da, obwohl, wobei ...* — **172**

B2 C1 **64** Konsekutive Nebensätze — *sodass, weshalb, dermaßen ..., dass* — **174**

B2 C1 **65** Konditionale und adversative Nebensätze — *wenn, falls, während, wohingegen ...* — **176**

B2 C1 **66** Modale Nebensätze (Methode) — *indem, dadurch dass, wodurch ...* — **178**

B2 C1 **67** Infinitiv mit und ohne *zu* — *Wir wollen pünktlich kommen, aber fürchten, zu spät losgefahren zu sein* — **180**

B2 C1 **68** Nebensatz mit *dass* und Infinitiv mit *zu* — *Ich finde es wichtig, gesund zu essen und dass mein Kind gesund isst* — **182**

B2 **69** Finale und modale Infinitiv- und Nebensätze — *um ... zu, damit, anstatt ..., ohne ...* — **184**

B2 **70** Relativpronomen im Nominativ, Akkusativ und Dativ — *..., denen wir die Idee für dieses Fest verdanken* — **186**

B2 C1 **71** Relativpronomen im Genitiv — *Die Frau, deren Hund ...* — **188**

B2 C1 **72** Relativpronomen mit *w-* und *als* — *etwas, was ..., nichts, worüber ...* — **190**

Partnerseite 9: Relativsätze – Gemeinsam einen Kriminalfall lösen — **192**

Besondere Wörter und Wortverbindungen

B2 C1 **73** Doppelkonnektoren — *entweder A oder B* — **194**

B2 **74** Negationswörter — *nie, nirgends, nicht mehr* — **196**

B2 **75** Irgend... — *Hat irgendjemand irgendetwas gesehen?* — **198**

B2 **76** Position und Direktion — *rauf, runter, stehen, stellen, legen* — **200**

B2 **77** Es — *Wann brauche ich es?* — **202**

B2 **78** Funktionsverbgefüge 1 — *Wir müssen jetzt eine Entscheidung treffen* — **204**

C1 **79** Funktionsverbgefüge 2 — *In Aufregung versetzen oder in Aufregung geraten?* — **206**

B2 **80** Wörter mit *da-* — *Da ist Assenheim. Da habe ich lange gewohnt. Dabei wollte ich eigentlich nie in einem Dorf leben.* — **210**

B2 **81** Modalpartikeln — *Im Kino waren wir doch gestern* — **214**

Umformung von Sätzen

C1 82 Nominalisierung — *Durch Verwendung von Nomen entsteht Verdichtung* — **218**
C1 83 Links- und Rechtsattribute — *Komplexe Sätze verstehen und umformen* — **222**
C1 84 Präposition – Adverb – Konnektor 1 — *temporal: vor, vorher, bevor, nach ...* — **226**
C1 85 Präposition – Adverb – Konnektor 2 — *kausal, konsekutiv, konzessiv, adversativ* — **228**
C1 86 Präposition – Adverb – Konnektor 3 — *modal, konditional, final* — **230**

Partnerseite 10: Umformung von Sätzen – Wechselspiele — **232**

Und noch mehr Wissenswertes

B2 87 Kommaregeln — *Er isst seine Katze auch???* — **234**
C1 88 Besondere Formen der mündlichen Sprache — *Da kommste nich drauf* — **236**

Anhang

Sprechtraining: Automatisierungsübungen mit Audiodateien — **238**
Schema für die Wortpositionen im Satz — **251**
Präpositionen mit Akkusativ, Dativ und Genitiv — **252**
Lernliste: Verben, Adjektive und Nomen mit Präpositionen – nach Präpositionen geordnet — **253**
Nachschlageliste: Verben, Adjektive und Nomen mit Präpositionen – alphabetisch geordnet — **258**
Verben und Adjektive mit Dativ, Genitiv und zwei Akkusativen — **261**
Lernliste: unregelmäßige Verben – nach Vokalen geordnet — **264**
Nachschlageliste: unregelmäßige Verben – alphabetisch geordnet — **267**

Lösungen — **271**
Register — **317**
Quellen / Impressum der Audio-Dateien — **319**

Wenn Sie etwas im Inhaltsverzeichnis nicht gefunden haben:

In anderen Grammatiken verwendete Begriffe	Begriffe in Grammatik aktiv	▶ Kapitel
Abtönungspartikeln	Modalpartikeln	81
Adjektivdeklination Typ 1, 2, 3	Adjektivdeklination mit Signalen	55
adverbiale Angaben	Angaben, Lokalangaben, Zeitangaben	4
Akkusativergänzung	Akkusativ(objekt)	31
Attributsätze	Relativsätze	70–72
bestimmter Artikel	definiter Artikel	48, 56
Dativergänzung	Dativ(objekt)	31
direktes Objekt	Akkusativ(objekt)	31
Ergänzung	Subjekt, Objekt	31, 32
feste Präpositionen	Verben mit Präpositionen	31, 32, 33, 35
Funktionsverbgefüge mit passivischer Bedeutung		17, 79
generalisierende Relativsätze	Relativpronomen mit *w-*	72
Genitivattribut	Genitiv	49
Gerundiv	modales Partizip	17, 83
Imperfekt	Präteritum	36, 38, 40
indefinite Pronomen	Indefinitpronomen	52, 53, 54
indirektes Objekt	Dativ(objekt)	31
Irrealis	Konjunktiv II	9–13
Konjunktion	Konnektor	2, 84–86
Konjunktionaladverbien	satzverbindende Adverbien	84–86
Lokaladverbien		76
Mittelfeld		3, 4, 5, 6, 7
modale Ausdrucksformen	Alternativen zum Passiv	16, 17
modalverbähnliche Verben		37, 67
Modalverben in der indirekten Rede	Wiedergabe von Aufforderungen, Gerüchten und Selbstaussagen	61
Modalverben zum Ausdruck von Wahrscheinlichkeit	andere Bedeutung der Modalverben	42, 43
Modalverben zur subjektiven Aussage	Wiedergabe von Aufforderungen, Gerüchten und Selbstaussagen	61
	andere Bedeutung der Modalverben	42, 43
Nachfeld	nach Verb(teil) 2	1
Nomen-Verb-Verbindung	Funktionsverbgefüge	78, 79
Partizipialattribut	Linksattribut	83
Partizipialkonstruktion	Linksattribut	83
Partizip Perfekt	Partizip II	36, 38, 40, 58
Partizip Präsens	Partizip I	58
Passiv mit *bekommen*	Formen mit Passivbedeutung	17
Passiv mit *sein*	Partizip II als Attribut	58
Passiv mit *werden*	Passiv	14, 15
Passiversatz(formen)	Alternativen zum Passiv	16, 17

In anderen Grammatiken verwendete Begriffe	Begriffe in Grammatik aktiv	► Kapitel
präpositionale Angaben	Angaben, Lokalangaben, Zeitangaben	4
präpositionales Objekt	Objekt mit Präposition	33, 34, 35
	Information direkt zum Verb = Verbgefährte	5
Rangattribute	Fokuspartikeln	7
Redepartikeln	Modalpartikeln	81
Rektion der Verben	Verben mit Nominativ, Akkusativ, Dativ, Genitiv und mit Präposition	31, 35
Satzglieder	Satzteile	1, 2, 3, 6, 7, 8
Satzklammer	Satzbrücke	1
schwache Deklination (Nomen)	n-Deklination	50
sinngerichtete Infinitivkonstruktionen	finale und modale Infinitivsätze	69
starke Verben	unregelmäßige Verben	36
subjektive Bedeutung der Modalverben	andere Bedeutungen der Modalverben	42, 43
	Wiedergabe von Aufforderungen, Gerüchten und Selbstaussagen	61
subjektloses Passiv	Passiv ohne Subjekt	18
Subjunktion	Konnektor mit Nebensatz Nebensatzkonnektor	62–73
Substantiv	Nomen	
Tempus	Zeiten	40
Umformungen	Präposition-Adverb-Konnektor	84, 85, 86
unbestimmter Artikel	indefiniter Artikel	48, 56
unpersönliche Ausdrucksformen	Alternativen zum Passiv	16, 17
unpersönliches Passiv	Passiv ohne Subjekt	18
Verbergänzungen	Verben mit Nominativ, Akkusativ, Dativ, Genitiv und mit Präposition	31–35
Verbindungsadverbien	satzverbindende Adverbien	84–86
Verbvalenz	Verben mit Nominativ, Akkusativ, Dativ, Genitiv und mit Präposition	31–35
Vorfeld	Position 1	1
Vorgangspassiv	Passiv	14, 15
Vorsilbe	Präfix	45, 46
weiterführende Nebensätze		63, 64, 65, 66, 72, 85, 86
weiterführende Relativsätze	Relativsätze mit *w-*	72
Wortstellung	Wortposition	1–8
zweigliedrige Konnektoren	Doppelkonnektoren	73
zweiteilige Konnektoren	Doppelkonnektoren	73
Zustandspassiv	Partizip II als Attribut	58

1 Verbposition in einfachen Sätzen

Heute möchte ich ins Schwimmbad gehen

Die Satzbrücke:
Position 2 und Ende

		Position 2 konjugiertes Verb		Ende Verb(teil) 2
Aussagesatz	Ich	**gehe**	heute ins Schwimmbad.	
W-Frage	Wohin	**gehst**	du heute?	
trennbare Verben	Ich	**hole**	dich um zwei Uhr	**ab.**
Modalverben	Ich	**möchte**	schon lange ins Schwimmbad	**gehen.**
Verb + Verb	Ich	**gehe**	sehr gerne	**schwimmen.**
Nomen + Verb	Ich	**spiele**	im Schwimmbad auch gerne	**Volleyball.**
Adjektiv + Verb	Ich	**bin**	beim Schwimmen sehr	**glücklich.**
Perfekt	Ich	**bin**	letzte Woche nicht ins Schwimmbad	**gegangen.**
Plusquamperfekt	Es	**hatte**	den ganzen Tag	**geregnet.**
Futur	Die Sonne	**wird**	heute sicher den ganzen Tag	**scheinen.**
Passiv	Das Bad	**wird**	jetzt	**renoviert.**
Konjunktiv	Ich	**würde**	am liebsten jeden Tag	**schwimmen.**

- Im Aussagesatz und in der W-Frage steht das konjugierte Verb auf Position 2.
- Das zweite Verb / Der zweite Verbteil (z. B. trennbares Präfix, Infinitiv oder Partizip) steht am Satzende. Diese „Brücke" gibt es bei Perfekt, trennbaren Verben, Modalverben, Passiv, Plusquamperfekt, Futur, Konjunktiv und Verb + Verb-, Nomen + Verb- und Adjektiv + Verb-Kombinationen.

Position 1

	Position 1	Position 2	Position 3		Ende
	Ich	gehe	heute	ins Kino.	
	Heute	gehe	ich	ins Kino.	
	Wie jeden Dienstag	möchte	ich	auch heute ins Kino	gehen.
	Obwohl ich wenig Zeit habe,	gehe	ich	auch heute ins Kino.	
Ja,	ich	möchte	unbedingt	ins Kino	gehen.

- Das Subjekt steht rechts oder links direkt neben dem Verb.
- Auf Position 1 kann (fast) jeder Satzteil stehen. Auf Position 1 können mehrere Wörter stehen. ► Kapitel 8
- Wenn der Nebensatz auf Position 1 steht, beginnt der Hauptsatz mit dem Verb (auf Position 2).
- Nach Position 1 steht kein Komma (außer wenn ein Nebensatz auf Position 1 steht).
- Nach der Antwort *ja, nein* ... steht ein Komma. Danach beginnt ein neuer Satz.
- Das Reflexivpronomen *sich* kann vor dem Subjekt stehen, wenn das Subjekt ein Nomen ist: *Heute hat sich meine Mutter angekündigt.*

⚠ Satzteile nach Verb(teil) 2

	Position 2		Ende	
Sie	sind	schneller als wir am Bahnhof	angekommen.	
Sie	sind	schneller am Bahnhof	angekommen	**als wir.**
Er	kauft	dasselbe wie gestern	ein.	
Er	kauft	dasselbe	ein	**wie gestern auf dem Flohmarkt in Hamburg.**

Bei Vergleichssätzen kann der Satzteil mit *wie* oder *als* nach Verb(teil) 2 stehen. Das macht man häufig, wenn dieser Satzteil lang ist.

Mündlich, seltener auch schriftlich, kann man fast alle Satzteile hinter Verb(teil) 2 verschieben: *Er hat sich sehr gefreut über den Wein.* ▸ Kapitel 88

Sätze, die mit einem Verb beginnen

	Satzanfang		Ende	
Ja/Nein-Frage	**Holst**	du einen Kaffee?		
Imperativ	**Bring**	mir bitte einen Kaffee	mit.	
C1 **irrealer Wunschsatz**	**Wäre**	es doch bloß nicht so heiß!		
C1 **Konditionalsatz**	**Hat**	der Kunde nicht	bezahlt,	(dann) bekommt er eine Mahnung.

Die Ja/Nein-Frage, der Imperativsatz, der uneingeleitete irreale Wunschsatz ▸ Kapitel 12 und der uneingeleitete Konditionalsatz ▸ Kapitel 65 beginnen mit dem konjugierten Verb.

B2

1 URLAUBSDISKUSSIONEN. Ordnen Sie die Sätze.

1 hat • In diesem Jahr • gemacht • Marie • keinen richtigen Urlaub • .
2 noch keinen Urlaub • nehmen • Sie • konnte • .
3 Denn • angefangen • sie • hatte • gerade erst in der Firma • .
4 würde • Am liebsten • sie • machen • nächstes Jahr eine Wanderung in den Alpen • .
5 geht • gerne in den Bergen • wandern und klettern • Sie • .
6 ihr Freund • Leider • bei solchen Urlauben nicht • mit • macht • .
7 ihren Freund • Wie • könnte • sie • überzeugen • ?
8 Er • ihre Urlaubsideen • findet • zu anstrengend • .
9 wird • Im Kino • gezeigt • gerade ein Film über die Alpen • .
10 Er hat versprochen: • wird • Er • anschauen • den Film • .

B2

2 Schreiben Sie die Sätze neu und stellen Sie den unterstrichenen Satzteil auf Position 1.

1 Nur wenige Studierende haben sich <u>früher</u> für ein Auslandssemester beworben.
2 Die bürokratischen und finanziellen Probleme waren <u>für die meisten jungen Leute</u> zu groß.
3 Die Studierenden mussten <u>außerdem</u> nach dem Auslandsjahr oft ein Studienjahr wiederholen.
4 Ein Auslandssemester ist jetzt <u>durch Stipendienprogramme</u> viel einfacher geworden.
5 Die Studierenden können sich die Credit Points anerkennen lassen, <u>wenn sie an der ausländischen Universität Prüfungen gemacht haben.</u>
6 Die Studierenden verlieren durch ein Auslandssemester keine Zeit, <u>weil die meisten Credit Points anerkannt werden.</u>

B2

3 FEHLERSÄTZE. In jedem Satz ist ein Fehler in der Wortstellung oder bei der Kommasetzung. Korrigieren Sie.

1 In meiner Präsentation es geht um Kreativität.

2 Kreativität heute in vielen Lebensbereichen spielt eine wichtige Rolle.

3 In vielen Berufen, brauchen Menschen Kreativität für ihre tägliche Arbeit.

4 Beim kreativen Schaffen muss betrachten man Dinge aus einer anderen, neuen Perspektive.

5 Wie kann eine solche neue Perspektive man finden?

6 Schon seit vielen Jahren ich interessiere mich für die Bedingungen, unter denen ein Mensch kreativ sein kann.

7 Kreative Ideen werden erkannt manchmal gar nicht auf den ersten Blick.

8 Wenn wir gar nicht daran denken, sich kreative Momente stellen oft ganz überraschend ein.

9 Die besten Dinge mir unter der Dusche oder beim Joggen fallen ein.

10 Ich deshalb möchte Sie abschließend ermutigen, Ihrer Kreativität freien Lauf zu lassen.

B2

4 FEHLERSÄTZE. Finden Sie in jeder E-Mail fünf Fehler in Satzpositionen und korrigieren Sie sie.

Sehr geehrter Herr Kleinkötter,

vielen Dank für Ihr Interesse an unserer Produktpalette. Wie Sie gewünscht haben, Sie erhalten ein Exemplar unseres gerade erschienenen Produktkataloges. Sie noch haben Fragen? Oder wünschen weitere Informationen Sie?
Sie sich wenden bitte an Herrn Dieckmann unter der Telefonnummer 08421-6899769.
Er Sie gerne berät.

Mit freundlichen Grüßen
Lina Deister (Vertriebsassistentin)

Typisch deutsch: die Satzbrücke

Sehr geehrte Damen und Herren,

da ich im kommenden Monat nach Hamburg umziehe, ich möchte hiermit kündigen meinen Vertrag mit dem Clever-Fit-Fitnesscenter. Meine Mitgliedsnummer lautet: 77305012016.
Sie buchen bitte ab für den Monat Mai keine Mitgliedsbeiträge von meinem Konto.
Ich wäre dankbar Ihnen, wenn Sie mir innerhalb von 14 Tagen eine schriftliche Bestätigung der Kündigung würden schicken.
Wenn Sie Fragen haben, Sie schreiben mir bitte an die folgende E-Mail-Adresse: adajan@example.com

Mit freundlichen Grüßen
Jan Adamovic

B2

5 ELEKTROSMOG. Ordnen Sie die Sätze.

1 Die modernen Industriestaaten • sind • versorgt • mit Hochleistungsnetzen • seit Jahren • .

2 Fast alle • unterwegs überall • möchten • nutzen • können • ihre Handys • .

3 In den dafür nötigen elektromagnetischen Feldern • einige Leute • sehen • eine Gefahr • für die Gesundheit • .

4 Sie nehmen an, • dass • führt • in der Nähe von Mobilfunkmasten • zu Bluthochdruck und Krebs • die Dauerbestrahlung • .

B2 **6 TECHNISCHE ENTWICKLUNGEN. Stellen Sie den Vergleich an die elegantere Position hinter Verb(teil) 2.**

1 Der zunehmende Autoverkehr sorgt dafür, dass man in den Großstädten mehr als früher im Stau steht.
2 Städte in Deutschland bieten immer noch weniger Radwege als von vielen gewünscht an.
3 Die Ernährung in den Industriestaaten ist mit weniger Arbeit als in den letzten Jahrhunderten verbunden.
4 Durch die IT-Technik kann man von zu Hause aus genauso gut wie im Büro arbeiten.
5 Die Frage ist, ob die Menschen dieselben wie vor 100 Jahren geblieben sind.
6 Durch die Verbreitung der Künstlichen Intelligenz wird das Leben bald völlig anders als noch vor wenigen Jahren sein.

C1 **7 VIELE WÜNSCHE. Schreiben Sie irreale Wunschsätze.**

1 Hätte ich doch einen Porsche!

1 Ich möchte so gerne einen Porsche haben.
2 Ich wünsche mir sehr, dass ich einen tollen Job hier in der Stadt finde.
3 Ich würde am liebsten morgen nicht arbeiten müssen.
4 Ich würde mir wünschen, dass ich das nicht gesagt hätte.
5 Ich wünsche mir, dass mir jemand helfen würde.
6 Ich wünsche mir, dass es keine Kriege auf der Welt gibt.

C1 **8 Schreiben Sie Bedingungssätze ohne Konnektor.**

1 Hätte ich Zeit, würde ich dir gerne helfen.

1 Wenn ich Zeit hätte, würde ich dir gerne helfen.
2 Wenn es morgen regnet, verschieben wir den Ausflug.
3 Wenn irgendwelche Nebenwirkungen auftreten, informieren Sie bitte Ihren Arzt.
4 Wenn sich die Symptome verschlimmern sollten, gehen Sie bitte zum ärztlichen Notdienst.
5 Kommen Sie bitte zum Schalter 5, wenn Sie den Antrag abgeben möchten.
6 Drücken Sie bitte die 3, wenn Sie eine Bestellung aufgeben möchten.

C1 **9 FEHLERSÄTZE. In jedem Satz ist ein Fehler in der Wortstellung oder bei der Kommasetzung. Korrigieren Sie.**

1 Laut einer Umfrage aus dem Jahr 2023, sind die meisten Menschen in Deutschland mit ihrem Leben im Großen und Ganzen zufrieden.
2 Einig sind sich alle, dass Gesundheit ist ein wichtiger Aspekt.
3 Die Frage ist, inwieweit hängen das Glück und die Zufriedenheit von den materiellen Bedingungen ab.
4 Man hat zu wenig Geld, dann ist das Leben oft schwierig und anstrengend.
5 Laut Untersuchungen, können sehr arme Menschen durch mehr Geld glücklich werden.
6 Aber viel Geld macht zufrieden und glücklich?
7 Kann man sich jeden Abend ein Essen in einem teuren Restaurant leisten, dieses Essen wird zur Normalität und das Glücksempfinden stumpft ab.
8 Glücklich könnten wir doch immer sein!

C1 **10 SPRICHWÖRTER. Schreiben Sie Bedingungssätze ohne Konnektor. (So werden diese Sprichwörter meist verwendet.)**

1 Hast du was, bist du was.

1 Wenn du (et)was hast, bist du (et)was.
2 Wenn die Katze aus dem Haus ist, tanzen die Mäuse auf dem Tisch.
3 Wenn der Ruf erst ruiniert ist, lebt es sich ganz ungeniert.
4 Wenn du dir Weisheit erjagen willst, lerne erst Wahrheit ertragen.
5 Wenn Zeit kommt, kommt Rat.
6 Wenn der Hahn früh auf dem Mist kräht, ändert sich das Wetter oder es bleibt, wie es ist.
7 Wenn es im Mai regnet, ist der April vorbei.
8 Wenn der Hunger groß ist, ist die Liebe klein.

Verbposition in Satzverbindungen

Ich gehe ins Schwimmbad, obwohl ich arbeiten müsste

Nebensatzkonnektoren

Hauptsatz	Nebensatz				
	Konnektor	Subjekt		andere Verbteile	Ende konjugiertes Verb[1]
Er hat sich ausgeruht,	während	**wir**	den ganzen Tag	gearbeitet	**haben.**
Wir haben uns geärgert,	dass	**er**	nicht	mit	**hilft.**

- Im Nebensatz steht das Subjekt direkt nach dem Konnektor und das konjugierte Verb am Ende[1].
  Verb(teil) 2 steht direkt vor dem konjugierten Verb. (Trennbare Verben werden zusammengeschrieben.)
  Für die anderen Satzteile gelten die gleichen Regeln wie im Hauptsatz.

Hauptsatzkonnektoren auf Position 1

Hauptsatz	Hauptsatz				
	Position 1 Konnektor	Position 2 konjugiertes Verb	Subjekt		Ende Verb(teil) 2
Ich müsste arbeiten,	trotzdem	werde	ich	ins Schwimmbad	gehen.
Die Sonne scheint,	deshalb	möchte	ich	ins Schwimmbad	gehen.
Ich arbeite später.	Zuerst	gehe	ich		schwimmen.
Ich entspanne mich,	dann	fange	ich	mit der Arbeit	an.

- Zwischen den beiden Hauptsätzen kann ein Punkt oder ein Komma stehen.
- Diese Hauptsatzkonnektoren sind Adverbien und können auch auf Position 3 oder auch weiter hinten im Satz auf der Position, die ihrer Bedeutung entspricht, stehen (*deshalb* = kausal, *zuerst* = temporal) ► Kapitel 4: *Es regnet, ich gehe trotzdem ins Schwimmbad. Es regnet, ich gehe nach der Arbeit trotzdem ins Schwimmbad.*
  Sie müssen aber immer nach den Pronomen stehen: *Es regnet, ich kaufe mir trotzdem ein Eis.*

Hauptsatzkonnektoren auf Position 0

Hauptsatz		Hauptsatz			
	Position 0 Konnektor	Position 1	Position 2 konjugiertes Verb		Ende Verb(teil) 2
Ich gehe heute spazieren,	denn	das Wetter	ist	schön.	
Heute habe ich keine Lust,	aber	morgen	komme	ich gerne	mit.

- Die Konnektoren *aber*, *denn*, *und*, *sondern* und *oder* („aduso") verbinden zwei Hauptsätze. Sie stehen außerhalb des Satzes auf Position 0. Ebenso *doch*, wenn es adversativ ist.
- Bei *und*, *oder*, *aber* und *sondern* kann man doppelte Satzteile weglassen: *Ich komme mit und (ich) helfe dir.*

1 ⚠ Wenn es im Nebensatz zwei Infinitive gibt, steht das konjugierte Verb vor den beiden Infinitiven ► Kapitel 37.
Das sieht so aus, als ob wir das selbst hätten machen können.

1 **IM PRAKTIKUM. *Weil* und *denn*. Schreiben Sie die Sätze neu. Verwenden Sie den vorgegebenen Konnektor.**

1 In den ersten Tagen musste ich als Praktikant viel fragen, weil alles neu für mich war. *(denn)*
2 Ich wollte aber nicht zu viel fragen, denn ich wollte den anderen in der Abteilung nicht lästig fallen. *(weil)*
3 In der ersten Woche konnte ich nicht viel selbstständig machen, weil keiner Zeit hatte, mir etwas zu erklären. *(denn)*
4 Die Mitarbeiter haben wenig Zeit für mich, denn sie müssen gerade ein Projekt zu Ende bringen. *(weil)*
5 Sie freuen sich aber, denn ich koche ihnen Kaffee und nehme ihnen die lästigen Kopierarbeiten ab. *(weil)*
6 Nächste Woche wird es bestimmt interessanter, weil ich in dem neuen Projekt mitarbeiten darf. *(denn)*

2 **URLAUB. Verbinden Sie die Sätze. Verwenden Sie den vorgegebenen Konnektor.**

1 Im Sommer konnten wir wegen unserer Arbeit keinen Urlaub nehmen. Wir haben noch 20 Urlaubstage. *(deshalb)*
2 Wir müssen den Urlaub schnell buchen. Wir bekommen keine Plätze mehr. *(sonst)*
3 Wir fahren lieber mit der Bahn. Es ist bequemer als mit dem Auto. *(weil)*
4 Ich schaue aus dem Fenster und höre Musik. Ich fahre mit dem Zug. *(während)*
5 Wir wollen im Urlaub nicht arbeiten. Wir haben uns vorgenommen, die Handys ausgeschaltet zu lassen. *(sondern)*
6 Wir sind angekommen. Wir gehen an den Strand und schwimmen. *(sobald)*
7 Leider ist das Wetter dort manchmal nicht so gut. Das macht uns nichts aus. *(aber)*

3 **SPRACHEN LERNEN. Welche Satzteile kann man weglassen? Streichen Sie so viel wie möglich.**

1 Ich muss heute die neuen Wörter üben oder ~~ich muss heute~~ die Grammatik wiederholen.
2 Gestern habe ich das Interview gehört und ich habe gestern den Zeitungsartikel gelesen.
3 Meine Lieblingsaktivität ist es, Sprechübungen zu machen, und meine Lieblingsaktivität ist auch, mit einem Partner Dialoge zu spielen.
4 Ich möchte an der Prüfung im Oktober oder an der Prüfung im Dezember teilnehmen.
5 Ich möchte nicht nur sprechen lernen, sondern ich möchte auch schreiben lernen.

4 **FEHLERSÄTZE. Korrigieren Sie zwölf Fehler in den Wortpositionen.**

Musik

Musik ist überall und wir können ihr nicht entfliehen. Die Augen kann man schließen, aber sind die Ohren immer offen. Während wir im Einkaufszentrum, beim Zahnarzt oder im Fitnessstudio sind, wir hören Musik im Hintergrund. Viele Leute wollen nicht mehr ohne Musik sein. Deshalb sie hören in der S-Bahn über Kopfhörer Musik, schalten im Auto das Radio ein, streamen den ganzen Tag Musik oder gehen sie in Konzerte. Täglich geben wir Milliarden Euro für Musik aus.

Man kann sich fragen, warum Musik ist uns so wichtig. Wie nehmen wir Musik auf, welche Gefühle löst sie in uns aus? Das sind Fragen, die erforscht die Wissenschaft.

Sicher ist, dass Musik in allen Kulturen es gibt und dass es gibt sie schon seit sehr langer Zeit. Schon vor vielen Tausend Jahren haben Menschen Musik gemacht, was beweist der Fund einer 42 000 Jahre alten Flöte in einer Höhle auf der Schwäbischen Alb. Wir wissen nicht, wie Musik entstanden ist, aber man nimmt an, dass der Rhythmus sich hat als Erstes entwickelt. In der Musik geht es immer um Gefühle. Man jedoch kann die Wirkung nicht genau erklären. Ein Musikstück, das auf einen Menschen überwältigend wirkt, einen anderen Menschen lässt kalt.

Position von Dativ- und Akkusativobjekt

Der Kellner holt der Dame den Kaffee und bringt ihn ihr

Sprechtraining 4

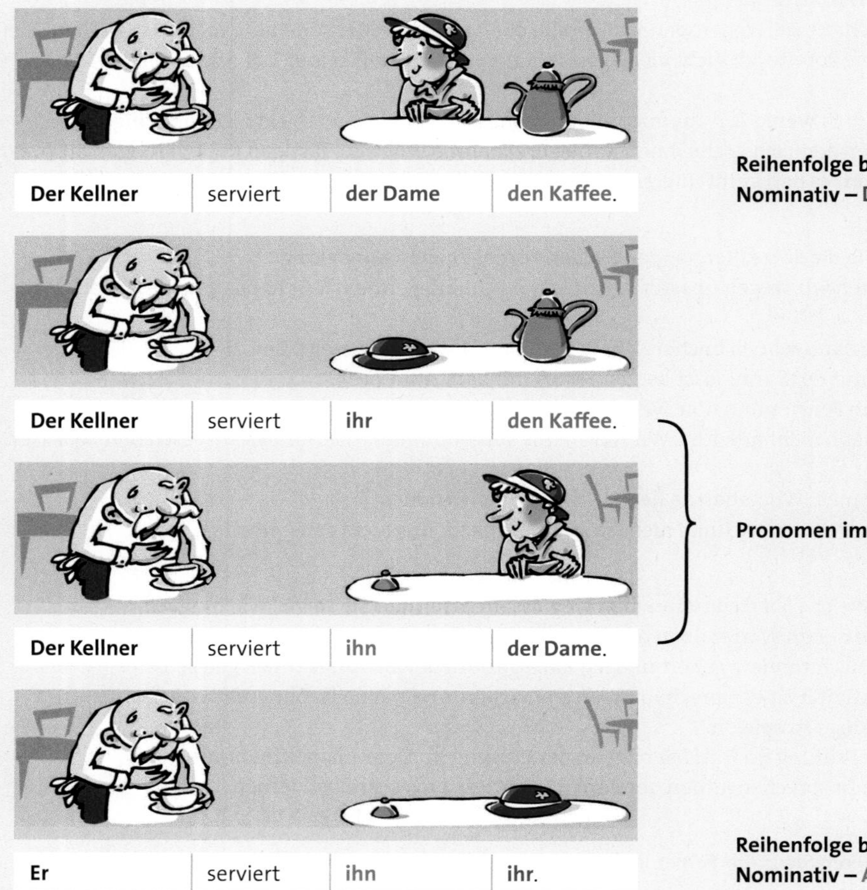

Der Kellner	serviert	der Dame	den Kaffee.

Reihenfolge bei Nomen:
Nominativ – Dativ – Akkusativ

Der Kellner	serviert	ihr	den Kaffee.
Der Kellner	serviert	ihn	der Dame.

Pronomen immer vor Nomen

Er	serviert	ihn	ihr.

Reihenfolge bei Pronomen:
Nominativ – Akkusativ – Dativ

- Pronomen stehen direkt nach dem Subjekt und Verb(teil) 1: *Ich habe es ihm gestern gegeben. Gestern hat der Lehrer es ihm gegeben.*
  Genauso Reflexivpronomen: *Ich habe mir die Haare gewaschen.*
- Die Reihenfolge von Nominativ, Akkusativ und Dativ ändert sich nicht, wenn andere Satzteile ergänzt werden: *Im Garten serviert **der Kellner** heute **der Dame den Kaffee**.*

1 EIN HUNDCHEN. Formen Sie die unterstrichenen Nomen in Pronomen um.

1 Wir haben den kleinen süßen Hund im Zoogeschäft gekauft. ______

2 Wir wollen unserer Tochter den Hund zum Geburtstag schenken. ______

3 Am Geburtstag geben wir dem Kind die Hundeleine. ______

4 Unsere Tochter möchte den Hund sofort sehen. ______

5 Wir zeigen unserer Tochter den Hund. ______

6 Sie gibt dem Hund gleich ein Leckerli. ______

7 Der Hund leckt unserer Tochter die Hand. ______

8 Am Nachmittag zeigt sie ihren Freunden den Hund. ______

2 EINE BEKANNTSCHAFT. Formen Sie die Pronomen in Nomen um.

1 Sie hat ihn seit langer Zeit zum ersten Mal wieder gesehen. *(die Frau • der Mann)*
2 Er hat ihn ihr bestellt. *(der Mann • der Kaffee • die Frau)*
3 Sie fand ihn ganz toll. *(die Frau • der Mann)*
4 Sie hat sie ihm gegeben. *(die Frau • ihre Adresse • der Mann)*
5 Er hat sie ihr gekauft. *(der Mann • Blumen • die Frau)*
6 Er hat sie am Abend besucht. *(der Mann • die Frau)*
7 Sie hat es ihm geschenkt. *(die Frau • ihr Herz • der Mann)*

3 EIN GEBURTSTAG. Schreiben Sie Sätze. Beginnen Sie mit dem Subjekt.

1 unserer Chefin • ein Buch • kaufen • wir • .
2 zum Geburtstag • wir • es • schenken • ihr • .
3 ihr • wir • auch eine Karte • schreiben • .
4 alle • es • am Morgen • ihr • bringen • .
5 das Buch • wir • überreichen • in ihrem Büro • ihr • .
6 sie • allen • die Hand • gibt • .
7 sehr gut • ihr • das Buch • gefällt • .
8 es • sie • später • will • uns • leihen • .
9 Sekt • dann • sie • in der Cafeteria • serviert • uns • .
10 mit ihr • wir • ihn • trinken • .

4 FEHLERSÄTZE – EIN GESCHENK. Korrigieren Sie die Wortposition. In jedem Satz ist ein Fehler.

1 Der Vater hat ein Buch seinem Kind gekauft.
2 Ich möchte heute Abend ihm das Buch vorlesen.
3 Oh, der Vater hat gestern der Nachbarin es gegeben.
4 Sie will uns es morgen zurückbringen.
5 Ich koche einen Kakao dem Kind.
6 Ich bringe ihm ihn ans Bett.

Pronomen links und Akkusativ vor Dativ

5 (IN)DISKRET. Antworten Sie mit *Ja, ...* Benutzen Sie Pronomen statt der unterstrichenen Nomen.

1 Lädt Ihr Kollege Ihren Chef nach Hause ein?
2 Zeigt er dem Chef seine Wohnung?
3 Gibt Ihr Chef den Mitarbeitern normalerweise Ratschläge?
4 Schicken Sie Ihren Kollegen Fotos aus dem Urlaub?
5 Leiht Ihre Kollegin Ihrem Chef ihr Handy?
6 Müssen Sie der Firma Ihre neue Adresse mitteilen?
7 Stellt der Chef Ihnen sofort den neuen Mitarbeiter vor?
8 Zeigt der Chef dem neuen Mitarbeiter die ganze Firma?

1 Ja, er lädt ihn nach Hause ein.

6 EIN BESUCH. Ergänzen Sie die Pronomen (Nominativ, Akkusativ und Dativ).

1 Der Hausherr hat uns das Haus gezeigt. Zwei Stunden lang hat ________ ________ alle Zimmer im Haus gezeigt.
2 Er hatte uns ein Essen versprochen und wollte ________ ________ auf der Terrasse servieren.
3 Ich habe ihn um ein Glas Wasser gebeten, und nach langem Warten gab ________ ________ ________ endlich.
4 Lange Zeit warteten wir auch auf das Essen, und endlich brachte ________ ________ ________.
5 Leider schmeckte ________ ________ nicht besonders.
6 Wir hören immer gerne seine Geschichten und er erzählt ________ ________ auch gerne.
7 Jedes Mal hören ________ ________ gespannt zu.
8 Nach Mitternacht bat ich ihn, ein Taxi zu rufen, und er bestellte ________ ________.

Position der Angaben im Satz

wann – warum – wie – wo

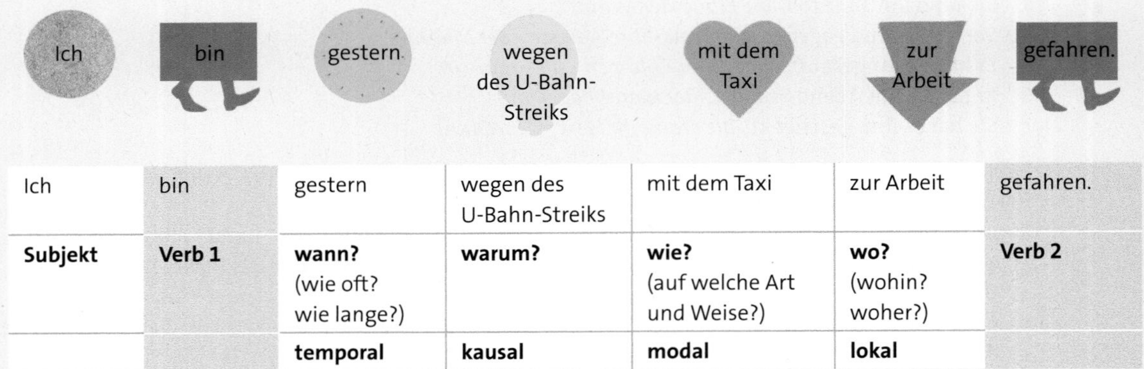

Ich	bin	gestern	wegen des U-Bahn-Streiks	mit dem Taxi	zur Arbeit	gefahren.
Subjekt	**Verb 1**	**wann?** (wie oft? wie lange?)	**warum?**	**wie?** (auf welche Art und Weise?)	**wo?** (wohin? woher?)	**Verb 2**
		temporal	**kausal**	**modal**	**lokal**	

- Die Reihenfolge der Angaben im Satz ist normalerweise **temporal – kausal – modal – lokal = tekamolo.**
- Jede der Angaben kann auf Position 1 **vor** dem Verb stehen. Besonders häufig steht die temporale Angabe auf Position 1: *Gestern bin ich wegen des U-Bahn-Streiks mit dem Taxi zur Arbeit gefahren.*
  Je nach Fokus ist auch eine andere Reihenfolge der Angaben möglich, aber nie lokal vor temporal inmitten des Satzes.

Reihenfolge von mehreren Angaben eines Typs

Temporale Angaben: Reihenfolge: von groß nach klein

Wir sind vor einem Jahr | im Mai | an einem Dienstag | morgens | um 4 Uhr hier angekommen.

Lokale Angaben: Reihenfolge: von klein nach groß

Wir fahren zu unseren Freunden | in ein kleines Dorf.

1 Sortieren Sie die Angaben in die Tabelle. Manchmal gibt es zwei Möglichkeiten.

~~im Sommer~~ • aus London • sofort • aus Liebe • mit Liebe • trotz des Regens • gerne • mit dem Auto • zwei Stunden lang • beim Sport • während der Arbeitszeit • wegen seiner Verletzung • vor Freude • diese Woche • nach Australien • mit viel Freude • ohne Grund • in großer Eile

temporal	kausal	modal	lokal
im Sommer			

2 DAS NEUE AUTO. Fügen Sie die Angaben an der markierten Stelle in der richtigen Reihenfolge in die Sätze ein.

1 Ich habe mir ▮ ein neues Auto gekauft. *(mit großer Freude • vor zwei Wochen)*
2 Ich habe es ▮ einem Freund geliehen. *(unvorsichtigerweise • vorgestern • aus Nettigkeit)*
3 Er hat es ▮ kaputt gefahren. *(eine Stunde später • einige Kilometer entfernt)*
4 Er hat mir die schlechte Nachricht ▮ mitgeteilt. *(per E-Mail • erst Stunden später • wegen seines schlechten Gewissens)*
5 Ich habe mich ▮ geärgert. *(wegen seiner Feigheit • den ganzen Tag)*
6 Er ist ▮ zu mir gekommen. *(mit der U-Bahn • abends • ganz unglücklich)*
7 Er hat sich ▮ entschuldigt. *(bei mir • mit schönen Worten • eine halbe Stunde lang)*
8 Er muss mir das Auto ▮ reparieren lassen. *(so schnell wie möglich • in einer guten Werkstatt)*

3 EINE NEUE LIEBE. Schreiben Sie Sätze. Beginnen Sie mit dem Subjekt.

1 Er • jeden Samstag • mit seinen Freunden • ausgehen • gerne • .
2 gestern • Sie • in den Club • wie immer • gegangen • sind • .
3 hat • auf der großen Tanzfläche • Er • getanzt • Samstagnacht • stundenlang • mit Nina • .
4 bald • möchte • sie • irgendwo • Er • wiedersehen • .
5 am Ende • zugesagt • Nina • hat • trotz ihrer Bedenken • noch in dem Club • .
6 ins Kino gehen • Sie • zusammen • wollen • am Sonntagabend • .
7 alle seine Freunde • Er • hat • zu einem Drink eingeladen • vor Freude • im Club • .

4 Sortieren Sie die Angaben und fügen Sie sie in die Sätze ein.

1 Ich möchte mit dir frühstücken. *(am Montag • um 11 Uhr • nächste Woche)*
2 Wir waren im Urlaub. *(auf einem Campingplatz • auf einer kleinen Insel)*
3 Er hatte gestern einen Unfall. *(in seiner Heimatstadt • auf der Straße • direkt vor dem Haus)*
4 Wir möchten umziehen. *(zu unserer Familie • zu einem günstigen Zeitpunkt • in ein paar Jahren • in eine Stadt in Italien)*
5 Wir machen eine Reise. *(an die Nordsee • im Juni • für ein paar Tage • nächstes Jahr)*

5 FEHLERSÄTZE – URLAUB AN DER NORDSEE. In jedem Satz ist ein Fehler in der Wortstellung. Korrigieren Sie.

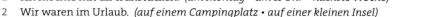

1 Viele Leute machen gerne im warmen Süden im Sommer Urlaub.
2 Wir machen aus Nostalgie auf einer Nordseeinsel Urlaub seit vielen Jahren.
3 Mein Sohn hat wegen seiner Allergien hier Kuren als Kind machen müssen.
4 Man kann sich wegen der niedrigen Temperaturen faul in die Sonne selten legen.
5 Man ist in der Wohnung am Abend gerne gemütlich.

6 EIN REFERAT ÜBER MEINE HEIMATSTADT. Schreiben Sie die Sätze korrekt. Beginnen Sie immer mit dem Subjekt.

1 möchte • ich • Ihnen • heute • gerne • in der Klasse meine Heimatstadt • wegen Ihrer netten Nachfragen • präsentieren • .
2 mit den geografischen Daten meiner Stadt • anhand dieser Folien • beginne • ich • erst einmal • für einen besseren Überblick • .
3 Ihnen • zur Befriedigung der touristischen Bedürfnisse • ich • werde • dann • mit Bildern • die schönsten Sehenswürdigkeiten zeigen • .
4 zur Abrundung des Eindrucks • danach • mithilfe von statistischen Angaben • im dritten Teil des Referats • einige Probleme auf, die durch den Tourismus entstanden sind • ich • zeige • .
5 von Herzen • ich • möchte • mich • für Ihr Interesse • bedanken • schon jetzt • .

5 Informationen direkt zum Verb

B2

Er hat gestern drei Stunden lang Tennis gespielt

Es gibt im Deutschen Verben, die nicht alleine stehen, sondern von anderen Wörtern begleitet werden. Diese Wörter sind Informationen, die direkt zum Verb gehören und eng mit dem Verb verbunden sind.

Diese Verbgefährten stehen am Ende des Satzes oder direkt vor Verb(teil) 2.

		Verb(teil) 1		Information direkt zum Verb = Verbgefährte	Verb(teil) 2
Verb + Objekt mit Präposition *sich freuen auf*	Er	**freut**	sich schon lange	auf die Party.	
genauso: **Präpositionalpronomen** *darauf*	Er	**hat**	sich schon lange	darauf	**gefreut.**
Verb + Adjektiv-Kombination *müde sein*	Ich	**bin**	zurzeit immer schon mittags im Büro	müde.	
genauso: **machen / werden / sich fühlen + Adjektiv** *müde machen, müde werden, sich müde fühlen*	Ich	**bin**	letztes Jahr immer schon mittags im Büro	müde	**geworden.**
Verb-Nomen-Kombination *Tennis spielen* Bei Verb-Nomen-Kombinationen	Sie	**spielt**	täglich drei Stunden mit ihrem Freund	Tennis.	
hat das Nomen keinen Artikel.	Sie	**will**	im Urlaub täglich mit ihrem Freund	Tennis	**spielen.**
Funktionsverbgefüge *ein Referat halten*	Wir	**halten**	oft im Unterricht vor der ganzen Klasse	Referate.	
	Wir	**haben**	oft im Unterricht vor der ganzen Klasse	Referate	**gehalten.**
Verb-Verb-Kombination *einkaufen gehen*	Sie	**geht**	im Urlaub jeden Tag	einkaufen.	
	Sie	**möchte**	im Urlaub unbedingt jeden Tag	einkaufen	**gehen.**

1 FEHLERSÄTZE – PROBLEME BEI DER ARBEIT. Korrigieren Sie die Wortposition.

1. Frau Li ist in letzter Zeit immer müde ab mittags bei der Arbeit im Institut gewesen.
2. Das hat ihren Chef ärgerlich mit der Zeit gemacht.
3. Auch alle Kollegen von Frau Li sind ungeduldig an den Nachmittagen nach und nach geworden.
4. Die Situation im Institut hat Frau Li nach einiger Zeit unsicherer täglich gemacht.
5. Aber Frau Li hat sich viel fitter dann nach einem schönen Urlaub auf einer Insel glücklicherweise gefühlt.

2 BEIM ARZT. Schreiben Sie Sätze.

1 muss • Ich • im Wartezimmer • immer • warten • sehr lange • auf den Arzt • .
2 geärgert • Ich • mich • habe • oft • darüber • .
3 Ich • dann die ganze Zeit • fürchte • vor dem Arztbesuch • mich • .
4 glücklicherweise • Dieses Mal • war • sehr freundlich • der Arzt • zu mir • .
5 netterweise • Er • hat • mir • zum Geburtstag • gratuliert • .
6 daran • Er • hat • gedacht • also • .

3 Verb-Nomen-Kombinationen. Schreiben Sie die passenden Nomen zu den Verben.

~~Ski~~ • Musik • Theater • Hausarbeit • Französisch • Tango • Russisch • Klavier • Motorrad • Radio • Urlaub • Schwedisch • Schlittschuh • Pause • Karten • Fahrrad • Hausaufgaben • Fußball

1 *Ski* ____________________ fahren
2 ____________________ spielen
3 ____________________ sprechen
4 ____________________ lernen
5 ____________________ hören
6 ____________________ machen

4 Verb-Nomen-Kombination oder Akkusativobjekt? Schreiben Sie Sätze.

1 mache • Dieses Jahr • ich • Urlaub • glücklicherweise • im Sommer • .
2 den Urlaub • Wir • im Internet • buchen • immer • .
3 hört • am Nachmittag • Er • im Büro • Radio • immer • .
4 das Radio • Er • hat • gebracht • vor drei Jahren • ins Büro • .
5 seit drei Jahren • in der Oper • Sie • spielt • Cello • .
6 Sie • das Cello • kauft • in diesem Geschäft • übermorgen • .
7 unbedingt • Ich • möchte • lernen • nächstes Jahr • Judo • .
8 gegen den Weltmeister • Er • hat • Schach • gespielt • schon • .
9 Russisch • spricht • Sie • schon mit zehn Jahren • ausgezeichnet • .

5 EIN GUTES REFERAT. Welche Position haben die Nomen in Klammern? Schreiben Sie Sätze.

Ich möchte Ihnen ■ gerne ■ geben *(einen Rat)*, wie Sie ■ am besten ■ halten können *(ein Referat)*. Sie sollten ■ nicht nur ■ halten *(eine Rede)*, sondern ■ auch ■ gegenüber den Zuhörern ■ bringen *(zum Ausdruck)*, dass sie ■ Ihnen ■ jederzeit ■ stellen können *(Fragen)*. Sie müssen natürlich so gut informiert sein, dass ■ Sie ■ immer ■ geben können *(eine Antwort)*. Am besten ist es, wenn ■ Sie ■ am Ende des Referats ■ miteinander führen *(eine Diskussion)*.

6 Unterstreichen Sie das Verb und die direkte Information zum Verb.

1 In Deutschland war es früher üblich, sonntags spazieren zu gehen.
2 Im Mai haben wir glücklicherweise mehrmals hintereinander ein paar Tage Urlaub gehabt.
3 In der Schweiz ist es ziemlich teuer, wenn man essen geht.
4 Wir treiben normalerweise bis zu dreimal wöchentlich mit unseren Freunden zusammen Sport.
5 In Deutschland üben die Parteien oft und offen aneinander Kritik.
6 Ich gehe jede Woche mit Begeisterung in unserem städtischen Schwimmbad schwimmen.
7 Er hat seiner Lehrerin den ganzen Vormittag pausenlos Fragen gestellt.

6 Position von *nicht*

Das habe ich nicht gesagt

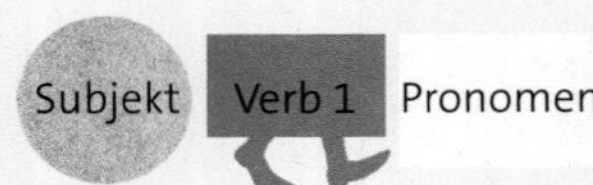

Pronomen
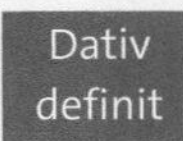

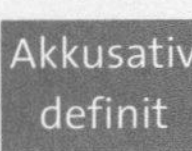

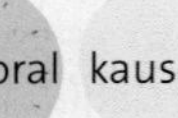

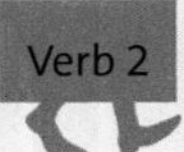

1. Satznegation:
Das Wort *nicht* macht die Aussage des ganzen Satzes negativ.

Ich	konnte	meinen Vater	gestern	wegen eines Termins	nicht	pünktlich	am Bahnhof	abholen.
Subjekt	**Verb 1**	**Akkusativ-objekt**	**temporal**	**kausal**	**nicht**	**modal**	**lokal**	**Verb 2**

Ich	kann	mich	heute	wegen einer Konferenz	nicht	um meinen Kollegen	kümmern.
Subjekt	**Verb 1**	**Pronomen**	**temporal**	**kausal**	**nicht**	**Information direkt zum Verb = Verbgefährte**	**Verb 2**

Das Wort *nicht* steht bei der Satznegation tendenziell rechts im Satz. *Nicht* steht fast immer vor der Modalangabe, vor der Lokalangabe und vor dem Verbgefährten. ▶ Kapitel 5

2. Teilnegation:
Das Wort *nicht* negiert einen einzelnen Satzteil.

Man kann jeden einzelnen Satzteil verneinen, indem man *nicht* direkt davor setzt. Die unterstrichenen Satzteile werden betont.

Nicht ich schenke ihr heute den Ring zur Verlobung (sondern er).

Ich schenke nicht ihr heute den Ring zur Verlobung (sondern ihm).

Ich schenke ihr nicht heute den Ring zur Verlobung (sondern morgen).

Ich schenke ihr heute nicht den Ring zur Verlobung (sondern die Blumen).

Ich schenke ihr heute den Ring nicht zur Verlobung (sondern zum Geburtstag).

1 **Ordnen Sie die Wörter in die Tabelle ein. Stehen sie links oder rechts von *nicht*, wenn *nicht* den ganzen Satz negiert?**

~~mit Mühe~~ • gestern • sich • letzten Sommer • ihr • meiner Frau • ungern • um die Kinder (kümmern) • oben • zu Hause • Klavier (spielen) • das Klavier • wegen der Nachbarn • trotz der Kälte • spazieren (gehen) • mit Liebe • aus Liebe • den Herrn • manchmal

links von *nicht*						**rechts von *nicht***		
Pronomen	Dativobjekt	Akkusativobjekt	temporal	kausal		modal	lokal	Verbgefährte
					nicht	*mit Mühe*		

2 AM MORGEN. Negieren Sie den ganzen Satz. Wo steht *nicht*?

1 Ich konnte heute um 7.00 Uhr *nicht* aus dem Bett kommen.

2 Ich bin zehn Minuten später ins Bad gegangen.

3 Ich habe um 8.00 Uhr in der Küche gefrühstückt.

4 Ich bin danach aus dem Haus gegangen.

5 Ich bin kurz darauf in den Zug eingestiegen.

6 Ich bin um 9.00 Uhr im Büro angekommen.

7 Mein Chef hat sich an diesem Morgen gefreut.

3 FEHLERSÄTZE – KEINE ZEIT. Korrigieren Sie die Position von *nicht*.

teka-*nicht*-molo

1 An diesem Sonntag konnte Stefan Sport (nicht) treiben.

2 Er konnte auch spazieren nicht gehen.

3 Er will so faul nicht sein.

4 Deshalb konnte er sich von der Arbeit nicht erholen.

5 Er war nicht den ganzen Tag damit zufrieden.

6 Aber nächsten Sonntag will er auf seinen Sport nicht verzichten.

4 Negieren Sie den ganzen Satz. Wo steht *nicht*?

1 Er versteht mich *nicht*.

2 Er versteht mich gut.

3 Ich kann heute Abend kommen.

4 Sie geht auf den Balkon.

5 Wir gehen gerne ins Museum.

6 Er wollte seiner kleinen Schwester den Teddy schenken.

7 Sie passt diesen Dienstag am Abend auf die Tochter ihrer Nachbarin auf.

8 Er möchte in diesem Sommer im Urlaub surfen gehen.

9 Sie verabredet sich heute im Café.

10 Die Prüfungen konnten letztes Jahr im Institut abgehalten werden.

11 Ich kenne den neuen Kollegen.

5 EWIGE LIEBE. Teilnegation. Ergänzen Sie die Satzteile aus dem Kasten.

eine andere • er • ein paar Mal • der anderen • weil sie so schön war • eine schöne Zeit

1 Er hat das Mädchen nicht oft getroffen, sondern ______________________.

2 Er hat ihr nicht ewige Liebe versprochen, sondern ______________________.

3 Er hat nicht sie geliebt, sondern ______________________.

4 Er hat nicht ihr den Ring geschenkt, sondern ______________________.

5 Er hat sie nicht wegen ihres Geldes geliebt, sondern ______________________.

6 Nicht sie war glücklich, sondern ______________________.

Position von *auch* und Fokuspartikeln

Gehst du morgen auch ins Kino?

Sprechtraining 7

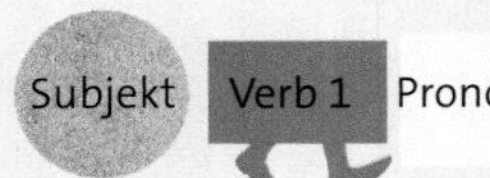

Pronomen

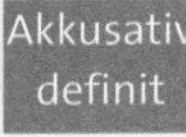

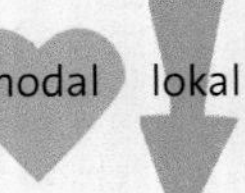

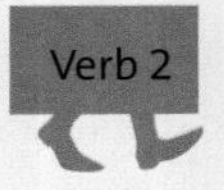

1. Wenn sich das *auch* auf den ganzen Satz bezieht, hat es dieselbe Position wie *nicht* bzw. steht direkt vor dem *nicht*.

Ich	konnte	meinen Vater	gestern	dank deiner Hilfe	auch	pünktlich	am Bahnhof	abholen.
Subjekt	**Verb 1**	**Akkusativ**	**temporal**	**kausal**	**auch**	**modal**	**lokal**	**Verb 2**

Ich	kann	mich	heute	auch	nicht	um den Kollegen	kümmern.
Subjekt	**Verb 1**	**Pronomen**	**temporal**	**auch**	**nicht**	**Information direkt zum Verb = Verbgefährte**	**Verb 2**

2. Hervorheben eines Satzteils (Fokuspartikel)

Das Wort *auch* als Fokuspartikel steht direkt vor dem Satzteil, den es hervorhebt. Der Satzteil nach *auch* wird betont gesprochen:

Auch ich schenke dir dieses Jahr Blumen zum Geburtstag (nicht nur er).

Ich schenke auch dir dieses Jahr Blumen zum Geburtstag (nicht nur ihm).

Ich schenke dir auch dieses Jahr Blumen zum Geburtstag (nicht nur letztes Jahr).

Ich schenke dir dieses Jahr auch Blumen zum Geburtstag (nicht nur Pralinen).

Ich schenke dir dieses Jahr Blumen auch zum Geburtstag (nicht nur zum Hochzeitstag).

Auf dieser Position stehen auch andere Fokuspartikeln:

1. ebenfalls, ebenso, gleichfalls	*Seine Eltern sind ebenfalls gekommen.*	= nicht nur meine Eltern
2. nur, bloß, lediglich, allein, ausschließlich, einzig	*Heute konnte ich lediglich eine Aufgabe fertig machen.*	= diese eine, die anderen nicht
3. sogar, selbst, nicht einmal	*Heute hat sogar meine Schwester geholfen.*	= sie hat überraschenderweise auch geholfen
4. gerade, genau, eben, ausgerechnet, insbesondere	*Dass gerade er gekommen ist, hat mich überrascht.*	= dieser eine ist etwas Besonderes, ist besonders wichtig

Das Wort *auch* und die anderen Fokuspartikeln können nicht alleine auf Position 1 stehen.

Das Wort *auch* als Modalpartikel ► Kapitel 81

1 Ordnen Sie die Wörter in die Tabelle ein. Stehen sie links oder rechts von *auch*, wenn sich *auch* auf den ganzen Satz bezieht?

zum Geburtstag (gratulieren) • nicht mehr • höflich • letzte Woche • zu Hause • wegen des Staus • Musik (hören) • noch nie • mit dem Auto • in ihrem Büro • ~~morgen~~ • eine Rolle (spielen) • aufgrund von Krankheiten • nachts

temporal	kausal		nicht	modal	lokal	Verbgefährte
morgen		auch				

2 HEUTE WAR ES GENAU WIE GESTERN. Schreiben Sie die Sätze und ergänzen Sie *auch*, sodass es sich auf den ganzen Satz bezieht.

1 Ich bin gestern ohne Wecker aufgewacht.
2 Ich bin gestern mit meinem Hund spazieren gegangen.
3 Ich habe gestern Musik gehört.
4 Wir sind gestern ins Kino gegangen.
5 Wir mussten gestern wegen der vielen Leute lange Schlange stehen.
6 Der Film hat uns gestern nicht so gut gefallen.

1 Ich bin heute auch ohne Wecker aufgewacht.

3 Ordnen Sie die Sätze. Das Wort *auch* soll sich auf den ganzen Satz beziehen.

1 ein • setzen • Roboter • Ingenieure • auch • gerne • für gefährliche Aufgaben • .
2 eine große Rolle • auch • Moderne Technik • spielt • bei jungen Leuten • .
3 immer selbstständiger • In der Zukunft • handeln • werden • Roboter • auch • .
4 Einige Menschen • befürchten • große Nachteile • auch • durch den Einsatz von Robotern.
5 schon jetzt • eingesetzt • in Krankenhäusern • Roboter • werden • auch • .
6 mit selbstfahrenden Autos und Bussen • Einige Länder • experimentieren • auch • .

4 Stellen Sie *auch* an verschiedene Positionen im Satz und schreiben Sie eine passende Ergänzung.

1 Mein Kollege hat heute im Seminar eine Präsentation gehalten.
2 Mein Zug hält wegen des Unwetters in Butzbach.
3 In der Kantine habe ich beim Kaffeetrinken viele alte Freunde getroffen.

1 Auch mein Kollege hat heute im Seminar eine Präsentation gehalten, (nicht nur ich). Mein Kollege hat auch heute … (…)

5 Setzen Sie *auch* als Fokuspartikel jeweils im zweiten Satz ein.

1 Beim Joggen reicht eine gute Lauftechnik nicht aus. Man braucht dabei *auch* viel Ausdauer.
2 Im Leistungssport kann man nicht immer gewinnen. Man muss in der Lage sein, mit Niederlagen umzugehen. *(2 Möglichkeiten)*
3 Viele Leistungssportler und Leistungssportlerinnen können von ihrem Sport nicht leben. Sie müssen deshalb oft in einem Brotberuf arbeiten.
4 Freizeitsportler und -sportlerinnen orientieren sich an den Profis. Sie kaufen sich gerne eine teure professionelle Ausrüstung.
5 Trendsportarten sieht man im Fernsehen, in der Werbung und im Internet. Viele Jugendliche interessieren sich deshalb für diese Sportarten.
6 Sport und Bewegung sind für die körperliche Gesundheit von großer Bedeutung. Für die geistige Fitness spielen sie eine Rolle.

6 Ergänzen Sie die Fokuspartikeln.

ausgerechnet • bloß • ebenfalls • sogar

1 Unglaublich! Auf der Party von unseren neuen Freunden war eine Superstimmung. ________ mein Mann hat getanzt.
2 Wir fanden es nett, dass sie uns eingeladen haben, und zu unserer nächsten Party wollen wir sie ________ einladen.
3 Wir wollen auf jeden Fall eine Party machen. Wir können uns ________ nicht entscheiden, wann.
4 Wir haben die Party am 28. August gefeiert. Aber wir hatten wirklich Pech. Den ganzen August über war super Wetter. Aber ________ am 28. hat es geregnet!

Informationsverteilung im Satz

Den Ring zeigt sie einem Freund

neue Informationen

1. Neue und bekannte Informationen: Objekte mit definitem und indefinitem Artikel

	Position 1	Verb 1	bekannte Infos	tekamolo	neue Infos	Verb 2
Verb mit einem Objekt	Sie	möchte	**den** Saft / **ihren** Saft	jetzt gleich im Supermarkt		trinken.
	Sie	möchte		jetzt gleich im Supermarkt	**einen** Saft	trinken.
Verb mit zwei Objekten	Der Kellner	serviert	**dem** Gast	sofort	**einen** Kaffee.	
	Der Kellner	serviert	**dem** Gast	sofort	**den** Kaffee.	
	Der Kellner	serviert	**den** Kaffee	sofort	**einem** Gast.	

Die wichtigste Information steht im deutschen Satz meist rechts.
Das sind in der Regel die neuen Informationen. Diese werden mit dem indefiniten Artikel eingeführt ► Kapitel 48.
Bekannte Informationen haben meist den definiten Artikel. Sie stehen links von tekamolo ► Kapitel 4.

2. Betonung: Satzteile auf Position 1

	Position 1	Verb 1		Verb 2	
temporale Angabe	Am Dienstag	bin	ich in die Stadt	gegangen.	Zeitangaben stehen häufig auf Position 1. Der Text bekommt eine zeitliche Struktur.
lokale Angabe	In der Stadt	habe	ich Schuhe	gekauft.	Wenn Lokalangaben auf Position 1 stehen, hat der Text eine räumliche Struktur.
andere Satzteile auf Position 1	Schuhe	habe	ich in der Stadt	gekauft.	Man kann die meisten Satzteile auf Position 1 stellen. Sie werden dadurch stark betont.*
	Gründlich aufgeräumt	habe	ich den ganzen Abend.		
	Tanzen	will	ich heute nicht.		
	Glücklich	war	ich nicht.		
	Obwohl er wenig Zeit hat,	hat	er mir	geholfen.	
	Freuen	tue	ich mich nicht darüber.		Wenn das Verb auf Position 1 steht, ergänzt man auf Position 2 *tun*. Das ist nur im Mündlichen möglich.

* Häufig sind es aber sehr ungewöhnliche Positionen, die Sie, wenn Sie sich nicht ganz sicher sind, lieber vermeiden sollten.

3. Nicht möglich auf Position 1
- *nicht, überhaupt nicht, gar nicht*
- Reflexivpronomen
- *es* im Akkusativ ► Kapitel 77
- alleinstehende Fokus- und Modalpartikeln *(besonders, sogar, auch)*
- fast alle trennbaren Präfixe

1 Definiter oder indefiniter Artikel? Streichen Sie die falschen Artikel.
Ich habe vor einer Woche *einen/den* Mantel gekauft. Ich habe *einen/den* Mantel *einer/der* Freundin geliehen. *Eine/Die* Freundin hat *einen/den* Fleck draufgemacht. Ich habe *einen/den* Mantel zu einer Reinigung gebracht. Nach drei Tagen habe ich in *einer/der* Reinigung *einen/den* falschen Mantel zurückbekommen.

2 **Neue Informationen. Objekte mit indefinitem Artikel. Ordnen Sie die Sätze.**

1 essen • einen Salat • zum Mittagessen • heute • Wir • .
2 gerne • Ich • jetzt • einen Tee • würde • trinken • .
3 Könntest • eine Packung Kaffee • du • aus dem Supermarkt • mitbringen • heute • ?
4 habe • einem Kollegen • Ich • geholfen • vor dem Mittagessen • .
5 dieses Jahr • wird • Die Firma • neue Bildschirme für alle Angestellten • anschaffen • .
6 wegen des Stromausfalls • gibt • heute • Es • keinen Kaffee • .

3 **Bekannte und neue Informationen. Ordnen Sie die Sätze.**

indefinit rechts

1 letzte Woche • einen Ring • Er • seiner Freundin • hat • geschenkt • .
2 einen Kuss • Sie • dem Freund • hat • gegeben • .
3 zum Geburtstag • haben • geschenkt • der Kollegin • Sie • eine Schachtel Pralinen • .
4 einer Freundin • Die Kollegin • die Pralinen • weitergegeben • hat • .
5 eine spannende Geschichte • erzählte • Die alte Dame • den Kindern im Kindergarten • jeden Freitag • .
6 vielen Kindern • Sie • die Geschichten • erzählte • in den letzten Jahren • .

4 **Antworten Sie überrascht und stellen Sie den unterstrichenen Satzteil auf Position 1.**

1 Hast du den Chef schon gesehen?
Den Chef? *Nein, den Chef habe ich noch nicht gesehen.* Ich suche ihn auch.

2 Kommt Lisa nach Frankfurt?
Nach Frankfurt? Nein, ______________________________. Sie fährt heute nach Hamburg.

3 Gehört die Tasche der Chefin?
Der Chefin? Nein, ______________________________. Sie hat eine braune Tasche.

4 Hast du die Notizen geschrieben?
Geschrieben? Nein, ______________________________. Das mache ich nur mündlich.

5 Hast du im August Urlaub?
Im August? Nein, ______________________________. Da ist in der Firma zu viel zu tun.

5 a) **Welche Satzteile kann man auf Position 1 stellen? Markieren Sie die Satzteile.**

1 Ich mag die Filme mit Sibel Kekilli sehr gern.
2 Ich schminke mich jeden Morgen noch schnell im Fahrstuhl.
3 Ich kann es leider nicht genau erkennen.
4 Ich komme mal am Wochenende.
5 Er hat heute sogar seiner Schwester beim Umzug geholfen.
6 Er hat mir lediglich mit einem Kopfschütteln geantwortet.
7 Die Kollegen haben sich heute überhaupt nicht über die Besprechung in der Mittagspause geärgert.

b) **Sprechen Sie die Sätze laut und betonen Sie den Satzteil auf Position 1.**

6 **Setzen Sie den unterstrichenen Satzteil auf Position 1.**

1 Ich schlafe heute nicht. Es ist alles zu aufregend.
2 Sie musste ihr Leben lang nicht arbeiten. Sie war stinkreich.
3 Wir haben viel gesehen. Aber leider war die Reise extrem anstrengend.
4 Das Kind weint nicht. Aber man sieht, wie traurig es ist.

Partnerseite 1: Wortpositionen

Partner/-in A

B2

1 ERÖFFNUNG DER NEUEN KANTINE – GEMEINSAM EINE REDE HALTEN
Lesen Sie die Rede zu zweit. Sie sprechen die orangefarbenen Wörter als korrekten Satz, die/der andere kontrolliert. Dann spricht der/die andere und Sie kontrollieren mit den grauen Lösungssätzen.

Lesen Sie anschließend die Rede noch einmal zu zweit. Achten Sie darauf, dass die Rede flüssig und gut betont ist.

Sehr geehrte Damen und Herren, liebe Kolleginnen und Kollegen, ...

„ • Essen • Leib und Seele • zusammen • hält • “
Das sagt ein deutsches Sprichwort.
Ein gutes Essen in angenehmer Atmosphäre • die Gesundheit und das Wohlbefinden • stärkt • .
Deshalb freue ich mich ganz besonders, heute unsere neu renovierte Kantine *(heute)* zu eröffnen.
Ich • entspannte Stunden • in geselliger Runde • in unserer neuen Location • wünsche • allen Mitarbeiterinnen und Mitarbeitern • .
Und ich hoffe, dass die innovative Architektur dazu beiträgt.
Aber • haben • wir • nicht nur • renoviert • die Räume • .
In den letzten Jahren haben Sie immer wieder deutlich gemacht, dass Sie Wert auf gute Produkte legen. / ... dass Sie auf gute Produkte Wert legen.
Sie • trotz der leicht höheren Preise • für biologische Produkte • haben • mit großer Mehrheit • sich • entschieden • .
„Der Mensch ist, was er isst.“
von unserem Küchenchef • gewählt • Dieses Zitat des deutschen Philosophen Ludwig Feuerbach • wurde • zu seinem Motto • .
Er verwendet viele Bioprodukte und Produkte aus unserer Region.
Die regionalen Produkte • besonders frisch • sind • und • eine gute Ökobilanz • wegen der kurzen Transportwege • haben • .
So werden die regionalen Betriebe unterstützt, die Umwelt wird geschont und wir bekommen ein Mittagessen von höchster Qualität.
ich • Deshalb • heute • möchte • anstoßen • mit Ihnen • auf die Neueröffnung der Kantine • .
Ich wünsche uns allen einen guten Appetit.

2 EINE FEIER. Position von *nicht*. Negieren Sie die orangefarbenen Sätze. Sprechen Sie *nicht* an der richtigen Position. Ihre Partnerin / Ihr Partner kontrolliert. Ihre Partnerin / Ihr Partner spricht die grauen Sätze. Sie kontrollieren: Die korrekte Position von *nicht* ist durch ein graues Kästchen (▮) markiert.

1 Ich koche.
2 Ich koche heute ▮.
3 Ich koche heute für meine Kollegen.
4 Ich koche heute ▮ im Büro.
5 Ich habe auch gestern gekocht.
6 Ich kaufe jetzt ▮ ein.
7 Ich koche gern.
8 Ich koche das Huhn ▮.
9 Ich koche meinen Kollegen das Huhn.
10 Ich freue mich ▮ auf das Kochen.
11 Ich koche heute trotz der Feier.
12 Ich habe meinen Kollegen ▮ angerufen.
13 Mein Kollege kann Cello spielen.
14 Ich habe ihm das ▮ geglaubt.
15 Ich kann auch gut Cello spielen.
16 Ich freue mich ▮ auf die Musik heute Mittag.
17 Unser Chef kann heute kommen.
18 Ich habe ihm wegen seiner Krankheit ▮ Bescheid gesagt.
19 Interessieren Sie sich für Cello-Musik und Essen?
20 Kennen Sie Casals ▮ ?
21 Ich erinnere mich an sein Konzert vor zehn Jahren.
22 Ich kann Ihnen die Biografie ▮ leihen.
23 Ich habe meiner Schwester die Biografie geschenkt.
24 Ich gehe ▮ gern in klassische Konzerte.

Sie trainieren alleine? Arbeiten Sie mit 8, 9

Partnerseite 1: Wortpositionen

Partner/-in B

1 ERÖFFNUNG DER NEUEN KANTINE – GEMEINSAM EINE REDE HALTEN.
Lesen Sie die Rede zu zweit. Ihre Partnerin / Ihr Partner spricht und Sie kontrollieren mit den grauen Lösungssätzen. Dann sprechen Sie die türkisen Wörter als korrekten Satz. Der/Die andere kontrolliert.

Lesen Sie anschließend die Rede noch einmal zu zweit. Achten Sie darauf, dass die Rede flüssig und gut betont ist.

Sehr geehrte Damen und Herren, liebe Kolleginnen und Kollegen, ...

„Essen hält Leib und Seele zusammen."
Das • ein deutsches Sprichwort • sagt • .
Ein gutes Essen in angenehmer Atmosphäre stärkt die Gesundheit und das Wohlbefinden.
Deshalb • mich • freue • ich • ganz besonders • , • zu eröffnen • heute • unsere neu renovierte Kantine • .
Ich wünsche allen Mitarbeiterinnen und Mitarbeitern entspannte Stunden in geselliger Runde in unserer neuen Location. / in geselliger Runde entspannte Stunden in unserer neuen Location.
Und • hoffe • ich • , • dass • dazu • beiträgt • die innovative Architektur • .
Aber wir haben nicht nur die Räume renoviert.
In den letzten Jahren • Sie • deutlich • immer wieder • haben • gemacht • , • dass • legen • Wert • Sie • auf gute Produkte • .
Sie haben sich trotz der leicht höheren Preise mit großer Mehrheit für biologische Produkte entschieden.
„Der Mensch • ist • , • was • isst • er • ."
Dieses Zitat des deutschen Philosophen Ludwig Feuerbach wurde von unserem Küchenchef zu seinem Motto gewählt.
Er • viele Bioprodukte • verwendet • und • Produkte aus unserer Region • .
Die regionalen Produkte sind besonders frisch und haben wegen der kurzen Transportwege eine gute Ökobilanz.
So • die regionalen Betriebe • werden • unterstützt • , • geschont • die Umwelt • wird • und • bekommen • ein Mittagessen von höchster Qualität • wir • .
Deshalb möchte ich heute mit Ihnen auf die Neueröffnung der Kantine anstoßen.
Ich • einen guten Appetit • wünsche • uns allen • .

2 EINE FEIER. Position von *nicht*. Ihre Partnerin / Ihr Partner spricht die grauen Sätze. Sie kontrollieren: Die korrekte Position von *nicht* ist durch ein graues Kästchen (▮) markiert. Dann negieren Sie die türkisen Sätze. Sprechen Sie *nicht* an der richtigen Position. Ihre Partnerin / Ihr Partner kontrolliert.

1 Ich koche ▮.
2 Ich koche heute.
3 Ich koche heute ▮ für meine Kollegen.
4 Ich koche heute im Büro.
5 Ich habe auch gestern ▮ gekocht.
6 Ich kaufe jetzt ein.
7 Ich koche ▮ gern.
8 Ich koche das Huhn.
9 Ich koche meinen Kollegen das Huhn ▮.
10 Ich freue mich auf das Kochen.
11 Ich koche heute trotz der Feier ▮.
12 Ich habe meinen Kollegen angerufen.
13 Mein Kollege kann ▮ Cello spielen.
14 Ich habe ihm das geglaubt.
15 Ich kann auch ▮ gut Cello spielen.
16 Ich freue mich auf die Musik heute Mittag.
17 Unser Chef kann heute ▮ kommen.
18 Ich habe ihm wegen seiner Krankheit Bescheid gesagt.
19 Interessieren Sie sich ▮ für Cello-Musik und Essen?
20 Kennen Sie Casals?
21 Ich erinnere mich ▮ an sein Konzert vor zehn Jahren.
22 Ich kann Ihnen die Biografie leihen.
23 Ich habe meiner Schwester die Biografie ▮ geschenkt.
24 Ich gehe gern in klassische Konzerte.

9 Konjunktiv 2 der Gegenwart: Formen

B2

Wenn ich einen Zauberstab hätte, würde ich ...

Wenn ich einen Zauberstab hätte ...
... würde ich nie mehr arbeiten.
... könnte ich in der Hängematte liegen bleiben.
... wäre ich glücklich

	Position 2 würd-		Ende Infinitiv	
Ich	**würde**	in der Hängematte liegen	**bleiben,**	wenn ...
Ich	**würde**	nie mehr	**arbeiten,**	wenn ...

werden
würde
würdest
würde
würden
würdet
würden

Den Konjunktiv 2 für die meisten Verben bildet man mit ***würde-*** + **Infinitiv.**

1. Spezielle Konjunktivform bei *sein, haben* und den Modalverben

	sein	haben	können	müssen	dürfen	wollen	sollen
ich	wäre	hätte	könnte	müsste	dürfte	wollte	sollte
du	wär(e)st*	hättest	könntest	müsstest	dürftest	wolltest	solltest
er, es, sie, man	wäre	hätte	könnte	müsste	dürfte	wollte	sollte
wir	wären	hätten	könnten	müssten	dürften	wollten	sollten
ihr	wär(e)t*	hättet	könntet	müsstet	dürftet	wolltet	solltet
sie, Sie	wären	hätten	könnten	müssten	dürften	wollten	sollten

* Das *e* kann in der 2. Person Singular und Plural entfallen: *du wärest* oder *du wärst.*

Bei *sein, haben* und den Modalverben verwendet man die alte Konjunktivform des Verbs. Die alte Konjunktivform der Verben wird vom Präteritum abgeleitet:
Präteritumstamm + Konjunktivendung (+ Umlaut)

war → wäre
hatte → hätte
konnte → könnte
kam → käme

Auch bei einigen frequenten Verben kann man die Konjunktivform des Verbs verwenden: *es ginge, es gäbe, ich fände es gut, wenn ... , ich bräuchte, ich wüsste, das ließe sich machen, das käme darauf an, er bliebe, das sähe gut aus, er käme schon zurecht ...*

Die anderen alten Konjunktivformen findet man in der Literatur. Sie müssen sie erkennen, aber nicht benutzen können.

2. Passiv im Konjunktiv

würde + **Partizip II**

Das Buch ***würde bestellt,***
*wenn die Software **funktionieren würde**.*

1 Schreiben Sie *wenn*-Sätze im Konjunktiv 2 mit *würde*.

1 er • Geld haben / er • umziehen
2 sie • ins Ausland gehen / sie • ihren Freund selten sehen
3 ich • mich um den Job bewerben / ich • eine Chance haben
4 du • Zeit haben / ich • gerne mit dir ins Kino gehen
5 wir • schneller laufen / wir • rechtzeitig kommen
6 er • ins Café mitkommen / sie • sich freuen

1 Wenn er Geld hätte, würde er umziehen.

2 TRÄUMEREIEN. Ergänzen Sie den Konjunktiv 2.

Ich sitze im Büro am Computer und träume. Ich stelle mir vor, ich *wäre* (sein) ein Astronaut – [1], dann *würde* (fliegen) ich jetzt vielleicht zum Mars *fliegen* [2]. Ich ______ (aufstehen müssen) nicht morgens früh ______ [3] und zur Arbeit gehen. Meine Kollegen ______ (erledigen) die Arbeit für mich ______ [4]. Das ______ (sein) natürlich stressig für sie ______ [5], weil sie zu viel Arbeit ______ [6] (haben). Vielleicht ______ (nehmen) ich einen Laptop mit in das Raumschiff ______ [7], damit meine Kollegen nicht zu viel Stress ______ [8] (haben). Ich weiß nicht, ob ich ganz alleine zum Mars ______ ______ [9] (fliegen dürfen), aber das ______ (sein) mein Wunsch ______ [10]. Dann ______ (sein) ich ganz alleine in den Weiten des Weltalls ______ [11]. Ich ______ (sehen) die Erde und den Mond ganz weit entfernt ______ [12], sie ______ (sein) ganz klein ______ [13]. Ich ______ (haben) alle Zeit der Welt ______ [14] und ______ (träumen können) Tag und Nacht ______ [15]. Aber vielleicht ______ (sein) ich einsam ______ [16]. Dann ______ (vorstellen) ich mir ______ [17], dass ich im Büro ______ [18] (sein) und meine netten Kollegen ______ (sein) da ______ [19] ...

3 Streichen Sie die Formen, die man normalerweise nicht verwendet. Manchmal sind beide Formen möglich.

1 So kurz vor der Prüfung in den Club gehen? Das *machte ich nicht / würde ich nicht machen.*
2 Wenn sie *wüssten / wissen würden,* wie günstig die Schuhe hier sind, dann *kauften sie gleich drei Paar / würden sie gleich drei Paar kaufen.*
3 Sie singt toll. Ich würde mich freuen, wenn sie das Lied noch einmal *sänge / singen würde.*
4 Ein Roboter, den man an seiner Stelle zu einer Prüfung schicken könnte? Wenn es das *gäbe / geben würde,* dann *versuchten es alle / würden es alle versuchen.*
5 Stell dir mal vor, wenn du dieses Kleid *trügest / tragen würdest* – das *sähe super aus / würde super aussehen.*
6 Vielleicht können wir den Porsche von meinem Bruder nehmen? – Oh, wenn das *ginge / gehen würde,* das *wäre eine Traumhochzeit / würde eine Traumhochzeit sein.*

4 Passiv. Schreiben Sie die Sätze im Konjunktiv 2.

1 Wenn die Computer nicht dauernd abstürzen würden, ... *(die E-Mails • schneller beantwortet werden)*
2 Die Werbeanzeige ist viel zu klein. Wenn sie größer wäre, ... *(sie • besser gesehen werden)*
3 Wenn diese Artikel nicht so billig wären, ... *(sie • nicht so viel verkauft werden)*
4 Die App ist zu teuer. Wenn wir sie günstiger anbieten würden, ... *(sie • mehr gekauft werden)*

5 DIE ROSE. Wie würde man es moderner sagen? Formulieren Sie die unterstrichenen Formen in den Konjunktiv 2 mit *würde* um.

Ach hätte die Rose Flügel,
<u>sie flöge hinüber zu dir</u>,
<u>und brächte dir tausend Grüße</u>,
und du wüsstest, <u>sie kämen von mir</u>.

O könnte die Rose singen,
<u>ich sendete sie an dich</u>,
<u>und sie sänge dir dieses Liedchen</u>,
<u>und du dächtest dabei an mich</u>.

(Rhingulf Eduard Wegener)

10 Konjunktiv 2 der Vergangenheit: Formen

Wäre ich doch zu Hause geblieben!

Hätte ich doch den Hammer mitgenommen! Oder wäre ich doch zu Hause geblieben!

Konjunktiv 2 Vergangenheit: konjugierte Form von ***wäre*** oder ***hätte*** **+ Partizip II:**

Infinitiv	Indikativ Vergangenheit	Konjunktiv Vergangenheit
arbeiten	Ich arbeitete. Ich habe gearbeitet. Ich hatte gearbeitet.	Ich **hätte gearbeitet**.
gehen	Ich ging. Ich bin gegangen. Ich war gegangen.	Ich **wäre gegangen**.
sein	Ich war einsam. Ich bin einsam gewesen. Ich war einsam gewesen.	Ich **wäre** einsam **gewesen**.
haben	Ich hatte Angst. Ich habe Angst gehabt. Ich hatte Angst gehabt.	Ich **hätte** Angst **gehabt**.
arbeiten müssen	Ich musste arbeiten. Ich habe arbeiten müssen. Ich hatte arbeiten müssen.	Ich **hätte arbeiten müssen**.
C1 gebracht werden	Das Paket wurde gebracht. Das Paket ist gebracht worden. Das Paket war gebracht worden.	Das Paket **wäre gebracht worden**.
C1 gebracht werden müssen	Das Paket musste gebracht werden. Das Paket hat gebracht werden müssen. Das Paket hatte gebracht werden müssen.	Das Paket **hätte gebracht werden müssen**.

Im Konjunktiv gibt es nur eine Vergangenheitsform.

C1 Im Nebensatz steht das konjugierte Verb vor den Infinitiven.
*Sie sind ärgerlich, weil er **hätte** kommen sollen. Ich denke, dass das Paket **hätte** gebracht werden müssen.*

B2 **1 Bilden Sie den Konjunktiv Gegenwart und den Konjunktiv Vergangenheit.**

	Konjunktiv 2 Gegenwart	Konjunktiv 2 Vergangenheit
fahren • er	*er würde fahren*	*er wäre gefahren*
kaufen • wir		
sein • ich		
haben • sie (Pl.)		
tanzen können • sie (Sg.)		
C1 genutzt werden • es		
C1 verkauft werden sollen • sie (Pl.)		

B2

2 a) Formen ohne Modalverben. Formen Sie um in den Konjunktiv 2 Vergangenheit.

1 er ist gegangen
2 wir haben gegessen
3 sie kamen
4 ich war
5 du bist geblieben
6 wir hatten
7 ihr seid gewesen
8 er hat gebraucht
9 es ging nicht
10 sie haben gesehen

b) Formen mit Modalverben. Formen Sie um in den Konjunktiv 2 Vergangenheit.

1 sie wollte fahren
2 er hatte vergessen wollen
3 wir mussten arbeiten
4 wir konnten es benutzen
5 sie haben es wissen müssen
6 ich hatte es nicht machen können
7 du solltest kommen
8 es musste geben
9 wir konnten tanzen

B2

3 EIN KATASTROPHENURLAUB. Konjunktiv 2, Gegenwart oder Vergangenheit? Ergänzen Sie die richtige Form von *wäre-*, *würde-* oder *hätte-*.

Liebe Lea,

unser Urlaub war eine reine Katastrophe. Alles *wäre* gut gewesen, wenn wir nicht fünf Stunden im Stau gestanden ____ [1]. Dann ____ [2] wir nicht so hetzen müssen und ____ [3] nicht so spät am Hafen angekommen. Und wenn das Schiffspersonal nicht gestreikt ____ [4], ____ [5] wir auf die Insel fahren können. Wir hatten kein Hotel und saßen frierend im Auto. Was ____ [6] du an unserer Stelle getan? ____ [7] du geblieben oder zurückgefahren? Wir sind geblieben und haben es bereut. Schlechtes Essen, mieses Wetter, nichts los. Ach, ____ [8] wir doch eine Radtour gemacht! Dann ____ [9] wir jetzt gemütlich unterwegs. Wir ____ [10] vielleicht schon bis Berlin gekommen und ____ [11] jetzt in einem netten Hostel übernachten. Und morgen ____ [12] wir das Nachtleben von Berlin genießen. Ich hoffe, dir geht es besser. Ich ____ [13] mich freuen, wenn du mir sehr bald schreiben ____ [14]!

Liebe Grüße
Anton

B2

4 Konjunktiv 2 Gegenwart und Vergangenheit? Ergänzen Sie die Sätze.

1 a) Ich hatte während meines Studiums nicht viel Geld. Wenn ich damals ... *(Geld haben • große Reisen machen)*
b) Jetzt habe ich kaum Zeit. Wenn ich ... *(vier Wochen Urlaub bekommen • eine Weltreise machen)*

2 a) Was willst du auf der Party anziehen? ... *(du • gestern • das tolle Kleid • kaufen sollen)*
b) Wenn du meine Größe hättest, ... *(du • ein Kleid von mir • morgen • anziehen können)*

3 a) Ich habe im Moment keine Zeit. Sonst ... *(ich • joggen gehen)*
b) Gestern musste ich länger arbeiten. Sonst ... *(ich • joggen gehen)*

C1

5 a) Bilden Sie die Formen im Passiv Konjunktiv 2 in der Vergangenheit.

1 eröffnet werden können *(die Oper)*
2 gefunden werden müssen *(die Fehler im Programm)*
3 besser erledigt werden *(die Arbeit)*

A nicht gestört werden *(der Programmierer)*
B entlassen werden *(nicht so viele Angestelle)*
C auf der Baustelle nicht so oft gestreikt werden

b) Was passt zusammen? Ordnen Sie zu und schreiben Sie Sätze aus 5a wie im Beispiel. Achten Sie auf die Verbposition im Nebensatz.

1 – C: Ich denke, dass die Oper hätte eröffnet werden können, wenn auf der Baustelle nicht so oft gestreikt worden wäre.

11 Höflichkeit, Vorschläge, Ratschläge und Vorwürfe

Sprechtraining 10

Würden Sie bitte das Fenster schließen?

Funktion	Beispiel	Bemerkung
Höflichkeit	***Könnten*** *Sie mir bitte* ***helfen****?* ***Würden*** *Sie mir bitte* ***erklären*** *...* ***Dürfte*** *ich Sie etwas* ***fragen****?* ***Wären*** *Sie so freundlich, die Kollegen zu fragen?* ***Hätten*** *Sie einen Moment Zeit für mich?*	Häufig in Kombination mit Ausdrücken wie: *Könnten / Würden Sie mir einen Gefallen tun und ...* *Wären Sie so freundlich / nett ...* *Würde es Ihnen etwas ausmachen ...*
Vorschläge in der Vergangenheit meistens ein **Vorwurf / Bedauern**	*Wir* ***könnten*** *ins Kino* ***gehen****.* *Wir* ***hätten*** *ins Kino* ***gehen können****, aber du bist ja zu spät gekommen.*	*können* im Konjunktiv 2 + Infinitiv
Ratschläge in der Vergangenheit meistens ein **Vorwurf / Bedauern**	*Du* ***solltest*** *mehr Sport* ***machen****.* *Wenn ich du* ***wäre****,* ***würde*** *ich das nicht* ***machen****.* *An deiner Stelle* ***würde*** *ich ins Kino* ***gehen****.* *Du* ***hättest*** *Rückengymnastik* ***machen sollen****, dann* ***hättest*** *du jetzt keine Probleme.*	*sollen* im Konjunktiv 2 + Infinitiv *an deiner Stelle* + Konjunktiv 2

1 IN DER FIRMA. Formulieren Sie die Bitten höflicher mit dem Konjunktiv 2.

1 Ich möchte eine Information von Ihnen. *(dürfen)*
2 Bitte schließen Sie das Fenster. *(werden)*
3 Bitte geben Sie mir ein Glas Wasser. *(freundlich sein)*
4 Bitte holen Sie den Kunden vom Flughafen ab. *(etwas ausmachen)*
5 Bitte sagen Sie mir die Internetadresse des Kunden. *(dürfen)*
6 Warten Sie bitte einen Moment draußen. *(werden)*
7 Gib mir die Unterlagen. *(dürfen)*
8 Hilf mir mit dem neuen Programm. *(nett sein)*
9 Bring mir einen Kaffee mit. *(einen Gefallen tun)*
10 Sag den Kollegen Bescheid. *(können)*

> *1 Dürfte ich Sie um eine Information bitten?*

2 NEU IN DÜSSELDORF. Schreiben Sie Vorschläge.

1 Du interessierst dich für klassische Musik? *(in die Konzerthalle gehen)*
2 Du brauchst etwas Bewegung? *(auf den Rheinwiesen Beachvolleyball spielen)*
3 Du möchtest shoppen gehen? *(auf die Königsallee gehen)*
4 Du möchtest am Wochenende einen Ausflug machen? *(Schloss Benrath besichtigen)*

3 a) **RATSCHLÄGE. Was würden Sie an seiner / ihrer Stelle tun? Schreiben Sie Ratschläge im Konjunktiv 2.**

1 Ich kann so schlecht einschlafen. *(abends Yoga machen)*
2 Ich langweile mich so. *(ins Kino gehen)*
3 Mein Bruder kann noch nicht gut Deutsch sprechen. *(einen Sprachkurs besuchen)*
4 Meine Eltern kommen immer zu spät. *(eine App benutzen, die an Termine erinnert)*
5 Ich habe ein attraktives Stellenangebot gesehen. *(unbedingt sich bewerben)*
6 Meine Kollegin nervt manchmal. *(keinen Streit anfangen)*

b) **VORWÜRFE. Da ist etwas schiefgegangen und man kann es nicht mehr ändern. Schreiben Sie Vorwürfe im Konjunktiv 2 Vergangenheit.**

1 Ich konnte gestern Abend schlecht einschlafen. *(gestern Abend Yoga machen)*
2 Ich habe mich am letzten Wochenende so gelangweilt. *(zur Party von Jil gehen)*
3 Mein Bruder hat eine Arbeitsstelle in einer deutschen Firma und kann nicht gut Deutsch. *(vorher einen Sprachkurs besuchen)*
4 Meine Eltern haben gestern wegen eines Staus einen wichtigen Termin verpasst. *(früher losfahren)*
5 Ich habe ein attraktives Stellenangebot gesehen, aber jetzt ist die Bewerbungsfrist abgelaufen. *(sich bewerben)*
6 Seit ich meiner Kollegin mal die Meinung gesagt habe, redet sie nicht mehr mit mir. *(keinen Streit anfangen)*

4 SCHADE, ES GEHT NICHT MEHR. Äußern Sie Bedauern im Konjunktiv 2 Vergangenheit.

1 ______________________________ *(wir • ins Theater gehen können),*
aber leider hast du die Theaterkarten vergessen.

2 ______________________________ *(wir • das Museum besuchen können),*
aber schade, wir haben kein Online-Ticket gekauft. Jetzt ist die Schlange viel zu lang.

3 ______________________________ *(wir • joggen können),*
aber zu dumm, du hast deine Sportschuhe vergessen.

4 ______________________________ *(wir • bei mir schön zusammen kochen können),*
aber ich habe leider nichts im Kühlschrank und die Geschäfte sind schon geschlossen.

5 ______________________________ *(du • mit Angela ins Kino gehen können),*
aber du hast dich ja mit ihr gestritten.

6 ______________________________ *(wir • früher • losgehen sollen),*
denn jetzt verpassen wir wahrscheinlich den Zug.

5 MACHBAR ODER SCHON ZU SPÄT? Ergänzen Sie den Konjunktiv 2 in Gegenwart oder Vergangenheit.

1 An deiner Stelle ______________________________ *(ich • nicht zum Chef gehen).* Die Kollegen und Kolleginnen sind jetzt deshalb ziemlich sauer.

2 An deiner Stelle ______________________________ *(ich • den Computer erst einmal runterfahren).* Wenn das nicht hilft, dann ruf doch den IT-Service.

3 Wenn ich du wäre, ______________________________ *(ich • einen Kaffee trinken).* Bestimmt bist du dann wieder fit.

4 An deiner Stelle ______________________________ *(ich • vorher fragen).* Wenn Paul sieht, dass du seine Tasse benutzt hast, gibt es Ärger.

5 Wenn ich du wäre, ______________________________ *(ich • vorhin in der Mittagspause • nach draußen gehen).* Ab morgen soll es regnen.

6 An deiner Stelle ______________________________ *(ich • den Urlaub • früher beantragen),* denn jetzt ist es zu spät.

Wünsche, irreale Wünsche, irreale Bedingungen

Sprechtraining 11

Wenn ich doch Millionär wäre!

Funktion	Beispiel	Bemerkung
Wünsche	*Ich **würde gerne gewinnen**!* *Ich **hätte gerne gewonnen**.*	immer in Verbindung mit *gerne/lieber/am liebsten*
irreale Wünsche* in der Vergangenheit oft ein Bedauern	*Wenn er **doch gewinnen würde**!* ***Würde** er **bloß gewinnen**!* *Wenn er **bloß** den Lottoschein **abgegeben hätte**!* ***Hätte** er **doch** den Lottoschein **abgegeben**!*	Irreale Wunschsätze werden mit *wenn* eingeleitet oder das Verb steht auf Position 1.** Als irrealer Wunschsatz steht der Nebensatz alleine. Im irrealen Wunschsatz steht immer eine Partikel *(doch, bloß, nur)*.

* Irreale Wünsche haben einen beschwörenden Charakter.

** uneingeleitete Bedingungssätze ▶ Kapitel 65

Funktion	Beispiel	Bemerkung
irreale Bedingungen	***Wenn** ich Geld **hätte, würde** ich eine Weltreise **machen**.* ***Wenn** ich im letzten Jahr Geld **gehabt hätte, hätte** ich eine Weltreise gemacht.*	In Haupt- **und** Nebensatz steht der Konjunktiv 2.
	*Ich hatte letztes Jahr kein Geld. **Sonst hätte** ich eine Weltreise **gemacht**.*	
	***Ohne** sein Geld **hätte** ich keine Weltreise **machen können**.* ***Mit** viel Geld **könnte** ich mir alle Träume **erfüllen**.*	
C1	***Selbst/Auch wenn** ich im letzten Jahr Geld **gehabt hätte**, **hätte** ich keine Weltreise **gemacht**.*	

1 WÜNSCHE FÜR EIN PRAKTIKUM. Schreiben Sie Wünsche mit Konjunktiv 2 Gegenwart und *gerne*.

1 Finn macht ein Praktikum. *(eine Festanstellung haben)*
2 Er macht nur einfache Tätigkeiten. *(interessante Aufgaben bekommen)*
3 Er ist sehr gestresst. *(entspannter sein)*
4 Er bekommt nur wenig Gehalt. *(mehr verdienen)*
5 Er weiß noch nicht, wie es nach dem Praktikum weitergeht. *(wissen, wie ...)*

1 Er hätte gerne eine Festanstellung.

B2

2 a) **VOR DEM GROSSEN BALLABEND. Wünsche für die Gegenwart und Zukunft. Formulieren Sie irreale Wunschsätze im Konjunktiv 2 Gegenwart.**

1 Ich wünsche mir, dass Luca auch zum Ball kommt.
2 Ich wünsche mir, dass gute Tänzer mit mir tanzen.
3 Ich wünsche mir, dass meine Füße in den Tanzschuhen nicht schmerzen.
4 Ich wünsche mir, dass es eine sternenklare Nacht gibt.
5 Ich wünsche mir, dass es heute Abend auch romantische Musik gibt.

> *1 Wenn Luca doch auch zum Ball kommen würde! / Würde Luca doch auch zum Ball kommen!*

b) **NACH DEM GROSSEN BALLABEND. Formulieren Sie irreale Wunschsätze im Konjunktiv 2 Vergangenheit.**

1 Die Musik war grauenhaft. *(nicht so furchtbar sein)*
2 Ich musste immer mit Paul tanzen.
3 Ich hatte keine bequemeren Schuhe mitgebracht.
4 Luca ist erst ganz am Ende gekommen. *(schon am Anfang)*
5 Es hat in Strömen geregnet.

> *1 Wenn die Musik bloß nicht so furchtbar gewesen wäre! / Wäre die Musik ...*

B2

3 TONI UND MAJA IM URLAUB. Was passt zusammen? Ordnen Sie zu und schreiben Sie irreale Bedingungssätze.

1	mehr Urlaub haben	A	der Urlaub wunderbar gewesen sein
2	Geld haben	B	ein Auto mieten können
3	das Wetter morgen gut sein	C	den Urlaub ein paar Tage verlängern
4	nicht alle Papiere verloren haben	D	nicht zur Polizei gegangen sein
5	sich nicht gestritten haben	E	eine Bergtour machen können

> *1-C: Wenn Toni und Maja mehr Urlaub hätten, ...*

B2

4 IM FERIENHAUS. Formulieren Sie die Sätze mit *ohne* oder *mit* im Konjunktiv 2 der Vergangenheit.

1 Gut, dass wir den Schlüssel für das Ferienhaus noch bekommen haben. ... *(wir • im Auto übernachten müssen)*
2 Gut, dass du an den Dosenöffner gedacht hast. ... *(wir • nichts zu essen haben)*
3 Schade, dass wir keinen Badeanzug haben. ... *(wir • uns im See erfrischen können)*
4 Schade, dass wir kein Boot haben. ... *(wir • in das Restaurant auf der anderen Seite des Sees fahren können)*
5 Schade, dass es kein WLAN gibt. ... *(wir • uns einen Film anschauen können)*
6 Gut, dass du mitgekommen bist. ... *(der Urlaub • nicht so schön sein)*

C1

5 Widersprechen Sie. Schreiben Sie Sätze mit *selbst wenn* und *auch wenn*.

1 Wenn alle Autos Winterreifen gehabt hätten, wären sie den Berg hochgekommen.

– Nein, das glaube ich nicht. Selbst wenn ______________________.

2 Wenn du eine halbe Stunde eher losfahren würdest, könntest du die Fähre noch bekommen.

– Nein, es gibt immer einen riesigen Stau auf der A5. Auch wenn ______________________.

3 Wenn du weniger Bücher mitnehmen würdest, könntest du deinen Koffer als Handgepäck aufgeben.

– Nein, der Koffer ist zu groß. Auch wenn ______________________.

4 Wenn du genug Geld dabeigehabt hättest, hättest du im Bordrestaurant essen können.

– Nein, es war viel zu voll. Selbst wenn ______________________.

5 Wenn es beim Start in Berlin keine Verzögerung gegeben hätte, hätte unser Flieger pünktlich in Frankfurt landen können.

– Nein, der Luftraum über Frankfurt war ungewöhnlich voll. Auch wenn ______________________.

13 Irreale Vergleiche und irreale Folgen

Du siehst aus, als ob du müde wärst

Sprechtraining 12, 13

Du siehst aus, als ob du sehr müde wärst.
Du machst den Eindruck, als würdest du einen Kaffee brauchen.
Du bist zu müde, als dass du noch lernen könntest.
Ja, ich fühle mich so, als wenn ich drei Nächte nicht geschlafen hätte.

Funktion	Beispiel		Bemerkung
irreale Vergleiche*	Gegenwart	*Du siehst aus,* ***als ob / als wenn*** *du* ***müde wärst.***	Der Vergleichssatz mit *als ob* oder *als wenn* ist ein Nebensatz. Das Verb steht im Konjunktiv.
	Vergangenheit	*Es scheint,* ***als ob / als wenn*** *du gestern schlecht* ***geschlafen hättest.***	
	Gegenwart	*Du machst den Eindruck,* ***als würdest*** *du einen Kaffee* ***brauchen.***	Der Vergleichssatz mit *als* ist ein Hauptsatz, *als* steht auf Position 1, das konjugierte Verb auf Position 2.
	Vergangenheit	*Du tust so,* ***als hättest*** *du gestern schlecht* ***geschlafen.***	
C1 **irreale Folgen**	Gegenwart	*Er ist viel zu arrogant,* ***als dass*** *er* ***zuhören würde.***	*zu* + Adjektiv im Hauptsatz, Nebensatz mit *als dass* und Konjunktiv 2
	Vergangenheit	*Er war viel zu arrogant,* ***als dass*** *er mir* ***zugehört hätte.***	
C1 **beinahe eingetretene Konsequenzen**		*Er hat so überzeugend geredet. Ich* ***wäre fast*** *auf ihn* ***hereingefallen.***	Konjunktiv 2 Vergangenheit + *beinahe, fast*

* In irrealen Vergleichssätzen kann man auch – wie in der indirekten Rede – den Konjunktiv 1 verwenden. Der Konjunktiv 1 wird meist in der Schriftsprache verwendet: *Der neue Kollege tut so, als sei er der Chef.*

B2 **1** a) **PERSONENBESCHREIBUNGEN. Irreale Vergleiche – Gegenwart. Schreiben Sie Sätze.**

gerne tanzen • müde sein • keine Zeit haben • ein Problem haben • etwas erzählen möchten / wollen

Du siehst aus, als ob ...

Du tust so, als wenn ...

b) **Irreale Vergleiche – Vergangenheit. Schreiben Sie Sätze.**

viel gearbeitet haben • gerade aus dem Urlaub zurückgekommen sein • schlecht geschlafen haben • eine große Chance bekommen haben • sich aufgeregt haben

Sie sieht aus, als ob ... *Sie macht den Eindruck, als wenn ...*

1 c) Irreale Vergleiche – Gegenwart und Vergangenheit. Ergänzen Sie.

1 Sie ist 85. Aber sie sieht aus, als ob ________________. *(60 sein)*

2 Bist du krank? Deine Stimme klingt so, als wenn ________________. *(erkältet sein)*

3 Es ist doch alles in Ordnung. Aber du siehst aus, als ob ________________.
(etwas Schreckliches gesehen)

4 Es kommen doch nur zwei Leute. Du hast so viel gekocht, als wenn ________________
________________. *(eine ganze Fußballmannschaft erwarten)*

5 Du hast noch eine Stunde Zeit. Aber du bist so nervös, als ob ________________
________________. *(der Zug gleich abfahren)*

6 Sie ist so eingebildet. Sie redet so, als ob ________________. *(alles wissen)*

B2

2 AUF DER PRESSEKONFERENZ. Schreiben Sie Sätze mit *als* und Konjunktiv 2.

1 Der Politiker weicht den Fragen aus. Er hat vielleicht etwas zu verbergen.
2 Er redet unbeirrt weiter. Er hört vielleicht die Zwischenrufe nicht.
3 Er verbreitet von sich das Bild. Er hat nichts von der Affäre gewusst.
4 Er wechselt das Thema. Er will sich vielleicht nicht dazu äußern.
5 Er beendet die Pressekonferenz nach wenigen Minuten. Vielleicht rechnet er damit, unangenehme Fragen gestellt zu bekommen.
6 Die Journalisten rufen laut weitere Fragen. Vielleicht haben sie nicht gehört, dass die Pressekonferenz zu Ende ist.

1 Der Politiker weicht den Fragen aus, als hätte er etwas zu verbergen.

B2

3 DIE KRIMINALPOLIZEI ERMITTELT. Schreiben Sie Sätze mit *als* und Konjunktiv 2.

1 Der Tatverdächtige wirkte auf die Polizisten, ... *(neben sich stehen)*
2 Die Wohnung sah aus, ... *(die Bewohner • sie • fluchtartig verlassen haben)*
3 Auf dem Tisch standen drei Tassen, ... *(ein Treffen • stattgefunden haben)*
4 Die Möbel lagen kreuz und quer auf dem Boden, ... *(ein Kampf • stattgefunden haben)*
5 Die Sachen auf dem Dachboden waren so verstaubt, ... *(seit Jahren • kein Mensch • mehr hierhergekommen sein)*
6 Die Polizisten untersuchten die Wohnung gründlich, ... *(damit rechnen, dass • die Beute • hier versteckt sein)*

C1

4 EIN UNANGENEHMER TYP. Irreale Folgen. Formen Sie in Sätze mit *als dass* und Konjunktiv 2 um.

1 Er hört nicht zu, weil er viel zu arrogant ist.
2 Er hat nicht nachgefragt, weil er viel zu schüchtern ist.
3 Er konnte nicht bremsen, weil er zu schnell fuhr.
4 Er hat nicht im Haushalt geholfen, weil er zu bequem war.
5 Er hat keinen Streit gewagt, weil er viel zu ängstlich war.
6 Er wollte mich nicht um Hilfe bitten, weil er zu stolz ist.
7 Er hat sich nicht um das Gerede gekümmert, weil er zu selbstbewusst ist.

⚠ Spezielle Position bei zwei Infinitiven im Nebensatz.
... als dass er sich hätte retten können.

C1

5 NOCH MAL GUT GEGANGEN! Schreiben Sie Sätze mit beinahe eingetretenen Konsequenzen.

1 Ich bin sehr schnell gerannt und habe den Zug gerade noch erreicht. *(verpassen)*
2 Beim Kofferpacken habe ich in letzter Sekunde an meinen Reisepass gedacht. *(vergessen)*
3 Ich habe ein Loch in der Tasche. Aber mein Schlüssel ist zum Glück am Stoff hängen geblieben. *(herausfallen)*
4 Ich habe nicht daran gedacht, dass er es nicht wissen sollte. Aber ich habe glücklicherweise noch den Mund gehalten. *(sich verplappern)*
5 Nach acht Stunden auf der Autobahn wurde ich gegen 3 Uhr sehr müde. Mit großer Willenskraft habe ich mich wach gehalten. *(am Steuer einnicken)*

1 Fast hätte ich den Zug verpasst.

Partnerseite 2: irreale Bedingungen in Gegenwart und Vergangenheit

Partner/-in A

Sie haben einen grauen *Wenn*-Satz mit einer irrealen Bedingung. Sie sagen diesen Satz Ihrer Partnerin / Ihrem Partner NICHT. Sie formulieren aus den orangefarbenen Wörtern Konsequenzen im Konjunktiv 2. Ihre Partnerin / Ihr Partner hat die Lösung und kontrolliert und muss am Ende den grauen *Wenn*-Satz erraten. Dann spricht Ihre Partnerin / Ihr Partner, Sie kontrollieren mit der Lösung in Grau und erraten am Ende den *Wenn*-Satz.

B2 **1 KONJUNKTIV 2 GEGENWART. *WAS WÄRE, WENN ...?* Formulieren Sie Sätze.**

Wenn Tiere sprechen könnten, ...
mehr Menschen • Vegetarier sein
Tiere • im Parlament sitzen
wir • mehr Fremdsprachen lernen müssen
wir • mehr Respekt vor ihnen haben
die Tiere • uns ihre Meinung sagen

Hier kontrollieren Sie Ihre Partnerin / Ihren Partner und erraten dann den *Wenn*-Satz.

Wenn ...., ...
hätte ich wahrscheinlich oft Hunger.
müsste ich angeln und jagen.
wäre ich einsam.
würde ich mich langweilen.
würde ich hoffen, dass ein Schiff kommt / kommen würde.

B2 **2 KONJUNKTIV 2 VERGANGENHEIT. *WAS WÄRE GEWESEN, WENN ...?* Formulieren Sie Sätze.**

Wenn ich mir als Kind die Haare grün gefärbt hätte, ...
ich • Probleme bekommen
ich • am besten nicht mehr nach Hause gehen
meine Eltern • sehr wütend sein
ich • von der Schule geworfen werden
ich • meine Haare sofort anders färben müssen

Hier kontrollieren Sie Ihre Partnerin / Ihren Partner und erraten dann den *Wenn*-Satz.

Wenn ...., ...
hätte ich in einem Palast gelebt.
wäre ich in einem goldenen Pferdewagen gefahren.
hätte ich viele Diener haben können.
wäre ich mit dem König / der Königin verheiratet gewesen.
wäre ich vielleicht bedroht worden.

C1 **3 KONJUNKTIV 2 GEGENWART. *WAS WÄRE, WENN ...?* ODER VERGANGENHEIT. *WAS WÄRE GEWESEN, WENN ...?* Formulieren Sie Sätze.**

Wenn ich gestern geheiratet hätte, ...
ich • heute vielleicht einen neuen Namen haben
ich • gestern eine Party haben
ich • heute sehr müde sein
ich • schon seit Tagen nicht schlafen können
ich • gestern ein Versprechen geben
ich • jetzt eine Hochzeitsreise machen

Hier kontrollieren Sie Ihre Partnerin / Ihren Partner und erraten dann den *Wenn*-Satz.

Wenn ...., ...
wäre ich jetzt Deutsche(r).
wäre ich früher in einer deutschen Schule gewesen.
müsste ich jetzt nicht Deutsch lernen.
hätte ich als Kind leicht Deutsch lernen können.
würde ich jetzt nicht dieses Spiel machen.

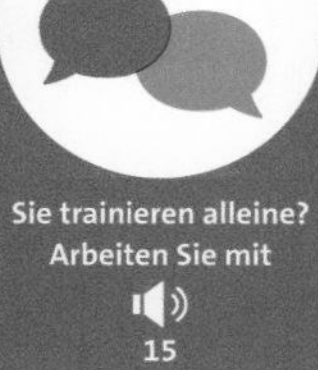

Sie trainieren alleine?
Arbeiten Sie mit
15

Partnerseite 2: irreale Bedingungen in Gegenwart und Vergangenheit

Partner/-in B

B2 C1

Ihre Partnerin / Ihr Partner sagt Sätze im Konjunktiv. Sie kontrollieren mit der Lösung in Grau. Am Ende erraten Sie den passenden *Wenn*-Satz.
Dann sehen Sie einen grauen *Wenn*-Satz mit einer irrealen Bedingung. Sie sagen diesen Satz Ihrer Partnerin / Ihrem Partner NICHT. Sie formulieren aus den türkisen Wörtern Konsequenzen im Konjunktiv 2. Ihre Partnerin / Ihr Partner kontrolliert und muss am Ende den grauen *Wenn*-Satz erraten.

B2

1 KONJUNKTIV 2 GEGENWART. *WAS WÄRE, WENN ...?*

Hier kontrollieren Sie Ihre Partnerin / Ihren Partner und erraten dann den Wenn-Satz.

Wenn ...., ... wären mehr Menschen Vegetarier.
würden Tiere im Parlament sitzen.
müssten wir mehr Fremdsprachen lernen.
hätten wir mehr Respekt vor ihnen.
würden die Tiere uns ihre Meinung sagen.

Formulieren Sie Sätze.

Wenn ich alleine auf einer kleinen Insel wäre, ... ich • wahrscheinlich oft Hunger haben
ich • angeln und jagen müssen
ich • einsam sein
ich • mich langweilen
ich • hoffen, dass ein Schiff kommt

B2

2 KONJUNKTIV 2 VERGANGENHEIT. *WAS WÄRE GEWESEN, WENN ...?*

Hier kontrollieren Sie Ihre Partnerin / Ihren Partner und erraten dann den *Wenn*-Satz.

Wenn ...., ... hätte ich Probleme bekommen.
wäre ich am besten nicht mehr nach Hause gegangen.
wären meine Eltern sehr wütend gewesen.
wäre ich von der Schule geworfen worden.
hätte ich meine Haare sofort anders färben müssen.

Formulieren Sie Sätze.

Wenn ich früher König / Königin gewesen wäre, ... ich • in einem Palast leben
ich • in einem goldenen Pferdewagen fahren
ich • viele Diener haben können
ich • mit dem König / der Königin verheiratet sein
ich • vielleicht bedroht werden

C1

3 KONJUNKTIV 2 GEGENWART. *WAS WÄRE, WENN ...?* ODER VERGANGENHEIT. *WAS WÄRE GEWESEN, WENN ...?*

Hier kontrollieren Sie Ihre Partnerin / Ihren Partner und erraten dann den *Wenn*-Satz.

Wenn ...., ... hätte ich heute vielleicht einen neuen Namen.
hätte ich gestern eine Party gehabt.
wäre ich heute sehr müde.
hätte ich schon seit Tagen nicht schlafen können.
hätte ich gestern ein Versprechen gegeben.
würde ich jetzt eine Hochzeitsreise machen.

Formulieren Sie Sätze.

Wenn ich in Deutschland geboren worden wäre, ... ich • jetzt Deutsche(r) sein
ich • früher in einer deutschen Schule sein
ich • jetzt nicht Deutsch lernen müssen
ich • als Kind leicht Deutsch lernen können
ich • jetzt nicht dieses Spiel machen

Passiv in allen Zeiten

Die Reisegruppe wird informiert

Sprechtraining 16

1. Passiv und seine Verwendung
Man verwendet das Passiv, wenn der Fokus auf der Aktion liegt.

Aktiv Der Reiseleiter informiert die Gruppe.
SUBJEKT = „TÄTER“

Passiv Die Gruppe wird (vom Reiseleiter) informiert.
SUBJEKT *„TÄTER“*

In einem Passivsatz sind Subjekt und „Täter“ verschieden. Der „Täter“ kann weggelassen werden.

			Position 2		Ende
B2	**Präsens**	Die Gruppe	**wird**	heute	**informiert**.
B2	**Präteritum**	Die Gruppe	**wurde**	gestern	**informiert**.
B2	**Perfekt**	Die Gruppe	**ist**	gestern	**informiert** worden.
C1	**Plusquamperfekt**	Die Gruppe	**war**	bereits vor der Abreise	**informiert** worden.
C1	**Futur I**	Die Gruppe	**wird**	bestimmt bald	**informiert** werden.
C1	Futur II	Die Gruppe	wird	wohl bis morgen	informiert worden sein.*
B2	**Konjunktiv 2 Gegenwart**	Die Gruppe	**würde**	heute noch	**informiert**.
C1	**Konjunktiv 2 Vergangenheit**	Die Gruppe	**wäre**	bereits vor der Abreise	**informiert** worden.
B2	**Konjunktiv 1 Gegenwart**	Die Gruppe	**werde**	heute	**informiert**.
C1	**Konjunktiv 1 Vergangenheit**	Die Gruppe	**sei**	gestern	**informiert** worden.

* Diese Form wird nur sehr selten verwendet.

2. Die Präpositionen *von, durch* oder *mit* im Passivsatz

- *von* (+ Dativ): „Täter“, Personen und Institutionen: *vom Reiseleiter, von den Vereinten Nationen*
- *durch* (+ Akkusativ): Vorgänge und Vermittler: *durch den Anschlag, durch einen Boten*
- *mit* (+ Dativ): Instrumente: *mit einer Schere, mit der neuen Technologie*

In einem Satz können mehrere Präpositionen zusammenkommen: *Wir wurden vom Reiseleiter durch eine E-Mail informiert.*

B2 **1 Was ist besser – Aktiv oder Passiv? Kreuzen Sie den besseren Satz an.**

1 a ◯ Vor dem Fußballspiel wurde von den Fans schon viel Bier getrunken.
b ◯ Vor dem Fußballspiel haben die Fans schon viel Bier getrunken.
2 a ◯ Zwei wunderbare Tore wurden von dem neuen Stürmer geschossen.
b ◯ Der neue Stürmer hat zwei wunderbare Tore geschossen.
3 a ◯ Bitte legen Sie nicht auf. Eine Person bedient Sie, sobald ein Platz frei ist.
b ◯ Bitte legen Sie nicht auf. Sie werden bedient, sobald ein Platz frei ist.
4 a ◯ Die Menschen wurden sofort behandelt.
b ◯ Ärzte und Ärztinnen haben die Menschen sofort behandelt.
5 a ◯ Die neuen Wörter wurden von mir regelmäßig gelernt.
b ◯ Ich habe die neuen Wörter regelmäßig gelernt.

B2 **2 Formen üben. Schreiben Sie Sätze im Passiv Präsens.**

1 das Formular • zuschicken
2 du • fragen nach deiner Qualifikation
3 die Unterlagen • prüfen
4 ihr • gut behandeln
5 wir • über das Ergebnis informieren
6 ich • einladen zum Vorstellungsgespräch
7 der Vertrag • unterschreiben
8 die Dokumente • ausdrucken

B2 **3 WAS WURDE GEMACHT? Schreiben Sie Sätze im Passiv Präteritum und verwenden Sie die Verben im Kasten.**

~~anstellen~~ • aufräumen • ausschalten • füttern • waschen • föhnen • aufessen • reparieren

1 Es war kalt im Zimmer. Jetzt ist es warm.
2 Das Baby hat geschrien. Jetzt ist es ruhig.
3 Das Zimmer war chaotisch. Jetzt ist es ordentlich.
4 Der Fernseher ist vor zehn Minuten noch gelaufen. Jetzt ist er aus.
5 Der Pullover war gestern noch schmutzig. Jetzt ist er sauber.
6 Die Haare waren nass. Jetzt sind sie trocken.
7 Die Waschmaschine war kaputt. Jetzt geht sie wieder.
8 Die Schachtel Pralinen war voll. Jetzt ist sie leer.

1 Die Heizung wurde angestellt.

B2 **4 GLOBALISIERUNG. Schreiben Sie die Sätze im Passiv. Achten Sie auf die Zeitform.**

1 Früher produzierte man alle Waren in der Nähe.
2 Heute produziert man die Waren auf der ganzen Welt.
3 Früher aß man keine exotischen Früchte in Deutschland.
4 Heute verkauft man im Supermarkt das ganze Jahr über Orangen, Ananas und Mangos.
5 Früher haben die meisten Leute keine Reisen in fremde Länder gemacht.
6 Heute macht man häufig mehrere Urlaube pro Jahr im Ausland.
7 Früher hat man Produkte in einem Land hergestellt.
8 Heute kaufen die Firmen Einzelteile auf der ganzen Welt und bauen sie zu einem Produkt zusammen.
9 Früher haben die Firmen Produkte mit unterschiedlichen Standards hergestellt.
10 In den letzten Jahren hat man viele Produkte standardisiert.

B2 **5 SCHLAGZEILEN. Berichten Sie einem Freund / einer Freundin, was Sie in der Zeitung gelesen haben. Verwenden Sie das Passiv Perfekt.**

Popstar in Privatklinik operiert

2000 Hektar Wald durch Feuer vernichtet

20 000 Euro in Plastiktüte gefunden

Hund aus Fluss gerettet

Trickdiebe festgenommen

Der Popstar ist in einer Privatklinik operiert worden.

C1 **6 DER LÄNGSTE EISENBAHNTUNNEL DER WELT: DER GOTTHARDTUNNEL. Formulieren Sie die Notizen in Sätze im Passiv Präteritum oder Passiv Plusquamperfekt um.**

1 schon 1947 • erste Pläne für einen Riesentunnel entwickeln
2 1999 • mit dem Bau beginnen
3 17 Jahre lang • der Gotthardtunnel • bauen
4 28,2 Millionen Kubikmeter Gestein • aus dem Berg holen
5 insgesamt • 2400 Bauarbeiter • einsetzen
6 die Baustelle • von mehreren 100 000 Besuchern • besichtigen
7 die beiden Tunnelröhren • mit hochmodernen Maschinen • bohren
8 nachdem • der Bau des Tunnels • beenden / er • am 1. Juni 2016 feierlich • eröffnen
9 für die erste Fahrt durch den Tunnel • 1000 Tickets • an Schweizer Bürger • verlosen
10 nachdem • der Tunnel sechs Monate • testen / er • von über 300 Zügen täglich • nutzen

1 Erste Pläne für einen Riesentunnel wurden schon 1947 entwickelt.

B2 **7 WIE WÄRE ES IN EINER IDEALEN WELT? Schreiben Sie Sätze mit dem Konjunktiv 2 Gegenwart.**

1 Das Kind wird von Klassenkameraden geärgert.
2 Die Leute werden bedroht.
3 Die Kollegen und Kolleginnen werden nicht informiert.
4 Die Angestellten werden entlassen.
5 Der Verkehr wird durch Bauarbeiten behindert.
6 Ich werde dauernd beim Lesen gestört.

In einer idealen Welt:
1 Das Kind würde nicht geärgert.

C1 **8 WIE WÄRE ES IN EINER IDEALEN WELT GEWESEN? Schreiben Sie Sätze im Konjunktiv 2 Vergangenheit.**

1 Meine Geldbörse ist gestohlen worden.
2 Das Auto ist beschädigt worden.
3 Die Parkanlagen wurden zerstört.
4 Das Auto ist nicht repariert worden.
5 Mein Flug ist gecancelt worden.
6 Der Drucker wurde nicht repariert.

1 Meine Geldbörse wäre nicht gestohlen worden.

B2 **9 IM SPRACHKURS GEHÖRT. Ergänzen Sie die Verben im Konjunktiv 1 Gegenwart Passiv oder verwenden Sie die Ersatzform Konjunktiv 2.**

1 Hanna hat mir erzählt, sie *werde* von ihren Freunden im Kurs *unterstützt*. *(unterstützen)*
2 Turku meint, es ________ viele interessante Referate ________. *(halten)*
3 Lea findet, sie ________ im Kurs gut auf die Prüfung ________. *(vorbereiten)*
4 Sie sagten, alle Teilnehmer ________ zur Abschlussfeier ________. *(einladen)*
5 Das Vorbereitungsteam sagt, das Büffet ________ von allen Teilnehmenden gemeinsam ________. *(organisieren)*
6 Das Orga-Team verrät, für die Feier ________ ein Sketch ________. *(planen)*

C1 **10 KURZMELDUNGEN. Geben Sie die Meldungen in der indirekten Rede wieder.**

+++ Einsatzkräfte (*melden*): Dorf durch Tornado zerstört +++

+++ Pressesprecher (*verkünden*): Festival gut vorbereitet +++

+++ Anwohner (*sagen*): Müll nicht pünktlich abgeholt +++

+++ Bürgermeister (*zugeben*): Mehrere Geschäfte von Unbekannten geplündert +++

+++ Verkehrsministerin (*darauf hinweisen*): Verkehr wegen Bauarbeiten umgeleitet +++

Die Einsatzkräfte meldeten, das Dorf sei durch den Tornado zerstört worden.

C1 **11 Geben Sie die Sätze in der indirekten Rede wieder. Verwenden Sie den Konjunktiv 1. Achten Sie auf die Zeitform.**

1 Die Diebe sind von einer Nachbarin gesehen worden.
2 Die Polizei ist schnell informiert worden.
3 Die Diebe wurden von der Polizei verfolgt.
4 Einer der Diebe ist festgenommen worden.
5 Nach dem zweiten Täter wird noch gefahndet.
6 Das Auto der Täter wird genau untersucht.

Die Zeitung berichtet:
1 Die Diebe seien von einer Nachbarin gesehen worden.

B2 **12** **Schreiben Sie Antworten als Vermutungen (mit *wahrscheinlich* oder *bestimmt*) im Passiv Futur 1 oder Futur 2 wie im Beispiel.**

1 Werden die Dokumente noch gebraucht?
2 Wird das Büro heute noch geputzt?
3 Werde ich auch noch gefragt?
4 Werdet ihr noch informiert?
5 Sind die Verträge schon unterschrieben worden?
6 Ist der Kopierer repariert worden?

1 Ja, die Dokumente werden wahrscheinlich noch gebraucht werden.

B2 **13** ***Von* oder *durch*? Ergänzen Sie die „Täter" im Satz.**

1 Sie wurde gestern operiert. *(ein berühmter Arzt)*
2 Schäden in Millionenhöhe sind verursacht worden. *(das Hochwasser)*
3 Ein Fußballspieler ist verletzt worden. *(der Blitz)*
4 Sie wurde gemobbt. *(eine neidische Kollegin)*
5 Der Familie konnte geholfen werden. *(das Engagement der Nachbarn)*
6 Der Studierende ist finanziell unterstützt worden. *(der DAAD)*
7 Der Dieb ist gesehen worden. *(niemand)*
8 Das Angebot ist angenommen worden. *(alle)*

C1 **14** **Präpositionen im Passivsatz. Ergänzen Sie *von*, *durch* oder *mit* und die korrekten Endungen.**

durch • durch • durch • durch • mit • mit • von • von • von

1 Die Umwelt wird ________ großen Plastikkonsum stark belastet.

2 ________ bewusste____ Umgang mit den Ressourcen kann ________ jede____ Einzelnen der Energieverbrauch gesenkt werden.

3 Die neuen Technologien müssen ________ d______ Menschen, die sie nutzen sollen, akzeptiert werden.

4 Autos, die ________ Benzin betrieben werden, müssen in Zukunft ______ umweltfreundlichere Autos ersetzt werden.

5 ________ d______ Einsatz des neuen Kraftwerks konnten erhebliche Mengen an Energie eingespart werden.

6 ________ d______ Regierungen werden Projekte zum Schutz der Umwelt gefördert.

7 Immer mehr Gebäude werden ________ Solarpaneelen ausgestattet.

C1 **15** **FEHLERSÄTZE. In jedem Satz ist ein Fehler. Korrigieren Sie.**

1 Die Absage der groß angekündigten Retrospektive der Künstlerin Manni Maran war ~~durch den~~ *von dem* Bürgermeister bedauert worden.

2 Die Bilder der namhaften Malerin wären in der Ausstellung gezeigt geworden, wenn die notwendigen Sicherheitsmaßnahmen getroffen worden wären.

3 Leider wurden einige Räume der Kunsthalle von einem Feuer unbenutzbar gemacht.

4 Die Malerin sagte, sie sei zu spät über die Konditionen informiert werden.

5 Nachdem die Ausstellung abgesagt worden wurde, wurde ein neuer Termin ausgemacht.

6 Die Bilder sind voraussichtlich im kommenden Jahr ausgestellt werden.

7 Die Kunsthalle sagt, neue Gespräche würden geführt zurzeit gerade.

8 Mehr als 50 000 Besucher und Besucherinnen sind erwartet.

15 Passiv mit Modalverben in allen Zeiten

Das muss heute noch erledigt werden

Sprechtraining 17

Man verwendet das Passiv, wenn der Fokus auf der Aktion liegt.
In einem Passivsatz sind Subjekt und „Täter" verschieden. Der „Täter" kann weggelassen werden.

		Subjekt	Position 2		Ende
B2	**Präsens**	Die Gruppe	muss	heute	**informiert** werden.
B2	**Präteritum**	Die Gruppe	musste	gestern	**informiert** werden.
B2	**Perfekt**	Die Gruppe	**hat**	gestern	**informiert** werden müssen.*
C1	**Plusquamperfekt**	Die Gruppe	**hatte**	gestern	**informiert** werden müssen.
C1	**Futur 1**	Die Gruppe	**wird**	bestimmt bald	**informiert** werden müssen.
C1	Futur 2	Die Gruppe	wird	wahrscheinlich morgen	informiert worden sein müssen.**
B2	**Konjunktiv 2 Gegenwart**	Die Gruppe	müsste	bald	**informiert** werden.
C1	**Konjunktiv 2 Vergangenheit**	Die Gruppe	**hätte**	gestern	**informiert** werden müssen.
B2	**Konjunktiv 1 Gegenwart**	Die Gruppe	müsse	heute	**informiert** werden.
C1	**Konjunktiv 1 Vergangenheit**	Die Gruppe	**habe**	gestern	**informiert** werden müssen.

* Anstatt Perfekt und Plusquamperfekt vom Passiv mit Modalverben benutzt man meistens das Präteritum. ► Kapitel 37

** Diese Form wird nur sehr selten verwendet.

C1 **Wenn im Aktivsatz das Modalverb *wollen* steht, steht in einem inhaltlich vergleichbaren Passivsatz das Modalverb *sollen*:**
Man will hier eine neue U-Bahn-Strecke bauen.
Hier soll eine neue U-Bahn-Strecke gebaut werden.

B2 **1** Passiv mit Modalverben. Schreiben Sie Sätze oder Fragen im Präsens.

1 die E-Mails • müssen • beantworten • .
2 ich • möchten • fragen • .
3 das Gerät • sollen • überprüfen • .
4 du • müssen • unterstützen • .
5 wir • sollen • einladen • .
6 was • dürfen • in einem Bewerbungsgespräch • nicht fragen • ?

1 Die E-Mails müssen beantwortet werden.

B2

2 SCHILDER. Schreiben Sie Sätze. Verwenden Sie *müssen* oder *nicht dürfen*.

den Rasen nicht betreten • keine Fotos machen • einen Ausweis zeigen • Helm tragen • Handys ausschalten • keinen Müll abladen

1 Hier muss ein Helm getragen werden.

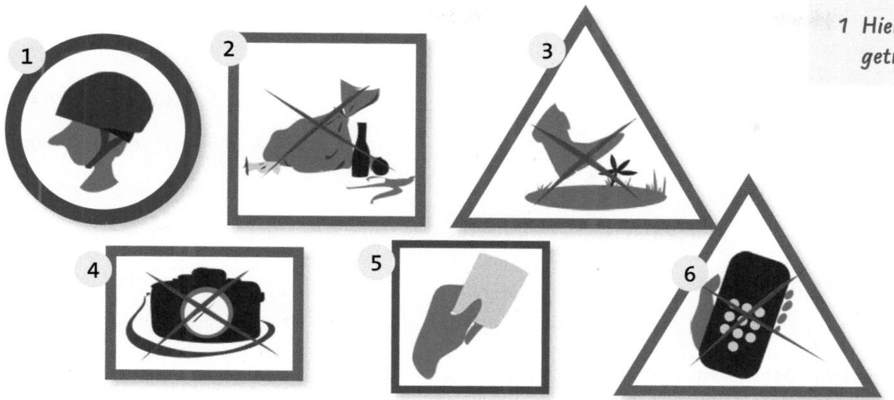

B2

3 a) EINE GEBRAUCHSANWEISUNG. Was muss zuerst gemacht werden? Nummerieren Sie und schreiben Sie dann Sätze im Passiv.

◯ eine Internetverbindung herstellen
◯ den Akku einlegen
◯ die Software im Internet registrieren
(1) die Transportsicherung entfernen
◯ den Akku aufladen
◯ das Netzkabel anschließen

1 Die Transportsicherung muss ...

b) ALLES FALSCH GEMACHT. Schreiben Sie die Sätze mit den Informationen aus 3a im Präteritum wie im Beispiel.

1 Ich konnte das Gerät nicht starten, weil ich nicht wusste, dass ...
2 Es hat nicht funktioniert, weil ich vergessen hatte, dass ...
3 Ich hatte nicht gesehen, dass ...
4 Ich hatte nicht damit gerechnet, dass ...
5 Es ging nicht, weil ich nicht verstanden habe, dass ...
6 Ich bekam nur Fehlermeldungen, weil ...

1 Ich konnte das Gerät nicht starten, weil ich nicht wusste, dass die Transportsicherung entfernt werden musste.

C1

4 Schreiben Sie die Sätze im Passiv. Achten Sie auf die Zeitform.

1 Man konnte sie rechtzeitig informieren.
2 Man hatte das Dokument überprüfen müssen.
3 Man hat die Arbeit erledigen sollen.
4 Man hatte das Haus renovieren müssen.
5 Man musste die neue Technologie testen.
6 Man hat die Ausstellung von 9.00 bis 17.00 Uhr besichtigen können.

1 Sie konnte rechtzeitig informiert werden.

C1 **5 Plusquamperfekt oder Präteritum? Ergänzen Sie die Sätze im Passiv.**

1 Bevor die Kollegen und Kolleginnen ______ *(informiert werden können)*, ______ die Chefin ______ *(informiert werden müssen).*

2 Nachdem der Opernsaal ______ *(renoviert werden)*, ______ die neue Oper ______ *(aufgeführt werden können).*

3 Nachdem das Ziel ______ *(erreichen werden können)*, ______ die Sieger ______ *(gefeiert werden sollen).*

4 Bevor die Autobahnbrücke ______ *(komplett gesperrt werden müssen)*, ______ sie nur von Pkw ______ *(benutzt werden dürfen).*

5 Nachdem über mehrere Wochen ______ *(unbezahlte Überstunden machen müssen)*, ______ seitens des Betriebsrats ______ *(einen Protest organisieren sollen).*

C1 **6 VERMUTUNGEN UND PROGNOSEN. Ergänzen Sie die Sätze im Futur 1 Passiv.**

1 Ich gehe davon aus, dass ______. *(unsere Arbeit durch die neue Datenbank schneller durchführen können)*

2 Ich bin sicher, dass ______. *(das Programm ändern müssen)*

3 Ich glaube, dass ______. *(die neue Software problemlos installieren können)*

4 Einige Programmteile ______. *(an die neue Umgebung anpassen müssen)*

5 Die neuen Geräte ______. *(sofort einsetzen können)*

6 Bei Problemen ______ die Angestellten ______ ______. *(vom Support unterstützen müssen)*

7 Die Fehler ______. *(bestimmt schnell finden können)*

C1 **7 EIGENTLICH ... Schreiben Sie Sätze im Konjunktiv 2 Gegenwart Passiv.**

1 Unser Auto wird selten genutzt. Eigentlich ... *(können)*
2 Die Dokumente werden nicht sofort zurückgebracht. Eigentlich ... *(sollen)*
3 Wir werden nicht unterstützt. Eigentlich ... *(müssen)*
4 Die Aufgaben werden heute nicht mehr erledigt. Eigentlich ... *(sollen)*
5 Der Auftrag wird heute nicht mehr bearbeitet. Eigentlich ... *(müssen)*
6 Die Angestellten werden nicht gut bezahlt. Eigentlich ... *(können)*

1 Eigentlich könnte es häufiger genutzt werden.

C1 **8 Konjunktiv 2 Gegenwart und Vergangenheit Passiv. Schreiben Sie Minidialoge wie im Beispiel.**

1 das • morgen • machen • können
2 können • die E-Mail • nach der Mittagspause • schreiben
3 über das Problem • können • beim nächsten Treffen • sprechen
4 können • diese Aufgabe • nach dem Urlaub • erledigen

1 + Ich denke, das könnte morgen gemacht werden.
- Nein, das hätte schon längst gemacht werden müssen. Das müsste sofort gemacht werden.

C1

9 Schreiben Sie die Minidialoge mit Nebensätzen. Antworten Sie mit Konjunktiv 2 Passiv Vergangenheit.

1 ● Diese E-Mails können morgen geschrieben werden.
● Nein, ich finde, dass *sie schon längst hätten geschrieben werden müssen.* Das müssen wir sofort machen.

2 ● Ich denke, dass die neue Software in den nächsten Tagen getestet werden kann.
● Nein, ich finde, dass ____________________.
Sie muss sofort getestet werden.

3 ● Vielleicht könnten die Tastaturen nächste Woche gereinigt werden.
● Nein, ich finde, dass ____________________.
Sie müssen sofort gereinigt werden.

4 ● Meiner Meinung nach könnten diese Unterlagen morgen verschickt werden.
● Nein, ich denke, dass ____________________.
Das müssen wir sofort machen.

C1

10 IN DER POLITIK. Geben Sie die Äußerungen in der indirekten Rede wieder. Verwenden Sie den Konjunktiv 1 oder die Ersatzform Konjunktiv 2.

> *1 Die Vertreter der anderen Staaten betonten, dass der demokratisch gewählte Präsident gegen die Putschisten unterstützt werden müsse.*

1 Die Vertreter der anderen Staaten betonten, ____________________
____________________ *(der demokratisch gewählte Präsident • gegen Putschisten • unterstützen müssen)*

2 Die Lokalpolitikerin versprach, ____________________
____________________ *(die neuen Glasfaserleitungen • von allen • nutzen können)*

3 Die Vertreter der Umweltschutzorganisationen hoben hervor, ____________________
____________________ *(der Schutz der Umwelt • nicht • vernachlässigen dürfen)*

4 Die Gesundheitsministerin kündigte an, ____________________
____________________ *(das Gesetz • in der letzten Woche vor der Sommerpause • verabschieden müssen)*

5 Der Pressesprecher der Bahn entschuldigte sich, ____________________
____________________ *(die Verspätung gestern • bedauerlicherweise • nicht • verhindern können)*

6 Die Pressesprecherin der Polizei wies darauf hin, ____________________
____________________ *(die Autobahn nach dem Unfall • für zwei Stunden • sperren müssen)*

C1

11 Formen Sie die Sätze ins Passiv um. Achten Sie auf das Modalverb.

1 Man will an diesem Standort einen neuen Betrieb aufbauen.
2 Man kann viele Angestellte für die neuen Aufgaben umschulen.
3 Man will außerdem auch neues Personal einstellen.
4 Man will die Maschinenteile im Ausland kaufen.
5 Man muss die eingeführten Produkte verzollen.

> ***1 An diesem Standort soll ein neuer Betrieb aufgebaut werden.***

16 Alternativen zum Passiv

Das Problem lässt sich lösen

B2

Sprechtraining 18

Das Problem lässt sich lösen.

Das Problem ist zu lösen.

Mein Vorschlag ist zu diskutieren!

Das Problem ist unlösbar.

Der Vorschlag ist diskutabel.

Der Vorschlag ist verständlich.

Alternativen zum Passiv		Passiv mit *werden*	Bemerkung
***lassen* + *sich* + Infinitiv**	Das Problem **lässt sich lösen**.	Das Problem **kann** gelöst werden.	
***sein* + *zu* + Infinitiv**	Das Problem **ist zu lösen**. Mein Vorschlag **ist** sofort **zu diskutieren**! Die Diskussion **ist** nicht **zu vermeiden**.	Das Problem **kann** gelöst werden. Mein Vorschlag **muss / soll** sofort diskutiert werden. Die Diskussion **darf nicht** vermieden werden.	Ob *sein* + *zu* + Infinitiv die Bedeutung von ***kann*** *... werden*, ***muss*** *... werden* oder ***darf nicht*** *... werden* hat, kann man nur im Kontext erkennen.
sein* +** **Infinitiv -~~*en*~~ + *bar* **lösbar**	Das Problem **ist unlösbar**.	Das Problem **kann** nicht gelöst werden.	Das Suffix *-bar* wird am häufigsten verwendet[1]. Bei Verben auf *-igen*: **Infinitiv -~~*igen*~~ + *bar*** (*entschuld~~igen~~bar*)
sein* +** **Infinitiv -~~*ieren*~~ + *abel ***diskut~~ieren~~abel***	Der Vorschlag **ist diskutabel**.	Der Vorschlag **kann** diskutiert werden.	Das Suffix *-abel* wird nur bei Verben auf *-ieren* benutzt. ⚠ *kontrollierbar*
sein* + unterschiedliche Formen des Verbs + *lich ***verständ~~en~~lich***	Der Vorschlag **ist verständlich**.	Der Vorschlag **kann** wirklich verstanden werden.	fast immer mit Umlaut

* Manchmal auch von anderen Formen des Verbs: *gehen – gangbar, sehen – sichtbar*

Manchmal gibt es zwei Suffixe für ein Verb, dann kann die Bedeutung unterschiedlich sein:
Das Medikament ist in Wasser löslich. Das Problem ist lösbar.

Alternativen zum Passiv in anderen Zeiten und im Konjunktiv

Präteritum	Das Problem **ließ sich** lösen / **war zu** lösen.
Perfekt	Das Problem **hat sich** lösen **lassen** / **ist zu** lösen **gewesen**.
Plusquamperfekt	Das Problem **hatte sich** lösen **lassen** / **war zu** lösen **gewesen**.
Futur	Das Problem **wird sich** lösen **lassen** / **wird zu** lösen **sein**.
Konjunktiv 2 Gegenwart	Das Problem **würde sich** lösen **lassen** (**ließe sich** lösen) / **wäre zu** lösen.
Konjunktiv 2 Vergangenheit	Das Problem **hätte sich** lösen **lassen** / **wäre zu** lösen **gewesen**.
Konjunktiv 1 Gegenwart	Das Problem **lasse sich** lösen / **sei zu** lösen.
Konjunktiv 1 Vergangenheit	Das Problem **habe sich** lösen **lassen** / **sei zu** lösen **gewesen**.

1 Das Suffix *-bar* hat nicht immer Passivbedeutung, z. B. *dankbar*.

1 LERNEN. Formulieren Sie die kursiven Satzteile mit *sich* + *lassen* + Infinitiv.

1 *Kann man alles lernen?*
2 Man muss immer bedenken, *dass man fast alles trainieren kann, und durch regelmäßiges Training kann man das meiste immer mehr verbessern.*
3 *Auch jede Prüfung kann vorbereitet und geübt werden,* wenn man genug Zeit investieren kann.
4 *Aber nicht alles kann geplant werden und der Erfolg kann nicht garantiert werden,* denn wir Menschen sind nicht perfekt.

1 Lässt sich alles lernen?

2 Ergänzen Sie die Sätze mit *sein* + *zu* + Infinitiv und den passenden Verben aus dem Kasten.

ernähren • erwarten • heilen • ändern • schaffen • übersetzen • abschaffen • ertragen • retten • auswechseln

1 ________ die Welt noch ____________?
2 Nicht alle Krankheiten ____________.
3 Manche Situationen sind so schlimm, sie ____________ fast nicht ____________.
4 Das Wetter ____________ leider nicht ____________.
5 Idiomatische Ausdrücke ____________ selten direkt ____________.
6 Ich beeile mich und gebe mir Mühe. Aber ich glaube, alle Aufgaben ____________ einfach nicht ____________.
7 Wenn jemand in ein Bewerbungsgespräch kommt, ____________, dass er sich darauf vorbereitet hat.
8 ____________ Sorgen und Probleme jemals ____________?
9 Ein defektes Rad ____________ nicht leicht ____________.
10 Wie ____________ in zwanzig Jahren noch alle Menschen ____________?

3 Formen Sie die Sätze in eine Passiversatzform mit Adjektiv um. Das Suffix ist angegeben.

1 Der Pullover kann bei 30 Grad gewaschen werden. *(-bar)*
2 Das Möbelstück kann zum Transport zerlegt werden. *(-bar)*
3 Die Einrichtung kann jederzeit variiert werden. *(-abel)*
4 Einen korrupten Menschen kann man kaufen. *(-lich)*
5 Glas kann man gut recyceln. *(-bar)*
6 Das Auto kann nicht mehr repariert werden. *(-abel)*

4 Schreiben Sie die Sätze in den angegebenen Zeiten.

1 Der Tumor ist operabel. *(Präteritum)*
2 Es lässt sich keine genaue Voraussage machen. *(Perfekt)*
3 Diese Argumente sind zu ignorieren. *(Futur)*
4 Dieser Termin lässt sich kaum einhalten. *(Konjunktiv 2 Gegenwart)*
5 Man sagt: Manche Blumen sind essbar. *(Konjunktiv 1)*
6 Mein Chef meint: Diese Aufgabe ist kaum zu bewältigen. *(Konjunktiv 1)*
7 Die Schrift ist total unleserlich. *(Präteritum)*
8 Das lässt sich machen! *(Perfekt)*
9 Die Katastrophe ist vorherzusehen. *(Konjunktiv 2 Vergangenheit)*

1 Der Tumor war operabel.

5 **Ergänzen Sie die fehlenden Formen.**

Aktiv	Passiv	*sich ... lassen*	*sein + zu +* Infinitiv	*-bar/-lich/-abel*
	Die Pläne können geändert werden.		Die Pläne sind zu ändern.	
Man konnte den Vertrag nicht kündigen.		Der Vertrag ließ sich nicht kündigen.		Der Vertrag war unkündbar.
	Wie wird die Umwelt-verschmutzung aufgehalten werden können?		Wie wird die Umweltver-schmutzung aufzuhalten sein?	
Man hat die Batterie ersetzen können.		Die Batterie hat sich ersetzen lassen.		Die Batterie ist ersetzbar gewesen.
	Sehfehler könnten operiert werden.		Sehfehler wären zu operieren.	
Man hätte die Aufgabe lösen können.		Die Aufgabe hätte sich lösen lassen.		Die Aufgabe wäre lösbar gewesen.
	Man sagt, das Phänomen könne nicht erklärt werden.		Man sagt, das Phänomen sei nicht zu erklären.	
Man hatte die Krankheit heilen können.		Die Krankheit hatte sich heilen lassen.		Die Krankheit war heilbar gewesen.

6 a) **COMPUTER.** ***-bar, -lich*** **oder** ***-abel*****? Bilden Sie die Adjektive.**
Arbeiten Sie mit dem Wörterbuch. Manchmal gibt es zwei Möglichkeiten.

reparieren • brauchen • transportieren • sehen • verwenden • ersetzen • ertragen • kaufen • erklären

-bar	-lich	-abel

b) **Setzen Sie die Adjektive aus 6a in die Sätze unten ein.**

1 Jeder Computerfehler ist irgendwie ____________.
2 Der USB-Stick ist kaputt und nicht mehr ____________.
3 Ohne USB-Anschluss ist der Computer fast un____________.
4 In fast allen Arbeitsbereichen ist der Computer inzwischen un____________.
5 Ein Laptop ist ein ____________ Computer.
6 Computer sind sehr vielseitig ____________.
7 Mehr als acht Stunden vor dem Bildschirm sind für mich un____________.
8 Man kann mit ¶ die Absatzzeichen ____________ machen.

7 **ARBEIT AM COMPUTER. Formen Sie die Sätze ins Passiv mit** ***werden*** **um.**
Verwenden Sie ***können*** **oder** ***müssen / nicht dürfen*****.**
1 Mit einem Computer sind viele Aktivitäten und Arbeiten durchzuführen.
2 Daten sind in der Cloud oder auf einem USB-Stick zu speichern.
3 Die Tastatur ist nicht mit fettigen Fingern anzufassen.
4 Daten auf dem Stick sind zu löschen und zu überspielen.
5 Der Bildschirm ist mit einem trockenen Tuch zu reinigen.
6 Ein sicheres Passwort ist zu verwenden.
7 Ein Anti-Viren-Programm ist zu installieren.
8 Der Computer ist immer richtig herunterzufahren.

8 a) **AUS EINER HAUSORDNUNG. Markieren Sie das Passiv und die Alternativen zum Passiv im Text.**

1. **Zwischen 22.00 und 6.00 Uhr ist die Haustür abzuschließen.**
2. **Durch die Abflussleitungen – insbesondere in Bad, Küche und WC – dürfen keine Abfälle entsorgt werden.**
3. **Wenn Schäden im Haus erkennbar sind, ist der Eigentümer sofort zu informieren.**
4. **Das Treppenhaus ist wöchentlich zu reinigen.**
5. **Im Treppenhaus und im Kellerflur dürfen keine Fahrräder oder Krafträder (z. B. Mopeds, Mofas) abgestellt werden.**
6. **Treppenhaus-, Dach- und Kellerfenster sind bei Regen oder Sturm zu schließen.**
7. **Der Abstellplatz für die Mülltonne ist von den Mietern und Mieterinnen sauber zu halten.**

b) **Formen Sie die Passivformen in** ***sein + zu*** **+ Infinitiv um, die Alternativen zum Passiv ins Passiv mit** ***werden*****.**

Formen mit Passivbedeutung

Die zu verkaufenden Bücher gehören ins Fenster gestellt

C1

Formen mit Passivbedeutung		anders formuliert	Bemerkung
sich **+ Verb**	Das Buch **liest sich** gut. Hier **lässt es sich** gut **leben**.	Das Buch **kann** man gut lesen. Hier **kann** man gut leben.	• Nie mit Nennung des „Täters". Wenn es kein Subjekt im Satz gibt, ergänzt man „es". • Meist mit einem Adverb (Art und Weise).
Modales Partizip (Gerundiv) ***zu*** **+ Partizip I** vor einem Nomen	Die **zu verkaufenden** Bücher müssen ins Fenster. Die **auszustellenden** Bücher liegen hier.	Die Bücher, die verkauft werden **sollen**, müssen ins Fenster.	• Nur bei Verben möglich, mit denen man *werden*-Passiv bilden kann. • Bedeutung: **muss**, **soll** / **kann** oder **darf nicht**.
gehören **+ Partizip II**	Das Buch **gehört** ins Fenster **gestellt**.	Das Buch **muss** / **sollte** ins Fenster gestellt werden.	• Nur umgangssprachlich.
bekommen **/** ***kriegen*** **+ Partizip II**	Er **bekommt** / **kriegt** das neue Buch **geschenkt**.	Das neue Buch wird **ihm** geschenkt.	• Nur mit Verben mit Dativobjekt möglich: Dativobjekt wird zum Subjekt der Infinitivkonstruktion. • Immer mit Nennung des Adressaten • Nur umgangssprachlich.
Manche **Nomen-Verb-Verbindungen**	Das Lehrbuch **findet** an vielen Schulen **Verwendung**.	Das Lehrbuch wird an vielen Schulen verwendet.	Kombinationen mit den Verben *finden, genießen, kommen, stehen bekommen, erhalten, erfahren, gehen, gelangen*.

1 Formulieren Sie mit *sich* + Verb.

1 Das ist ein kleines Problem. Dafür kann eine Lösung gefunden werden.
2 Ein ganz schöner Weg. Hier kann man gut laufen. *(es)*
3 Tolles Fahrrad. Damit kann man gut fahren. *(es)*
4 So bequeme Stühle. Hier kann man gut sitzen. *(es)*
5 Kannst du mir helfen? Wie schreibt man „Libyen"?
6 Ihr erster Roman? Das Buch wird gut verkauft.

1 Dafür findet sich eine Lösung.

2 HINWEISE FÜR BIBLIOTHEKSANGESTELLTE. Formen Sie die Relativsätze in ein modales Partizip um.

1 Für die Bücher, die registriert werden sollen, legen Sie bitte eine Datei an.
2 Die Bücher, die ausgeliehen werden können, müssen mit einem roten Punkt gekennzeichnet werden.
3 Alle Schriften mit Einbänden, die erneuert werden müssen, machen Sie bitte für den Versand an die Buchbinderei fertig.
4 Bücher, die noch kontrolliert werden müssen, sehen Sie bitte außerhalb der Öffnungszeiten durch.
5 Schriften, die aussortiert werden können, bieten wir unseren Benutzern günstig zum Verkauf an.
6 Zeitschriften und Bücher, die entsorgt werden sollen, sammeln Sie bitte in dem dafür vorgesehenen Korb.

3 EIN UNFALL. Formulieren Sie die unterstrichenen Sätze mit *gehören* und Partizip II.

1 Er ist bei Rot über die Ampel gefahren. Er sollte angezeigt werden.
2 Der Autofahrer hat jemanden verletzt. Er muss bestraft werden.
3 Die Wunde ist tief. Sie muss genäht werden.
4 Der Verletzte kann nicht alleine fahren. Er muss ins Krankenhaus gebracht werden.
5 Das Auto ist ziemlich kaputt. Es muss in die Werkstatt gebracht und repariert werden.
6 Die Reparaturkosten sind hoch. Die Versicherung muss informiert werden.

1 Er gehört angezeigt.

4 Formulieren Sie die Sätze im Passiv mit *bekommen* oder *kriegen* und Partizip II.

1 Manchen Leuten wird anscheinend alles geschenkt.
2 Mir ist gesagt worden, dass das Treffen heute ausfällt.
3 Mein Bruder hat Glück. Ihm wird immer geholfen.
4 An meinem ersten Arbeitstag hat man mir die ganze Firma gezeigt.
5 Ich hatte Kaffee bestellt und dann ist mir Tee serviert worden.
6 Mir hat jemand das Auto kostenlos repariert.
7 Als wir in die neue Wohnung eingezogen sind, ist uns von vielen Nachbarn und Nachbarinnen Kuchen gebracht worden.

1 Manche Leute bekommen / kriegen anscheinend alles geschenkt.

5 Formen Sie die Passivsätze in Nomen-Verb-Verbindungen um.

Akzeptanz erfahren bei • Lob erfahren • Bewunderung genießen • zur Auswahl stehen • in Erfüllung gehen • zur Anwendung kommen

1 Der Schauspieler wird auf der ganzen Welt bewundert.
2 Glücklicherweise wird die Politik der Integration von den meisten Menschen akzeptiert.
3 Der neu angelaufene Film wurde viel gelobt.
4 Das neue Verfahren wird ab sofort angewendet.
5 Manche Wünsche werden leider nie erfüllt.
6 Auf der Messe können viele neue Modelle ausgewählt werden.

6 EIN PROJEKT. Wählen Sie das korrekte Modalverb (manchmal sind zwei Alternativen möglich) und schreiben Sie Relativsätze.

1 Die Arbeiten, die zuerst ausgeführt werden müssen, sind auf der Liste markiert.

1 Einige Sachen sind besonders dringend: Die zuerst auszuführenden Arbeiten sind auf der Liste markiert. *(sollen / müssen / können)*
2 Der Chef hat gesagt, die heute zu erledigenden Aufgaben stehen an erster Stelle. *(sollen / müssen / können)*
3 Um schnell ein bisschen Erfolg zu sehen, beginnen wir mit den leicht zu beendenden Projekten. *(sollen / müssen / können)*
4 Wir sollten realistisch bleiben: Hier ist unser zu erreichendes Ziel beschrieben. *(sollen / müssen / können)*
5 Die zu gewinnende Auszeichnung steigert die Motivation. *(sollen / müssen / können)*
6 Die noch vorzunehmenden Korrekturen bringen wir schnell hinter uns. *(sollen / müssen / können)*

Passivsätze ohne Subjekt

Hier wird gelacht!

C1

Sprechtraining 19

Normales Passiv

Der Mechaniker repariert das Auto.
SUBJEKT *AKKUSATIVOBJEKT*

Das Auto wird (vom Mechaniker) repariert.
SUBJEKT

Passiv ohne Subjekt (unpersönliches Passiv)

Heute lachen wir viel. (kein Akkusativobjekt)
*Heute **wird** viel **gelacht**.* (kein Subjekt)

- Die Bedeutung entspricht dem Aktivsatz mit dem unpersönlichen *man*.
- **Das konjugierte Verb steht immer in der 3. Person Singular.**
- Das Wort „es“ steht auf Position 1, wenn kein anderer Satzteil die Position vor dem Verb besetzt[1]. ▶ Kapitel 77
  Es wurde viel gelacht.
  Im Nebensatz entfällt das „es“: *Ich glaube, dass viel gelacht wurde.*
- Das unpersönliche Passiv wird kaum in der formellen Sprache oder der Schriftsprache verwendet.

Wann kommt Passiv ohne Subjekt (unpersönliches Passiv) vor?

 *Ihm wird geholfen.*	 *Auf der Party wurde viel getanzt.*	
In Verbindung mit einigen Dativverben ▶ Kapitel 31: *Ihm wird geholfen. Leider wurde mir nicht zugehört.* Das Dativobjekt bleibt im Passivsatz im Dativ.	Verben ohne Akkusativobjekt: *Am Wochenende wurde nicht gearbeitet. Auf der Party wurde bis in die frühen Morgenstunden getanzt.*	Reflexive Verben: *Jetzt wird sich aber mal gewaschen!* Das Reflexivpronomen *sich* bleibt erhalten. Diese Sätze sind umgangssprachlich und nicht höflich, häufig mit der Partikel *aber (mal)*. Sie haben Aufforderungscharakter.

1 Schreiben Sie Sätze im unpersönlichen Passiv.

1. in Süddeutschland • viel Ski fahren
2. Fast nur in Deutschland • auf Autobahnen • unbegrenzt schnell fahren
3. unter Jugendlichen • in sozialen Netzwerken • viel kommunizieren
4. auf Hochzeitspartys • fast immer • viel tanzen
5. auf dem Land • häufig mit dem Auto fahren

1 Wenn es eine Angabe gibt, die man auf Position 1 stellen kann, gilt es als stilistisch besser, das „es“ zu vermeiden.

2 **WAS WIRD WO GEMACHT? Ordnen Sie zu und schreiben Sie Sätze im Passiv ohne Subjekt. Es gibt mehrere Möglichkeiten.**

~~duschen~~ • um Geld spielen • tauchen • vor Enttäuschung weinen • viel lachen und scherzen • vor Freude jubeln • schwimmen lernen • vom Sprungturm springen • tanzen • gut essen • auf die richtige Zahl warten • um die Wette schwimmen • küssen

im Kasino	im Schwimmbad	auf einer Hochzeitsparty
	duschen	

Im Kasino wird um Geld gespielt.

3 **Schreiben Sie die Sätze im Passiv.**

1 Man gratuliert ihm zum Geburtstag.
2 Man dankt ihnen herzlich für ihre Hilfe.
3 Man hilft den Gastgebern bei der Vorbereitung.
4 Man glaubt den falschen Versprechungen nicht.
5 Man diskutiert viel über die schwierige Situation.

4 **Formulieren Sie die Imperativsätze als weniger höfliche Aufforderungen im unpersönlichen Passiv. Verwenden Sie eine Partikel.**

1 Bitte arbeitet jetzt.
2 Ihr müsst sofort mithelfen.
3 Bitte schlaft jetzt.
4 Bitte esst jetzt.
5 Ihr müsst nach dem Fußballspielen duschen.

1 Jetzt wird aber gearbeitet!

5 **Formen Sie die Sätze ins unpersönliche Passiv um. Achten Sie auf die Zeitform.**

1 Man hilft den Betroffenen schnell und unbürokratisch.
2 Man hat dem Beschuldigten nicht geglaubt.
3 Man hatte dem Vorwurf der mangelnden Unterstützung widersprochen.
4 Man hat in der Vorbereitung sorgfältig auf alle Details geachtet.
5 Man versprach, über Vor- und Nachteile zu diskutieren.

6 **a) Formen Sie die Sätze um, sodass *es* entfallen kann.**

1 Es ist über die verschiedenen Lösungsansätze diskutiert worden.
2 Es wird in der kommenden Woche mit allen Beteiligten gesprochen.
3 Es wird auf Langstreckenflügen nicht viel geschlafen.
4 Es wurde auf ein angemessenes Angebot vergeblich gewartet.
5 Es wurde nicht an die nötigen Sicherheitsvorkehrungen gedacht.

b) Formen Sie die Sätze in Aktivsätze mit *man* um.

7 **Ergänzen Sie ein *es* (wenn nötig).**

1 Ich denke, dass __________ lange über die verschiedenen Lösungsansätze diskutiert worden ist.
2 __________ ist schon viel über die Umweltprobleme in der Region geschrieben worden.
3 Glaubst du, __________ wird noch über weitere Zugverbindungen informiert werden?
4 Wenn __________ getanzt wird, komme ich auch.
5 __________ wird schon lange darüber nachgedacht, die Straße zu einer Autobahn auszubauen.

19 Wann ist Passiv möglich, wann nicht?

Warum ist „~~Es wird geregnet~~“ falsch?

Du wirst natürlich gefragt werden.

~~Ein Geschenk wird von mir bekommen~~.

~~Es wird geregnet~~.

Es wird lange geklatscht.

Über das neue Gesetz wird viel diskutiert.

~~Die Adresse wird von ihm gewusst~~.

~~Das Bewusstsein wurde von der Frau verloren~~.

Passiv möglich

1. Das Passiv mit allen Personalformen kann nur von Verben mit Akkusativergänzung (transitiven Verben) gebildet werden: *Die Ärztin operiert den Patienten. → Der Patient wird (von der Ärztin) operiert.*
2. Andere Verben bilden das Passiv nur als unpersönliches Passiv ► Kapitel 18
3. Intransitive Verben, die ein aktives Subjekt haben, d. h. Verben mit einem Subjekt, das Träger oder Verursacher einer Handlung ist, können ein Passiv bilden:

Die Zuschauer klatschen. → *Es wird (von den Zuschauern) geklatscht.*
Sie hilft dem Kollegen. → *Dem Kollegen wird geholfen.*
Er sorgt für die Kinder. → *Für die Kinder wird gesorgt.*

Kein Passiv möglich

1.	Verben ohne aktives Subjekt • *besitzen, haben, es gibt, erhalten, bekommen, kriegen …* • wenn das Akkusativobjekt den „Empfinder“ eines psychischen oder physischen Zustandes bezeichnet: *freuen, ärgern; frieren, jucken* u. a. • bei Verben, die eine Zustandsveränderung ausdrücken: *wachsen, sterben …* • bei Verben, die Zustände ausdrücken: *dauern, wohnen, sein …* • wenn das Akkusativobjekt eine Größen-, Preis- oder Zeitangabe ist: *enthalten, umfassen …*	~~Zu Weihnachten werden Geschenke gekriegt.~~ ~~Es wird sich gejuckt.~~ ~~Das Kind wird gewachsen.~~ ~~Wir werden in Mainz gewohnt.~~ ~~Ein Liter wird von der Flasche enthalten.~~
2.	bei Verben des Wissens: *kennen, wissen, erfahren, kennenlernen …*	~~Die Nachbarn werden kaum von uns gekannt.~~
3.	wenn das Akkusativobjekt ein eigener Körperteil ist	~~Der Kopf wurde von ihm geschüttelt.~~
4.	bei einigen festen Wendungen (Funktionsverbgefüge), in denen das Verb eine übertragene Bedeutung hat.	~~Die Freunde wurden von uns getroffen.~~
5.	Modalverben	~~Alles wird von ihr gekonnt.~~
6.	unpersönliche Verben des Geschehens	~~Es wird geregnet.~~
7.	reflexive Verben	~~Ein wunderbarer Urlaub wird sich von mir vorgestellt.~~

1 Hat das Verb ein aktives Subjekt? Ist Passiv möglich? Kreuzen Sie an.

1 operieren ◯	5 frieren ◯	9 enthalten ◯	13 besitzen ◯
2 tauschen ◯	6 dauern ◯	10 zerstören ◯	14 schlagen ◯
3 wissen ◯	7 haben ◯	11 bauen ◯	15 wachsen ◯
4 gehen ◯	8 kämpfen ◯	12 wohnen ◯	16 diskutieren ◯

2 a) Dativverben. In welchen Fällen kann man ein Passiv bilden? Kreuzen Sie an.

1 Die Hose gefällt mir gut. ◯
2 Diese Wohnung gehört meiner Schwester. ◯
3 Niemand glaubt den Versprechungen der Werbung. ◯
4 Die Passanten helfen der alten Dame über die Straße. ◯
5 Die Spezialität aus der Region schmeckt den Touristen gut. ◯
6 Alle raten mir, die neue Stelle anzunehmen. ◯

b) Schreiben Sie die angekreuzten Sätze im Passiv.

3 WINTER. Welche Sätze sind im Passiv möglich? Schreiben Sie diese Sätze im Passiv.

1 Im Winter gibt es viele verschiedene Sportmöglichkeiten.
2 Viele Leute laufen auf den Seen Schlittschuh.
3 Beim Schlittschuhlaufen friert man meistens nicht.
4 Man freut sich, wenn man in der Nähe eines Sees wohnt.
5 Die Stadt oder ein Sportverein bereiten die Eisfläche vor und polieren sie.
6 Viele Kinder bekommen zu Weihnachten neue Schlittschuhe.
7 Sie brauchen oft neue Schlittschuhe, weil sie schnell wachsen.
8 Leider dauert der Winter in den meisten Teilen von Deutschland nicht lange.
9 Deshalb packen viele Leute die Koffer und fahren zum Wintersport in die Alpen.

4 a) Unterstreichen Sie die Satzteile im Akkusativ. Welche Akkusative können nicht Subjekt von einem Passivsatz werden? Markieren Sie.

1 Während der EM sehe ich einen Monat lang fern.
2 Ich habe das Interview mit dem Trainer gesehen.
3 Die Trainerin legt meine Hand auf den Rücken meines Partners.
4 Sie legt ihre Füße auf den Tisch.
5 Er liest das ganze Buch.
6 Er liest den ganzen Tag.

b) Schreiben Sie die Sätze, die möglich sind, im Passiv.

5 Warum ist kein Passiv möglich? Notieren Sie.

1 Sie interessieren sich für die aktuellen Songs. (*reflexives Verb*)

2 Sie legten müde ihre Füße auf den Tisch. (____________________)

3 Nach nur einer halben Stunde konnte sie alle neuen Wörter. (____________________)

4 Sie wünschte sich ein Haus mit Garten. (____________________)

5 Heute hat es den ganzen Tag geschneit. (____________________)

6 Leider hatten sie die Achtung vor ihm verloren. (____________________)

7 Schon nach einem Monat in der neuen Stadt hatte er viele interessante Leute kennengelernt.

(____________________)

8 Sie nahm schweren Herzens Abschied von ihren Freunden. (____________________)

6 Setzen Sie diesen Text – soweit möglich – ins Passiv.

Luisa hatte auf der letzten Party einen netten jungen Mann kennengelernt. Diese Begegnung hat sie sehr verändert. Sie hatte sich in diesen Mann auf den ersten Blick verliebt. Aber sie wusste nicht, ob er sie auch liebte. Sie fragte alle ihre Freundinnen nach ihrer Meinung. Sie rieten ihr, den jungen Mann direkt zu fragen. Aber sie traute sich nicht. Ihre Eltern wussten nichts davon. Sie wunderten sich nur über das veränderte Wesen ihrer Tochter und schüttelten den Kopf. Der junge Mann jedoch erfuhr nicht von ihren Sorgen. Denn er liebte eine andere Frau und dachte immer nur an sie.

Partnerseite 3: Passiv

Partner/-in A

Sie trainieren alleine? Arbeiten Sie mit 20, 22

B2

1 SO KÖNNEN SIE IHREN EIGENEN STROM PRODUZIEREN!

Formulieren Sie mit den orangefarbenen Satzteilen dreimal Sätze im Passiv:
a Passiv Präsens
b Passiv Präsens mit dem Modalverb *müssen*
c Passiv Perfekt
Ihre Partnerin / Ihr Partner kontrolliert. Sie kontrollieren Ihre Partnerin / Ihren Partner mit den Sätzen in Grau.

1 die Solaranlage – von einem Fachbetrieb planen
2 a) Ein passendes Dach wird ausgewählt.
b) Ein passendes Dach muss ausgewählt werden.
c) Ein passendes Dach ist ausgewählt worden.
3 das notwendige Werkzeug – besorgen
4 a) Die Solaranlage wird geliefert.
b) Die Solaranlage muss geliefert werden.
c) Die Solaranlage ist geliefert worden.
5 die Solarmodule (Pl.) – auf das Dach transportieren
6 a) Die Solarmodule werden montiert.
b) Die Solarmodule müssen montiert werden.
c) Die Solarmodule sind montiert worden.
7 die Kabel (Pl.) – verlegen
8 a) Dann wird nicht mehr so viel Geld für Strom ausgegeben.
b) Dann muss nicht mehr so viel Geld für Strom ausgegeben werden.
c) Dann ist nicht mehr so viel Geld für Strom ausgegeben worden.

C1

2 ORGANISATION EINER PARTY. Stellen Sie Ihrer Partnerin / Ihrem Partner die orangefarbene Frage. Sie kontrollieren seine/ihre Antwort mit der Lösung in Grau. Dann stellt der/die andere Ihnen eine Frage und Sie antworten positiv in der gleichen grammatischen Form (Zeit / Konjunktiv) wie in der Frage.

Öffnet jemand das Fenster?	Das wird geöffnet!
Hat jemand die Einladungen abgeschickt?	...
Muss man die Gäste am Bahnhof abholen?	Die müssen abgeholt werden.
Sollte man die Karotten kochen?	...
Kocht jemand den Reis?	Der wird gekocht.
Putzt jemand das Gemüse?	...
Hat jemand die Zwiebeln geschnitten?	Die sind geschnitten worden.
Brachte schon jemand das Bier?	...
Wird man den Wein wohl pünktlich liefern?	Der wird wohl pünktlich geliefert werden.
Müssten wir den Wein kalt stellen?	...
Deckt jemand den Tisch?	Der wird gedeckt.
Schrieb schon einer die Tischkarten?	...
Konnten wir das Essen rechtzeitig bestellen?	Das konnte rechtzeitig bestellt werden.
Würden die Gäste eine kalte Suppe essen?	...
Würden alle ihre Mäntel aufs Bett legen?	Die würden aufs Bett gelegt werden.
Hat jemand Stühle leihen können?	...
Hat da jemand geklingelt?	Da ist geklingelt worden.
Hat schon einer die Tür geöffnet?	...
Hat schon jemand die Gäste begrüßt?	Die sind schon begrüßt worden.

Sie trainieren alleine? Arbeiten Sie mit 21, 23

Partnerseite 3: Passiv

Partner/-in B

B2 C1

B2

1 SO KÖNNEN SIE IHREN EIGENEN STROM PRODUZIEREN!
Ihre Partnerin / Ihr Partner spricht und Sie kontrollieren mit den Sätzen in Grau.
Dann formulieren Sie mit den türkisen Satzteilen dreimal Sätze im Passiv:
a Passiv Präsens
b Passiv Präsens mit dem Modalverb *müssen*
c Passiv Perfekt
Ihre Partnerin / Ihr Partner kontrolliert.

1 a) Die Solaranlage wird von einem Fachbetrieb geplant.
b) Die Solaranlage muss von einem Fachbetrieb geplant werden.
c) Die Solaranlage ist von einem Fachbetrieb geplant worden.
2 ein passendes Dach – auswählen
3 a) Das notwendige Werkzeug wird besorgt.
b) Das notwendige Werkzeug muss besorgt werden.
c) Das notwendige Werkzeug ist besorgt worden.
4 die Solaranlage – liefern
5 a) Die Solarmodule werden auf das Dach transportiert.
b) Die Solarmodule müssen auf das Dach transportiert werden.
c) Die Solarmodule sind auf das Dach transportiert worden.
6 die Solarmodule (Pl.) – montieren
7 a) Die Kabel werden verlegt.
b) Die Kabel müssen verlegt werden.
c) Die Kabel sind verlegt worden.
8 dann – nicht mehr so viel Geld für Strom – ausgeben

C1

2 ORGANISATION EINER PARTY. Ihre Partnerin / Ihr Partner stellt Ihnen eine Frage. Sie antworten positiv in der gleichen grammatischen Form (Zeit/Konjunktiv) wie in der Frage. Der/Die andere kontrolliert. Dann stellen Sie die Frage in Türkis und kontrollieren die Antwort mit der Lösung in Grau.

Öffnet jemand das Fenster?	...
Hat jemand die Einladungen abgeschickt?	Die sind abgeschickt worden.
Muss man die Gäste am Bahnhof abholen?	...
Sollte man die Karotten kochen?	Die sollten gekocht werden.
Kocht jemand den Reis?	...
Putzt jemand das Gemüse?	Das wird geputzt.
Hat jemand die Zwiebeln geschnitten?	...
Brachte schon jemand das Bier?	Das wurde (schon) gebracht.
Wird man den Wein wohl pünktlich liefern?	...
Müssten wir den Wein kalt stellen?	Der müsste kalt gestellt werden.
Deckt jemand den Tisch?	...
Schrieb schon einer die Tischkarten?	Die wurden schon geschrieben.
Konnten wir das Essen rechtzeitig bestellen?	...
Würden die Gäste eine kalte Suppe essen?	Die würde gegessen werden.
Würden alle ihre Mäntel aufs Bett legen?	...
Hat jemand Stühle leihen können?	Die haben geliehen werden können.
Hat da jemand geklingelt?	...
Hat schon einer die Tür geöffnet?	Die ist schon geöffnet worden.
Hat schon jemand die Gäste begrüßt?	...

Wechselpräpositionen

Joggen Sie in den Park oder joggen Sie im Park?

Sprechtraining 24

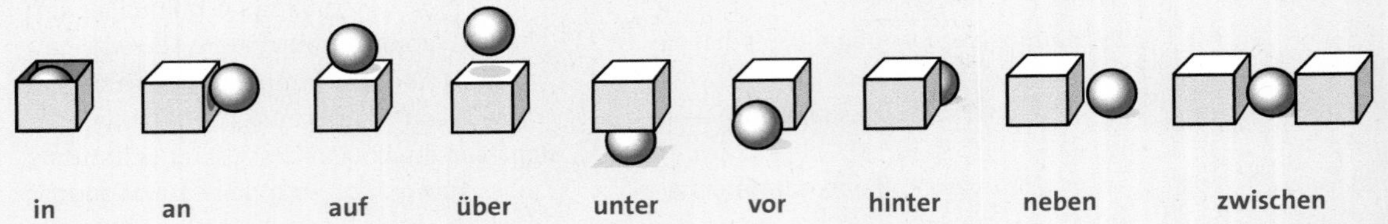

Wo? (Position) – Dativ:
Die Kugel *ist* *in / an / auf / über / unter / vor / hinter / neben* ***dem*** *Kasten / zwischen* ***den*** *Kästen.*

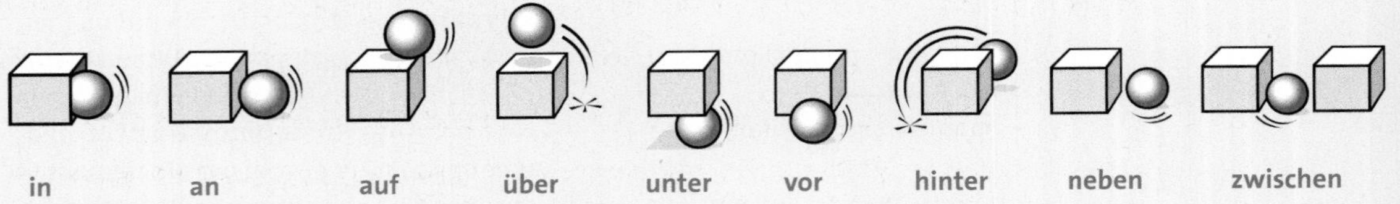

Wohin? (Direktion) – Akkusativ:
Die Kugel *springt* *in / an / auf / über / unter / vor / hinter / neben* ***den*** *Kasten / zwischen* ***die*** *Kästen.*

Kurzformen
in + dem = im
an + dem = am
an + das = ans
in + das = ins

Diese 9 Präpositionen wechseln den Kasus:
Wenn sie einen **Ort**, eine Situation nennen bzw. auf die Frage ***Wo?*** antworten, folgt der **Dativ**.
Wenn sie ein Ziel, eine **Richtung** bezeichnen bzw. auf die Frage ***Wohin?*** antworten, folgt der **Akkusativ**.
Deshalb heißen sie **Wechselpräpositionen**.

1 **Welches Bild passt? Ordnen Sie zu.**

Sie gehen am Strand. • Sie gehen an den Strand. • Sie springen ins Wasser. • Sie springen im Wasser. • Er geht auf der Straße. • Er geht auf die Straße. • Das Auto fährt an die Kreuzung. • Das Auto fährt an der Kreuzung rechts. • Der Lastwagen fährt auf der Autobahn. • Der Lastwagen fährt auf die Autobahn. • Sie joggt in den Park. • Sie joggt im Park.

1a
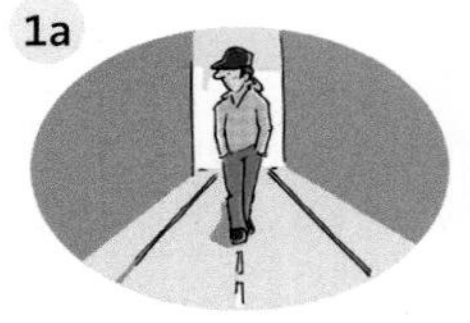
______

1b

______

2a

______

2b

______

3a

______

3b

______

4a
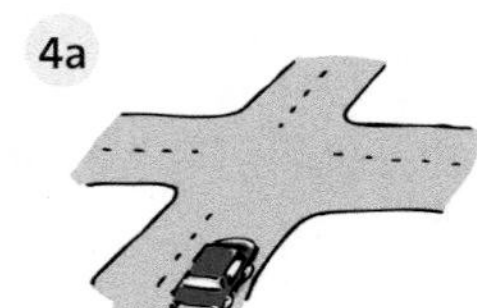
______

4b

______

5a

5b

6a

6b

_______ _______ _______ _______

2 EIN URLAUBSTAG. Ergänzen Sie die Präpositionen und die Artikel in der richtigen Form.

Kaum erscheint die Sonne _______ [1] Himmel, da kommen die Touristen _______ [2] Schwimmbad. Schon früh morgens haben einige ihre Handtücher _______ ein_____ [3] Liegestuhl gelegt, um sich einen guten Platz _______ [4] Wasser zu reservieren. Nur die Klügsten liegen _______ ein_____ [5] Sonnenschirm, die meisten liegen oder sitzen _______ d_____ [6] Sonne. Oft liegt eine Frau _______ ein_____ [7] Mann, _______ d_____ [8] beiden steht ein kleiner Tisch, _______ d_____ [9] Getränke stehen. Die Kinder springen schnell _______ [10] Wasser, spielen und verstecken sich _______ [11] Bäumen, kicken Bälle _______ d_____ [12] faulen Erwachsenen. Nach dem Baden _______ [13] türkisblauen Wasser wird die Badekleidung _______ oder _______ d_____ [14] Sonnenschirm gehängt, nachdem man sich _______ ein_____ [15] Kabine umgezogen hat. _______ [16] allen Badegästen lacht den ganzen Tag die Sonne. Nicht selten haben einige Urlauber am Abend Sonnenbrand _______ [17] Gesicht oder _______ [18] ganzen Körper.

3 Ländernamen mit Artikel. Streichen Sie den falschen Artikel.

1 Für die Einreise in *den/dem* Oman wird ein Visum benötigt.
2 In unserem Reisebüro können Sie günstige Reisen von Deutschland in *die/der* Dominikanische Republik, auf *die/den* Philippinen und in *die/der* Mongolei buchen.
3 Sie wohnt in Konstanz und arbeitet in *die/der* Schweiz.
4 Nach fünf Jahren *im/in den* Sudan sind sie jetzt *in den/im* Libanon umgezogen.
5 Wir fliegen jedes Jahr in den Sommerferien *in die/der* Türkei.
6 Der höchste Berg *in die/der* Slowakei ist mit 2655 m der Gerlachovský štít.
7 Kommendes Jahr wollen wir vier Wochen lang *in die/den* USA Urlaub machen.

die Schweiz, die Türkei,
die USA (Pl.),
die Vereinigten Staaten (Pl.),
die Niederlande (Pl.),
die Philippinen,
die Slowakei,
die Ukraine,
die Mongolei,
die Dominikanische Republik,
die EU,
der Sudan, der Irak,
der Oman, der Libanon

C1

4 TEXTE UND GRAFIKEN BESCHREIBEN. Ergänzen Sie die Präpositionen *in*, *an* oder *auf*, die Artikel und die Adjektivendungen.

1 _______ Text geht es um die Freizeitaktivitäten von Jugendlichen in Deutschland.
2 _______ _______ Grafik werden die monatlichen Ausgaben der Jungen und Mädchen für Kleidung, Hobbys und Medien verglichen.
3 _______ mein_______ Heimat gibt es ähnliche Tendenzen.
4 _______ _______ Stadt ist die Situation ganz anders als _______ _______ Land.
5 _______ ersten Teil werden Beispiele für die Internetnutzung genannt.
6 _______ zweiten Absatz geht es um die großen Veränderungen, die sich _______ viel_______ Ländern _______ _______ ganzen Welt abzeichnen.
7 Ich möchte im Folgenden den Blick _______ _______ Gefahren der exzessiven Mediennutzung lenken.
8 _______ _______ Bild kann man zwei Menschen erkennen, die miteinander sprechen.
9 Bitte schauen Sie _______ _______ dritt_______ Foto unten links.

21

Oft gebrauchte lokale Präpositionen

wo – wohin – woher

B2

	Räume, Länder mit Artikel, Städte, *Garten, Park, Schwimmbad, Wald, Berge (Pl.), Gebirge, Wetter, Straßen mit Namen*	Städte, Länder ohne Artikel, Himmelsrichtungen, Lokaladverbien	vertikaler Kontakt, „Wasser“	horizontaler Kontakt, Ämter	Personen, Aktivitäten, Situationen, Firmennamen
Wohin? **+ Akkusativ** außer: ***zu* + Dativ**	**in** *in den Supermarkt* *in die Schweiz* *ins Internet* *in den Westen*[1] *in die Berge* *in die Sonne* *in die Annastraße*	**nach** *nach Rom* *nach Italien* *nach Westen*[1] *nach oben*	**an** *an den Computer* *an den Strand* *ans Meer* *an einen Ort*	**auf** *auf den Platz* *auf den Berg* *auf die Straße* *auf das Arbeitsamt*	**zu** *zu Thomas* *zum Essen* *zu Ikea* *zum Supermarkt*
Wo? **+ Dativ**	**in** *im Supermarkt* *in Rom* *in der Schweiz* *in Italien* *im Internet* *im Westen*[1] *in* der Sonne *in* den Bergen *in* der Annastraße		**an** *am Computer* *am Strand* *am Meer* *an einem Ort*	**auf** *auf dem Platz* *auf dem Berg* *auf der Straße* *auf dem Arbeitsamt* *auf der Seite* *auf der Welt*	**bei** *bei Thomas* *beim Essen* *bei Ikea*
Woher? **+ Dativ**	**aus** *aus dem Supermarkt* *aus Rom* *aus Italien* *aus der Schweiz* *aus dem Internet* *aus dem Westen*[1] *aus den Bergen* *aus der Annastraße*		**von** *vom Computer* *vom Strand* *vom Meer* *vom Markt* *vom Berg* *von Thomas* *vom Essen*	*von Ikea* *vom 2. Platz* *von einem Ort* *von oben* *von der Straße* *von Westen*[1]	

Unterschiedliche Bedeutungen

⚠ **Wohin?** nach Hause
Wo? zu Hause
Woher? von zu Hause

Kurzformen
von + dem = vom
bei + dem = beim
zu + dem = zum
zu + der = zur

1 Wohin? nach Süden, Norden ... / Woher? von Süden ... (bezeichnet die Himmelsrichtung).
Wohin? in den Süden ... / Woher? aus dem Süden ... (bezeichnet eine Region oder Länder).
Wo? im Süden ... (bezeichnet eine Region und die Himmelsrichtung).

1 **Ergänzen Sie die Präpositionen und die Artikel (wenn nötig).**

Wohin?	Wo?	Woher?
________ Kino	________ Kino	________ Kino
________ Wiese	________ Wiese	________ Wiese
________ Deutschland	________ Deutschland	________ Deutschland
________ meine____ Mutter	________ meine____ Mutter	________ meine____ Mutter
________ Regen	________ Regen	________ Regen
________ linke____ Seite	________ linke____ Seite	________ linke____ Seite
________ Schwimmen	________ Schwimmen	________ Schwimmen
________ Bushaltestelle	________ Bushaltestelle	________ Bushaltestelle
________ Türkei	________ Türkei	________ Türkei
________ Siemens	________ Siemens	________ Siemens
________ Fluss	________ Fluss	________ Fluss

2 **Woher? *Aus* oder *von*? Benutzen Sie *aus*, wo es möglich ist, und ergänzen Sie den Artikel.**

________ Strand	________ zu Hause	________ Zeitung
________ Sportplatz	________ Haus	________ Schwimmbad
________ Büro	________ Ludwigstraße	________ Sonne
________ Arbeit	________ Straße	________ Sonnenbaden
________ Markt	________ Berg	________ Restaurant
________ Supermarkt	________ Gebirge	________ Essen

3 **REKONVALESZENZ. Markieren Sie die richtige Präposition.**

Er kommt gerade *von/aus* dem Bett. Den Schlafanzug hat er *von/aus* seinem Bruder geliehen. Gestern ist er *von/aus* dem Krankenhaus gekommen. Dort wurde er *bei/von* seiner Mutter abgeholt. Seine Mutter musste ihm helfen, *zu/nach* oben in die Wohnung zu gehen. Sie wohnt nicht weit *von/zu* ihm *auf/an* der anderen Seite der Straße. Solange er noch nicht gesund ist, kann sie jeden Tag *nach/zu* ihm kommen und ihm frisches Obst *vom/aus* dem Markt mitbringen. Sie macht das gerne, denn er ist für sie der liebste Mensch *in/auf* der Welt. Er kann jetzt viel Zeit *auf dem/am* Computer verbringen und *im/aus* dem Internet eine Reise aussuchen, denn er möchte *nach/in* Spanien oder *in die/nach* Türkei fahren, um sich *an/in* der Sonne gut zu erholen.

4 **WO IST SIE? WOHIN GEHT SIE? Ergänzen Sie die Präpositionen und die Artikel (wenn nötig). Manchmal gibt es zwei Möglichkeiten.**

1 Sie ist __________ ihrer Mutter, sie geht __________ einen schönen Ort.

2 Sie ist __________ Schwimmbad, sie geht __________ Hause.

3 Sie wohnt __________ Norden, sie zieht __________ Insel.

4 Sie ist __________ Standesamt, sie geht __________ Kirche.

5 Sie sitzt __________ Ufer, sie geht __________ Wasser.

6 Sie arbeitet __________ Computer, sie geht __________ ihrer Kollegin.

7 Sie war __________ Arzt, sie wird __________ Krankenhaus gebracht.

8 Sie sitzt __________ Mitte, sie setzt sich __________ die Seite.

Weitere lokale Präpositionen

Innerhalb und außerhalb des Dorfes

B2

Präposition	Beispiel	Bedeutung
entlang (vorangestellt) + Genitiv	1. *Entlang des Flusses stehen Bäume.*	Parallelität: Position
entlang (nachgestellt) + Akkusativ	2. Er *geht den Fluss entlang spazieren.*	Parallelität: Direktion
gegenüber (auch nachgestellt) + Dativ	3. *Die Bushaltestelle ist gegenüber dem gelben Haus./ dem gelben Haus gegenüber.*	vis-à-vis
inmitten + Genitiv	4. *Die Kirche steht inmitten des Dorfes.*	in der Mitte
unweit + Genitiv	5. *Die Kühe befinden sich unweit des Dorfes.*	nicht weit von
oberhalb **unterhalb** + Genitiv	6. *Oberhalb und unterhalb der Baumgrenze gibt es Wanderwege.*	über unter
jenseits **diesseits** **beiderseits** + Genitiv	7. *Jenseits des Flusses sind Schafe.* 8. *Diesseits und jenseits des Flusses, also beiderseits des Flusses, sind Kühe.*	auf der anderen Seite auf dieser Seite auf beiden Seiten
innerhalb **außerhalb** + Genitiv	9. *Innerhalb und außerhalb des Dorfes stehen Bäume.*	in einem Raum nicht in einem Raum
durch + Akkusativ	10. *Die Straße führt durch das Dorf.*	
gegen + Akkusativ	11. *Die Kinder werfen den Ball gegen die Wand.*	
um + Akkusativ	12. *Um den Fußballplatz steht ein Zaun.*	
ab + Dativ	13. *Ab einer Höhe von 2000 m gibt es keine Bäume mehr.*	
von ... aus + Dativ	14. *Von dem Berg aus hat man einen herrlichen Blick.*	Woher? Ausgangspunkt
bis (zu) *bis* nur ohne Artikel Bei Nomen mit Artikel oder Adjektiv: *bis* + *zu* + Dativ	15. *Ich wandere bis Thalwil.* *Ich wandere bis zu dem Restaurant.*	Ende / Ziel

1 **Ergänzen Sie die Sätze. Verwenden Sie *innerhalb, außerhalb, unterhalb, oberhalb, inmitten, jenseits, diesseits* oder *beiderseits* und das Nomen im Genitiv.**

Genitiv Plural ohne Artikel und ohne Adjektiv wird ersetzt durch *von* + Dativ.

1 Die Schneegrenze sinkt. Es kann heute auch ______ *(800 m, Pl.)* schneien.

2 ______ *(3000 m, Pl.)* hat man Probleme mit dem Atmen.

3 ______ *(Baumgrenze, f.)* findet man in den Bergen nur noch wenig Vegetation.

4 Die Fähren fahren an beiden Ufern los: ______ und ______ *(Fluss, m.)*.

5 In einer Allee stehen ______ *(Straße, f.)* Bäume.

6 Fahrkarten ______ *(Stadt, f)* sind billiger als Fahrkarten zu Orten ______ *(Stadt, f.)*.

7 Der Treffpunkt liegt absolut zentral: ______ *(Stadt, f.)*.

8 Das Spray ist giftig. Nur ______ *(Raum, m.)* benutzen.

9 ______ und ______ *(Grenze, f.)* wird die gleiche Sprache gesprochen.

2 **DIEB UND OPFER IM HOTEL. Ergänzen Sie die Präpositionen an der richtigen Stelle und die Artikel in den passenden Formen.**

ab • durch • gegen • um • von ... aus • gegenüber • unweit

Der Dieb wohnt in einem Hotelzimmer ______ [1] Suite *(f.)* einer reichen Frau. Er schaut ______ [2] Schlüsselloch *(n.)*. Er kann sie ______ [3] Taille *(f.)* sehen. Sie legt sich gerade die wertvolle Kette ______ [4] Hals *(m.)*. Er drückt ______ [5] Tür *(f.)*, die sich leise öffnet. ______ hier ______ [6] kann er die Kette sehr gut sehen. Die Frau legt die Kette ab, der Dieb nimmt sie blitzschnell und rennt weg. ______ [7] Tür *(f.)* wartet sein Komplize.

3 ***bis* oder *bis + zu*? Ergänzen Sie die Präposition und den Artikel (wenn nötig).**

1 Ich fahre ______ nächsten Station. Und Sie? ______ Berlin Ostbahnhof.

2 Es sind nur noch 150 km ______ Ziel. ______ dorthin halte ich noch durch.

3 Fahren Sie mich bitte ______ Ecke. Ja, ______ hierhin.

4 Geh ______ dahin. Ja, ______ Linie dort.

4 ***entlang* (Direktion) oder *entlang* (Position)? Ergänzen Sie.**

1 Er läuft ______ *(Küste, f.)* ______ bis zum nächsten Ort.

2 ______ *(Strand, m.)* ______ stehen Liegestühle.

3 Fahren Sie ______ *(Straße, f.)* ______ weiter, bis zur Kreuzung.

4 ______ *(Bahnstrecke, f.)* ______ befinden sich Weinberge.

5 Wir wollen ______ *(Auffahrt, f.)* ______ Büsche haben.

6 ______ *(Autobahn, f.)* ______ gibt es einige sehr schöne Rastplätze.

7 Die Autobahn führt über viele Kilometer ______ *(Fluss, m.)* ______.

23 Die wichtigsten temporalen Präpositionen

Am Montag um 18 Uhr auf dem Heimweg

Präposition	Beispiel	Gebrauch
um + Akkusativ	*um 9 Uhr* *um 1900, um Ostern, um den 1. September*	Uhrzeiten Bedeutung bei Jahreszahlen, Festen und Daten: *circa*
an + Dativ	*am Vormittag,* ⚠ *in der Nacht* *am Mittwoch* *am 29.4.* *an Weihnachten* *am Anfang, am Schluss*	Tageszeiten Tage Daten Namen von Festen vor: *Anfang, Ende, Schluss ...*
in + Dativ	*im Mai* *im Sommer, im letzten Sommer* *im Jahre 2001 (aber: 2001)* *im 20. Jh.* *in letzter Zeit* *im Urlaub, in den Ferien* *in der Kindheit* *Ich komme in einer Stunde wieder zurück.*	Monat Jahreszeit vor: *Jahr(e)* vor: *Jahrhundert* vor: *Zeit* vor: *Urlaub, Ferien* Lebensphasen vorausblickend
ohne Präposition	*Mittwoch (= am Mittwoch), Weihnachten (= an Weihnachten)* *letzten Mittwoch (= am letzten Mittwoch),* *vorige Woche (= in der vorigen Woche)* *2012, 1894 ...*	ohne Präposition: Zeitangabe im Akkusativ Jahreszahlen
auf* + Dativ	*auf dem Heimweg, auf der Reise* *auf dem Festival* *auf der Party*	Wege Veranstaltungen Feste
bei + Dativ	*beim Tennisspielen* *bei Sonnenschein*	Aktivitäten Wetter
gegen + Akkusativ	*gegen 8 Uhr*	*= circa um 8 Uhr*
während + Genitiv	*Während des Unterrichts müssen die Handys ausgeschaltet bleiben.*	parallele Aktivitäten und Zustände
seit + Dativ	*Ich bin seit drei Jahren in Frankfurt.*	Beginn in der Vergangenheit, dauert bis heute
vor + Dativ	*vor der Pause* *Vor fünf Jahren habe ich Abitur gemacht.*	
nach + Dativ	*nach der Pause* *Er ging und kam erst nach fünf Stunden zurück.*	

* Kann auch lokal verstanden werden.

1 WANN SEHEN WIR UNS? Ergänzen Sie die Präpositionen sowie die Artikel und Endungen (wenn nötig). Manchmal gibt es zwei Möglichkeiten.

_______ Montag, _______ 9.00 Uhr, _______ Mai, _______ dein_______ Geburtstag, _______ nächsten Freitag, _______ Mitternacht, _______ Party, _______ Wandern, _______ 2030, _______ Urlaub, _______ Sommer, _______ Frühlingszeit, _______ Ostern, _______ Ausflug, _______ Ende der Vorstellung, _______ 23.4., _______ Jahre 2035, _______ Regen, _______ Weg zur Arbeit, _____ übernächsten Herbst, _______ Feierabend, _______ Ferien, vielleicht erst _______ nächsten Jahrhundert, so _______ 10.00 Uhr, ich weiß nicht genau

2 **Hier ist *während* nicht die optimale Präposition. Ersetzen Sie *während* durch eine andere Präposition.**

1 während der Ferien
2 während der Hochzeit
3 während des Fußballspiels
4 während des Sommers
5 während des Flugs
6 während seiner Jugend
7 während des Wochenendes
8 während der Weihnachtszeit
9 während der Reise

1 in den Ferien

3 ***vor, nach* oder *in*? Ergänzen Sie die korrekte Präposition.**

1 Was? Er ist noch nicht da? Er ist schon ______ zwei Stunden weggefahren. Wenn er ______ zehn Minuten noch nicht da ist, rufe ich ihn an.

2 Meine Frau hat gesagt, sie ist ______ fünf Minuten fertig, aber jetzt, ______ einer Viertelstunde, warte ich immer noch auf sie.

3 Meine Tochter ist ______ zwei Wochen verreist. Sie hat sich erst ______ einer Woche gemeldet. Ich hatte mir große Sorgen gemacht.

4 Typisch! Er hat gesagt, er ist ______ einer Stunde zurück, und jetzt, ______ anderthalb Stunden, sitze ich immer noch hier und warte.

5 Als ich ______ zwei Jahren aus meiner Heimat wegging, dachte ich, dass ich ______ einem Jahr wieder zurück wäre. Aber jetzt glaube ich, dass ich erst ______ vielen Jahren heimkehren werde.

4 ***vor* oder *seit*? Markieren Sie die korrekte Präposition.**

1 Er wurde *seit/vor* vier Jahren zum Präsidenten gewählt. Er ist *seit/vor* vier Jahren im Amt.
2 Wir haben uns *seit/vor* drei Jahren kennengelernt. Unsere Hochzeit war *seit/vor* zwölf Monaten. Wir sind also *seit/vor* einem Jahr verheiratet.
3 *Seit/Vor* wann kannst du Ski laufen? Ich habe es schon *seit/vor* sechs Jahren gelernt.
4 Ich habe *seit/vor* einiger Zeit einen Mann getroffen. *Seit/Vor* einer Woche sind wir endlich ein Paar.
5 Ich weiß es erst *seit/vor* heute. Wann hast du das erfahren? – *Seit/Vor* zwei Tagen!
6 Sie sind *seit/vor* zwölf Stunden abgereist. Abzüglich der Pausen sitzen sie jetzt *seit/vor* zehn Stunden im Auto.

5 **FESTE, AKTIVITÄTEN, WEGE UND WETTER. Ergänzen Sie die korrekte Präposition und die Artikel (wenn nötig).**

1 ________ unserer Reise hatten wir nur schlechtes Wetter. Ich habe die Stadt nur ________ Regen gesehen.

2 Er hat sich ________ Sport das Bein gebrochen. ________ dem Weg ins Krankenhaus hatte er große Schmerzen.

3 Es war toll, ________ dem Festival die Musiker ________ Spielen zu beobachten. So etwas macht ________ gutem Wetter natürlich noch mehr Spaß.

4 ________ einer Bergwanderung sollte man ________ Gewitter besonders vorsichtig sein.

5 Ein Unglück kommt selten allein. ________ ________ Arbeit ist ihm ein großer Fehler passiert. Dann ist ________ ________ Heimweg sein Auto kaputtgegangen.

6 **ALLES UNGENAU. *Um* oder *gegen*? Markieren Sie die korrekte Präposition.**

1 *Gegen / Um* den 15. Mai wird das Wetter oft schon ein bisschen sommerlich.
2 Ich komme *gegen / um* 4 Uhr an. Bei so langen Autofahrten kann man das nie genau sagen.
3 *Gegen / Um* die Jahrtausendwende begann das Internet, sehr populär zu werden.
4 Die Zeit *gegen / um* Weihnachten ist für mich die schönste des Jahres.

24 Weitere temporale Präpositionen

Ab Montag und über die Feiertage

Präposition	Beispiel	Gebrauch
ab + Dativ **von** + Dativ ... **an**	*Ab morgen übe ich jeden Tag Klavier.* *Von morgen an übe ich jeden Tag Klavier.*	Beginn
zu + Dativ	*zu Beginn, zum Schluss* *zum ersten Mal*	vor: *Anfang, Schluss, Mal*
bis + Akkusativ (nur ohne Artikel) **bis zu** + Dativ (mit Artikel)	*bis morgen, bis nächstes Jahr* *bis zum 29.6.*	Ende
von ... **bis** (ohne Artikel)	*von Mai bis Juli*	Anfang bis Ende
von + Dativ ... **bis zu** + Dativ (mit Artikel)	*vom 2. bis zum 16.9.*	Anfang bis Ende
zwischen + Dativ	*Ich komme zwischen 9 und 11 Uhr.*	ungefähre Angabe in begrenztem Zeitraum
innerhalb + Genitiv **binnen** + Dativ (gehoben auch Genitiv)	*Die Arbeit muss innerhalb einer Woche fertig sein.* *Sie muss binnen einer Woche fertig sein.*	begrenzter Zeitraum / Frist
außerhalb + Genitiv	*Leider rufen Sie außerhalb unserer Sprechzeiten an.*	
über + Akkusativ (nach dem Nomen)	*Es hat die ganze Woche über geregnet.*	nach: *Wochenende, Woche, Feiertage, Zeit*
als + Nominativ	*Als Studentin war ich ...*	Situation, Status
mit + Zahl	*In Deutschland kann man mit 17 den Führerschein machen.*	Altersangabe
zeit + Genitiv	*Er hat zeit seines Lebens nicht geraucht.*	in der Zeit (nur längere Zeiträume)
lang + Akkusativ (nach dem Nomen) oder **keine Präposition**	*Wir fahren drei Monate lang in Urlaub.* *Wir fahren drei Monate in Urlaub.*	Zeitdauer

⚠ Feste Wendungen: *unter der Woche* (= im Alltag)
zwischen den Jahren (= die Zeit zwischen Weihnachten und Neujahr)
übers Wochenende (= das ganze Wochenende)

1 Ordnen Sie zu.

ab • außerhalb • binnen • bis • innerhalb • lang • über • von ... an • von ... bis • zeit • zwischen

Anfang / Ende (wann?)	begrenzter Zeitraum (wann?)	Dauer (wie lange?)

2 WANN MACHEN SIE URLAUB? Ergänzen Sie die Präpositionen.

1 __________ Montag __________ Freitag

2 die ganze Woche __________

3 __________ Wochenende

4 __________ der Saison

5 gleich __________ Beginn der Ferien

6 __________ morgen

3 Ergänzen Sie *als, außerhalb, innerhalb / binnen, mit* oder *zeit* sowie die Artikel und die Endungen.

1 Sie rufen leider __________ unser____ Sprechzeiten an.

2 Wegen der drohenden Naturkatastrophe mussten die Bewohner __________ eine____ Stunde ihre Häuser verlassen.

3 In Deutschland darf ein Teenager schon __________ 16 Auto fahren.

4 Sie müssen den Kredit __________ ein____ Jahr____ zurückzahlen.

5 Er war __________ seine____ Präsidentschaft nie in eine Korruptionsaffäre verwickelt.

6 Vieles war für mich __________ Schülerin einfacher, als es mir jetzt __________ Lehrerin erscheint.

7 Einer meiner Mitschüler hat die Schule __________ so kurzer Zeit abgeschlossen, dass er schon __________ 14 Abitur machen konnte.

4 Ergänzen Sie die Präpositionen, die Artikel und die Endungen (wenn nötig).

von ... an • zwischen • mit • über • über • bis • lang • lang • zu • zu

__________ [1] 16 durfte ich __________ [2] ersten Mal ohne meine Eltern verreisen. Ich bin mit Freunden __________ [3] ein Wochenende nach Paris gefahren. Wir hatten drei Tage __________ [4] nur Spaß! Wir haben immer __________ [5] mittags geschlafen und dann in einem Café gefrühstückt. __________ [6] unserem Frühstück und dem Abendessen sind wir viele Stunden __________ [7] durch die Stadt gebummelt. Wir hatten die ganze Zeit __________ [8] schönes Wetter. __________ [9] Schluss unseres Aufenthalts haben wir uns ein Essen in einem eleganten Restaurant gegönnt. Es war so schön, dass ich __________ damals __________ [10] immer mit Freunden in Urlaub gefahren bin.

5 *bis* oder *bis* + *zu* + Dativ? Ergänzen Sie die passende Präposition und den Artikel (wenn nötig).

1 ● Tschüss, ______ morgen! ● Ja, ______ nächsten Mal!

2 ● ______ wann soll das fertig sein? ● ______ Besprechung.

3 ● ______ Weihnachten ist noch so viel zu tun! ● Ja, ich muss auch noch viel erledigen ______ Fest.

4 ● Es soll ______ Sonntag regnen. ● Oh, nein, das ist ja ______ Ende des Urlaubs!

6 EINE ANSAGE AUF DEM ANRUFBEANTWORTER. *von ... bis* oder *vom ... bis zum*? Ergänzen Sie die passende Präposition.

Wir sind __________ 2.9. __________ [1] 16.9. in Urlaub. Danach sind wir wieder __________ Montag __________ [2] Freitag in der Zeit __________ 9 __________ [3] 18 Uhr für Sie erreichbar. __________ [4] Beginn der Weihnachtsferien __________ [5] Jahresende haben wir wieder geschlossen.

25 Kausale Präpositionen

Vor Wut oder aufgrund eines Fehlers

B2

Der Fahrer hat **vor** Angst gezittert und die Kontrolle verloren.
Nein, er ist **aus** Leichtsinn zu schnell gefahren.
Dank seines Airbags ist ihm nichts passiert.
A-UA 1

Präposition	Beispiel	Gebrauch
aus + Dativ (wird fast immer ohne Artikel vor dem Nomen gebraucht)	*Er ist aus Leichtsinn zu schnell gefahren.*	für Emotionen, wenn eine **kontrollierte Handlung** folgt; immer mit dem Wort *Grund: aus finanziellen Gründen*
vor + Dativ (wird ohne Artikel vor dem Nomen gebraucht)	*Der Fahrer hat vor Angst gezittert.*	für Emotionen, wenn eine **unkontrollierte Reaktion** folgt
wegen + Genitiv (umgangssprachlich auch + Dativ)	*Er hat wegen der nassen Straße die Kontrolle verloren.*	**Grund** (keine Emotionen)
aufgrund + Genitiv	*Der Mann ist aufgrund einer Wette so schnell gefahren.*	nennt die **Motivation** für die Handlung, die daraus folgt (nicht für Ereignisse und Emotionen)
infolge + Genitiv	*Das Auto muss infolge des Unfalls in die Werkstatt.*	nennt ein **zurückliegendes Ereignis,** das etwas zur Folge hat
angesichts + Genitiv	*Angesichts so eines Unfalls fahren die Leute erst mal vorsichtiger.*	wenn man es sieht, vor dem „Gesicht" hat
dank + Genitiv (oder + Dativ, wenn das Nomen ohne Artikel und Adjektiv steht)	*Dank seines Airbags ist ihm nichts passiert.* *Dank Gebrauch des Airbags ist nichts passiert.*	nur für positive Konsequenzen, „danke"
anlässlich[1] + Genitiv	*Anlässlich ihres zehnten Hochzeitstages haben sie eine Reise gemacht.*	für eine bestimmte Gelegenheit, weil es einen Anlass gibt
kraft + Genitiv	*Der Polizist wird kraft seines Amtes die Schuldfrage klären.*	weil die Person die Macht („Kraft") hat
mangels + Genitiv (oder + Dativ, wenn das Nomen ohne Artikel und Adjektiv steht)	*Mangels eines Zeugen konnte die Schuldfrage nicht geklärt werden.* *Mangels Beweisen konnte die Schuldfrage nicht geklärt werden.*	weil es einen Mangel gibt, weil etwas fehlt

⚠ In einigen festen Wendungen werden andere Präpositionen verwendet:
***durch** Zufall, **mit** Absicht, **aus** Versehen, der Liebe **halber**.*

[1] Kann auch temporal verstanden werden.

1 EIN PROZESS. Kombinieren Sie.

Wegen	seiner Autorität	veranstaltete er ein großes Fest.
Mangels	Diebstahls	wurde er freigesprochen.
Angesichts	positiver Presseberichte	gab es Proteste im Gerichtssaal.
Kraft	seines Freispruchs	wurde er vor Gericht gestellt.
Anlässlich	Beweisen	ermahnte der Richter das Publikum.
Dank	dieser Ungerechtigkeit	fühlte er sich rehabilitiert.

2 *aus* oder *vor*? Markieren Sie.

1 Sein Gesicht war rot *aus/vor* Wut. Er hat *aus/vor* Wut einen bösen Brief geschrieben.
2 Sie konnte *aus/vor* Nervosität kein Wort sagen. Sie hatte sich *aus/vor* Nervosität stundenlang vorbereitet.
3 Er macht das *aus/vor* Liebe zu ihr. Er ist krank *aus/vor* Liebe.
4 Ich surfe *aus/vor* Langeweile im Internet. Ich sterbe *aus/vor* Langeweile.
5 *Aus/Vor* Angst hatte sie die Tür dreimal abgeschlossen. Sie ist blass *aus/vor* Angst.
6 Er ist stumm *aus/vor* Mitleid. Er schweigt *aus/vor* Mitleid.

3 HOCHZEIT. *aus, vor* oder *wegen*? Markieren Sie.

Sie haben *aus/vor/wegen* Liebe geheiratet. In der Nacht vor der Hochzeit konnte sie *aus/vor/wegen* des bevorstehenden Ereignisses *aus/vor/wegen* Aufregung nicht schlafen. Auf der Hochzeit hat sie *aus/vor/wegen* Rührung geweint, er hat *aus/vor/wegen* Aufregung gezittert. Aber sie haben *aus/vor/wegen* Glück gelacht und gestrahlt. *Aus/Vor/Wegen* ihrer kranken Mutter haben sie in ihrem Heimatdorf geheiratet. Sie haben *aus/vor/wegen* vielen Gründen nur wenige Leute eingeladen und *aus/vor/wegen* Terminproblemen in den Sommerferien haben auch noch einige Gäste abgesagt. Beim Tanzen ist er ihr *aus/vor/wegen* Versehen auf den Fuß getreten. *Aus/Vor/Wegen* Leichtsinn haben sie die Feier in einem viel zu teuren Restaurant veranstaltet. Und dann konnten sie *aus/vor/wegen* Geldmangels nur eine kurze Hochzeitreise machen.

4 *dank, angesichts, anlässlich, mangels*? Ergänzen Sie die passende Präposition und bilden Sie den Genitiv.

1 ______________________ *(eine große Spende, f.)* konnte das Krankenhaus finanziert werden.
2 ______________________ *(mein Geburtstag, m.)* mache ich eine Party.
3 ______________________ *(ein geeignetes Werkzeug, n.)* konnte er nicht arbeiten.
4 ______________________ *(seine Sprachkenntnis, f).* ist es erstaunlich, dass er so wenig spricht.
5 ______________________ *(das Geld, n.)* meines Vaters kann ich studieren.
6 ______________________ *(genügend Anmeldungen, Pl.)* musste die Veranstaltung ausfallen.
7 ______________________ *(die Katastrophe, f.)* spendeten viele Leute Geld.
8 ______________________ *(unser 20-jähriges Jubiläum, n.)* veranstalten wir ein großes Fest.

5 *kraft, infolge, vor, aufgrund, angesichts*? Ergänzen Sie die richtige Präposition und die Endungen.

Ein Schüler hat ______________ *(infolge/vor)* ein____ Kontrollverlust____ [1] *(m)* einige Aufregung in der Schule verursacht: Der Schüler hatte sich ungerecht behandelt gefühlt und ______________ *(aufgrund/vor)* Ärger____ [2] *(m)* laut geschrien. ______________ *(kraft/angesichts)* d____ Heftigkeit____ [3] *(f)* dieser Reaktion bekam der Lehrer Angst und holte den Direktor. ______________ *(angesichts/aufgrund)* d____ Berichte____ [4] *(Pl.)* von anderen Schülerinnen und Schülern fand man heraus, dass der Mitschüler den Lehrer provoziert hatte. Der Direktor schloss den Schüler ______________ *(angesichts/kraft)* sein____ Amt____ [5] *(n)* für eine Woche vom Unterricht aus. Der so disziplinierte Schüler könnte ______________ *(aufgrund/vor)* diese____ Maßnahme____ [6] *(f)* großen Ärger mit seinen Eltern bekommen.

Präpositionen der Redewiedergabe und Referenz

laut, zufolge, hinsichtlich, entsprechend

NEUE STATISTIK
51% der Menschen in Deutschland treiben regelmäßig Sport.
Laut Statistik treiben 51% der Menschen in Deutschland regelmäßig Sport.

1. Präpositionen der Redewiedergabe

Präposition	Beispiel
laut + Dativ (oder Genitiv) oft ohne Artikel oder mit indefinitem Artikel	***Laut*** *Statistik treiben 51 % der Menschen in Deutschland regelmäßig Sport.* ***Laut*** *einer Statstik treiben 51 % der Menschen in Deutschland regelmäßig Sport.*
zufolge + Dativ steht nach dem Nomen	*Der Statistik* ***zufolge*** *treiben 51 % der Menschen in Deutschland regelmäßig Sport.*
nach + Dativ steht vor oder nach dem Nomen	***Nach*** *der Statistik treiben 51 % der Menschen in Deutschland regelmäßig Sport.* *Der Statistik* ***nach*** *treiben 51 % der Menschen in Deutschland regelmäßig Sport.*
gemäß + Dativ steht vor oder nach dem Nomen (vor allem für juristische Begriffe)	***Gemäß*** *der Statistik treiben 51 % der Menschen in Deutschland regelmäßig Sport.* *Der Statistik* ***gemäß*** *treiben 51 % der Menschen in Deutschland regelmäßig Sport.*

Diese Präpositionen haben die gleiche Funktion wie der Konjunktiv 1. Sie drücken Neutralität oder Distanz aus. **Nach diesen Präpositionen steht der Indikativ**, nicht der Konjunktiv!

2. Präpositionen der Referenz

Präposition	Beispiel	Bedeutung
hinsichtlich + Genitiv ebenso: **in Hinsicht auf** + Akkusativ **mit Blick auf** + Akkusativ	*Er ist* ***hinsichtlich*** *seines Verhaltens zu kritisieren.*	unter dem Aspekt, wenn man zu etwas „hinsieht“
bezüglich + Genitiv ebenso: **in Bezug auf** + Akkusativ	*Ich möchte etwas* ***bezüglich*** *der Steuer anmerken.*	wenn man sich auf etwas bezieht
entsprechend + Dativ (steht vor oder nach dem Nomen)	*Wir haben alles* ***entsprechend*** *Ihrem Wunsch arrangiert.* *Wir haben alles Ihrem Wunsch* ***entsprechend*** *arrangiert.*	Übereinstimmung

1 **Redewiedergabe. Formulieren Sie die Sätze mit der angegebenen Präposition.**

> *1 Laut Pressesprecher dürfen die Mieten in einigen Städten nur noch alle 15 Monate um 15 % erhöht werden.*

1 Der Pressesprecher sagte, dass die Mieten in einigen Städten nur noch alle 15 Monate um 15 % erhöht werden dürften. *(laut)*
2 Eine Studie ergab, dass der Anteil von Frauen in Führungspositionen 28 % beträgt. *(laut)*
3 Die Regierung sagt, dass es dem Land gut gehe. *(zufolge)*.
4 Die Statistik zeigt, dass zurzeit in Deutschland rund 5 % der Einwohner arbeitslos sind. *(nach)*
5 § 1 des Grundgesetzes besagt, dass alle Menschen vor dem Gesetz gleich sind. *(gemäß)*
6 Der Vorstand berichtete, dass der Umsatz im letzten Jahr leicht zurückgegangen sei. *(zufolge)*
7 Eine Untersuchung hat gezeigt, dass die Deutschen zu wenig Pausen machen. *(nach)*
8 Die Sicherheitsvorschriften schreiben vor, dass hier ein Helm getragen werden muss. *(gemäß)*

> ***laut, zufolge, nach, gemäß*** **mit Indikativ**

2 **Präpositionen der Referenz. Ersetzen Sie die unterstrichenen Nebensätze und Satzteile durch Formulierungen mit der angegebenen Präposition.**

1 Wenn man <u>seinen Fleiß</u> betrachtet, muss man ihn loben. *(hinsichtlich)*
2 Frankfurt ist ein guter Standort, wenn man <u>die Lage</u> bedenkt. *(in Bezug auf)*
3 Wir möchten auf <u>Ihre Beanstandungen</u> reagieren: Wir versichern Ihnen, dass wir uns bemühen, alle Mängel zu beheben. *(bezüglich)*
4 Was <u>das Wetter</u> angeht, ist Spanien Deutschland vorzuziehen. *(mit Blick auf)*
5 Wenn wir <u>die schwierige Situation des Studenten</u> bedenken, sollten wir seine Leistungen positiver sehen. *(in Hinsicht auf)*
6 Die Ergebnisse sind mit Skepsis zu betrachten, wenn man <u>die Methoden der Datenerhebung</u> berücksichtigt. *(hinsichtlich)*
7 Das Medikament ist kritisch zu sehen, wenn man an <u>die Nebenwirkungen</u> denkt. *(mit Blick auf)*

> *1 Hinsichtlich seines Fleißes muss man ihn loben.*

3 **Ergänzen Sie in den Sätzen *entsprechend* (vor- und nachgestellt) und das angegebene Nomen.**

1 Der Spielort ändert sich. *(der Sieger des Halbfinales)*
2 Wir haben die Ausstattung verändert. *(die Gruppengröße)*
3 Der Ort der Veranstaltung variiert. *(das Wetter)*
4 Die Motivation, eine bestimmte Sprache zu lernen, verändert sich. *(die wirtschaftliche Kraft des Landes)*
5 Der tägliche Kalorienbedarf ist unterschiedlich. *(das Alter)*
6 Die Höhe der Einkommenssteuer steigt. *(das Einkommen)*

> *1 Der Spielort ändert sich entsprechend dem Sieger des Halbfinales. / Der Spielort ändert sich dem Sieger des Halbfinales entsprechend.*

4 **DIE NEUE S-BAHN. *laut, entsprechend, hinsichtlich*. Wählen Sie die passende Präposition aus und formen Sie die Sätze um.**

1 Der Vorsitzende meinte, dass der Bau der neuen S-Bahn-Linie ein Fortschritt sei.
2 Die Einnahmen der Stadt werden natürlich steigen, wenn die Menge der Touristen zunimmt.
3 Unter dem Aspekt der Ästhetik ist die neue S-Bahn-Linie nicht begrüßenswert.
4 Der Bau ist kritisch zu betrachten, wenn man an die Umweltschäden denkt.
5 Umweltschützer behaupten, dass der neuen S-Bahn-Linie wertvolle Baumbestände zum Opfer fallen.
6 Die Anzahl der S-Bahn-Wagen wird je nach Verkehrsaufkommen variiert.
7 Der veränderte Paragraf besagt, dass Schwarzfahren ab sofort mit einer höheren Strafe belegt wird.

> *1 Laut Vorsitzendem ist der Bau der neuen S-Bahn-Linie ein Fortschritt.*

Präpositionen mit verschiedenen Positionen

davor, dahinter und um das Nomen herum

1. Die meisten Präpositionen stehen **vor dem Nomen**, zu dem sie gehören.
2. Einige Präpositionen stehen immer **hinter dem Nomen** (Postposition): *zuliebe* (+ Dativ), *zufolge* (+ Dativ), *lang* (+ Akkusativ), *halber* (+ Genitiv)
3. Einige Präpositionen können **vor oder hinter dem Nomen** stehen. Manchmal wechselt der Kasus und es gibt einen kleinen Bedeutungsunterschied.

Präposition	Beispielsatz	Gebrauch
nach + Dativ	***Nach*** *dem Mittagessen ...* *Meiner Meinung* ***nach*** *...*	in temporaler und lokaler Bedeutung nur vor dem Nomen
vor dem Nomen: **entlang** + Genitiv	***Entlang*** *des Flusses gibt es einen Weg.*	Position: statisch, antwortet auf die Frage „Wo?"
nach dem Nomen: **entlang** + Akkusativ	*Sie gehen den Fluss* ***entlang****.*	Direktion: dynamisch, in Verbindung mit Bewegung
vor dem Nomen: **gegenüber** + Dativ	***Gegenüber*** *dem Bahnhof gibt es ein nettes Eiscafé.*	
nach dem Nomen: **gegenüber** + Dativ	*Dem Bahnhof* ***gegenüber*** *liegt ein nettes Eiscafé.*	Bei Personen meist Postposition: *Mir gegenüber verhält sie sich immer korrekt.*
vor dem Nomen: **wegen** + Genitiv	***Wegen*** *des Streiks kamen heute viele Menschen verspätet zur Arbeit.*	In der Umgangssprache wird „wegen" normalerweise mit Dativ verwendet.
C1 nach dem Nomen: **wegen** + Genitiv	*Des Streiks* ***wegen*** *kamen viele Menschen verspätet zur Arbeit.*	Die Postposition ist selten und wird nur schriftsprachlich oder in festen Wendungen verwendet: *der Liebe wegen.*
C1 **ungeachtet** + Genitiv	*Der Trainer musste* ***ungeachtet*** *seiner Erfolge den Verein verlassen.* *Der Trainer musste seiner Erfolge* ***ungeachtet*** *den Verein verlassen.*	Die Postposition ist selten, wird nur schriftsprachlich verwendet
C1 **gemäß** + Dativ	***Gemäß*** *Artikel 1 des Grundgesetzes ist die Würde des Menschen unantastbar.* *Artikel 1 des Grundgesetzes* ***gemäß*** *ist die Würde des Menschen unantastbar.*	Beide Positionen sind häufig in juristischen, verwaltungstechnischen Kontexten

4. Zweiteilige Präpositionen, die getrennt stehen, stehen links und rechts vom Nomen (Zirkumpositionen).

Präposition	Beispielsatz	Bemerkungen
auf (+ Akkusativ) **... hin** **von** (+ Dativ) **... ab** **von** (+ Dativ) **... an** **von** (+ Dativ) **... aus**	***Auf*** *einen Hinweis aus der Bevölkerung* ***hin*** *wurde der Park genau durchsucht.* ***Von*** *heute* ***ab/an*** *mache ich jeden Tag Yoga.* *Ich arbeite gerne* ***von*** *zu Hause* ***aus****.*	Der Kasus wird vom ersten Teil bestimmt.
um (+ Akkusativ) **... herum** **über** (+ Akkusativ) **... hinaus** **über** (+ Akkusativ) **... hinweg** **aus** (+ Dativ) **... heraus** **von** (+ Dativ) **... herab**	***Um*** *das Haus* ***herum*** *stehen Bäume.* ***Über*** *seine Arbeit* ***hinaus*** *hat er keine Interessen.* *Sie haben* ***über*** *ihren Kopf* ***hinweg*** *entschieden.* *Die letzten drei Punkte sind* ***aus*** *sich selbst* ***heraus*** *verständlich.* ***Vom*** *Turm* ***herab*** *sehen die Autos wie Spielzeugautos aus.*	Die zweiten Teile können auch Präfixe eines Verbs sein: *Der Lärm ging* ***über*** *das normale Maß* ***hinaus****.* (***hinausgehen***) Die Bedeutung ist z. T. gedoppelt: z. B. in *aus ... heraus* haben beide Teile dieselbe Bedeutung.
C1 **um ... willen** (+ Genitiv)	*Er wurde* ***nur*** *um seines Geldes* ***willen*** *geliebt.* Feste Wendungen: *um Himmels willen, um seiner/ihrer selbst willen*	Der Kasus wird vom zweiten Teil bestimmt.

B2 **1 a) Vor dem Nomen oder nach dem Nomen? Ordnen Sie die Präpositionen in die Tabelle.**

laut • gemäß • gegenüber • neben • vor • wegen • trotz • entlang • außerhalb • lang • zuliebe • zugunsten • zufolge • infolge

immer vor dem Nomen	immer nach dem Nomen	mal vor, mal nach dem Nomen

b) Schreiben Sie die Sätze. Achten Sie auf den richtigen Kasus.

1 *(nach/ihre Meinung)* ist Hamburg die interessanteste Stadt in Deutschland.
2 *(zufolge/die Informationen auf der Website)* soll es hier eine Beratungsstelle geben.
3 *(gemäß/der Mietvertrag)* müssen Wasser und Strom separat gezahlt werden.
4 *(zuliebe/seine Freundin)* verzichtet er auf die gefährliche Bergtour.

B2 **2 Formulieren Sie die Sätze um und verwenden Sie die zweiteilige Präposition in Klammern.**

1 Sie geht regelmäßig ins Fitnessstudio. Ihr Arzt hat ihr den Rat gegeben. *(auf ... hin)*
2 Auf dem Fernsehturm hat man einen wunderbaren Blick auf die Stadt. *(von ... aus)*
3 Seit diesem Moment waren sie Freunde. *(von ... an)*
4 Sie stehen am Fenster im zehnten Stock und sehen den Karnevalsumzug unten auf der Straße. *(von ... aus)*
5 Vor, hinter und neben dem Kind liegen viele Spielsachen. *(um ... herum)*
6 Wenn man seine Äußerungen betrachtet, würde man ihn für konservativ halten. *(von ... her)*

C1 **3 Formulieren Sie die Sätze mit *um ... willen*.**

1 Er hat nachgegeben, um den Frieden zu wahren.
2 Um ein hohes Ziel zu erreichen, muss man oft Nachteile in Kauf nehmen.
3 Sie hat ihre Schwägerin nicht zurechtgewiesen, um die Beziehung zu ihrem Bruder nicht zu belasten.
4 Wir müssen unsere persönlichen Streitigkeiten zurückstellen, um das Projekt nicht zu gefährden.

„Sprechende" Präpositionen

zuliebe, mittels, anhand ...

Präposition	Beispiel	Bedeutung
zuliebe + Dativ kausal nach dem Nomen	*Er lernt seinen Eltern zuliebe sehr fleißig.*	„Weil ich ... liebe" = für ...
zugunsten + Genitiv kausal selten auch nachgestellt (mit Dativ) Gegenteil: **zuungunsten**	*Er verzichtet zugunsten seiner Schwester auf das Geld.*	zur Gunst / zum Vorteil von jemandem = weil / damit jemand profitiert
mittels + Genitiv instrumental	*Er konnte mittels eines Drahtes die Tür öffnen.*	mit dem Mittel / Instrument
mithilfe[1] + Genitiv instrumental	Ich konnte den Text nur *mithilfe* des Wörterbuchs verstehen.	mit der Hilfe von etwas
anhand + Genitiv instrumental	Sie können die Entwicklung *anhand* der Statistik beobachten.	etwas ist an / in meiner Hand (übertragene Bedeutung)
zwecks + Genitiv final	*Er treibt zwecks Muskelaufbaus Kraftsport.*	etwas hat den Zweck / das Ziel; (wird meist ohne Artikel gebraucht)
entgegen + Dativ adversativ selten auch nachgestellt	*Entgegen deiner Vermutung habe ich alles erledigt.*	gegen etwas / anders als gedacht, vermutet
ungeachtet + Genitiv konzessiv selten auch nachgestellt	*Ungeachtet seiner langjährigen Mitarbeit hat die Firma ihm gekündigt.*	ohne sie zu berücksichtigen (beachten)
seitens / vonseiten + Genitiv modal	*Seitens / Vonseiten seines Trainers gab es viel Lob.*	von einer Seite / Person (lokal, übertragene Bedeutung)
anstelle = anstatt + Genitiv alternativ	*Anstelle eines Autos kaufen wir uns ein Elektrofahrrad.*	an der Stelle von etwas anderem

Feste Wendungen, die wie Präpositionen verwendet werden

im Falle + Genitiv konditional	*Im Falle eines Unfalls benachrichtigen Sie bitte meine Schwester.*	in dem Fall, dass ... = wenn (konditional)
im Gegensatz zu + Dativ adversativ	*Im Gegensatz zu dir habe ich alles erledigt.*	im Kontrast zu

Es gibt noch weitere „sprechende" Präpositionen: *inmitten, unweit, oberhalb, unterhalb, jenseits, diesseits, beidseits* ► Kapitel 22; *zeit, lang* ► Kapitel 24; *aufgrund, dank, anlässlich, angesichts, kraft, mangels* ► Kapitel 25; *hinsichtlich* ► Kapitel 26; *um ... willen* ► Kapitel 27; *zuzüglich, abzüglich, unbeschadet, diesbezüglich ...*

1 auch: mit Hilfe

1 ***zuliebe* oder *zugunsten*? Ergänzen Sie die passende Präposition an der richtigen Position und das angegebene Nomen in der korrekten Form.**

1 Ich gehe nur ________________ *(meine Mutter)* auf das Familienfest.

2 Der Schiedsrichter entscheidet zu oft ________________ *(die gegnerische Mannschaft).*

3 Wir verbringen natürlich nur ________________ *(unsere Kinder)* den Urlaub auf dem Ponyhof.

4 Es ist manchmal schwer zu sagen, ________________ *(welche Partei)* man sich entscheiden sollte.

5 Manchmal nicke ich im Unterricht nur ________________ *(mein Lehrer)*, und tue so, als ob ich alles verstanden hätte.

2 ***entgegen* oder *im Gegensatz zu*? Markieren Sie die passende Präposition.**

1 *Entgegen/Im Gegensatz zu* der verbreiteten Meinung, dass Schwimmen nach dem Essen gefährlich ist, hat sich dies als falsch erwiesen.

2 *Entgegen/Im Gegensatz zu* den Gepflogenheiten in meiner Heimat ist es in Deutschland kein Problem, unverheiratet zusammenzuleben.

3 *Entgegen/Im Gegensatz zu* der Vorstellung der meisten Menschen, dass man als Student viel Freizeit hat, stellt sich das Studium oft als sehr arbeitsintensiv heraus.

4 *Entgegen/Im Gegensatz zu* dir komme ich nie unpünktlich.

5 *Entgegen/Im Gegensatz zu* seinen Eltern hat der Sohn viel Freude an Naturwissenschaften.

3 **Setzen Sie die Präpositionen in die Sätze ein.**

ungeachtet • im Gegensatz zu • im Falle • zuliebe • mithilfe • zwecks • zugunsten • seitens

________________ [1] meines Todes vererbe ich mein Haus meiner Schwester. Ich werde mein Testament meiner Mutter ________________ [2] ändern, sie wollte das unbedingt. ________________ [3] Erhalt des allgemeinen Familienfriedens ist das wahrscheinlich ein guter Schritt. ________________ [4] meinem Bruder, der trotz seines Reichtums sehr egoistisch ist, ist mir Gerechtigkeit sehr wichtig. Mein Erbe ________________ [5] meiner Schwester zu ändern, dazu wurde mir auch ________________ [6] mehrerer anderer Verwandter geraten. ________________ [7] des Ärgers meines Bruders werde ich nun die Änderung ________________ [8] eines Notars amtlich machen.

4 **EIN EINBRUCH. *zwecks, mittels* oder *anstelle*? Ergänzen Sie die richtige Präposition.**

Bei seinem ersten Einbruchversuch verwendete der Dieb zum Öffnen der Tür ________________ [1] eines Schlüssels eine Plastikkarte. Da dies erfolglos blieb, erschien er am nächsten Tag wieder und versuchte, ________________ [2] eines Nachschlüssels in die Wohnung zu gelangen. Die Tür war jedoch ________________ [3] einer Alarmanlage gesichert. ________________ [4] leichter Merkbarkeit war der Code aber einfach gehalten: Man hatte den Familiennamen verwendet, diesen allerdings ________________ [5] von Buchstaben in den entsprechenden Zahlen eingegeben.

5 **AUFKLÄRUNG EINES EINBRUCHS. Markieren Sie die korrekte Präposition.**

Entgegen/Anhand/Mittels allen Erwartungen konnte die Kriminalpolizei den Einbruch nach drei Monaten doch noch aufklären. *Seitens/Zwecks/Anhand* der Spuren konnte der Dieb endlich überführt werden. Man hatte ihn *anstelle/entgegen/mittels* DNA-Abgleich identifizieren können. *Mittels/Anhand/Anstelle* eines Werkzeugs hatte er nur einen einfachen Kleiderbügel zum Öffnen der Tür benutzt. Die beim Einbruch gestohlenen Objekte wurden *anstelle/entgegen/seitens* der Polizei sichergestellt.

29 Bedeutungen von *in, an, auf, über, unter, vor*

am Sonntag, am Strand, an die 100 Leute

Präpositionen haben sehr viele Bedeutungen, die sich nicht 1 : 1 übersetzen lassen. Man kann diese Bedeutungen in verschiedene Kategorien einteilen: lokal, temporal, Bedeutungen bei Verben mit festen Präpositionen, in festen Wendungen und weitere Bedeutungen.

	lokale Bedeutung	**temporale Bedeutung**	**Bedeutung bei Verben mit Präposition**	**in festen Wendungen**	**weitere Bedeutungen**
in	innerhalb eines dreidimensionalen Raums: *im Haus*	Monat, Jahreszeit, Jahrhundert: *im Mai* vorausblickend: *in drei Jahren*	neuer Zustand: *sich verwandeln in*	*in dieser Hinsicht*	Zustand: *in Sorge, im Ärger, in Trauer* Farben: *der Pulli in Rot*
an	vertikaler Kontakt, und alles mit „Wasser": *an der Wand* *am Strand*	Tageszeit, Tag, Datum: *am Abend* *am 5. 3.*	Kontakt: *sich gewöhnen an*	*an deiner Stelle*	„ungefähr" bei Zahlen: *an die 20 Jahre*
auf	horizontaler Kontakt, Ämter; *auf dem Tisch* *auf dem Standesamt*	Wege, Veranstaltungen, Feste; *auf der Reise* *auf der Party*	auf + Akkusativ = Zukunft: *hoffen auf* = Fokus: *achten auf* auf + Dativ = Basis: *basieren auf*	*auf Wunsch, auf Anraten*	Wie? *auf diese Weise, auf freundliche Art* Sprachen: *Er liest das Buch auf Deutsch.* Zielpunkt: *auf 55 % steigen*
über	oberhalb (ohne Kontakt)	*über das Wochenende* *über die Feiertage* (auch nachgestellt)	Thema, emotional bis sachlich: *lachen über, sprechen über*	–	Seitenwechsel: *über die Straße* via: *über Rom* mehr als: *über 100 Leute*
unter	unterhalb (mit und ohne Kontakt)	–	–	*unter der Woche*	zwischen: *unter den Zuschauern* Bedingung: *unter Umständen, unter der Bedingung*
vor	*vor dem Spiegel*	früher: *vor drei Jahren*	Gefahr: *Angst haben vor*	*vor der Zeit*	Grund für eine unbewusste Reaktion: *vor Angst zittern*

1 **Welche Funktion / Bedeutung hat die jeweilige Präposition? Schreiben Sie die Zahl in die Tabelle.**

In *(1)* Pirna, einer Stadt in *(2)* Sachsen, befindet sich die Edelstahlgießerei Schmees, die eine der wichtigsten unter *(3)* den Kunstgießereien in Deutschland ist. Bei Google steht sie zurzeit unter *(4)* „Kunstguss aus Edelstahl" an *(5)* erster Stelle. Als der derzeitige Chef den Betrieb vor *(6)* über *(7)* 30 Jahren im *(8)* Jahr 1992 übernahm, gab es dort über *(9)* 50 hoch qualifizierte Arbeiter. Inzwischen ist die Zahl der Angestellten auf *(10)* fast 200 angewachsen.

Dass die ursprüngliche Industriegießerei sich inzwischen auch auf *(11)* Kunstguss spezialisiert hat, kam dadurch, dass eine andere Firma die Gießerei für die Arbeiten an *(12)* den Werken von Jeff Koons mit ins *(13)* Boot geholt hat. In *(14)* den letzten Jahren sind andere Künstlerinnen und Künstler, unter *(15)* anderen auch Tony Cragg, als Kunden dazugekommen. Die Künstlerinnen und Künstler schätzen an *(16)* der Firma, dass sie genau das realisiert, was im *(17)* Kopf des Künstlers ist. Das liegt vielleicht auch an *(18)* der Lebenspartnerin des Geschäftsführers, die Künstlerin ist.

Auf *(19)* dem Gelände der Gießerei hat die Firma vor *(20)* einigen Jahren auch eine Brauerei gegründet. Neben Touristen erfreut sich auch die Belegschaft in *(21)* der Mittagspause oder vor *(22)* dem Heimweg am *(23)* firmeneigenen Bier. Daneben, am *(24)* Marktplatz, steht außerdem noch das zur Gießerei gehörige Hotel und Restaurant, in *(25)* dem vor *(26)* allem Edel-Hamburger angeboten werden.

lokal	**temporal**	**Verb/Nomen mit fester Präposition**	**feste Wendung / weitere Bedeutung**
1,			

2 **Weitere Bedeutungen und feste Wendungen. Ergänzen Sie die Präpositionen.**

1 Tut mir leid, ich habe das _______ Ärger gesagt.

2 Nachdem ich es mindestens fünfmal ohne Erfolg _______ freundliche Art probiert hatte, konnte ich _______ Wut kaum sprechen.

3 Ich würde mich _______ deiner Stelle _______ die Zuschauer setzen.

4 Das Projekt war _______ jeder Hinsicht ein Erfolg.

5 Ich habe das nur _______ Anraten meines Anwalts hin gemacht. Ich löse Probleme sonst nicht _______ diese Weise.

6 _______ Wunsch der Braut sollten _______ die 100 Personen eingeladen werden.

7 Wir unterhalten uns nur _______ der Bedingung miteinander, dass wir das Gespräch _______ Deutsch führen.

8 Das Rot macht dich blass. Kauf das Kleid lieber _______ Blau.

3 **Ergänzen Sie die Präpositionen oder Präpositionaladverbien und den Artikel (wenn nötig).**

1 Achte _______________ Autos, wenn du _______________ Straße gehst.

2 Er spricht anders _______________ Thema, wenn er _______________ Freunden ist.

3 Ich freue mich _______________ deinen Bericht _______________ deinen Urlaub.

4 Sie war sehr traurig _______________, dass sie nicht _______________ den ersten fünf platziert war.

5 _______________ Umständen müssen Sie mit _______________ drei Wochen Wartezeit rechnen.

6 Ich freue mich sehr _______________, dass du schon Bücher _______________ Deutsch liest.

7 Wir fahren _______________ Wochenende zu unseren Freunden

8 _______________ deiner Stelle würde ich mindestens einen Monat _______________ Event eine Karte kaufen.

Bedeutungen von *um, bei, von, nach, aus, mit, zu*

um das Haus, um 8 Uhr, um die Wette

Präpositionen haben sehr viele Bedeutungen, die sich nicht 1 : 1 übersetzen lassen. Man kann diese Bedeutungen in verschiedene Kategorien einteilen: lokal, temporal, Bedeutungen bei Verben mit festen Präpositionen, in festen Wendungen und weitere Bedeutungen.

	lokale Bedeutung	temporale Bedeutung	Bedeutung bei Verben mit Präposition	in festen Wendungen	weitere Bedeutungen
um	*um den See* auch: *um ... herum*	Uhrzeit: *um 9.00 Uhr* bei Jahreszahlen „circa“: *um 1500*	Objekt mit Intensität: *sich bemühen um*	*um die Wette,* *um* sein Leben	Differenz: *um 1 Prozent steigen*
bei	Wo? Person, Firma, Aktivität: *beim Arzt* *beim Joggen*	Aktivität, Wetter, Ereignis: *beim Joggen* *bei Regen*	Person / Institution (nicht „Partner“): *sich bewerben bei*	*bei Bewusstsein,* *bei klarem Verstand,* *bei Weitem*	Bedingung: *bei Bestehen der Prüfung*
von	Woher? *vom Arzt* auch: *vom Turm aus*	Beginn: *von Mo bis Fr* *von heute an*	Thema: *erzählen von* Herkunft / Ausgangspunkt: *abhängen von*	*von mir aus*	Possessiv (Genitiversatz): *die Frau von meinem Bruder*
nach	Wohin? (nur bei Wörtern ohne Artikel) *nach oben*	später: *nach der Pause*	Sinne: *riechen nach* suchen: *fragen nach*	*ganz nach Wunsch*	Redewiedergabe: *meiner Meinung nach*
aus	Woher? *aus dem Haus*	Aus welcher Zeit? *aus dem 13. Jahrhundert*	Herkunft / Bestandteile: *bestehen aus*	*aus meiner Sicht, aus diesem Grund, aus Versehen*	Material: *Der Rock ist aus Leder.* Grund für emotionale Aktionen: *aus Liebe töten*
mit	–	Alter: *mit 15 (Jahren)*	Partner: *sprechen mit* Beginn / Ende: *anfangen mit*	*mit Absicht*	Instrument: *mit dem Messer* Partner: *mit meinem Freund* Transportmittel: *mit der U-Bahn* Bedingung: *mit Glück*
zu	Wohin? Person, Aktivität: *zum Arzt* *zum Joggen*	bei Festen (Anlass): *zu Weihnachten*	Anlass: *gratulieren zu* Kombination: *passen zu*	*zum Preis von, zum Dank, zum Teil, zur Hälfte, zum Spaß*	Ziel, Zweck: *Zum Lesen braucht man ...* vor Ordinalzahlen: *zu zweit, zu dritt ..., zum ersten Mal ...*

1 BIOGRAFISCHES AUS DEM LEBEN VON JOHANN WOLFGANG VON GOETHE.
Welche Bedeutung hat die jeweilige Präposition? Schreiben Sie die Zahl in die Tabelle.

Im Oktober 1765 kommt Johann Wolfgang von Goethe zum *(1)* Jura-Studium nach *(2)* Leipzig. Er bekommt von *(3)* seinem Vater ein jährliches Budget von *(4)* 1000 Talern.
Goethe befasst sich mit *(5)* wissenschaftlichen Erkenntnissen, er geht ins Theater und lernt bei *(6)* Adam Oeser zeichnen.
Nach *(7)* einer schweren Krankheit kehrt Goethe im August 1768 von *(8)* Leipzig nach *(9)* Frankfurt zurück.
Im Sommer 1785 begibt sich Goethe zum *(10)* ersten Mal zur *(11)* Kur ins böhmische Karlsbad.
Der Minister Goethe verfolgt die Geschehnisse der Französischen Revolution mit *(12)* Interesse.
1790 besucht Goethe zum *(13)* zweiten Mal Italien. Er ist dort sehr produktiv. Rund 850 Zeichnungen sind aus *(14)* seiner italienischen Zeit erhalten.
1794 beginnt die Freundschaft mit *(15)* Friedrich Schiller, die beide zu *(16)* produktiver Arbeit anregt.
Im Sommer 1821 fährt Goethe zur *(17)* Kur nach Marienbad und bemüht sich dort um *(18)* die 17-jährige Ulrike von Levetzow.
Er will seine Autobiografie schreiben. Zum *(19)* Materialsammeln fährt er im Sommer 1814 und im Frühjahr 1815 noch einmal in die Gegenden rund um *(20)* Rhein und Main, in denen er seine Kindheit und Jugend verbracht hat.

lokal	**temporal**	**Verb/Nomen mit fester Präposition**	**feste Wendung / weitere Bedeutung**
			1

2 ***aus, bei, mit, nach, um, von, zu*** **– weitere Bedeutungen und feste Wendungen. Ergänzen Sie die Präposition.**

1 _______ schönem Wetter machen wir _______ Dank für deine Hilfe einen Ausflug.

2 Jeder beurteilt das Verhalten _______ Kollegen _______ seiner Perspektive.

3 Er hat das Auto nicht _______ Absicht, sondern _______ Versehen beschädigt.

4 Das Bett ist nur _______ Holz, das ist meiner Ansicht _______ das Beste.

5 Die Lebenserwartung in Deutschland ist in den letzten 100 Jahren _______ ungefähr 30 Jahre gestiegen.

6 Diese Aufgabe ist sehr wichtig, alle müssen das Prinzip gut verstehen. _______ diesem Grund dachte ich, dass Sie diese Aufgabe individuell lösen. _______ mir _______ können Sie aber auch _______ zweit oder ___ dritt arbeiten.

3 ***aus, bei, nach, um, zu.*** **Ergänzen Sie die Präposition und den Artikel (wenn nötig).**

1 _______________ 1800 wurde man _______________ Verdacht auf Kriminalität sofort _______________ Gefängnisstrafe verurteilt.

2 _______________ Angst _______________ die Beziehung hat sie ihrem Partner immer nachgegeben.

3 Ein Landarzt hat ein anstrengendes Leben. _______________ jedem Wetter muss er sich _______________ seine Patienten kümmern.

4 Er hat mir den Topf _______________ Geburtstag geschenkt. Ich benutze ihn meistens _______________ Kochen von Gemüse.

5 _______________ Wettkampf letzte Woche lief nicht alles _______________ Wunsch. Aber es war _______________ Weitem besser als das letzte Mal.

Partnerseite 4: Präpositionen

Partner/-in A

B2

SPIEL: FÜNF IN EINER REIHE.

Sie wählen ein Kästchen aus der Tabelle in Orange aus und nennen die Koordinaten (z.B. B6). Sie ergänzen die korrekte Präposition und den Artikel (wenn nötig). Ihre Partnerin / Ihr Partner kontrolliert. Wenn die Lösung korrekt ist, legen Sie eine Münze auf das Kästchen. Dann ist Ihre Partnerin / Ihr Partner an der Reihe und Sie kontrollieren sie / ihn mit der Lösung in der türkisen Tabelle unten. Wer zuerst fünf Münzen in einer Reihe (waagerecht, senkrecht oder diagonal) hat, hat gewonnen.

	1	2	3	4	5	6
A	Er ist ... Ärger weggegangen.	... Bild sieht man zwei Pferde.	Ich weiß das ... Internet.	Er steht ... Regen.	... Text geht es um Sport.	Ich war ... ersten Mal in Rom.
B	Ich gehe ... Markt.	Woher kommt sie? ... Hause	1990 war ich noch nicht ... Welt.	Ich liege gern ... Sonne.	Wann? ... Weihnachten.	... Mitte steht ein Baum.
C	Gestern war ich ... Philipp.	Sie war sprachlos ... Überraschung.	Ich fahre ... Ikea.	Ich fahre ... Süden.	Er sitzt schon 10 Stunden ... Computer.	Er hat das ... 5 Jahren gelernt.
D	Wann? ... 2020.	Wann? ... Sport.	Ich habe ihn ... Hochzeit getroffen.	Wann? ... Mitternacht.	Wann? ... 2.3. ... 5.6.	Wir haben ... 2 Jahre in Japan gelebt.
E	Sie war ... Strand.	Wann? ... Jugendliche.	Wir machen Urlaub ... Bergen.	Ich fahre ... Hauptbahnhof. Da steige ich aus.	Wann? ... Flug.	Sie hat ... 20 Jahren geheiratet.

Hier kontrollieren Sie die Lösung Ihrer Partnerin / Ihres Partners.

	1	2	3	4	5	6
A	**Im** 19. Jahrhundert.	**In der** Sommerzeit bin ich viel draußen.	Ich war **bei der** Nachbarin.	Biegen Sie **an der** Kreuzung rechts ab.	Wir fahren **ins** Gebirge.	**Im** Herbst.
B	Sie weiß das **seit** zwei Tagen.	Er hat ihr **aus** Liebe geholfen.	Ich fahre nächste Woche nach Hause.	Ich habe die Uhr **von** ihm bekommen.	**Als** Studentin war ich glücklicher.	**Auf dem** Ausflug.
C	Er ist 2022 geboren.	Man kann dich **auf dem** Foto kaum erkennen.	Ich weiß das **aus der** Zeitung.	Es gibt 8 Mrd. Menschen **auf der** Welt.	Er konnte **vor** Wut nicht sprechen.	**An** meinem Geburtstag.
D	**Auf/In dem** Konzert.	Sie sind **seit** 2 Jahren verheiratet.	Wir liegen gerne **im** Schwimmbad.	Wir fahren nur **bei** gutem Wetter.	**Beim** Schwimmen.	Ich wohne **in der** Basaltstraße.
E	Sie geht **zum** Chef.	Ich habe **vor** 2 Jahren Auto fahren gelernt.	**(Am)** letzten Donnerstag.	Sie waren **an** einem schönen Ort.	Ich habe das **im** Internet gelesen.	**In der** Kindheit empfindet man ein Jahr als lang.

Partnerseite 4: Präpositionen
Partner/-in B

SPIEL: FÜNF IN EINER REIHE.
Ihre Partnerin / Ihr Partner nennt Ihnen die Koordinaten von einem Kästchen (z.B. B6) und sagt den korrekten Satz. Sie kontrollieren mit der Lösung in der orangefarbenen Tabelle unten. Dann wählen Sie ein Kästchen aus, nennen die Koordinaten und ergänzen die Präposition und den Artikel (wenn nötig).
Wenn Ihre Lösung korrekt ist, legen Sie eine Münze auf dieses Kästchen. Wer zuerst fünf Münzen in einer Reihe (waagerecht, senkrecht oder diagonal) hat, hat gewonnen.

	1	2	3	4	5	6
A	Wann? ... 19. Jahrhundert.	... Sommerzeit bin ich viel draußen.	Ich war ... Nachbarin.	Biegen Sie ... Kreuzung rechts ab.	Wir fahren ... Gebirge.	Wann? ... Herbst.
B	Sie weiß das ... zwei Tagen.	Er hat ihr ... Liebe geholfen.	Ich fahre ... nächste Woche nach Hause.	Ich habe die Uhr ... ihm bekommen.	... Studentin war ich glücklicher.	Wann? ... Ausflug.
C	Er ist ... 2022 geboren.	Man kann dich ... Foto kaum erkennen.	Ich weiß das ... Zeitung.	Es gibt 8 Mrd. Menschen ... Welt.	Er konnte ... Wut nicht sprechen.	Wann? ... meinem Geburtstag.
D	Wann? ... Konzert.	Sie sind ... 2 Jahren verheiratet.	Wir liegen gerne ... Schwimmbad.	Wir fahren nur ... gutem Wetter.	Wann? ... Schwimmen.	Ich wohne ... Basaltstraße.
E	Sie geht ... Chef.	Ich habe ... 2 Jahren Auto fahren gelernt.	Wann? ... letzten Donnerstag.	Sie waren ... einem schönen Ort.	Ich habe das ... Internet gelesen.	... Kindheit empfindet man ein Jahr als lang.

Hier kontrollieren Sie die Lösung Ihrer Partnerin / Ihres Partners.

	1	2	3	4	5	6
A	Er ist **aus** Ärger weggegangen.	**Auf dem** Bild sieht man zwei Pferde.	Ich weiß das **aus dem** Internet.	Er steht **im** Regen.	**In dem / Im** Text geht es um Sport.	Ich war **zum** ersten Mal in Rom.
B	Ich gehe **auf den** Markt.	**Von zu** Hause.	1990 war ich noch nicht **auf der** Welt.	Ich liege gern **in der** Sonne.	**An** Weihnachten.	**In der** Mitte steht ein Baum.
C	Gestern war ich **bei** Philipp.	Sie war sprachlos **vor** Überraschung.	Ich fahre **zu** Ikea.	Ich fahre **in den / nach** Süden.	Er sitzt schon 10 Stunden **am / vor dem** Computer.	Er hat das **vor** 5 Jahren gelernt.
D	2020.	**Vor dem / Nach dem / Beim** Sport.	Ich habe ihn **auf der** Hochzeit getroffen.	**Um** Mitternacht.	**Vom** 2.3. **bis zum** 5.6.	Wir haben 2 Jahre in Japan gelebt.
E	Sie war **am** Strand.	**Als** Jugendliche.	Wir machen Urlaub **in den** Bergen.	Ich fahre **(bis) zum** Hauptbahnhof.	**Auf dem** Flug.	Sie hat **vor** 20 Jahren geheiratet.

31 Verben mit Nominativ, Akkusativ und Dativ

Ich frage dich und antworte dir

Im Deutschen ist das Verb das „Herz" des Satzes. Es bestimmt, welche weiteren Satzteile im Satz stehen können oder müssen.[1]

Verben nur mit Nominativ	Verben mit Nominativ und Akkusativ	Verben mit Nominativ, Akkusativ und Dativ
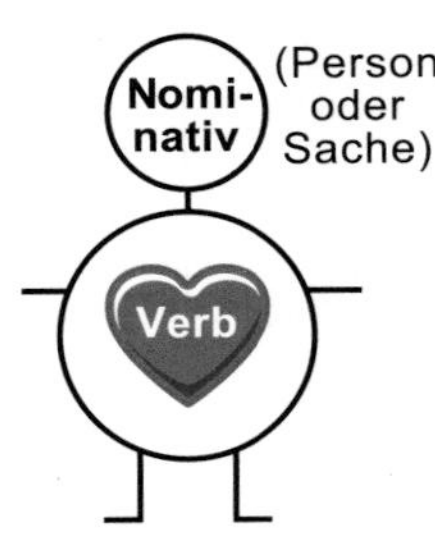	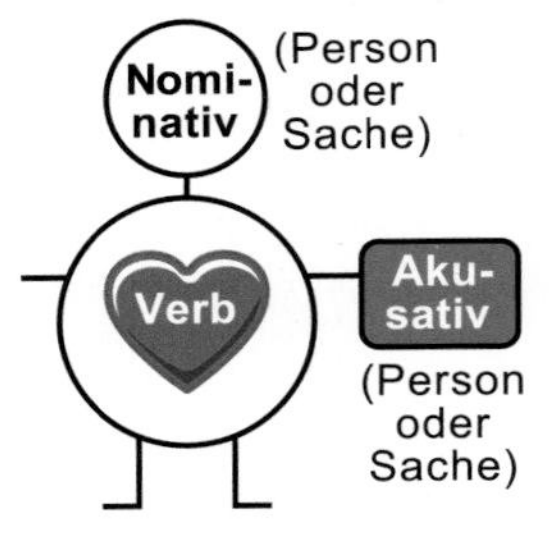	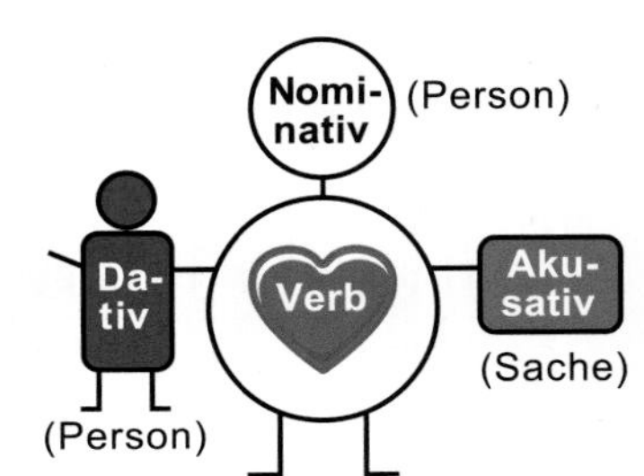
Er lacht. **Nominativ** = Subjekt[2]	*Er liebt seine Frau.* **Akkusativ** = Objekt Dies ist die größte Gruppe von Verben.	*Er schenkt seinem Sohn ein Fahrrad.* **Akkusativ** = Objekt **Dativ** = zweite Person im Satz **Der Dativ ist meistens eine Person, immer etwas Belebtes.**

Verben mit Nominativ und Dativ	C1 Verben mit Nominativ und zwei Akkusativen	Verben mit fester Präposition
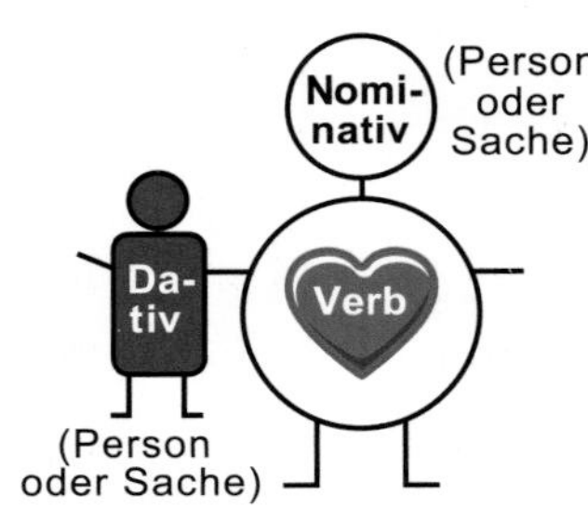	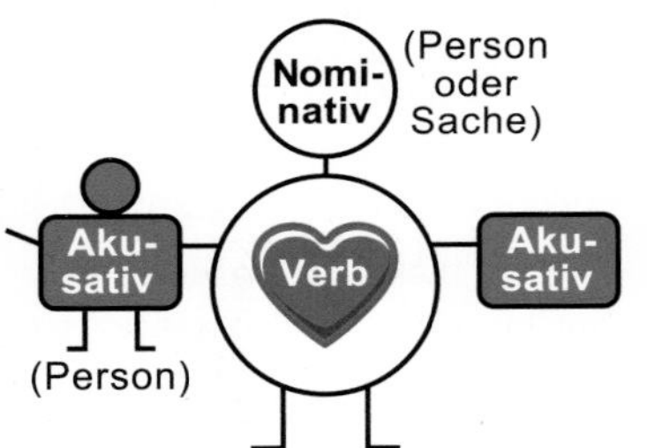	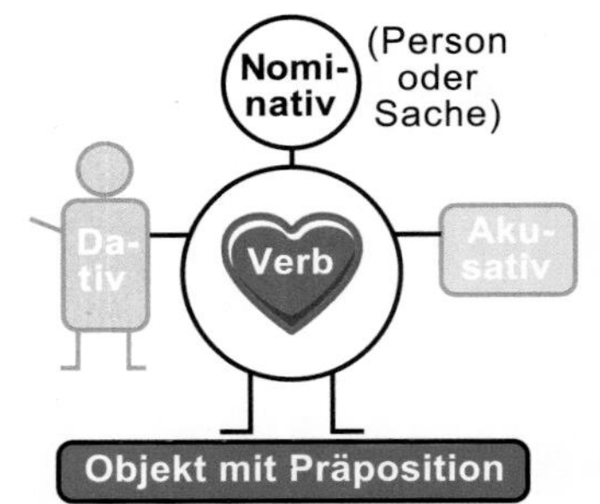
Deutsch gefällt *ihm.* *Er* hilft *ihm.* Dies ist eine kleine (unlogische)[3] Gruppe von Verben. Auf Seite 261 finden Sie eine Liste dieser Verben.[4]	*Er nannte ihn einen Träumer.* Diese Gruppe ist sehr klein: kosten, lehren, nennen, schimpfen, angehen, abhören, abfragen **Einer der beiden Akkusative ist immer eine Person.**	*Er* wartet *auf seine Frau.* *Er* bittet *seine Frau um Hilfe.* *Er* erzählt *mir vom Urlaub.* Eine Liste der Verben mit Präpositionen finden Sie auf Seite 253. **Diese Verben haben oft außer dem Objekt mit Präposition auch einen Dativ oder einen Akkusativ.**

1 Lokale, temporale und andere Angaben werden hier nicht berücksichtigt.

2 Die Verben *sein* und *werden* haben manchmal einen zweiten Nominativ als Ergänzung (= Identität): *Er ist Deutscher.*

3 Man muss diese Verben auswendig lernen, denn warum heißt es *Ich frage dich* aber *Ich antworte dir?*

4 Es gibt auch Adjektive, die ähnlich wie Verben mit Dativ verwendet werden: *Er ist mir treu.*

B2 **1 Wie viele Objekte kann das Verb maximal haben? Sortieren Sie die Verben in die Tabelle.**

nehmen • geben • lesen • vorlesen • fragen • antworten • treffen • begegnen • essen • kochen • schaden • nützen • führen • folgen • hören • zuhören • gehören • schreien • rufen • arbeiten • bearbeiten • telefonieren • anrufen • gefallen • mögen • vertrauen • lieben • haben • sein • stehlen • besitzen • passieren

kein Objekt (nur mit Nominativ)	mit Nominativ und Akkusativ	mit Nominativ, Akkusativ und Dativ	mit Nominativ und Dativ
			1

B2 **2 Schreiben Sie Sätze mit Verben mit Dativ.**

gefallen • es geht • gehören • passen • schmecken • wehtun • fehlen • stehen • schaden • ähneln

1 Ich vermisse meine Heimat.
2 Halt, das ist meine Tasche!
3 Ich fühle mich nicht gut.
4 Der Kuchen ist nicht lecker.
5 Er hat Schmerzen im Knie.
6 Jana sieht sehr ähnlich aus wie ihre Schwester.
7 In dem Kleid siehst du nicht gut aus.
8 Die Stadt fanden wir nicht schön.
9 Rauchen ist nicht gut für die Gesundheit.
10 Der Termin ist ungünstig für ihn.

B2 **3 BRUDER UND SCHWESTER. Formulieren Sie die Geschichte in Sätzen.**

1 hören: Bruder • laute Musik
2 rufen: Schwester • ihr kleiner Bruder
3 antworten: Bruder • Schwester
4 fragen: Schwester • ihr Bruder
5 nicht gefallen: seine Antwort • Schwester
6 lesen: Bruder • ein Comic *(m)*
7 warnen vor: Schwester • Bruder • schlechte Lektüre *(f.)*
8 vorlesen: Schwester • kleiner Bruder • ein gutes Buch
9 zuhören: Bruder • Schwester
10 leihen: Schwester • Bruder • Buch

B2 **4 MISSLUNGENE HOCHZEITSFEIER. Ergänzen Sie die Pronomen und die Endungen (wenn nötig).**

Ein______ [1] Freundin *(f.)* von mir wollte ihr______ [2] Freund *(m)* heiraten, nachdem ______ [3] *(sie)* ______ [4] *(er)* schon zwei Jahre kannte. ______ [5] *(sie)* wollten ein______ [6] besonders romantisch______ [7] Ort *(m.)* für die Feier und fanden schließlich ein______ [8] sehr hübsch______ [9] Restaurant *(n.)* mitten im Wald, das ______ [10] *(sie)* sehr gut gefiel. D______ [11] Besitzer *(m.)* bereitete ______ [12] *(sie)* ein______ [13] Probeessen *(n.)* zu. ______ [14] *(es)* schmeckte ______ [15] *(sie)* sehr, also besprachen ______ [16] *(sie)* d______ [17] Termin *(m.)*. D______ [18] Paar *(n)* hatte ein______ [19] gut______ [20] Eindruck *(m.)* von dem Restaurant, vertraute d______ [21] Restaurantchef *(m.)* und dachte, dass ______ [22] *(sie)* d______ [23] Fest *(n.)* hier sehr gut gelingen würde. Nachdem d______ [24] Bräutigam ______ [25] *(sie)* ein______ [26] wunderschön______ [27] Ring *(m.)* angesteckt hatte, verließ d______ [28] Hochzeitsgesellschaft *(f.)* d______ [29] Standesamt *(n.)* und fuhr bis zum Waldrand. Von dort aus wollten ______ [30] *(sie)* d______ [31] Restaurant *(n.)* zu Fuß durch den Wald erreichen. Nach ca. 200 Metern sollte ein______ [32] Kellner *(m.)* d______ [33] Gäste______ [34] *(Pl.)* ein______ [35] Sekt *(m)* anbieten. Leider begegneten ______ [36] *(sie)* kein______ [37] Kellner *(m.)*, als ______ [38] *(sie)* an der besprochenen Stelle ankamen. D______ [39] junge Ehepaar *(n.)* hatte da schon kein______ [40] gut______ [41] Gefühl *(n.)*, ging aber mit d______ [42] circa 30 Gäste______ [43] *(Pl.)* weiter. Als ______ [44] *(sie)* dann d______ [45] Ort *(m.)* ihrer Hochzeitsfeier sahen, traf ______ [46] *(sie)* ein______ [47] groß______ [48] Schock *(m.)*! D______ [49] Tür *(f.)* war verschlossen, ______ [50] *(sie)* sahen kein______ [51] Mensch______ [52] *(m)*!

C1 **5 UNTERRICHT. Verben mit zwei Akkusativen. Schreiben Sie Sätze im Präteritum.**

1 lehren: der Onkel • der Neffe • eine Fremdsprache
2 kosten: die Stunden • der Lerner • kein Geld
3 abfragen: der Lehrer • der Schüler • die Vokabeln
4 schimpfen: der Junge • der Onkel • ein Blödmann
5 nennen: der Onkel • sein Verwandter • ein Dummkopf

32 Verben mit Genitiv

Man verdächtigte ihn des Mordes

C1

Verben mit Nominativ und Genitiv

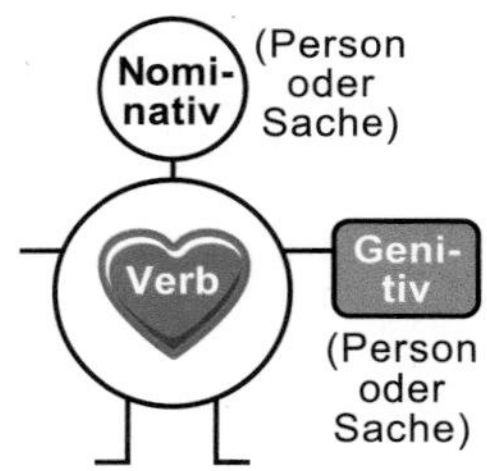

sich annehmen	*sich erbarmen*
sich bedienen	*sich erfreuen*
bedürfen	*gedenken*
sich bemächtigen	*sich rühmen*
sich enthalten	*sich schämen*

Sowohl der Genitiv als auch der Nominativ können eine Person oder eine Sache sein.
Die Sache bedarf *der Klärung*.
Jeder Mensch bedarf *eines Freundes*.

Verben mit Nominativ, Akkusativ und Genitiv

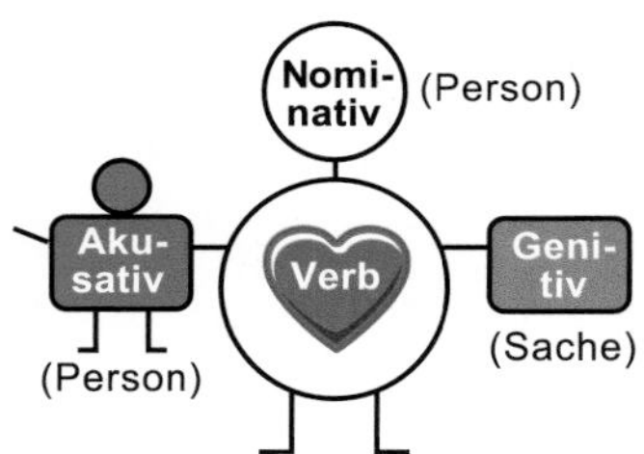

anklagen	*entheben*
beschuldigen	*überführen*
bezichtigen	*verdächtigen*
entbinden	*berauben*

Diese Verben werden häufig als feste Verb-Nomen-Kombination verwendet.

Der Akkusativ ist immer eine Person, der Genitiv immer eine Sache.
Man klagt den Mann des Mordes an.
Oft im Passiv:
Der Mann wurde des Mordes angeklagt.

- Diese Verben werden in der gehobenen Schriftsprache verwendet.
- Es gibt auch Adjektive, die ähnlich wie Verben mit Genitiv verwendet werden: *Er ist sich seiner Sache sicher.*
- Einige dieser Verben werden im modernen Deutsch oft mit einer Präposition anstatt mit Genitiv verwendet: *Er schämt sich **für** seine Tat.*

1 Verben mit Genitiv klingen oft sehr formell. Ersetzen Sie die Verben mit Genitiv durch ein anderes Verb.

1. Sie gedachte ihrer Großeltern.
2. Er bediente sich des Wörterbuches.
3. Wir bedürfen alle der Liebe und Zärtlichkeit.
4. Sie erfreute sich ihrer Enkelkinder.
5. Mutter Theresa nahm sich der Armen an.
6. Er wird der Lüge bezichtigt.

2 Ergänzen Sie die Verben in der richtigen Form.

anklagen • sich bedienen • sich enthalten • bezichtigen • entheben • gedenken • überführen • sich erfreuen

1 Als es darum ging, den Präsidenten seines Amtes zu ________________, ________________ der Abgeordnete seiner Stimme.

2 Man sollte nicht voreilig jemanden der Lüge ________________.

3 Dieser Ort ________________ größter Beliebtheit.

4 Wir ________________ der Opfer dieser Katastrophe.

5 Der Dichter ________________ einer sehr schönen Sprache.

6 Er wurde bei Gericht des Raubes ________________.

7 Der Angeklagte wurde durch Indizienbeweise des Mordes ________________.

3 a) Bilden Sie Sätze.

1 des Betrugs beschuldigen: der Käufer • der Autohändler
2 der Lüge bezichtigen: die Frau • ihr Mann
3 seiner Pflichten entheben: der Chef • der Kollege
4 des Mordes überführen: die Polizei • der Kriminelle
5 des Diebstahls verdächtigen: der Kaufhausdetektiv • der junge Mann
6 eines Vergehens anklagen: der Staatsanwalt • der Beschuldigte
7 seiner Ämter entbinden: der Präsident • der Minister
8 der Freiheit berauben: man • die Insassen eines Gefängnisses

b) Formulieren Sie die Sätze aus 3 a) im Passiv. Lassen Sie die handelnde Person weg.

1 Der Autohändler wird des Betrugs beschuldigt.

4 ERBSCHAFT. Ergänzen Sie Artikel und die Endungen (wenn nötig).

D_______ [1] Oma_______ [2] erfreute sich bis zu ihrem 100. Geburtstag beste_______ [3] Gesundheit_______ [4]. Sie starb vor wenigen Tagen. Auf der Beerdigung gedachte d_______ [5] gesamte_______ [6] Familie_______ [7] d_______ [8] liebe_______ [9] Verstorbene_______ [10]. D_______ [11] Oma_______ [12] hatte ein_______ [13] Hund_______ [14] besessen; ihr_______ [15] Enkel_______ [16] Ralf erbarmte sich d_______ [17] Hund_______ [18] und nahm sich unmittelbar nach Omas Tod d_______ [19] Hund_______ [20] an. D_______ [21] Familie_______ [22] enthielt sich ein_______ [23] Kommentar_______ [24], aber Ralf rühmte sich unaufhörlich sein_______ [25] gute_______ [26] Tat_______ [27]. Doch er bemächtigte sich auch d_______ [28] gesamte_______ [29] Besitz_______ [30] sein_______ [31] Oma_______ [32] und schämte sich nicht mal sein_______ [33] Habgier. D_______ [34] Familie denkt, dass d_______ [35] Problem_______ [36] d_______ [37] Klärung_______ [38] bedarf und will sich eventuell ein_______ [39] Rechtsanwalt_______ [40] bedienen.

5 Ersetzen Sie die Verben durch Verben mit Genitiv.

verdächtigen • sich annehmen • sich enthalten • bedürfen • sich rühmen • entheben

1 10 % der Abgeordneten gaben keine Stimme ab.
2 Verwandte kümmerten sich um die Kinder der Verstorbenen.
3 Er gab an, weil er Erfolg hatte.
4 Der Kaufhausdetektiv glaubte, die Dame habe Diebstahl begangen.
5 Nach einer schweren Operation benötigten die Patienten intensive Pflege.
6 Dem Minister wurden nach dem Skandal alle Ämter weggenommen.

Verben, Nomen und Adjektive mit Präpositionen

Es kommt darauf an, wann ihr kommt

Sprechtraining 25–27

Viele Verben haben ein Objekt mit einer Präposition.
Diese Präposition muss man mit dem Verb zusammen lernen ▶ Liste S. 253

1. Fragewörter und Präpositionalpronomen bei Verben mit Präpositionen

Worauf warten Sie?
Auf den nächsten Bus.
Darauf warte ich auch.

Auf wen wartest du?
Auf Marja.
Ach so. Auf sie / die muss man immer warten.

Fragewort für Dinge[1]**:**
wo + Präposition, z. B. *wofür*
Wenn die Präposition mit einem Vokal beginnt:
+ *r*, z. B. *worauf*

Fragewort für Personen:
Präposition + Fragewort,
z. B. *auf wen?, von wem?*

Präpositionalpronomen:
da + Präposition, z. B. *dafür*
Wenn die Präposition mit einem Vokal beginnt:
+ *r*, z. B. *darauf*

In der Antwort: Präposition + Pronomen (Personalpronomen oder auch häufig Demonstrativpronomen), z. B. *auf sie / die, von ihr / der*

Das Präpositionalpronomen kann sich auch auf eine Aussage beziehen:

*Sie hat den Termin vergessen und ist eine halbe Stunde zu spät gekommen. Ihr Chef hat sich **darüber** geärgert.*

2. Verben mit Präpositionen mit einem Nebensatz

*Sie warten **darauf**, dass der Bus kommt.*

*Sie haben Angst **davor**, zu spät zu kommen.*

Das Präpositionalpronomen (*darauf, davor* ...) verweist auf den Nebensatz. Es hat keine eigene Bedeutung, sondern ist nur für die korrekte Grammatik erforderlich.[2] Das Präpositionalpronomen ist ein Verbgefährte und steht am Satzende, aber vor Verb(teil) 2. ▶ Kapitel 5.

3. Bei Adjektiven und Nomen mit Präpositionen werden die Fragewörter, Präpositionalpronomen und Nebensatzkonstruktionen genauso wie bei Verben mit Präpositionen gebildet.

Worauf ist er neidisch? – Er ist neidisch auf den Mercedes seines Nachbarn.
Sie hatte die berechtigte Hoffnung darauf, die Prüfung mit Auszeichnung zu bestehen.

1 In der gesprochenen Sprache benutzen viele Deutsche auch Präposition + *was*, z. B. *Für was?*

2 Manchmal kann man das Präpositionalpronomen weglassen: *Sie ärgert sich (darüber), dass alle zu spät zur Besprechung kommen.* Um Fehler zu vermeiden, sollten Sie das Präpositionalpronomen immer verwenden.

1 IM BÜRO. Schreiben Sie Fragen zu den unterstrichenen Satzteilen.

1 Er entschuldigte sich für die Unannehmlichkeiten.
2 Er arbeitet schon seit Tagen an dem Bericht für den Vorstand.
3 Sie diskutierten mit dem Kunden ausführlich über die Gestaltung des Flyers.
4 Ich konnte mich nicht dazu entschließen, die Kollegin persönlich zu fragen.
5 Die Chefin bedankte sich bei allen Mitarbeitern und Mitarbeiterinnen für ihr Engagement.
6 Tanja war hier und hat nach dir gefragt.

1 Wofür entschuldigte er sich?

2 EIN INTERVIEW. Ergänzen Sie die Fragewörter, die Präpositionen und die Präpositionalpronomen.

1 ● ______ träumen Sie oft? ● Ich träume oft ______ meinem letzten Urlaub. Manchmal träume ich auch ______, noch einmal ganz neu anzufangen.

2 ● ______ erinnern Sie sich gerne? ● Ich erinnere mich gerne ______, wie ich als kleines Kind bei meinen Großeltern war. Ich erinnere mich ______ ihr Haus und ihren wunderbaren Garten.

3 ● ______ ärgern Sie sich oft? ● Ich ärgere mich oft ______ den Lärm der Nachbarn im dritten Stock. Ich ärgere mich ______, dass sie die ganze Nacht durch laute Musik hören und tanzen. Ich kann dann nicht schlafen. Und ______ ärgere ich mich besonders.

3 EINEN VORTRAG HALTEN. Präposition oder Präpositionalpronomen? Ergänzen Sie.

1 In meiner Präsentation geht es ______ die verschiedenen Formen von Trendsportarten.
2 Es gibt viele Wassersportarten, die mich faszinieren. Kitesurfen zählt auch ______.
3 Ich möchte ______ erzählen, wie ich zum Kitesurfen gekommen bin.
4 Meine Präsentation ist ______ drei Teile geteilt.
5 Im ersten Teil geht es ______, wie Kitesurfen funktioniert.
6 Der zweite Teil handelt ______, welche Ausrüstung notwendig ist.
7 Im dritten Teil spreche ich ______ den Einfluss des Wetters auf den Sport.
8 Haben Sie noch Fragen ______?
9 Ich möchte mich ______ Ihnen ______ Ihre Aufmerksamkeit bedanken.

sich ärgern über
sich erinnern an
erzählen von
die Frage zu
sich bedanken
bei (Person)
für (Sache)
es geht um
handeln von
sprechen über
teilen in
träumen von
zählen zu

4 ERINNERUNGEN AN EINE WOCHE OHNE HANDY. Ordnen Sie die Sätze.

1 ● du • daran • dich • noch • Erinnerst • , • wie wir beide nach Berlin gefahren sind?
2 ● darüber • Du • hast • dich • geärgert • , • dass du dein Handy vergessen hattest.
3 ● Ich • mich • gewöhnt • schnell • habe • daran • , • ein paar Tage ohne Handy zu sein.
4 ● konntest • Weil • du • darauf • dich • verlassen • , • dass du mein Handy benutzen durftest.
5 ● Das stimmt. Ich • verzichten • konnte • ganz • darauf • nicht • , • meine Nachrichten zu lesen.

5 Formen Sie die Sätze um und benutzen Sie einen Nebensatz.

1 Er hat Freude an teuren Autos. *(Autos • fahren)*
2 Sie rechnet immer mit unerwarteten Problemen. *(Probleme • auftauchen)*
3 Sie haben nach der Ankunftszeit des Zuges gefragt. *(der Zug • ankommen)*
4 Sie schwärmt von einer Weltreise. *(eine Weltreise • machen)*
5 Wir haben uns über den langsamen Service beschwert. *(das Essen • so spät kommen)*
6 Er erinnert sich leider überhaupt nicht mehr an den genauen Wortlaut des Textes. *(im Text • stehen)*
7 Wir wollen noch einmal über unsere Beteiligung am Projekt nachdenken. *(an dem Projekt • beteiligen)*

1 Er hat Freude daran, teure Autos zu fahren.

Verben, Adjektive und Nomen mit festen Präpositionen mit Akkusativ

Danke für das Kompliment

Sprechtraining 28

In der deutschen Sprache gibt es viele Verben, Nomen und Adjektive, die ein Objekt mit Präposition haben: *Ich warte auf den Bus.* Die Verben muss man mit ihren Präpositionen lernen. ► Liste S. 253.

Hilfe beim Memorieren: Diese Präpositionen haben eine Beziehung zur Bedeutung des Verbs.
Diese Beziehung ist mehr oder weniger deutlich.[1]
Zum Beispiel hat die Präposition ***an*** die Bedeutung ***„Kontakt"***:
denken an: Denken ist ein Kontakt zu einer Sache im Kopf.
sich gewöhnen an: Man gewöhnt sich an etwas durch Kontakt damit.

Präposition	Bedeutung	Beispiele
auf[2]	Fokus	**aufpassen auf** achten, antworten, neidisch, zielen, stolz, wütend, eifersüchtig ...
	Zukunft	**warten auf** sich freuen, hoffen, gespannt, neugierig ...
für	Zielobjekt	**sich entscheiden** sich bedanken, sich entschuldigen, kämpfen, sorgen, werben, sich interessieren, geeignet, verantwortlich ...
gegen	Ablehnung	**protestieren gegen** sich entscheiden, kämpfen, sich verteidigen, immun ...
über	Thema emotional	**sich ärgern über** verärgert, sich aufregen, sich freuen, entsetzt, froh, glücklich, traurig, wütend, weinen, streiten ...
	sachlich	**sprechen über** berichten, sich unterhalten, sich beklagen, sich beschweren, sich infomieren, nachdenken ...
um	Objekt mit Intensität	**sich bewerben um** sich bemühen, kämpfen, sich kümmern, sich sorgen, spielen, streiten, es geht, es handelt sich ...
an ⚠ *an*: einige Verben mit Akkusativ, einige mit Dativ	Kontakt	**denken an** mit Akkusativ: denken, sich erinnern, schicken, adressieren, sich gewöhnen ... mit Dativ: sterben, teilnehmen, erkranken, sich orientieren, schuld ...

Manche Verben können, abhängig von der Bedeutung des Objekts, mit unterschiedlichen Präpositionen verwendet werden:

Beispiel: *Der Kampf für die Freiheit.* (Zielobjekt)
Der Kampf gegen die Ungerechtigkeit. (Ablehnung)
Zwei Männer kämpfen um eine Frau. (Objekt mit Intensität)

Verben, Nomen und Adjektive mit der gleichen Bedeutung haben normalerweise die gleiche Präposition:
sich ärgern über, der Ärger über, verärgert über; ⚠ *sich interessieren für, das Interesse an, interessiert an*

1 Es gibt auch Verben, bei denen die Bedeutung nicht passt.

2 Es gibt auch Verben mit der Präposition *auf* + Dativ ► Kapitel 35.

1 a) **Welche Bedeutung haben *auf, an, für, gegen, über, um*? Tragen Sie die Präpositionen in die Tabelle ein.**

Thema (emotional)	Zielobjekt	Ablehnung	Kontakt	Objekt mit Intensität	Fokus	Zukunft
					auf	

b) **Ordnen Sie die Verben und Nomen in die Tabelle ein. Manchmal gibt es mehrere Möglichkeiten.**

demonstrieren • sich vorbereiten • sich wehren • lachen • sich konzentrieren • bitten • senden • der Dank • dankbar • leiden • die Erinnerung • der Ärger • sich kümmern • hoffen • aufpassen

2 **Markieren Sie die korrekte(n) Präposition(en).**

	auf	an	für	gegen	über	um
sich streiten	◯	◯	◯	◯	◯	◯
achten	◯	◯	◯	◯	◯	◯
die Hoffnung	◯	◯	◯	◯	◯	◯
sich entscheiden	◯	◯	◯	◯	◯	◯
die Demonstration	◯	◯	◯	◯	◯	◯
sich aufregen	◯	◯	◯	◯	◯	◯
nachdenken	◯	◯	◯	◯	◯	◯
sich kümmern	◯	◯	◯	◯	◯	◯
es geht	◯	◯	◯	◯	◯	◯
sich erinnern	◯	◯	◯	◯	◯	◯
der Gedanke	◯	◯	◯	◯	◯	◯
denken	◯	◯	◯	◯	◯	◯
gespannt	◯	◯	◯	◯	◯	◯
glücklich	◯	◯	◯	◯	◯	◯
verantwortlich	◯	◯	◯	◯	◯	◯
die Verantwortung	◯	◯	◯	◯	◯	◯
neidisch	◯	◯	◯	◯	◯	◯
der Neid	◯	◯	◯	◯	◯	◯
traurig	◯	◯	◯	◯	◯	◯
sich bemühen	◯	◯	◯	◯	◯	◯

3 **Kombinieren Sie.**

1 Zwei Katzen streiten sich	auf	eine höhere Position.
2 In den Übungen müssen Sie	um	die Arbeitslosigkeit statt.
3 Er hat die berechtigte Hoffnung	für	einen Ball.
4 Immer mehr Menschen entscheiden sich	gegen	die Korruption auf.
5 Heute findet eine Demonstration	über	die Präpositionen achten.
6 Ich rege mich manchmal sehr	auf	eine gesunde Ernährung.

4 ERNÄHRUNG. Verben mit Präpositionen und Akkusativ. Ergänzen Sie die Präpositionen und die Endungen (wenn nötig).

Jeder Mensch interessiert sich ______[1] sein______[2] Ernährung *(f)*. Viele Menschen auf der Welt haben zu wenig Essen und müssen da______[3] kämpfen. Einige sind nur da______[4] interessiert, nicht zu viel und das Richtige zu essen. Sie bemühen sich sehr ______[5] ein______[6] gute______[7] Figur *(f)* und sie sind bestens informiert da______[8], welche Nahrungsmittel wie viele Kalorien enthalten. Aber es ist nicht gut, nur ______[9] d______[10] Kalorien *(Pl.)* zu achten. Vielmehr sollte man sich ______[11] ein______[12] gesunde______[13] Ernährung *(f)* entscheiden und da______[14] denken, dass der Körper auch Fett und Kohlenhydrate braucht.

5 DIMITRIS' JOBSUCHE. Ergänzen Sie die Präpositionen.

Mein Freund Dimitris aus Griechenland hofft seit einiger Zeit ______[1] eine Stelle in Deutschland. Es war nicht leicht, aber er hat sich da______[2] entschieden, seine Heimat zu verlassen. Er hatte lange da______[3] nachgedacht und mit seinen Eltern da______[4] gesprochen. Aber nachdem er sich in Griechenland lange ______[5] eine Stelle bemüht hatte, hat er Bewerbungen ______[6] deutsche Krankenhäuser geschickt. Er bewirbt sich ______[7] eine Stelle als Arzt. Einige Krankenhäuser haben gar nicht ______[8] seine E-Mails geantwortet und Dimitris hat sich sehr da______[9] geärgert. Aber jetzt hat er eine Einladung zu einem Vorstellungsgespräch bekommen. Er hat sich sehr gut ______[10] das Krankenhaus informiert, sich sorgfältig ______[11] das Gespräch vorbereitet und da______[12] geachtet, alles richtig zu machen. Er hat die Stelle bekommen! Seine Eltern haben sich da______[13] gefreut, aber sie sorgen sich auch ______[14] ihren Sohn, weil sie sich jetzt nicht mehr selbst ______[15] ihn kümmern können.

6 Markieren Sie die richtige Präposition und malen Sie das Feld mit dieser Nummer in der Zeichnung unten farbig an.

1 zielen an *(31)* / auf *(45)* / über *(5)*
2 glauben für *(63)* / über *(11)* / an *(33)*
3 berichten auf *(56)* / um *(67)* / über *(28)*
4 schicken an *(57)* / um *(51)*
5 sich informieren an *(37)* / über *(4)*
6 es kommt an über *(39)* / auf *(14)* / für *(60)*
7 gewöhnt für *(52)* / auf *(8)* / an *(40)*
8 stolz auf *(38)* / über *(58)*
9 sich einigen an *(10)* / gegen *(24)* / auf *(7)*
10 stimmen auf *(46)* / für *(21)*
11 gespannt für *(55)* / um *(61)* / auf *(17)*
12 spielen um *(35)* / über *(66)* / an *(47)*
13 sterben über *(41)* / an *(50)*
14 neidisch gegen *(30)* / auf *(29)* / für *(42)*
15 nachdenken an *(18)* / für *(22)* / über *(62)*
16 dankbar auf *(25)* / für *(43)* / an *(53)*
17 denken über *(32)* / auf *(59)* / an *(34)*
18 lachen um *(16)* / über *(48)* / an *(44)*
19 froh an *(13)* / über *(12)*
20 hoffen über *(36)* / auf *(65)*
21 es geht über *(19)* / um *(26)*
22 glücklich an *(20)* / auf *(49)* / über *(9)*
23 sorgen für *(23)* / um *(6)*
24 sich sorgen für *(3)* / um *(54)*
25 sich vorbereiten für *(64)* / auf *(2)*
26 schuld für *(15)* / an *(27)* / über *(1)*

Lösung:

Auf dem Bild ist ein ____________________, das man gut auf einer Wanderung in den Bergen gebrauchen kann.

7 **Verben mit zwei Präpositionen. Markieren Sie die korrekte Präposition.**

1 Ich freue mich sehr *auf/über* meinen Geburtstag morgen. Ich freue mich sehr *auf/über* die Blumen, die ich schon heute bekommen habe.
2 1200 Menschen haben *für/gegen* mehr Gehalt und *für/gegen* die Lohnsenkung demonstriert.
3 Wenn man sich *für/gegen* eine Sache entscheidet, entscheidet man sich automatisch *für/gegen* eine andere.
4 In der Partnerschaft streiten sich viele *um/über* die Hausarbeit. Nach der Trennung streiten sie sich *um/über* das Auto, den Fernseher, den Hund ...
5 Ich sorge seit zwei Jahren *für/über* meinen alten Vater. Jetzt ist er krank und ich sorge mich sehr *um/über* ihn.

8 **MEINE ERSTE LEHRERIN. *An* mit Akkusativ oder Dativ? Markieren Sie das richtige Wort.**

Seit ich an *den/dem* Sprachkurs teilnehme, erinnere ich mich oft an *meine erste/meiner ersten* Lehrerin in der Grundschule. Ich konnte mich damals nur schwer an *die/der* Schule gewöhnen, aber sie hat mir sehr dabei geholfen. Ich habe noch jahrelang Weihnachtskarten an *sie/ihr* geschrieben und später E-Mails an *sie/ihr* geschickt. Inzwischen ist sie an *eine schwere/einer schweren* Krankheit gestorben. Die Gedanken an *meine erste/meiner ersten* Lehrerin sind immer positiv.

9 **Verben, Nomen, Adjektive. Ergänzen Sie die Präpositionen.**

	Verb	Nomen	Adjektiv	Präposition
1	antworten	die Antwort	–	
2	sich entscheiden	die Entscheidung	–	/
3	sich ärgern	der Ärger	ärgerlich	
4	sich informieren	die Information	informiert	
5	sich bemühen	die Mühe	bemüht	
6	teilnehmen	die Teilnahme	–	
7	sich erinnern	die Erinnerung	–	
8	sich aufregen	die Aufregung	aufgeregt	
9	hoffen	die Hoffnung	–	
10	–	die Verantwortung	verantwortlich	
11	sich konzentrieren	die Konzentration	konzentriert	
12	–	die Neugier	neugierig	

10 **Adjektive mit Präpositionen. Ergänzen Sie.**

1 Ich bin schon sehr gespannt ____________ das Ergebnis meines Tests.
2 Der Brief ist nicht ____________ mich, sondern ____________ meine Nachbarin adressiert.
3 Ich bin sehr froh da____________, dass das Wochenende heute beginnt.
4 Die Leute waren ________ den Unfall entsetzt. Keiner der Fahrer wollte schuld da__________ sein.
5 Ich brauche mein Sofa nicht mehr. Bist du da____________ interessiert?
6 Ich fürchte, der Bewerber ist nicht geeignet ____________ diese Stelle, denn er wäre ____________ zehn Mitarbeiter verantwortlich.
7 Schon lange vor Weihnachten sind die Kinder neugierig ____________ ihre Geschenke.
8 Nach drei Jahren im Kindergarten ist Hella-Sofie ____________ viele Krankheiten immun.
9 Ich bin glücklich da____________ und stolz da____________, dass ich jetzt die Präpositionen so gut kann.

35 Verben, Adjektive und Nomen mit festen Präpositionen mit Dativ

B2

Sprechtraining 28

Ich träume von dir

In der deutschen Sprache gibt es viele Verben, Nomen und Adjektive, die ein Objekt mit Präposition haben: *Ich frage nach dem Weg*. Die Verben muss man mit ihren Präpositionen lernen. ► Liste S. 253.

Hilfe beim Memorieren: Diese Präpositionen haben eine Beziehung zur Bedeutung des Verbs.

Diese Beziehung ist mehr oder weniger deutlich.[1]

Zum Beispiel hat die Präposition *mit* die Bedeutung *Partner* (beide agieren miteinander), die Präposition *bei* die Bedeutung *Person/Institution* (zu der eine der Personen kommt):

*Ich **spreche mit** meinem Chef.* (= Beide sprechen miteinander.)

*Ich **beschwere mich bei** meinem Chef.* (= Ich beschwere mich, er hört zu.)

Verben, Nomen und Adjektive mit der gleichen Bedeutung haben normalerweise die gleiche Präposition. *(abhängen von, abhängig sein von, die Abhängigkeit von)*

Präposition	Bedeutung	Beispiele
auf	Basis	**fußen auf** basieren, beharren, bestehen ...
aus	Herkunft / Bestandteile	**stammen aus** bestehen, entstehen, übersetzen, sich ergeben, sich befreien ...
bei	Person / Institution	**sich bewerben bei** anrufen, der Anruf, arbeiten, sich bedanken, sich beschweren, sich erkundigen, sich entschuldigen, sich informieren, beliebt, bekannt ...
mit	Partner	**diskutieren mit** kämpfen, schimpfen, spielen, sprechen, streiten, verheiratet, befreundet ...
|-|	Beginn / Ende	**anfangen mit** aufhören, beginnen, fertig ...
nach	Suche	**fragen nach** sich erkundigen, verrückt, sich sehnen, süchtig ...
	Sinne	**riechen nach** schmecken, duften ...
von	Thema	**träumen von** handeln, überzeugen, berichten, begeistert, enttäuscht[2]
	Herkunft / Ausgangs-punkt	**abhängen von** abhängig, sich befreien, frei, sich erholen, müde ...
vor	Gefahr	**flüchten vor** fliehen, sich fürchten, sich ängstigen, die Angst ...
zu	Anlass	**gratulieren zu** einladen, der Glückwunsch ...
	Kombination	**gehören zu** passen, beitragen, bereit, fähig ...

1 Es gibt auch Verben, bei denen die Bedeutung nicht passt.

2 Einige Verben kann man mit *über* oder *von* benutzen (z. B. *erzählen, berichten)*, aber immer: *träumen von, handeln von.*

1 a) Welche Bedeutung haben *auf, aus, bei, mit, nach, von, vor, zu*? Tragen Sie die Präpositionen in die Tabelle ein.

Gefahr	Beginn / Ende	Partner	Person / Institutionen	Thema / woher	Kombination	Herkunft	Basis	Sinne	Suche
		mit							

b) Ordnen Sie die Verben und Nomen in die Tabelle ein. Es gibt manchmal zwei Möglichkeiten.

die Übersetzung • enden • sich unterhalten • sich melden • reden • beruhen • die Frage • die Sucht • die Befreiung • der Traum • warnen • passen • stinken • die Angst • fertig • sich eignen

2 Markieren Sie die richtige Präposition zu den Verben und Nomen.

	auf	aus	bei	mit	nach	vor	von	zu
1 die Einladung	○	○	○	○	○	○	○	○
2 anrufen	○	○	○	○	○	○	○	○
3 die Abhängigkeit	○	○	○	○	○	○	○	○
4 spielen	○	○	○	○	○	○	○	○
5 schmecken	○	○	○	○	○	○	○	○
6 sich bewerben	○	○	○	○	○	○	○	○
7 sich beschweren	○	○	○	○	○	○	○	○
8 die Erholung	○	○	○	○	○	○	○	○
9 bestehen	○	○	○	○	○	○	○	○
10 die Warnung	○	○	○	○	○	○	○	○
11 aufhören	○	○	○	○	○	○	○	○

3 BESCHWERDEN. Ergänzen Sie die Präpositionen.

Luisa arbeitet ______ [1] der Bahn. Viele Leute rufen ______ [2] ihr an, um sich ______ [3] ihr über Verspätungen und anderes zu beschweren. Ein Fahrgast, Frau Müller, hat sich ______ [4] Luisa über ein Erlebnis auf einer Fahrt im Hochsommer beklagt. Sie hat im Zug ______ [5] dem Schaffner gesprochen und ______ [6] ihrer Reiseverbindung gefragt. Er hat ihr ______ [7] der Weiterfahrt mit einer Regionalbahn geraten. Sie war da______ [8] einverstanden, denn sie hatte Zeit und wollte sich ______ [9] dem Stress in der Woche erholen. Der Regionalzug bestand dann nur ______ [10] einem Wagen. Sie ist eingestiegen und hat gleich gemerkt, dass die Klimaanlage nicht funktionierte. Es war sehr heiß und voll und es roch stark ______ [11] Schweiß. Einige Leute haben außerdem da______ [12] angefangen, sich laut über irgendetwas zu streiten, weil sie ______ [13] der Situation gestresst waren. Frau Müller hat Angst ______ [14] den Mitreisenden bekommen und hat sich immer wieder da______ [15] erkundigt, wann der Zug wieder anhält. Sie hätte sich am liebsten so schnell wie möglich ______ [16] dieser unangenehmen Situation befreit. Am nächsten Bahnhof ist sie ausgestiegen, aber sie träumt heute noch manchmal ______ [17] dieser anstrengenden Zugfahrt und sie besteht da______ [18], einen Teil des Geldes für die Reise zurückzubekommen. Luisa möchte sie ______ [19] einer kostenlosen Städtereise – natürlich mit der Bahn – einladen.

Sie trainieren alleine? Arbeiten Sie mit 29, 30

Partnerseite 5: Verben und ihre Ergänzungen

B2

Partner/-in A

1 DER MIETER UND DER VERMIETER. GEMEINSAM EINE GESCHICHTE ERZÄHLEN.

Sie sprechen die orangefarbenen Sätze und ergänzen die Artikel oder das Personalpronomen. Ihre Partnerin / Ihr Partner kontrolliert. Dann spricht Ihre Partnerin / Ihr Partner und Sie kontrollieren mit der Lösung in Grau.

1 D... Vermieter hat d... Mieter beim Unterschreiben des Mietvertrags getroffen.
2 Dann begegnet der Vermieter dem Mieter zufällig im Treppenhaus.
3 D... Vermieter gefällt d... Mieter und d... Vermieter mag d... Mieter.
4 Der Vermieter ruft den Mieter oft an.
5 Dann möchte d... Mieter ein... Party feiern.
6 Dazu fehlt dem Mieter ein Grill.
7 D...Vermieter vertraut d... Mieter.
8 Der Vermieter leiht dem Mieter seinen Grill.
9 Als d... Vermieter sein... Grill im Treppenhaus stehen sieht, ärgert ...(er) sich.
10 Jeder Fremde könnte ihm den Grill stehlen.
11 D... Vermieter sagt d... Mieter, dass ... (er) sauer ist.
12 Der Mieter erzählt dem Vermieter, dass er den Grill immer gesehen hat.
13 D... Vermieter glaubt d... Mieter nicht.
14 Der Vermieter verbietet dem Mieter, ihn noch einmal anzurufen.
15 D... Mieter bringt d... Vermieter d... Grill zurück.
16 Und der Mieter schenkt dem Vermieter einen Strauß Blumen.
17 D... Vermieter verzeiht d... Mieter und gibt ... (er) d... Hand.
18 Der Mieter dankt dem Vermieter.

Mieter (m.), Vermieter (m.), Party (f.), Grill (m.), Fremde (m.), Strauß (m.), Hand (f.)

2 VORFREUDE AUF WEIHNACHTEN. GEMEINSAM EINE GESCHICHTE ERZÄHLEN.

Sprechen Sie die orangefarbenen Sätze und ergänzen Sie die Präposition oder das Präpositionalpronomen (*da* + Präposition). Ihre Partnerin / Ihr Partner kontrolliert . Dann spricht Ihre Partnerin / Ihr Partner und Sie kontrollieren mit der Lösung in Grau.

1 Jedes Jahr freue ich mich ...Weihnachten und bin absolut gespannt ..., was mir meine Eltern und Geschwister schenken.
2 Natürlich muss ich auch darüber nachdenken, was ich meinen Eltern und Geschwistern schenke.
3 Und ich muss rechtzeitig ... beginnen, Geld für die Geschenke zu sparen.
4 Außerdem muss ich auch darauf achten, dass ich jedem ungefähr gleich viel schenke.
5 Ich bin natürlich sehr neugierig ..., was ich zu Weihnachten bekomme, und ich habe einmal vor Weihnachten überall in der Wohnung ... den Geschenken gesucht.
6 Ich habe sie auch gefunden. Ich war nur einen ganz kleinen Moment glücklich über die schönen Sachen und stolz darauf, dass ich sie gefunden hatte.
7 Denn natürlich konnte ich ja mit niemandem ... sprechen und ich erinnere mich noch gut ..., dass ich dann sofort unglücklich ... meine Tat war.
8 Außerdem hatte ich große Angst davor, dass meine Eltern am Weihnachtsabend merken würden, dass ich die Geschenke schon kannte.
9 Ich machte mir so große Sorgen ..., dass ich dann jede Nacht ... träumte, wie schrecklich der Weihnachtsabend wäre.
10 An einem Morgen musste ich darüber so weinen, dass ich meiner Mutter davon erzählt habe.
11 Sie war sehr lieb und sagte, dass es genug Strafe ist, dass ich mich jetzt so ... mich selbst ärgere.
12 Darüber war ich so froh, dass ich wieder schlafen und in Ruhe auf Weihnachten warten konnte.

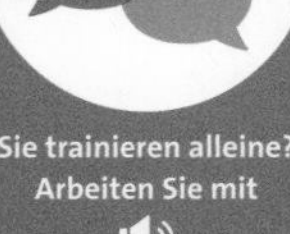

Sie trainieren alleine? Arbeiten Sie mit 29, 30

Partnerseite 5: Verben und ihre Ergänzungen

Partner/-in B

1 DER MIETER UND DER VERMIETER. GEMEINSAM EINE GESCHICHTE ERZÄHLEN.
Ihre Partnerin / Ihr Partner spricht und Sie kontrollieren mit der Lösung in Grau. Dann sprechen Sie die türkisen Sätze und ergänzen die Artikel oder das Personalpronomen. Ihre Partnerin / Ihr Partner kontrolliert.

1 Der Vermieter hat den Mieter beim Unterschreiben des Mietvertrags getroffen.
2 Dann begegnet d... Vermieter d... Mieter zufällig im Treppenhaus.
3 Der Vermieter gefällt dem Mieter und der Vermieter mag den Mieter.
4 D... Vermieter ruft d... Mieter oft an.
5 Dann möchte der Mieter eine Party feiern.
6 Dazu fehlt d... Mieter ein... Grill.
7 Der Vermieter vertraut dem Mieter.
8 D... Vermieter leiht d... Mieter sein... Grill.
9 Als der Vermieter seinen Grill im Treppenhaus stehen sieht, ärgert er sich.
10 Jede... Fremde könnte .... *(er)* den... Grill stehlen.
11 Der Vermieter sagt dem Mieter, dass er sauer ist.
12 D... Mieter erzählt d... Vermieter, dass ....(er) d... Grill immer gesehen hat.
13 Der Vermieter glaubt dem Mieter nicht.
14 D... Vermieter verbietet d... Mieter, ... (er) noch einmal anzurufen.
15 Der Mieter bringt dem Vermieter den Grill zurück.
16 Und d... Mieter schenkt d... Vermieter ein... Strauß Blumen.
17 Der Vermieter verzeiht dem Mieter und gibt ihm die Hand.
18 D... Mieter dankt d... Vermieter.

Mieter (m.), Vermieter (m.), Party (f.), Grill (m.), Fremde (m.), Strauß (m.), Hand (f.)

2 VORFREUDE AUF WEIHNACHTEN. GEMEINSAM EINE GESCHICHTE ERZÄHLEN.
Ihre Partnerin / Ihr Partner spricht und Sie kontrollieren mit der Lösung in Grau. Dann sprechen Sie die türkisen Sätze und ergänzen dabei die Präposition oder das Präpositionalpronomen (*da* + Präposition).

1 Jedes Jahr freue ich mich auf Weihnachten und bin absolut gespannt darauf, was mir meine Eltern und Geschwister schenken.
2 Natürlich muss ich auch ... nachdenken, was ich meinen Eltern und Geschwistern schenke.
3 Und ich muss rechtzeitig damit beginnen, Geld für die Geschenke zu sparen.
4 Außerdem muss ich auch ... achten, dass ich jedem ungefähr gleich viel schenke.
5 Ich bin natürlich sehr neugierig darauf, was ich zu Weihnachten bekomme, und ich habe einmal vor Weihnachten überall in der Wohnung nach den Geschenken gesucht.
6 Ich habe ich sie auch gefunden. Ich war nur einen ganz kleinen Moment glücklich ... die schönen Sachen und stolz ..., dass ich sie gefunden hatte.
7 Denn natürlich konnte ich ja mit niemandem darüber sprechen und ich erinnere mich noch gut daran, dass ich dann sofort unglücklich über meine Tat war.
8 Außerdem hatte ich große Angst ..., dass meine Eltern am Weihnachtsabend merken würden, dass ich die Geschenke schon kannte.
9 Ich machte mir so große Sorgen darüber, dass ich dann jede Nacht davon träumte, wie schrecklich der Weihnachtsabend wäre.
10 An einem Morgen musste ich ... so weinen, dass ich meiner Mutter ... erzählt habe.
11 Sie war sehr lieb und sagte, dass es genug Strafe ist, dass ich mich jetzt so über mich selbst ärgere.
12 ... war ich so froh, dass ich wieder schlafen und in Ruhe ... Weihnachten warten konnte.

36 Bildung der Vergangenheitszeiten

Das Glas ist zerbrochen, aber wer hat es zerbrochen?

1. Perfekt und Plusquamperfekt – Bildung und Position im Satz

Perfekt: konjugierte Form von ***sein / haben*** **+ Partizip II**:
er ist gekommen, er hat gesehen

Plusquamperfekt: konjugierte Form von ***sein / haben*** **im Präteritum + Partizip II**:
er war gekommen, er hatte gesehen

	Position 2: konjugiertes Verb		**Ende: Partizip II**
Er	**ist**	so spät nach Hause	**gekommen.**
Er	**hatte**	nämlich den Bus	**verpasst.**

Perfekt mit *sein*	Perfekt mit *haben*
• nur Verben **ohne Akkusativ** • Verben, die einen **Wechsel der Position** (von Position A nach Position B) ausdrücken: *kommen, gehen, fahren, springen, reisen, laufen, fallen, flattern ...* • Verben, die einen **Wechsel der Situation** (von Situation A nach Situation B) ausdrücken: *aufwachen, wachsen, erschrecken, sterben, werden, zerbrechen ...* • **Ereignisverben:** *passieren, vorkommen, geschehen, scheitern, gelingen, zustoßen ...* ⚠ *sein* und *bleiben*	• **Die meisten Verben bilden das Perfekt mit *haben*.** • **Reflexive Verben bilden das Perfekt immer mit *haben*.**

manchmal *sein*, manchmal *haben*

Das Glas ist zerbrochen. ► *Ich habe das Glas zerbrochen.*
Ich bin nach Hause gefahren. ► *Ich habe das Auto in die Garage gefahren.*
Wenn die Verben ein Akkusativobjekt haben, wird das Perfekt mit *haben* gebildet.
Aber: *Ich bin Auto gefahren.* (*Auto* ist kein Akkusativobjekt, sondern ein Verbgefährte) ► Kapitel 5.

2. Präteritum

	regelmäßige Verben	**unregelmäßige Verben**	**Mischformen**
	Stamm + **t** + Präteritumsendung der regelmäßigen Verben	Stamm (z. T. mit Vokalwechsel[1]) + Präteritumsendung der unregelmäßigen Verben	Einige wenige Verben wechseln den Vokal im Präteritum, haben aber die Endung der regelmäßigen Verben: z. B. wissen – ***wusste***, denken – ***dachte***, bringen – ***brachte***, kennen – ***kannte*** *brennen* – ***brannte***
ich	mach**te**	kam**-**	
du	mach**test**	kam**st**[2]	
er, sie, es, man	mach**te**	kam**-**	
wir	mach**ten**	kam**en**	
ihr	mach**tet**	kam**t**[2]	
sie, Sie	mach**ten**	kam**en**	

Eine Liste der unregelmäßigen Verben finden Sie ab Seite 264.

1 Manchmal wechseln auch einige Konsonanten: *gehen – gegangen, stehen – gestanden.*
2 Wenn das Verb auf *t, s* oder *ß* endet, wird ein *e* eingeschoben bzw. das *s* entfällt: *du saßt / du saßest.*

1 **Ergänzen Sie die Tabelle mit den Formen der 3. Person Singular.**

Infinitiv	haben	sein	arbeiten	gehen	auftreten	wollen	denken
Präteritum							
Perfekt							
Plusquamperfekt							

2 ***Sein* oder *haben*? Schreiben Sie die Verben in der 3. Person Singular im Perfekt.**

1 ziehen *(etwas)*
2 umziehen *(nach Köln)*
3 sich umziehen
4 anziehen *(den Mantel)*
5 schlafen
6 einschlafen
7 fahren
8 sich verfahren
9 treffen
10 begegnen
11 laufen
12 sich verlaufen
13 treten *(auf/in etwas)*
14 treten *(jemanden)*
15 eintreten
16 betreten
17 bleiben
18 stehen
19 aufstehen
20 einsteigen
21 umsteigen
22 besteigen *(einen Berg)*
23 gelingen
24 sein

3 **PARTNERSUCHE. *Sein* oder *haben*? Streichen Sie das falsche Verb.**

Ein Bauer in Norddeutschland *ist/hat* schon viele Jahre allein gewesen. Er *ist/hat* immer wieder versucht, eine Frau zu finden, aber die richtige *ist/hat* noch nicht in sein Leben getreten. Er *ist/hat* Single geblieben, bis er 45 Jahre alt geworden *ist/hat* und seine Unzufriedenheit gewachsen *ist/hat*. Da *ist/hat* er eine Aktion gestartet und *ist/hat* Anzeigen in Zeitungen und Zeitschriften veröffentlicht. Es *sind/haben* Antworten von vielen Frauen eingetroffen, aber die meisten *sind/haben* weit entfernt gewohnt. Er *ist/hat* zu vielen Dates gefahren. Aber weder er noch eine der Frauen *ist/hat* Lust gehabt umzuziehen. Dann *ist/hat* er auf eine neue Idee gekommen. Er *ist/hat* ein großes Plakat an der Straße vor seinem Haus aufgestellt und *ist/hat* so auf sich aufmerksam gemacht.

4 ***Sein* oder *haben*? Schreiben Sie jeweils zwei Sätze im Perfekt, einen mit *sein*, den anderen mit *haben*.**

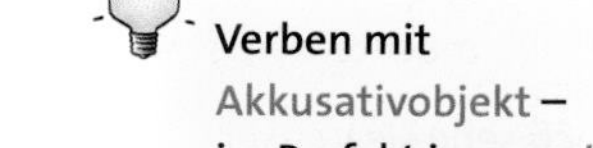
Verben mit Akkusativobjekt – **im Perfekt immer: *haben*!**

1 fahren: Wir • jahrelang • einen Golf. – Das Auto • zuverlässig, aber nicht sehr schnell.
2 starten: Das Institut • eine neue Initiative. – Jetzt • viele neue Kurse.
3 trocknen: Früher • man • die Wäsche • auf der Wiese. – Dort • die Wäsche • nicht so schnell.
4 zerreißen: Das Kleid • unglücklicherweise. – Der Hund • das Kleid • leider.
5 abbrechen: Sein letzter Bleistift. – Da • er • sein Studium • frustriert • endgültig.
6 rollen: Der Spieler • die Kugel • mit viel Kraft. – Die Kugel • genau in die Mitte.

5 **DIE FLEDERMAUS UND DAS WIESEL – EINE FABEL. Ergänzen Sie die Verben im Präteritum.**

Eine kleine Fledermaus __________ [1] *(fallen)* bei ihren ersten Flugversuchen auf den Boden. Da __________ *(herbeikommen)* ein hungriges Wiesel __________ [2] und __________ [3] *(drohen)*, die Fledermaus zu fressen. Die Fledermaus __________ [4] *(zittern)* in Todesangst und __________ [5] *(piepsen)*: „Warum willst du mich töten?", „Ich will dich fressen", __________ [6] *(sagen)* das Wiesel, „weil ich gerne Vögel fresse." Die Fledermaus __________ [7] *(haben)* eine Idee und __________ [8] *(rufen)*: „Vögel? Sieh doch meine Zähne! Ich bin eine Maus!" Das Wiesel __________ [9] *(sich entschuldigen)* und __________ [10] *(lassen)* die Fledermaus in Ruhe. Ein paar Tage später __________ [11] *(stürzen)* die kleine Fledermaus wieder. Ein anderes Wiesel __________ [12] *(herbeilaufen)*. Das Wiesel __________ [13] *(schreien)*: „Ich werde dich fressen, denn ich fresse alle Mäuse!" Die schlaue Fledermaus __________ [14] *(antworten)* sofort: „Aber sieh doch: Ich habe Flügel – ich kann fliegen wie ein Vogel." – „Oh, entschuldige", __________ [15] *(sprechen)* das Wiesel, „da habe ich mich geirrt!" So __________ [16] *(retten)* die kleine Fledermaus auch dieses Mal ihr Leben.

37

Besondere Perfektformen: Modalverben und *sehen*, *hören*, *lassen*

Ich habe gehen müssen

Ich habe gehen müssen.
Ich habe meine Freunde winken sehen.
Mary

Bildung des Perfekts: *haben* (konjugiert) + **Verb** im Infinitiv + **Modalverb** (auch: *sehen, hören, lassen*) im Infinitiv
Er hat gehen wollen. Sie hat die Freunde winken sehen.

1. Besondere Perfektform von Modalverben und *sehen, hören, lassen* mit einem weiteren Infinitiv

Präsens	Präteritum	Perfekt
Ich kann gehen.	Ich konnte gehen.	Ich **habe** **gehen** **können.**
Ich muss gehen.	Ich musste gehen.	Ich **habe** **gehen** **müssen.**
Ich darf gehen.	Ich durfte gehen.	Ich **habe** **gehen** **dürfen.**
Ich will gehen.	Ich wollte gehen.	Ich **habe** **gehen** **wollen.**
Ich soll gehen.	Ich sollte gehen.	Ich **habe** **gehen** **sollen.**
Ich möchte* gehen.	Ich wollte gehen.	Ich **habe** **gehen** **wollen.**
C1 Ich sehe sie winken.	Ich sah sie winken.	Ich **habe** sie **winken** **sehen.**
Ich höre sie rufen.	Ich hörte sie rufen.	Ich **habe** sie **rufen** **hören.**
Sie lassen mich gehen.	Sie ließen mich gehen.	Sie **haben** mich **gehen** **lassen.**

* *möchte* gibt es nicht in der Vergangenheit. Man verwendet dann *wollte*.

C1

- ⚠ **Ein Nebensatz mit drei Verben, von denen zwei im Infinitiv stehen, verlangt eine besondere Wortposition:**
  Das konjugierte Verb steht vor dem Verb im Infinitiv und dem Modalverb im Infinitiv:
  *Ich bin nicht gekommen, weil ich gearbeitet **habe**.*
  *Ich bin nicht gekommen, weil ich **habe** arbeiten müssen.*
- Bei den Modalverben benutzt man normalerweise das Präteritum für die Vergangenheit. Die Perfektformen sind hilfreich für die Bildung des Konjunktiv 1 und 2 mit Modalverben in der Vergangenheit.

2. Perfekt von Modalverben und *sehen, hören, lassen* ohne einen weiteren Infinitiv

Präsens	Präteritum	Perfekt
Ich kann Englisch.	Ich konnte Englisch.	Ich **habe** Englisch **gekonnt.**
Du musst.	Du musstest.	Du **hast** **gemusst.**
Er darf nicht.	Er durfte nicht.	Er **hat** **gedurft.**
Wir wollen.	Wir wollten.	Wir **haben** **gewollt.**
Ihr sollt nicht.	Ihr solltet nicht.	Ihr **habt** nicht **gesollt.**
Sie möchten gerne.	Sie wollten gerne.	Sie **haben** gerne **gewollt.**
Ich sehe den Film.	Ich sah den Film.	Ich **habe** den Film **gesehen.**
Ich höre das Lied.	Ich hörte das Lied.	Ich **habe** das Lied **gehört.**
Ich lasse das Buch hier.	Ich ließ das Buch hier.	Ich **habe** das Buch hier **gelassen.**

B2 **1 VERÄNDERUNGEN. Schreiben Sie die Sätze im Perfekt, wenn möglich.**

Früher durfte man in allen Restaurants rauchen. Man konnte eigentlich überall rauchen: in Cafés, im Bahnhof und in Restaurants. Aber dann wollte man den Rauch nicht mehr einatmen. Man durfte in der Öffentlichkeit nicht mehr rauchen. Nach dem Rauchverbot mussten die Raucher und Raucherinnen zum Rauchen auf die Straße oder auf den Balkon gehen. Und heute gibt es noch mehr Einschränkungen für sie.

B2 **2 ARME JENNY. Schreiben Sie die Sätze im Präteritum.**

1 Jenny hat geweint, weil sie nach Hause hat gehen müssen.
2 Sie hat nicht nach Hause gehen wollen, denn sie hat mit ihrer Freundin weiterspielen wollen.
3 Sie hat so geweint, dass sie nicht mehr hat sprechen können.
4 Sie hat nach Hause gehen sollen, obwohl sie gar keine Hausaufgaben mehr hat machen müssen.
5 Immer hat ihre Mutter gesagt, was sie hat machen sollen.
6 Jenny hat oft geweint, wenn sie etwas nicht hat machen dürfen.

B2 **3 Modalverb mit weiterem Verb und Modalverb ohne weiteres Verb. Schreiben Sie die Sätze im Perfekt.**

1 Ich sollte einer Kollegin eine schlechte Nachricht überbringen. Ich konnte das nicht.
2 Gestern sollte ich alles selbst unterschreiben, heute sollte ich das auf keinen Fall!
3 Früher durfte man ohne Sicherheitsgurt Auto fahren. Schon 1984 durfte man das nicht mehr.
4 Vor 20 Jahren konnte ich noch am Marathonlauf teilnehmen. Nach meiner Krankheit konnte ich das nicht mehr.
5 Als Kind wollte man manche Sachen unbedingt machen. Später musste man manchmal das Gleiche machen und man wollte es dann gar nicht mehr.
6 Zuerst wollten wir unbedingt zehn Kinder haben, aber nach dem dritten Kind wollten wir das nicht mehr.

C1 **4 SCHWIERIGE NACHBARN. Schreiben Sie den Text in Perfekt.**

Ich sehe meinen Nachbarn mit seinem Auto nach Hause kommen. Sofort höre ich ihn mit seiner Frau streiten. Am liebsten möchte ich zu den Nachbarn gehen, um sie zu stoppen. Aber es ist nicht meine Sache und deshalb lasse ich sie streiten.

C1 **5 EIN SCHWIERIGER PATIENT. Formen Sie die Hauptsätze in Nebensätze um.**

1 Herr Schütz fühlte sich lange nicht wohl. Er hat sich endlich untersuchen lassen.

Seine Frau war froh, dass er sich ______________________________.

2 Bei der Untersuchung hat er andere Patienten schreien hören.

Er war total schockiert, als er ______________________________.

3 Herr Schütz hat drei Tage im Krankenhaus bleiben sollen.

Der Arzt hat gesagt, dass der Patient ______________________________.

4 Herr Schütz hat auf keinen Fall im Krankenhaus bleiben wollen.

Seine Frau war verzweifelt, weil er ______________________________.

5 Der Arzt hat die Probleme kommen sehen.

Er war sehr besorgt, weil er ______________________________.

6 Schließlich hat er den Patienten nach Hause gehen lassen.

Der Arzt hatte ein schlechtes Gefühl, als er ______________________________.

7 Der Patient hat dann eine Woche lang ein Medikament nehmen müssen.

Aber es war auch nicht leicht, als der Patient ______________________________

______________________________.

38 Gebrauch von Zeiten der Vergangenheit

Oh, das wusste ich nicht!

Perfekt	Präteritum
In der mündlichen Sprache, in E-Mails und Briefen verwendet man für Vergangenes hauptsächlich das Perfekt.	In Geschichten, Zeitungstexten, Berichten verwendet man für Vergangenes hauptsächlich das Präteritum. ⚠ Nur die Hilfsverben *sein, haben* und *werden* und die Modalverben benutzt man normalerweise im Präteritum. ⚠ Außerdem können einige frequente Verben, wie z. B. *es gibt, es geht, denken, wissen ...,* im Präteritum verwendet werden.

Plusquamperfekt

- Das Plusquamperfekt verwendet man für Ereignisse, die in der Vergangenheit schon abgeschlossen oder vergangen waren und **vor einer anderen Handlung in der Vergangenheit** liegen.
  Es kann nur in Relation zu einer anderen Handlung / einem anderen Ereignis verwendet werden und **nicht allein stehen**.
- Das Deutsche ist mit dem Gebrauch des Plusquamperfekts nicht so genau. Es wird häufig durch das Perfekt oder Präteritum ersetzt, wenn die Bedeutung aus dem Kontext verstanden werden kann:
  Er hatte / hat schon viele Praktika gemacht, bevor er sich bei der Firma beworben hat.

⚠ Nur bei der Konjunktion *nachdem* ist das Plusquamperfekt obligatorisch:
Nachdem er den Anruf beendet hatte, ist er in die Kantine gegangen / ging er in die Kantine.

1 MITARBEIT IN EINER BÜRGERINITIATIVE. Schreiben Sie den Text in der Vergangenheit. Welche Verben stehen im Präteritum, welche im Perfekt?

Ich bin in einer Bürgerinitiative engagiert. Ich treffe mich einmal pro Woche mit anderen, die die gleichen Ziele verfolgen wie ich. Das ist anstrengend und manchmal habe ich keine Lust. Vor allem, wenn ich wenig Freizeit habe, will ich lieber zu Hause bleiben. Aber wenn ich dann bei einem Treffen bin, gefällt es mir doch immer. Denn wir machen eine wichtige Arbeit und tragen dazu bei, die Demokratie zu erhalten. Jedes Mal muss eine Person das Protokoll schreiben, damit die Abwesenden auch informiert werden. Diese Aufgabe ist nicht beliebt und niemand möchte sie machen. Aber jeder kommt nur einmal in sechs Monaten dran. Und wenn wir dann ein Gespräch mit einer wichtigen Persönlichkeit haben oder etwas über uns in der Zeitung steht, wissen wir alle wieder, dass wir das Richtige tun.

Ich war in einer Bürgerinitiative engagiert. Ich ...

2 DER URLAUBSANTRAG. Schreiben Sie Sätze mit *nachdem*.

1 Ich habe kurz nachgedacht. Ich habe die Reise spontan gebucht.
2 Ich habe die Reise gebucht. Mir ist eingefallen, dass ich noch keinen Urlaub beantragt hatte.
3 Ich habe mit meiner Chefin gesprochen. Ich war deprimiert, weil ich keinen Urlaub nehmen durfte.
4 Ich habe meiner Kollegin alles erzählt. Sie hat eine Lösung für mich gefunden: Sie hat ihren eigenen Urlaub verschoben.
5 Ich bin aus dem Urlaub zurückgekommen. Ich habe die Kollegin zum Dank zu einem wunderbaren Abendessen eingeladen.

3 KORREKTUR. Welche der kursiv gedruckten Verben sind im Perfekt besser? Schreiben Sie die E-Mail neu.

Hi Moritz,
wolltest du nicht gestern auch zur Vorlesung „Informatik für Geisteswissenschaftler" gehen? Alle meine Freunde *gingen* auch hin. Ich *dachte*, du interessierst dich auch für die Nutzung von Künstlicher Intelligenz. Es war wieder super interessant. Leider *konnte* ich nicht alles verstehen, deshalb *wollte* ich gerne mit dir noch darüber sprechen. Aber ich *sah* dich nicht, obwohl ich nach der Vorlesung noch vor der Tür *wartete*. Ich *traf* jedoch Carina und *trank* einen Kaffee mit ihr. Leider *hatte* sie nur wenig Zeit, sie *musste* zur nächsten Vorlesung.
Na ja, da *ging* ich alleine in die Bibliothek und arbeitete an meiner Präsentation.
Wie ist es, kommst du morgen in die Mensa?
Liebe Grüße
Pat

4 ÜBERRASCHUNG. Perfekt, Präteritum und Plusquamperfekt. Ergänzen Sie die Verben in der richtigen Form. Manchmal gibt es zwei Möglichkeiten.

- Was ___[1] du gestern ___[2]? *(machen)*
- Nachdem wir uns ___[3] ___[4] *(verabschieden)*, ___[5] ich in die Stadt ___[6] *(fahren)* und ___[7] ins Einkaufszentrum ___[8] *(gehen)*.
- Ins Einkaufszentrum? ___[9] du etwas kaufen ___[10] *(wollen)*, ___[11] es irgendwelche Sonderangebote ___[12]? *(geben)*
- Nee, ich ___[13] einfach nur gucken ___[14] *(wollen)*. Aber hör mal, das war eine tolle Geschichte, die ich dir erzählen möchte. Also, ich ___[15] gestern am Nordwestzentrum ___[16] *(aussteigen)* und ___[17] auf der Rolltreppe nach oben ___[18] *(fahren)*. Als ich oben ___[19] *(ankommen)*, ___[20] plötzlich mehrere Fotografen um mich herum ___[21] *(stehen)* und es ___[22] *(blitzen)* wie bei Popstars. Es ___[23] ein Schock für mich ___[24] *(sein)*! Es ist mir immer so peinlich, im Mittelpunkt zu stehen.
- Cool, bist du jetzt ein neuer Star? Kann ich dich im Fernsehen sehen?
- Quatsch. Ich ___[25] dann ___[26] *(herausfinden)*, dass ich der zehnmillionste Benutzer der Rolltreppe ___[27] *(sein)*, und ich ___[28] einen Einkaufsgutschein im Wert von 200 Euro ___[29] *(bekommen)*.
- Nicht schlecht, aber ich finde, es ist eine gruselige Vorstellung, dass alle Personen auf der Rolltreppe in den letzten Monaten ___[30] und ___[31] ___[32] *(filmen, zählen, im Passiv)*!

C1

5 STAR TREK. Plusquamperfekt oder Präteritum? Schreiben Sie Sätze.

1. 1966 *(starten)* die Serie „Raumschiff Enterprise" in den USA
2. erst sechs Jahre später im Mai 1972 *(ausgestrahlt werden)* die erste Folge in Deutschland
3. aber nachdem das Raumschiff in Deutschland *(„landen")*, *(erobern)* es die Herzen des Publikums in Lichtgeschwindigkeit
4. bis „Raumschiff Enterprise" populär *(werden)*, *(verlacht werden)* das Genre Science-Fiction
5. nachdem die TV-Serie Kultstatus *(erlangen)*, *(werden)* sowohl der Name „Enterprise" für die erste Raumfähre der USA 1975 als auch die Bezeichnung des ersten Klapphandys der Welt als „StarTAC" möglich

39 Vermutung und Zukunft mit dem Futur

Er wird den Zug verpasst haben

Sprechtraining 31

Wo ist Peter?
Er wird den Zug verpasst haben, aber er wird bestimmt gleich da sein.

		Position 2 werden		Ende Infinitiv
Futur 1	Er	wird	bestimmt gleich da	sein.
C1 Futur 2	Er	wird	den Bus	verpasst haben.

Infinitiv	werden
ich	werde
du	wirst
er, sie, es, man	wird
wir	werden
ihr	werdet
sie, Sie	werden

Futur 1: ***werden*** **+ Infinitiv**
Bedeutung: Vermutung oder Zukunft

Futur 2: ***werden*** **+ Infinitiv Vergangenheit** (= Partizip II + *sein/haben* im Infinitiv)
Bedeutung: Vermutung über die Vergangenheit oder Abgeschlossenheit in der Zukunft

1. Modale Bedeutung: Vermutung
In der **informellen Sprache** verwendet man das Futur meistens für eine modale Bedeutung. Die Wörter *wohl, vielleicht, bestimmt* ... betonen die Vermutung.
Er wird (wohl) krank sein. (Vermutung)
Futur 1: Vermutungen über die Gegenwart oder die Zukunft
Futur 2: Vermutungen über die Vergangenheit. *Du wirst wohl gestern spät ins Bett gekommen sein.*

2. Zukunft
Futur 1: In der **formellen Sprache** (z. B. Nachrichten im Fernsehen) für Ereignisse in der Zukunft: *Die Präsidentin wird die Veranstaltung um 20 Uhr mit einer Rede eröffnen.*
In der **informellen Sprache** für Versprechen und Prophezeiungen:
Ich werde morgen kommen. (Versprechen)
Du wirst wahrscheinlich nicht im Lotto gewinnen. (Prophezeiung)
Futur 2: Für **abgeschlossene Ereignisse** in der Zukunft: *Wenn die Präsidentin ihre Eröffnungsrede beendet haben wird, wird die Diskussion beginnen.*
Für das Futur 2 wird auch häufig das Perfekt mit Zeitangabe verwendet: *Wenn die Präsidentin ihre Eröffnungsrede heute Abend gegen 20.30 Uhr beendet hat, beginnt die Diskussion.*

In der informellen Sprache drückt man Ereignisse in der Zukunft in der Regel mit dem Präsens bzw. Perfekt und einer Zeitangabe aus: *Wenn ich nächstes Jahr meine Prüfung bestanden habe, gehe ich ins Ausland.*

B2 **1 VERMUTUNGEN. Schreiben Sie die Sätze mit *werden*.**

a) **Gegenwart oder Zukunft**

1 Ich vermute, dass sie den Projektbericht heute abgeben müssen.
2 Wahrscheinlich gibt es heute Fisch in der Kantine.
3 Ich nehme an, dass die Firma weitere Mitarbeiter einstellt.
4 Ich kann mir vorstellen, dass wir heute länger bleiben und die Kollegen unterstützen müssen.

C1 **1 b) Vergangenheit**

1 Wahrscheinlich ist der Chef gestern Abend von der Geschäftsreise zurückgekommen.
2 Ich vermute, dass seine Reise sehr interessant war.
3 Ich denke, dass er Erfolg hatte.
4 Er ist bestimmt von den Geschäftspartnern zu einem guten Abendessen eingeladen worden.

B2 **2 VERSPRECHEN. Schreiben Sie die Sätze mit *werden*.**

1 Ich verspreche, dass ich in der nächsten Zeit immer einkaufen gehe.
2 Ich verspreche Lukas, dass ich gut auf sein Fahrrad aufpasse.
3 Ich verspreche Tina, dass sie sich nie wieder über mich beklagen muss.
4 Ich verspreche, dass ich euch sofort anrufe, wenn ich angekommen bin.

B2 **3 VORAUSSAGEN. Schreiben Sie die Sätze mit *werden*.**

1 In 100 Jahren • keine Nationalstaaten mehr • geben
2 Entfernungen • keine Rolle mehr • spielen
3 Man wird nicht mehr mit Zug oder Flugzeug verreisen. Techniker • neuartige Reiseformen • erfinden
4 In 100 Jahren wird es keine Politiker mehr geben. Sie • durch Roboter • ersetzt werden

C1 **4 ZUKUNFTSFORSCHUNG. Futur 1 oder 2? Ergänzen Sie die korrekte Verbform.**

1 In 40 Jahren ______ mehr als ein Drittel der Bevölkerung in Deutschland älter als 65 Jahre ______ *(sein)*.
2 Wenn sie ihr Arbeitsleben ______________ *(beenden)*, ________ sie noch eine lange Zeit aktiv sein.
3 2030 ________ man viele Alterskrankheiten besser ______________ *(therapieren können)*; ich bin sicher, bis dahin ________ man ein wirksames Medikament gegen Alzheimer __________ *(finden)*.
4 Erst wenn die Mediziner die Ursachen der Krankheit gut ____________________ *(verstehen)*, __________ sie passende Medikamente __________ *(finden)*.

C1 **5 AUS DEM ALLTAG. Futur, Präsens oder Perfekt? Ergänzen Sie die korrekte Verbform.**

1 Ich weiß nicht, wo er ist. Er __________ wohl verreist __________ *(sein)* und er __________ vermutlich _ *(vergessen)*, uns zu informieren.
2 Ich verstehe, dass dir die Situation peinlich ist. Aber ich bin sicher, bald __________ alle sie __________ *(vergessen)*.
3 Der geplante Hausbau __________ sicher anstrengend __________ *(sein)*, aber wenn ihr erst ____________________ *(einziehen)*, dann __________ ihr es __________________ *(schaffen)* und ihr __________ froh __________ *(sein)*, das Haus gebaut zu haben.

C1 **6 Vergangenheit oder Abgeschlossenheit in der Gegenwart oder Zukunft? Welche Bedeutung hat das Perfekt? Schreiben Sie.**

1 Er ist sehr gewissenhaft. Bevor er seine Arbeit nicht erledigt hat, geht er nicht zu Tisch. (____________)
2 Hast du den Schriftsteller in der Podiumsdiskussion gesehen? (____________) Er hat sehr klug und interessant über seine Bücher geredet. (____________) Wenn ich sein Buch gelesen habe (____________), würde ich gerne mit dir darüber sprechen.
3 Ich glaube nicht, dass der Kollege den Bericht morgen fertiggeschrieben hat (____________). Er hat letzte Woche einen Kollegen vertreten (____________) und ist nicht dazu gekommen (____________).

40 Überblick über die Zeiten im Deutschen

Plusquamperfekt bis Futur 2

	Plusquamperfekt	Präteritum	Perfekt
Zeit	Vorvergangenheit	Vergangenheit	
Gebrauch	Was in der Vergangenheit schon vergangen war / abgeschlossen war.	für (längere) Erzählungen, Literatur, in den Nachrichten, für Modalverben und Hilfsverben (*haben, sein, werden*)	mündlich, in E-Mails und Briefen, kurze Nachrichten
Beispiel	*Ich hatte gelacht.* *Ich war weggegangen.* *Ich hatte arbeiten müssen.*	*Ich lachte.* *Ich ging weg.* *Ich musste arbeiten.*	*Ich habe gelacht.* *Ich bin weggegangen.* *Ich habe arbeiten müssen.*
Konstruktion	Präteritum von *sein* oder *haben* + Partizip II	*Regelmäßig:* Verbstamm + Präteritumsendung *Unregelmäßig:* Verbstamm meist mit Vokalwechsel + andere Präteritumsendungen	Präsens von *sein* und *haben* + Partizip II
Passiv	*Ich war operiert worden.* *Ich hatte operiert werden müssen.*	*Ich wurde operiert.* *Ich musste operiert werden.*	*Ich bin operiert worden.* *Ich habe operiert werden müssen.*
Konjunktiv 2*	*Ich hätte gelacht.* *Ich wäre gegangen.* *Ich hätte arbeiten müssen.*		
Konjunktiv 1*	*Er habe gelacht.* *Ich sei gegangen.* *Er habe arbeiten müssen.*		

* Im Konjunktiv gibt es nur eine Vergangenheitsform.

1 Setzen Sie die angegebenen Verben in alle Zeiten (in der 3. Person Singular).

Infinitiv	Plusquam-perfekt	Präteritum	Perfekt	Präsens	Futur 1	Futur 2
sein						
haben						
sehen						
fahren						
mitbringen						
gekauft werden						
helfen wollen						
rauchen dürfen						

Präsens	Futur 1	Futur 2	
Gegenwart/Zukunft	Zukunft / Gegenwart	Zukunft / Vergangenheit	**Zeit**
• jetzt, immer (noch) • Allgemeingültiges • Zukunft (informell) • historisches Präsens**	• modale Bedeutung: Vermutung, energische Aufforderung in der 2. Person • Zukunft (im offiziellen Kontext); Versprechen, Prophezeiung	• modale Bedeutung: Vermutung über Vergangenes • Abgeschlossenheit in der Zukunft (im offiziellen Kontext); Versprechen, Voraussage	**Gebrauch**
Ich lache. *Ich gehe weg.* *Ich muss arbeiten.*	*Ich werde lachen.* *Ich werde weggehen.* *Ich werde arbeiten müssen.* *Du wirst das sofort machen!*	*Ich werde gelacht haben.* *Ich werde weggegangen sein.* ***	**Beispiel**
Verbstamm + Präsensendungen	*werden* + Infinitiv	*werden* + Partizip II + *sein* oder *haben* im Infinitiv	**Konstruktion**
Ich werde operiert. *Ich muss operiert werden.*	*Ich werde operiert werden.* *Ich werde operiert werden müssen.*	*Ich werde operiert worden sein.* ***	**Passiv**
Ich würde lachen. *Ich würde gehen.* *Ich müsste arbeiten.*	*Ich würde lachen.* *Ich würde gehen.* *Ich würde arbeiten müssen.*	*Ich würde gearbeitet haben.* *Ich würde gegangen sein.* ***	**Konjunktiv 2**
Er lache. *Er gehe.* *Er müsse arbeiten.*	*Er werde lachen.* *Er werde gehen.* *Er werde arbeiten müssen.*	*Er werde gelacht haben.* *Er werde gegangen sein.* ***	**Konjunktiv 1**

** Zur Steigerung der Dramatik für Vergangenes.

*** Diese Formen werden für Modalverben kaum verwendet.

2 KLEIDERWAHL. In welcher Zeitform stehen die Verben? Schreiben Sie die Nummer in die Tabelle unten.

Sie hatte lange nachgedacht *(1)* und war noch zu keinem Entschluss gekommen *(2)*. Sie durfte aber nicht mehr lange zögern *(3)*. Lukas mochte es nicht *(4)*, wenn er lange warten musste *(5)*. „Nie kannst du dich entscheiden *(6)*", so warf er ihr immer wieder vor *(7)*. Sie stand nachdenklich vor ihrem Kleiderschrank *(8)*, und betrachtete ihre Kleider *(9)*. Das grüne war ihr zu eng *(10)*, das rote gefiel ihr nicht mehr *(11)*, vielleicht sollte sie das blaue nehmen *(12)*? Sie hatte es zwar auf der Hochzeit von Clara letzte Woche getragen *(13)*, aber würde Lukas das überhaupt merken *(14)*? Endlich war sie fertig *(15)*. „Und? Was sagst du *(16)*?" „Dein neues Kleid sieht wirklich fantastisch aus *(17)*! Das hättest du letzte Woche auf der Hochzeit von Clara auch tragen können *(18)*", sagte er bewundernd *(19)*. Sie seufzte *(20)*: „Das wird sich nie ändern *(21)*. Als ich ihn kennengelernt habe *(22)*, war es ja schon so *(23)*. Aber ich liebe ihn trotzdem *(24)*!"

Plusquamperfekt	Präteritum	Perfekt	Präsens	Futur I	Konjunktiv 2 Gegenwart	Konjunktiv 2 Vergangenheit

Partnerseite 6: Zeiten

Partner/-in A

B2

1 DIE PRAGREISE – GEMEINSAM EINE GESCHICHTE ERZÄHLEN.
Lesen Sie den orangefarbenen Satz und ergänzen Sie die Verbform in der angegebenen Zeit. Ihre Partnerin / Ihr Partner kontrolliert. Dann spricht Ihre Partnerin / Ihr Partner und Sie kontrollieren mit der Lösung in Grau.

1 Ich ... (haben, Präsens) einen guten Freund, Rudi, mit dem ich oft zusammen ... (reisen, Präsens).
2 Vor vielen Jahren sind wir über Silvester nach Prag gefahren.
3 Wir ... damals noch Studenten *(sein, Präteritum)* und ... ... besonders auf eine Silvesterfeier mit Krimsekt *(sich freuen, Präteritum)*.
4 Die Reise hatten wir über das Studentenreisebüro gebucht und für den 31.12. war ein Essen mit anschließender Party mit Tanz geplant worden.
5 An diesem Tag ... wir auch erwartungsgemäß im Bus in ein schönes Restaurant ... *(fahren, Präteritum Passiv)* und ... dort ein tolles Menü *(genießen, Präteritum)*.
6 Um 22.00 Uhr wurde allerdings angekündigt, dass wir um 23.00 Uhr das Restaurant verlassen sollten, denn dann erwarte man eine andere Festgesellschaft!
7 Alle ... natürlich entsetzt. *(sein, Präteritum)*
8 Nach einiger Diskussion wurde beschlossen, dass wir in unser Hotel fahren und dort zusammen ins neue Jahr feiern.
9 Jeder ... vorher schon ein paar Flaschen Krimsekt ... *(einkaufen, Plusquamperfekt)*, um sie nach Hause mitzunehmen.
10 Diese Flaschen packten wir jetzt wieder aus.
11 Mangels anderen Platzes ... wir ... im Flur des Hotels ... *(sich niederlassen, Präteritum)* und ... die Sektflaschen *(„köpfen", Präteritum)*.
12 Dort verkündete mein Freund Rudi dann laut: „Ab Mitternacht werde ich das Rauchen aufgeben.
13 Das heißt also, in wenigen Minuten ... ich Nichtraucher. *(sein, Präsens)*
14 Dadurch werde ich heute in einem Jahr so viel Geld eingespart haben, dass ich noch einmal hierher fahren kann."
15 Er ... noch Zeit für zwei hektisch gerauchte Zigaretten *(haben, Präteritum)*, bevor es Mitternacht ... *(schlagen, Präteritum)* und er das Rauchen ... ... *(einstellen müssen, Präteritum)*.
16 Ich habe Rudi damals gleich angesehen, wie er gelitten hat; denn viele andere rauchten munter weiter.
17 Zu der Zeit ... man noch fast überall ... *(rauchen dürfen, Präteritum)*.
18 Als Rudi dann um ca. 0.45 Uhr die Toilette aufsuchte, die am Ende des Flurs war, konnten wir nach kurzer Zeit deutlich sehen, wie unter der Toilettentür Rauch hervorkam.
19 Ich ... sowieso ... *(wetten, Konjunktiv 2 Vergangenheit)*, dass Rudi seine Rauchabstinenz nicht ... *(durchhalten, Präsens)*.

Sie trainieren alleine? Arbeiten Sie mit 32

Partnerseite 6: Zeiten

Partner/-in B

B2

1 DIE PRAGREISE – GEMEINSAM EINE GESCHICHTE ERZÄHLEN.
Ihre Partnerin / Ihr Partner spricht und Sie kontrollieren mit der Lösung in Grau. Dann lesen Sie den türkisen Satz und ergänzen die Verbform in der angegebenen Zeit.
Ihre Partnerin / Ihr Partner kontrolliert.

1 Ich habe einen guten Freund, Rudi, mit dem ich oft zusammen reise.
2 Vor vielen Jahren ... wir über Silvester nach Prag ... *(fahren, Perfekt).*
3 Wir waren damals noch Studenten und freuten uns besonders auf eine Silvesterfeier mit Krimsekt.
4 Die Reise ... wir über das Studentenreisebüro ... *(buchen, Plusquamperfekt)* und für den 31.12. ... ein Essen mit anschließender Party mit Tanz ... ... *(planen, Plusquamperfekt Passiv).*
5 An diesem Tag wurden wir auch erwartungsgemäß im Bus in ein schönes Restaurant gefahren und genossen dort ein tolles Menü.
6 Um 22.00 Uhr ... allerdings ... *(ankündigen, Präteritum Passiv)*, dass wir um 23.00 Uhr das Restaurant ... ... *(verlassen sollen, Konjunktiv 2 Gegenwart)*, denn dann ... man eine andere Festgesellschaft! *(erwarten, Konjunktiv 1 Gegenwart)*
7 Alle waren natürlich entsetzt.
8 Nach einiger Diskussion ... ... *(beschließen, Präteritum Passiv)*, dass wir in unser Hotel ..., *(fahren, Präsens)* und dort zusammen ins neue Jahr ... *(feiern, Präsens).*
9 Jeder hatte vorher schon ein paar Flaschen Krimsekt eingekauft, um sie nach Hause mitzunehmen.
10 Diese Flaschen ... wir jetzt wieder ... *(auspacken, Präteritum).*
11 Mangels anderen Platzes ließen wir uns im Flur des Hotels nieder und köpften die Sektflaschen.
12 Dort ... mein Freund Rudi dann laut: *(verkünden, Präteritum)* „Ab Mitternacht ... ich das Rauchen ... *(aufgeben, Futur 1).*
13 Das heißt also, in wenigen Minuten bin ich Nichtraucher.
14 Dadurch ... ich heute in einem Jahr so viel Geld ... ... *(einsparen, Futur 2)*, dass ich noch einmal hierher ... ... *(fahren können, Präsens).*“
15 Er hatte noch Zeit für zwei hektisch gerauchte Zigaretten, bevor es Mitternacht schlug und er das Rauchen einstellen musste.
16 Ich ... Rudi damals gleich ... *(ansehen, Perfekt)*, wie er ... ... *(leiden, Perfekt)*; denn viele andere ... munter ... *(weiterrauchen, Präteritum).*
17 Zu der Zeit durfte man noch fast überall rauchen.
18 Als Rudi dann um ca. 0.45 Uhr die Toilette ... *(aufsuchen, Präteritum)*, die am Ende des Flurs ... *(sein, Präteritum)*, ... wir nach kurzer Zeit deutlich ... *(sehen können, Präteritum)*, wie unter der Toilettentür Rauch ... *(hervorkommen, Präteritum).*
19 Ich hätte sowieso gewettet, dass Rudi seine Rauchabstinenz nicht durchhält.

41 Modalverben in der Grundbedeutung

Ich will, ich kann, ich muss

müssen[1]

Notwendigkeit / Pflicht: *Sie müssen zu Fuß gehen.* (Das Auto ist kaputt.)
Negation mit *nicht brauchen ... zu / nicht müssen*:
Sie brauchen nicht zu Fuß zu gehen. / Sie müssen nicht zu Fuß gehen. (Das Auto ist wieder repariert.)
Alternative mit: *haben* + *zu* + Infinitiv:
Ich habe viel zu tun.

können[1]

Fähigkeit: *Er kann jonglieren.*
(Er hat es gelernt.)
auch Erlaubnis: *Du kannst ins Kino gehen.*
(= Ich erlaube es.)
auch Möglichkeit: *Ohne Schnee kann man nicht Ski fahren.*

sollen[2]

Aufforderung: *Er soll heute früh nach Hause kommen.* (Das hat seine Mutter gesagt.)
Frage nach einem Wunsch: *Soll ich das machen?*
Wiedergabe einer Aufforderung (von einer anderen Person oder einem selbst): *Der Arzt sagt, ich soll noch einmal kommen. Ich habe dir gesagt, du sollst das tun.*
Ratschlag (im Konjunktiv 2): *Du solltest mehr Sport treiben.*

wollen[2]

Plan / Wunsch: ***Er will studieren.*** (Er strebt es an.)
höflicherer/abgeschwächter Wunsch = *möchten*[3]
Ich möchte zur Party gehen.
Möchtest du einen Kaffee?

dürfen[1]

Erlaubnis: *Bei Grün darf man fahren.*
Negation mit: *nicht dürfen* (Verbot): *Hier darf man nicht rauchen.*
Alternative mit: *haben* + *zu* + Neg. + Infinitiv (autoritär):
Du hast mir gar nichts zu sagen!

mögen[1]

Vorliebe: *Er mag lieber Walzer als Hiphop tanzen.*
Meistens nur mit Nomen: *Sie mag Jazzmusik.*

1 *müssen, dürfen, können* und *mögen* in der Bedeutung „Vermutung“ ► Kapitel 42, 43
2 *sollen* und *wollen* in der Bedeutung „Redewiedergabe“ ► Kapitel 61
3 Sprachgeschichtlich ist *möchten* die Konjunktiv-2-Form von *mögen*. Heute wird es als eigenständiges Verb benutzt.

- ⚠ ***brauchen … zu*** **kann man nur mit Negation (*nicht, kein*) oder einer Einschränkung (*nur, erst …*) verwenden, sonst kann man nur *müssen* verwenden.**
  Ich brauche keine Prüfung zu machen. **(keine Notwendigkeit)**
  Er braucht nur einmal kurz nachzudenken, schon weiß er die Lösung. **(nur wenig ist notwendig)**
- Modalverben können auch ohne Infinitiv verwendet werden, wenn die Bedeutung im Kontext klar ist:
  Er kann gut Englisch.

1 AUS DEM ALLTAG. Ergänzen Sie die Modalverben. Manchmal gibt es mehrere Möglichkeiten.

a) *müssen, dürfen, sollen*

1 Nächste Woche ____________ ich nach Berlin fahren. Der Chef konnte keinen anderen finden.

2 Ich ____________ noch schnell einkaufen. Der Kühlschrank ist leer.

3 Ich habe Peter getroffen und ____________ dich von ihm grüßen. Du ____________ mal wieder was von dir hören lassen.

4 Entschuldigung, im Restaurant ____________ man nicht rauchen. Bitte gehen Sie auf die Terrasse.

5 Hast du den Koffer schon gepackt? Wir ____________ auch noch den Nachbarn Bescheid sagen und ____________ nicht vergessen, ihnen den Briefkastenschlüssel zu geben.

6 Ich ____________ noch meine Tabletten nehmen, der Arzt meinte, ich ____________ sie lieber vor dem Essen nehmen.

7 Ich bin schon fertig. ____________ ich dir helfen? – Danke, aber nicht nötig. Ich ____________ nur noch schnell dieses Dokument abspeichern, dann bin ich auch fertig.

b) *wollen, möchten, mögen*

1 Hallo, ich ____________ noch eine Tasse Kaffee. – Ja, gerne.

2 Ich habe noch nie Kaffee ____________. Der Geschmack ist mir unangenehm.

3 Gestern ____________ ich gerade einen Kaffee bestellen, da habe ich gemerkt, dass ich kein Geld dabei hatte.

4 ____________ du jetzt einen Kaffee? – Ja, danke, jetzt ____________ ich gerne einen.

5 Dieses Jahr konnte ich keinen Urlaub nehmen, aber nächstes Jahr ____________ ich unbedingt. Ich ____________ so gerne nach Afrika. Ich ____________ die afrikanische Lebensart, besonders die Musik.

c) *müssen, dürfen*

1 Kann ich hier rauchen? – Tut mir leid, das ____________ man hier nicht. Sie ____________ nach draußen gehen.

2 Wir haben noch genug zu essen im Haus. Du ____________ nicht einkaufen.

3 Du ____________ dich nicht beeilen. Wir haben genug Zeit.

4 Du ____________ nicht bei Rot über die Ampel gehen. Das ist ein schlechtes Vorbild für die Kinder.

5 Bitte sprich nicht über diese Angelegenheit. Niemand ____________ das wissen.

6 Du ____________ jetzt nicht mehr am Handy spielen, du ____________ jetzt deine Hausaufgaben machen.

2 ***können*** **oder** ***dürfen*****. Verwenden Sie die Verben aus dem Schüttelkasten.**

dürfen (3x) • können (2x)

1 Kommst du morgen? – Tut mir leid, morgen __________ ich nicht. Ich habe abends noch einen Termin.

2 __________ ich dein Fahrrad ausleihen? Meins ist kaputt.

3 Sie __________ jetzt als Ärztin arbeiten. Sie hat ihre staatliche Anerkennung.

4 Ich verstehe dieses Programm nicht. __________ du es mir erklären?

5 Hier ist Platz, aber schau mal, siehst du ein Verbotsschild? __________ ich hier parken?

3 ***nicht müssen, nicht dürfen*** **oder** ***nicht brauchen ... zu*****. Was passt zusammen? Ordnen Sie zu. Ein Buchstabe passt jeweils zweimal.**

1 Sie müssen nicht helfen, ◯
2 Sie dürfen nicht helfen, ◯
3 Sie brauchen nicht zu helfen, ◯

A ... das kann ich gut alleine machen.
B ... der Koffer ist viel zu schwer für Sie.

4 Sie darf nicht mit dem Auto fahren, ◯
5 Sie muss nicht mit dem Auto fahren, ◯
6 Sie braucht nicht mit dem Auto zu fahren, ◯

A ... sie hat ihre Brille nicht dabei.
B ... zu Fuß ist sie genauso schnell.

7 Sie dürfen hier kein Leitungswasser trinken, ◯
8 Sie brauchen hier kein Leitungswasser zu trinken, ◯
9 Sie müssen hier kein Leitungswasser trinken, ◯

A ... das ist kein Trinkwasser.
B ... es gibt auch Säfte, Mineralwasser, Kaffee und Tee.

4 Formulieren Sie die Sätze entweder mit ***nicht brauchen ... zu*** **oder** ***haben ... zu*****.**

1 Er muss sofort nach Hause kommen.
2 Er muss nicht anrufen.
3 Sie darf mir nicht vorschreiben, was ich tun soll.
4 Was muss ich heute noch erledigen?
5 Sie muss heute keine Überstunden machen.

5 FEHLERSÄTZE. Welche Sätze sind falsch? Korrigieren Sie.

1 Sie brauchen keine Krawatte zu tragen.

2 Ich brauche noch diese Arbeit zu erledigen.

3 Sie brauchen nur hier auf den Button zu klicken, dann startet der Film.

4 Er braucht keinen Ausweis vorzeigen.

5 Bei der Arbeit braucht man pünktlich kommen.

6 KINDER UND INTERNET. Ergänzen Sie die Verben in der passenden Form.

dürfen (1x) • können (1x) • müssen (3x) • sollen (1x) • wollen (1x)

__________ [1] Ihr Kind im Internet surfen? Dann __________ [2] Sie auf die Sicherheit achten. Kinder __________ [3] alles ansehen und ausprobieren, aber die Eltern __________ [4] ihre Kinder schützen. Auch Ärzte sagen, Kinder __________ [5] nicht so viel Zeit vor Bildschirmen verbringen. Kinder __________ [6] am Computer viel lernen, aber sie __________ [7] sich auch bewegen.

7 ***müssen, können, sollen*** **im Konjunktiv. Ergänzen Sie.**

1 Eigentlich ___________ er das machen, denn er hatte es versprochen, aber er ist zu faul.

2 Es ist sehr dringend: Du ___________ deine E-Mails checken, denn es sind wichtige Nachrichten gekommen.

3 Wenn du diesen Tanzkurs besucht hättest, ___________ du jetzt Tango tanzen.

4 Du ___________ jetzt lieber ins Haus gehen. Es ist kalt und windig.

5 Wenn du deinen Führerschein dabeihättest, ___________ du mein Auto nehmen.

6 Du ___________ unbedingt mal zum Friseur gehen.

> *sollte* = Ratschlag, Empfehlung;
>
> *müsste* = stärkere, dringendere Aufforderung

C1

8 BESTIMMUNGEN FÜRS FLUGGEPÄCK. Ergänzen Sie die Verben in der passenden Form.

dürfen (5x) • müssen (4x) • sollten (3x)

Vor dem Flug ___________ [1] Sie sich bei Ihrer Fluggesellschaft erkundigen, wie viele Gepäckstücke Sie mitnehmen ___________ [2]. Nicht nur die Fluggesellschaft, auch der Tickettarif, der Abflugort und das Zielland beeinflussen die Regeln, die für das Handgepäck im Flugzeug eingehalten werden ___________ [3]. Bei den Spartarifen der Fluglinien oder den sogenannten Billigfliegern ___________ [4] die Bestimmungen rund um das Handgepäck oft besonders strikt eingehalten werden, die vorgegebenen Maße ___________ [5] auf keinen Fall überschritten werden. Zu großes oder zu schweres Handgepäck ___________ [6] nachträglich eingecheckt werden. Dafür ___________ [7] man häufig eine saftige Gebühr bezahlen, also ___________ [8] man sich besser vorher gut informieren. In der Regel ___________ [9] in der Economy-Class pro Passagier nur ein Stück Handgepäck mitgenommen werden, in der Business-Class dagegen sind es für gewöhnlich zwei. Bei vielen Fluglinien ___________ [10] man aber zum regulären Stück Handgepäck noch einen zusätzlichen persönlichen Gegenstand in die Kabine des Flugzeugs mitnehmen. Generell ___________ [11] dieser aber um einiges kleiner sein als das reguläre Handgepäck. Ein persönlicher Gegenstand kann zum Beispiel Folgendes sein: ein Mantel, eine Jacke, ein Laptop oder ein Regenschirm. Bei mitreisenden Kleinkindern unter zwei Jahren ___________ [12] oft ein zusätzlicher Gegenstand mit an Bord des Flugzeugs, wie eine Baby-Tragetasche.

C1

9 SPRICHWÖRTER UND REDEWENDUNGEN. Ergänzen Sie die Modalverben in der richtigen Form.

dürfen (1x) • wollen (1x) • können (6x) • müssen (2x)

1 Niemand ___________ Glück definieren. Man ___________ unglücklich sein, um es zu verstehen.

2 Wer keinen Fehler machen ___________, ___________ auch nichts richtig machen.

3 Unser Kopf ist rund, damit das Denken die Richtung wechseln ___________.

4 Eigentlich ___________ ich die Welt erobern, aber es regnet!

5 Nur mit den Augen der anderen ___________ du deine eigenen Fehler gut sehen.

6 Die Erinnerung ist ein Paradies, aus dem man nicht vertrieben werden ___________.

7 Das Gegenteil von schlecht ___________ nicht gut sein – es kann noch schlechter sein.

8 Was du heute ___________ besorgen, das verschiebe nicht auf morgen.

42 Andere Bedeutung von Modalverben: Vermutungen über die Gegenwart

Er muss gleich da sein

Er muss gleich kommen.
Er könnte im Stau stecken.

Er **muss** gleich kommen.			Er **könnte** im Stau stecken.
99 % bestimmt	85 % sehr wahrscheinlich	75 % wahrscheinlich / vermutlich	50–30 % vielleicht / möglicherweise
muss	**müsste**	**dürfte**	**kann / könnte / mag**
Der Sprecher / Die Sprecherin ist sehr sicher mit seiner / ihrer Vermutung.			Der Sprecher / Die Sprecherin ist nicht sicher mit seiner / ihrer Vermutung.

Ebenso wie das Verb *werden* ► Kapitel 39 können die Modalverben ***können, müssen, dürfen*** auch eine Vermutung ausdrücken. Das Modalverb steht im Präsens oder im Konjunktiv 2 Gegenwart.

Die Modalverben *sollen* und *wollen* haben auch eine über die Grundbedeutung hinausgehende Bedeutung. Sie werden bei der Redewiedergabe verwendet und sagen etwas darüber aus, wie der Sprecher die Aussage einschätzt. ► Kapitel 61

1 AUS DEM ALLTAG. Wie wahrscheinlich ist die Aussage?

a) Ordnen Sie die Adverbien zu.

vielleicht • sehr wahrscheinlich • wahrscheinlich • möglicherweise

1 Der Bus müsste gleich kommen. ____________

2 Heute regnet es, aber morgen könnte es trocken sein. ____________

3 Sie ist so nass geworden. Sie dürfte keine Lust mehr haben, zur Party zu kommen. ____________

4 Er kann eine Panne haben. ____________

b) Schreiben Sie den Satz mit einem Modalverb.

1 Du hast vielleicht recht.
2 Das Kleid kostet vermutlich sehr viel.
3 Der Schlüssel liegt bestimmt auf dem Tisch.
4 Sei vorsichtig! Du rutschst hier vielleicht aus.

1 Du könntest recht haben.
oder:
Du kannst recht haben.

2 WIRTSCHAFTLICHE ENTWICKLUNGEN. Wählen Sie ein passendes Modalverb aus und schreiben Sie Vermutungen.

1 Die Mieten steigen in den nächsten Jahren vermutlich weiter an.
2 Die Arbeitslosigkeit bleibt wahrscheinlich auf niedrigem Niveau.
3 Die Firmen haben vielleicht Probleme, geeignetes Personal zu finden.
4 Die Digitalisierung wird wahrscheinlich in vielen Bereichen zunehmen.
5 Die Prognosen sagen, dass die Anzahl der Jugendlichen ohne Schulabschluss sehr wahrscheinlich in den kommenden Jahren sinkt.
6 Die Rentner bekommen wahrscheinlich weniger Geld.

1 Die Mieten dürften in den nächsten Jahren weiter ansteigen.

3 Wie sicher ist die Vermutung? Formen Sie die Sätze um und verwenden Sie *kann* oder *muss*.

1 *Es regnet gleich.* Schau mal, die schwarzen Wolken sind bald über uns.
2 Ich glaube, dass *die Party bis in den Morgen geht.*
3 Ich kann Robert zu Hause nicht erreichen. *Er ist bestimmt schon im Büro.*
4 Es ist möglich, dass *mein Computer einen Virus hat.*
5 Nichts funktioniert mehr. Ich bin sicher, *der Strom ist ausgefallen.*
6 *Die Störung dauert möglicherweise den ganzen Tag.*

1 Es muss gleich regnen.

4 Notwendigkeit oder Vermutung? Welche Bedeutung hat das Modalverb *müssen*? Kreuzen Sie an.

	Notwendigkeit	Vermutung
1 Sie muss sofort kommen. Ich brauche die Unterlagen dringend.	◯	◯
2 Sie muss gleich kommen. Ich habe schon ihr Auto gehört.	◯	◯
3 Wenn ich so viel fliegen müsste, wäre ich genervt.	◯	◯
4 Sie müsste schon im Flugzeug sitzen. Ich kann sie nicht mehr erreichen.	◯	◯
5 Es muss heute schneien. Es ist kalt und der Himmel hängt voller Wolken.	◯	◯
6 Es muss heute schneien. Ich will unbedingt noch Ski fahren.	◯	◯

5 Fähigkeit oder Vermutung? Welche Bedeutung hat das Modalverb *können*? Kreuzen Sie an.

	Notwendigkeit	Vermutung
1 Er kann kommen. Er hat ein Auto zur Verfügung.	◯	◯
2 Er kann gleich kommen. Ich weiß, dass er vor einer halben Stunde losgefahren ist.	◯	◯
3 Er könnte gerade dabei sein, das Auto zu reparieren.	◯	◯
4 Er könnte das Auto reparieren, aber er hat keine Zeit.	◯	◯
5 Wenn er wollte, könnte er Profisportler sein. Seine Leistungen sind überragend.	◯	◯
6 Er könnte auch Profisportler sein. Ich finde, er sieht so durchtrainiert aus.	◯	◯

6 KLIMAWANDEL. Formen Sie die Sätze in Vermutungen mit den Modalverben *könnte* oder *dürfte* um.

1 Wissenschaftler gehen davon aus, dass sich das Klima auf der Erde in den nächsten Jahren stärker erwärmt. *(Das Klima auf der Erde ...)*
2 Es ist möglich, dass es in Zukunft neue Technologien gibt, die Einfluss auf die Erderwärmung nehmen können. *(In Zukunft ...)*
3 Experten vermuten, dass es nicht mehr möglich ist, die Erderwärmung komplett zu stoppen. *(Die Erderwärmung ...)*
4 Man rechnet damit, dass der Klimawandel dazu führt, dass einige Tiere aussterben. *(Der Klimawandel ...)*
5 Möglicherweise hat die Klimaveränderung auch weitreichende Auswirkungen auf das Zusammenleben der Menschen. *(Die Klimaveränderung ...)*
6 Es besteht die Möglichkeit, den Klimawandel durch politische Maßnahmen zu verlangsamen. *(Der Klimawandel ...)*
7 Man hält es für möglich, dass größere Teile von einigen tief liegenden Ländern unter Wasser stehen werden und unbewohnbar werden. *(Größere Teile von ...)*

43

Andere Bedeutung von Modalverben: Vermutungen über die Vergangenheit

Sie muss wohl zu Fuß gegangen sein

C1

Der Aufzug dürfte noch nicht wieder repariert worden sein.
10
Sie muss wohl zu Fuß gegangen sein. Deshalb ist sie so außer Atem.
Sie könnte auch Lust gehabt haben, Sport zu treiben.

Sie muss zu Fuß gegangen sein.		Sie könnte Lust gehabt haben, Sport zu treiben.	
99 % bestimmt	85 % sehr wahrscheinlich	75 % wahrscheinlich / vermutlich	50–30 % vielleicht / möglicherweise
muss	müsste	dürfte	kann / könnte / mag

Ebenso wie mit dem Verb *werden* ► Kapitel 39 kann man mit den Modalverben *müssen*, *dürfen* und *können* auch Vermutungen über die Vergangenheit ausdrücken.

Modalverb im Präsens oder Konjunktiv 2	+	**Infinitiv Vergangenheit** (= Partizip II + *sein* / *haben* im Infinitiv)

*Sie **muss** wohl zu Fuß die Treppe **hochgekommen sein**.* (= Sie ist bestimmt zu Fuß die Treppe hochgekommen.)
*Sie **könnte** Lust **gehabt haben**, Sport zu treiben.*
*Der Aufzug **dürfte** noch nicht wieder **repariert worden sein**.*

Grundbedeutung der Modalverben – Notwendigkeit in der Vergangenheit:
Sie musste zu Fuß gehen.
Sie hat zu Fuß gehen müssen.

Andere Bedeutung der Modalverben – Vermutung über die Vergangenheit:
*Sie **muss** wohl zu Fuß **gegangen sein**.*

Passiv mit Vermutungen über die Vergangenheit:
*Der Aufzug **dürfte** noch nicht wieder **repariert worden sein**.*

Passiv mit Vermutungen über die Gegenwart ist nur möglich mit Zeitangabe:
*Er **dürfte jetzt gerade operiert werden**.*

1 KONTOBETRUG. Schreiben Sie die Sätze mit Modalverben.

1 Sie sind möglicherweise einem Betrug zum Opfer gefallen.
2 Es ist anzunehmen, dass sie unvorsichtig gewesen sind.
3 Ich bin sicher, dass die Betrüger ihr Konto ausgespäht haben.
4 Vermutlich hatten sie ihre PIN-Nummer nicht gut gesichert.
5 Es ist möglich, dass schon über einen längeren Zeitraum Summen abgebucht worden sind.

2 LEBEN IN FRÜHEREN ZEITEN. Schreiben Sie die Sätze ohne Modalverb. Verwenden Sie die Ausdrücke aus dem Kasten.

vermutlich • Man kann vermuten, dass ... • Man kann als sicher annehmen, dass ... • bestimmt • möglicherweise

1 Das Leben der einfachen Menschen im Mittelalter muss anstrengend gewesen sein.
2 Im Winter dürften die Bewohner in den Burgen gefroren haben.
3 Die Ernährung der Menschen dürfte sehr wenig abwechslungsreich gewesen sein.
4 Das Wissen der Mönche über Naturheilmittel muss sehr groß gewesen sein.
5 Es könnte Heilmittel und Arzneien gegeben haben, die wir heute nicht mehr kennen.

3 AUS DER ZEITUNG. Formulieren Sie die Schlagzeilen mit *dürfte* oder *könnte*.

1 Der Brand ist möglicherweise von Kindern verursacht worden.
2 Die Wahl hat wahrscheinlich nur geringe Auswirkungen auf den Aktienmarkt gehabt.
3 Durch den Konkurs haben vermutlich viele kleine Aktionäre ihr Geld verloren.
4 Die Speicherung der persönlichen Daten ist wahrscheinlich nicht legal gewesen.
5 Der Fund hat der Polizei vielleicht neue Erkenntnisse über den Mordfall gebracht.
6 Der Politiker hat vermutlich 10 Millionen Dollar Steuern hinterzogen.

4 EIN EINBRUCH. Schreiben Sie Vermutungen mit Modalverben im Passiv.

1 Ich bin ziemlich sicher, dass der Schmuck gestohlen worden ist.
2 Ich könnte mir vorstellen, dass eine Bande den Schmuck gestohlen hat.
3 Ich verstehe nicht, dass die Diebe nicht gesehen worden sind.
4 Vielleicht wurden die Diebe von Komplizen gewarnt.

1 Der Schmuck muss gestohlen worden sein.

5 Notwendigkeit oder Vermutung? Welche Bedeutung hat das Modalverb? Kreuzen Sie an.

		Notwendigkeit	Vermutung
1	Tut mir leid. Ich muss wohl mit meinen Gedanken woanders gewesen sein.	○	○
2	Ich musste meine Gedanken ganz auf die Aufgabe konzentrieren, sonst hätte ich es nicht geschafft.	○	○
3	Er muss die Ampel übersehen haben. Anders kann ich mir den Unfall nicht erklären.	○	○
4	Er muss die Straße bei der Ampel überqueren. Die Straße ist sehr befahren und gefährlich.	○	○
5	Das Auto muss nachts in der Garage stehen. Die Gegend hier ist nicht sicher.	○	○
6	Das Auto muss in der Garage stehen. Oder meinst du, Clara hat es genommen?	○	○

6 Was ist wohl vorher passiert? Schreiben Sie Vermutungen mit Modalverben über die Vorgeschichte.

Die Handys dürften aus dem Fenster geworfen worden sein.

Das Verb *lassen*

Leben und leben lassen

B2

1 nicht mitnehmen

Kann ich meine Koffer hier ***lassen****?*
Ich habe meinen Koffer hier ***gelassen****.*

Perfekt: *gelassen*

2 nicht selbst machen

Ich ***lasse*** *meine Haare* ***schneiden****.*
Ich habe meine Haare schneiden ***lassen****.*

Perfekt: (Verb +) *lassen*

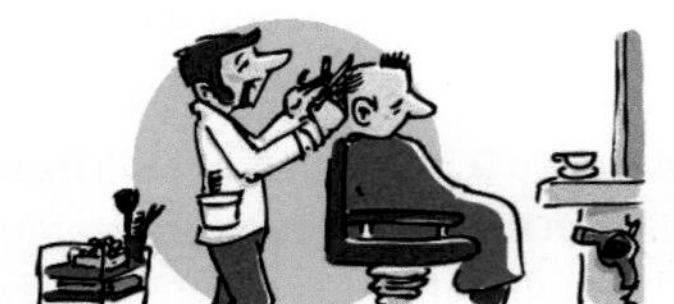

3 (nicht) erlauben

Ich ***lasse*** *mein Kind nicht* ***fernsehen****.*
Ich habe mein Kind nicht fernsehen ***lassen****.*

Perfekt: (Verb +) *lassen*

4 Aufforderung zu einer gemeinsamen Aktion

Lass(t) *uns gehen!*

immer mit *uns*
immer im Imperativ
kein Perfekt

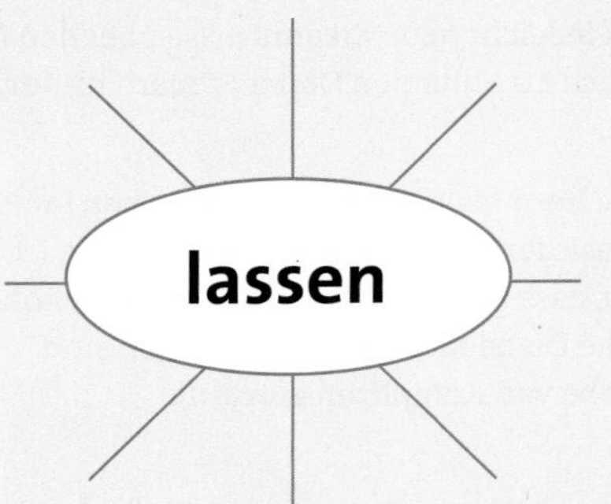

5 etwas für jemanden tun

Der Koffer ist zu schwer für dich.
Lass *mich ihn tragen.*

immer Imperativ
kein Perfekt

6 kann ... werden (► Kapitel 16)

Viele Krankheiten ***lassen sich*** *heilen. Sie haben* ***sich*** *heilen* ***lassen****.*

Perfekt: (Verb +) *lassen*

7 nicht machen / aufhören

Viele Leute können das Rauchen nicht ***lassen****. Er hat das Rauchen nicht* ***gelassen****.*

Perfekt: *gelassen*

8 der Grund sein

Das schlechte Wetter ***ließ*** *sie depressiv werden. Es hat sie depressiv werden* ***lassen****.*

Perfekt (Verb +) *lassen*

1 Welche Bedeutung hat *lassen* hier?

1. Das Erdbeben ließ viele Häuser einstürzen. *der Grund sein*
2. Lass doch das Trinken! ______
3. Kann ich meinen Koffer am Flughafen lassen? ______
4. Ich möchte meine Wohnung renovieren lassen. ______
5. Wir haben den Vogel fliegen lassen. ______
6. Lasst uns endlich aufhören zu arbeiten! ______
7. Lass mich das machen! Ich habe Zeit. ______
8. Lässt sich das Auto noch reparieren? ______

2 ***Lassen* oder *gelassen*? Schreiben Sie die Sätze im Perfekt.**

1 Ich lasse meine schwere Tasche im Auto.
2 Wir lassen den Vogel fliegen.
3 Er lässt sich im Krankenhaus untersuchen.
4 Sie lassen mich nicht ausreden.
5 Meine Schwester lässt das Naschen nicht.
6 Das Kleid lässt sich waschen.
7 Ich lasse mein Fahrrad hier.
8 Die Hitze lässt die Flüsse austrocknen.

3 **Nicht mitnehmen (1), nicht selbst machen (2), erlauben (3), Aufforderung zu einer gemeinsamen Aktion (4). Antworten Sie mit *lassen* und kreuzen Sie die Bedeutung an.**

		1	2	3	4
1	Wo kann ich mein Auto parken? *(vor der Garage)*	⊗	○	○	○
2	Erlauben Sie Ihrer Tochter, in die Disco zu gehen?	○	○	⊗	○
3	Reparieren Sie Ihr Auto selbst?	○	○	○	○
4	Darf Ihr Hund im Bett schlafen?	○	○	○	○
5	Regnet es? *(Schirm zu Hause)*	○	○	○	○
6	Dürfen Ihre Freunde im Auto rauchen?	○	○	○	○
7	Wollen wir anfangen zu essen?	○	○	○	○
8	Reinigen Sie Ihren Mantel selbst?	○	○	○	○
9	Nimmst du die Bücher nicht mit?	○	○	○	○
10	Renovieren Sie Ihre Wohnung selbst?	○	○	○	○

1 Sie können das Auto vor der Garage lassen.
2 Nein, ich lasse sie nicht in die Disco gehen.

4 **Etwas für jemanden tun (5), kann ... werden (6), aufhören (7), der Grund sein (8). Formulieren Sie mit *lassen* und kreuzen Sie die Bedeutung an.**

		5	6	7	8
1	Reichtum ist manchmal der Grund für unsere Arroganz.	○	○	○	⊗
2	Sie konnte nicht aufhören, zu schimpfen.	○	○	○	○
3	Aufgrund der Prüfung ist er nervös.	○	○	○	○
4	Mach das nicht!	○	○	○	○
5	Kein Problem. Das kann man machen.	○	○	○	○
6	Du sitzt gerade und ich stehe. Ich hole den Kaffee.	○	○	○	○
7	Du bist müde. Ich bringe die Kinder für dich ins Bett.	○	○	○	○
8	Hör jetzt auf zu reden und komm!	○	○	○	○
9	Kann man diese zwei Dinge kombinieren?	○	○	○	○
10	Sie haben so viel Arbeit. Ich erledige das.	○	○	○	○
11	Wegen seiner Sorgen konnte er nicht schlafen.	○	○	○	○
12	Den Charakter eines Menschen kann man nicht ändern.	○	○	○	○

1 Reichtum lässt uns manchmal arrogant werden.

5 **Reagieren Sie mit *lassen*. Die Bedeutung, die *lassen* in Ihrer Reaktion haben soll, ist vorgegeben.**

1 Mein Kind will immer Eis essen! *(3 erlauben)*
2 Die Heizung ist defekt. *(2 nicht selber machen)*
3 Ich nasche täglich. *(7 aufhören)*
4 Mein Nachbar will nachts Klavier spielen. *(3 erlauben)*
5 Ich habe zwei Gläser Wein getrunken und möchte jetzt mit dem Auto nach Hause fahren. *(1 nicht mitnehmen)*
6 Kann man das noch ändern? *(6 kann ... werden)*
7 Meine Frau möchte ohne mich in Urlaub fahren. *(3 erlauben)*
8 Meine Haare sind zu lang. *(2 nicht selber machen)*
9 Ich brauche Hilfe! *(5 etwas für jemanden tun)*
10 Wir sollten endlich losgehen! *(4 Aufforderung zu einer gemeinsamen Aktion)*
11 Ich bin wegen der Prüfung total nervös. *(3 erlauben)*
12 Ich trinke jeden Tag zwei Kannen Kaffee. *(7 aufhören)*

1 Lassen Sie es doch Eis essen!

45

Trennbare und untrennbare Verben 1

mitkommen, ankommen, bekommen, entkommen

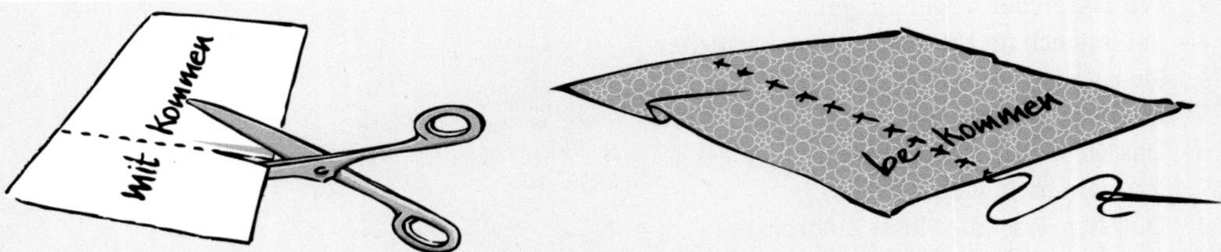

trennbar	untrennbar
Die trennbaren Präfixe können auch als Wort (z. B. Präposition, Adverb) alleine stehen. Der Wortakzent ist auf dem Präfix.	**Die untrennbaren Präfixe sind keine eigenständigen Wörter.** Der Wortakzent ist nicht auf dem Präfix.
• Die Präfixe sind getrennt: *Ich **komme / kam mit**. **Komm mit**!* • Die Präfixe sind nicht getrennt: *Ich möchte / werde / würde **mitkommen**.* • Die Präfixe sind nicht getrennt im Nebensatz: *Er will, dass ich **mitkomme**.*	Diese 8 Präfixe sind immer untrennbar: **be-** **ge-** **emp-** **miss-*** **ent-** **ver-** **er-** **zer-**
• Im Partizip II steht das *ge-* hinter dem Präfix: *mit**ge**kommen*. • Infinitiv mit *zu*: *mit**zu**kommen*	• Im Partizip II kein *ge-*: *habe bekommen* • Infinitiv mit *zu*: ***zu** bekommen*

* ⚠ *missverstehen* (Wortakzent auf dem Präfix *miss*)

Bedeutungen der Präfixe

	Präfix	Beispiel	Bedeutung
TRENNBAR	ab-	*Ich schalte den Fernseher **ab**.*[1]	Ende
		*Wir fahren um 9.00 Uhr **ab**.*	weg
	an	*Ich schalte den Fernseher **an**.*[1] *Ich zahle mein neues Auto **an**.*	Beginn
		*Ich ziehe meine Jacke **an**.*	Kontakt
	aus-	*Wir ziehen aus der Wohnung **aus**.*	raus
	ein-	*Wir ziehen in unser neues Haus **ein**.*	rein
		*Ich stelle die Lautstärke **ein**.*	justieren
UNTRENNBAR	be-	*Ich steige auf den Berg. – Ich **be**steige den Berg.*	keine Bedeutung, macht das Verb transitiv, d. h. es hat ein Akkusativobjekt.
C1	ent-	*Kolumbus hat Amerika **ent**deckt.*	etwas wegnehmen
	er-	*Jemand ist **er**trunken.* *Ich möchte mein Ziel **er**reichen.*	bis zum Ende / bis zum Ziel
		*Die neuen Regelungen **er**schweren unsere Arbeit. (schwer machen)*	Adjektiv + *machen / werden*
	miss-	*Ich habe das Messer zum Dosenöffnen **miss**braucht.*	falsch
		*Er hat sie völlig **miss**achtet.*	nicht
	ver-	*Ich habe mich **ver**schrieben.*	falsch (meist reflexiv)
		*Er ist in der Wüste **ver**durstet.*	bis zum Ende
		*Wir **ver**schönern unsere Wohnung. (schöner machen)*	Adjektiv + *machen / werden*
		*Ich habe mein Auto **ver**kauft.*	weg
	zer-	*Er hat vor Wut den Brief **zer**rissen.*	in Teile / kaputt

1 Bei Geräten: *abschalten = ausschalten / anschalten = einschalten*

B2

1 Welche Präfixe sind trennbar? Markieren Sie den Akzent auf den Verben und bilden Sie dann das Partizip II.

1 auftragen • eintragen • betragen • vertragen • ertragen • austragen
2 verfahren • einfahren • erfahren • ausfahren • befahren • wegfahren
3 abfragen • erfragen • nachfragen • befragen • ausfragen
4 vorkommen • verkommen • auskommen • emporkommen • entkommen
5 empfinden • vorfinden • erfinden • abfinden • befinden • herausfinden
6 darstellen • abstellen • anstellen • bestellen • verstellen • feststellen • entstellen

1 auftragen – aufgetragen …

B2

2 Bilden Sie Sätze wie angegeben im Präteritum, Perfekt oder im Imperativ.

1 er • fernsehen • täglich sechs Stunden *(Präteritum)*
2 auf der Straße • sich vorsehen *(Imperativ du-Form)*
3 bei dieser kleinen Schrift • man • sich verlesen • leicht *(Präsens)*
4 sie • aus Versehen • die wertvolle Vase • zerschlagen *(Perfekt)*
5 sie • vorschlagen • immer wieder • gute Projekte *(Perfekt)*
6 vor Schreck • mir • alle Papiere • herunterfallen *(Präteritum)*
7 die Sendung • uns • missfallen *(Präteritum)*
8 am besten • Sie • sich enthalten • bei der Abstimmung *(Imperativ Sie-Form)*
9 Sie • unbedingt die Regeln • einhalten *(Imperativ Sie-Form)*

B2

3 Was ist das richtige Präfix? Ergänzen Sie *ab-*, *an-*, *aus-* oder *ein-*.

losfliegen = _______fliegen

am Abend das Haus verlassen = _______gehen

ein Medikament „essen“ = _______nehmen

in eine Tasche packen = _______packen

die Wände mit Farbe = _______streichen

das Bild von der Wand nehmen = _______hängen

B2

4 Markieren Sie die richtigen Präfixe.

1 Wenn du weggehst, schließ bitte die Tür *an/ab/ein/aus*.
Ich habe eine neue Waschmaschine. Kannst du sie mir *an/ab/ein/aus*schließen?
Sie können Ihr Geld hier im Tresor *an/ab/ein/aus*schließen.
Er ist nicht integriert. Die Gruppe schließt ihn *an/ab/ein/aus*.

2 Es ist kalt, zieh den Mantel *an/ein/aus/ab*.
Im Zimmer kannst du den Mantel *an/ein/aus/ab/*ziehen.
Er hat einen Gutschein. Deshalb zieht die Verkäuferin 20 Euro vom Preis *an/ein/aus/ab*.
Kind, weil du ein Fenster kaputt gemacht hast, ziehe ich dir 20 Euro vom Taschengeld *an/ein/aus/ab*.
Die Wohnung ist sofort frei. Sie können gleich *an/ein/aus/ab/*ziehen.

3 Das Fleisch schmeckt besser, wenn wir es zuerst in Wein *ab/an/ein/*legen.
Es ist schwer, eine Gewohnheit *ab/an/ein/*zulegen.
Vor der Party legte sie ihren Schmuck *ab/an/ein*.

4 Ich bin zu dick, ich muss *ab/ein/an/*nehmen.
Beim Flohmarkt haben wir 240 Euro *ab/ein/an/*genommen.
Wenn man im Ausland lebt, nimmt man auch die Gewohnheiten des Landes *ab/ein/an*.

5 Ich muss arbeiten. Stell bitte den Fernseher *ab/an/ein*.
Das Bild auf dem Monitor ist zu dunkel. Ich muss die Helligkeit *ab/an/ein/*stellen.
Es gibt Nachrichten. Bitte stell den Fernseher *ab/an/ein*.

B2

5 a) Wozu passt *absteigen*, wozu *aussteigen*?

der Bus • das Pferd • das Auto • das Fahrrad

b) Wozu passt *eingeben*, *ausgeben*, *abgeben*?

Geld • seinen Geschwistern Schokolade • einen Code • Daten in den Computer

C1 **6 Benutzen Sie Verben mit dem Präfix *be-* und formulieren Sie die Sätze um.**

1 Die Firma liefert an Kunden im Ausland.
2 Warum zweifeln Sie an meinen Worten?
3 Ich antworte auf die Frage.
4 Folgen Sie meinem Rat.
5 Die alte Frau klagt über ihre Einsamkeit.
6 Wir sollten über unsere Pläne sprechen.
7 Wie urteilen Sie über die Situation?

1 Die Firma beliefert Kunden im Ausland.

C1 **7 Präfix *ent-*. Ergänzen Sie die Verben.**

entwaffnen • enträtseln • entthronen • entsalzen • entmachten

1 Ein Krimineller muss ______ werden.
2 Ein König kann ______ werden.
3 Ein Diktator sollte ______ werden.
4 Meerwasser kann ______ werden.
5 Ein Geheimnis kann manchmal ______ werden.

C1 **8 EINLADUNG ZUM ESSEN. Welche Bedeutung hat das Präfix *er-* hier? A= *bis zum Ende / bis zum Ziel*, B= *Adjektiv + machen*? Markieren Sie.**

Ich wollte es erreichen *(A/B)*, eine gute Gastgeberin zu werden. Leider habe ich nie das Kochen erlernt *(A/B)*. Aber ich habe mich selbst ermutigt *(A/B)* und beschlossen, fertiges Essen zu kaufen und es zu Hause zu erwärmen *(A/B)*. Ich erhitzte *(A/B)* also die gekauften Speisen, aber bis die Gäste kamen, war alles schon wieder erkaltet *(A/B)*. Als es klingelte, musste ich noch schnell ein paar Kakerlaken erschlagen *(A/B)*. Das dauerte ein bisschen länger und meine Freunde waren dann vor der Tür schon halb erfroren *(A/B)*. Endlich saßen alle am Tisch, aber ein Freund erfragte *(A/B)*, woher das gute kalte Essen komme. Da errötete *(A/B)* ich und erklärte *(A/B)* die Situation. Naja, Rom ist auch nicht an einem Tag erbaut *(A/B)* worden.

C1 **9 Präfix *miss-*. Schreiben Sie die Verben und ergänzen Sie den Dialog.**

falsch gebrauchen: *(ohne ge-)* ______
nicht gelingen: *(ohne ge-)* ______
falsch verstehen: ______
nicht glücken: ______
falsch deuten: ______

- Du hast meine Zahnbürste zum Putzen ______ [1]! Du bist wohl verrückt!
- Nein, ich wollte unter dem Hahn putzen, und als das ______ [2] ist, habe ich die alte Zahnbürste genommen. Warum missbilligst du das?
- Ok, ich habe die Aktion ______ [3].

C1 **10 Präfix *zer-*. Ergänzen Sie die Verben in der richtigen Form.**

zerbrechen • zerschneiden • zerkochen • zerreden • zerlesen

1 Nachdem sie sich getrennt hatten, hat sie alle Fotos von ihm ______.
2 Nach einer Stunde auf dem Herd sind die Nudeln total ______.
3 Seit zwei Stunden diskutieren wir hier. Man kann ein Problem auch ______.
4 Er hat zu viel Kraft. Er hat beim Schreiben den Kuli ______.
5 In der Bibliothek sind manche Bücher sehr ______.

C1 **11 a) Welche Bedeutung hat *ver-* in den Verben? Sortieren Sie in eine Tabelle.**

sich verschreiben • sich verhören • verdursten • verarmen • verhungern • verkleinern • verbrennen • verbluten • vergrößern • verteuern • verreiben • sich vertippen • verblühen • sich versprechen • verkürzen • verbessern • sich verfahren • vertauschen • verschlafen • vererben • verkaufen • vermieten • verschenken • vertrocknen • verjagen • vereinfachen • verreisen • verblöden • verschlechtern • verlängern • sich verlaufen • sich vertun • verlegen

bis zum Ende / Tod	falsch	weg	Adjektiv + *machen / werden*

b) Präfix *ver-* bedeutet „falsch". Ergänzen Sie die Verben.

1 Wenn ich aus Versehen etwas falsch geschrieben habe, dann habe ich mich ... .
2 Wenn ich etwas falsch gehört habe, dann habe ich mich ... .
3 Wenn ich etwas falsch getippt habe, dann habe ich mich ... .
4 Wenn ich falsch gelaufen bin, dann habe ich mich ... .
5 Wenn ich etwas falsch getan habe, dann habe ich mich ... .
6 Wenn ich zu lange geschlafen habe, dann habe ich ... .

c) Präfix *ver-* bedeutet „bis zum Ende". Ergänzen Sie die Verben.

1 Wenn jemand stirbt, weil er Durst hat und nichts trinkt, dann ... er.
2 Wenn jemand stirbt, weil er Hunger hat und nichts isst, dann ... er.
3 Wenn eine Pflanze kein Wasser bekommt und sehr trocken ist, dann ... sie.
4 Wenn etwas im Feuer zerstört wird, dann ... es.

d) Präfix *ver-* bedeutet „weg". Ergänzen Sie die Verben *ver- + kaufen, mieten, erben, reisen.*

1 Brauchen Sie ein Auto? Ich ... meins.
2 Meine Oma ... mir ihren Schmuck.
3 Im Sommer möchte ich unbedingt ... . Egal wohin, bloß weg.
4 Meine Kinder sind ausgezogen, jetzt ... ich zwei Zimmer an Studenten.

e) Präfix *ver-* + Adjektiv: Ergänzen Sie Verben, die von den Adjektiven *schlecht, blöd, arm, teuer, lang, kurz* kommen.

1 Es wird schlimmer. Die Situation hat sich ... .
2 Ich brauche mehr Erholung und möchte meinen Urlaub ... .
3 Wenn sich der Lebensunterhalt weiter ..., ...viele Menschen.
4 Wenn du nur diese doofen Shows siehst, ... du.
5 Viele Erklärungen lassen sich ... .

C1 **12 Markieren Sie das passende Verb.**

1 Wenn du Wäsche in der Waschmaschine aus Versehen *entfärbt / verfärbt* hast, kannst du sie mit einem Spezialmittel wieder *entfärben / verfärben*.
2 Während mein Freund den Motor seines Mopeds *belegt / verlegt / zerlegt, belege / verlege / zerlege* ich einen Kuchen mit Kirschen und suche meinen Schlüssel, den ich schon wieder *belegt / verlegt / zerlegt* habe.
3 Vor der Hochzeit ist es Tradition, Geschirr zu *erschlagen / zerschlagen*. Leider wurde dabei der Hamster der Familie *erschlagen / zerschlagen*.
4 Du wirst niemals *erraten / verraten*, wer mich gestern besucht hat! Und sie hat mir ein Geheimnis *erraten / verraten*.
5 Alle Straßen waren heute so stark *befahren / verfahren*. Außerdem habe ich mich *befahren / verfahren*. Deshalb bin ich zu spät.
6 Der Lehrer hat gesagt, ich hätte kaum Chancen zu *bestehen / entstehen / verstehen*. Das hat mich *entmutigt / ermutigt*. Aber deine Worte haben mich wieder *ermutigt / entmutigt*.

46 Trennbare und untrennbare Verben 2

Er umfährt den Baum, aber er fährt die Mülltonne um

Ich **fahre** fast jeden Tag die Mülltonne **um**.

Ich **umfahre** den Baum.

Die Präfixe ***um-***, ***unter-***, ***über-***, ***wieder-*** und ***durch*** sind **manchmal trennbar, manchmal untrennbar.** Bei **trennbaren** Verben ist der **Akzent auf dem Präfix**, bei **untrennbaren auf der Silbe nach dem Präfix.**[1]

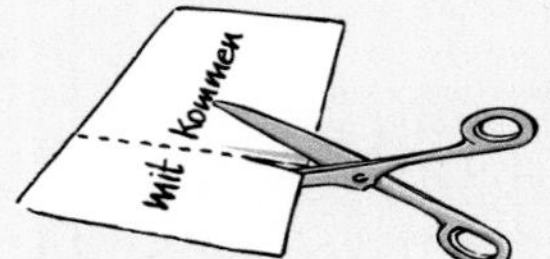

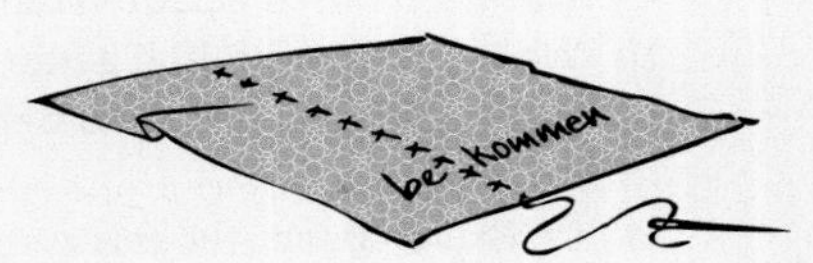

Das Präfix *um-*

*Ich **fahre** fast jeden Tag die Mülltonne **um**.*	um-	*Ich **umfahre** den Baum.*
Das **Präfix *um-*** ist **trennbar,** wenn es eine **Veränderung (Ort, Zustand oder Richtung)** bedeutet.		Das **Präfix *um-*** ist **untrennbar,** wenn es eine **kreisförmige Bewegung** meint.

Die Präfixe *unter-*, *über-*, *wieder-*, *durch-*

*Die Titanic **ging** im Jahr 1912 **unter**.*	unter-	*Bitte **unterschreiben** Sie hier.*
*Die Suppe **kocht** gleich **über**.*	über-	*Ich **überlege** mir das in den nächsten Tagen.*
*Hoffentlich **sehen** wir uns bald **wieder**.*	wieder-	*Bitte **wiederholen** Sie den Satz.*
*Sie **schaut** die Unterlagen **durch**.*	durch-	*Sie **durchschaut** den Trick.*
In der **konkreten Bedeutung** ist das Präfix oft **trennbar**: *Ich stelle mich bei Regen unter.*		In der **metaphorischen Bedeutung** ist das Präfix oft **untrennbar**: *Er unterstellt mir eine Lüge.*

Verben mit mehreren Präfixen

	Infinitiv + *zu*	**Partizip II kein *ge-***
Erstes Präfix untrennbar: *beaufsichtigen* *Ich beaufsichtige.*	*zu* steht vor dem Verb *Er hat die Pflicht, die Klasse **zu** beaufsichtigen.*	*Ich habe beaufsichtigt.*
Erstes Präfix trennbar, zweites untrennbar: *abbestellen* *Ich bestelle ab.*	*zu* steht zwischen trennbarem und untrennbarem Präfix *Ich versuche, das Abonnement abzubestellen.*	*Ich habe abbestellt.*

1 Das Präfix ***wider*** ist untrennbar, außer im Verb *widerspiegeln*: *Das Bild spiegelt seine Stimmung wider.*

1 Setzen Sie die Verben in der korrekten Form in die Sätze. Der Akzent ist angegeben.

1	wiederholen	Wie oft haben Sie den Satz schon ___________?
2	wiederkommen	Sie ist heute ___________.
3	untergehen	Weißt du, wann gestern die Sonne ___________ ist?
4	unterschreiben	Wann haben Sie den Vertrag ___________?
5	überfahren	Der Taxifahrer hat ein Reh ___________.
6	überlaufen	Die Badewanne ist ___________.
7	umstellen	Ich habe in zwei Zimmern die Möbel ___________.
8	umarmen	Wir haben uns beim Wiedersehen ___________.
9	durchsuchen	Die Polizei ___________ den Kriminellen.
10	durchstreichen	Ich ___________ das falsche Wort ___________.

2 Präfix *um-*: Veränderung (trennbar) oder kreisförmige Bewegung (untrennbar)? Schreiben Sie die Sätze ohne Modalverb.

1 Wir müssen in Köln umsteigen.
2 Unsere Nachbarn wollen zum Schutz gegen Tiere ihren Garten umzäunen.
3 Unser Haus ist unmodern und unpraktisch. Wir sollten es umbauen.
4 Der Rock gefällt mir doch nicht. Ich möchte ihn umtauschen.
5 Um einen Parkplatz zu finden, muss ich oft den Platz fünfmal umrunden.
6 Die Innenstadt von München ist oft voll. Wir sollten sie auf unserem Weg nach Neuschwanstein unbedingt umfahren.
7 Der Text ist nicht gut. Ich möchte ihn umschreiben.
8 Erklären Sie das Wort. Sie müssen es umschreiben.

1 Wir steigen in Köln um.

3 Trennbar oder untrennbar? Schreiben Sie korrekte Sätze.

1 Mein Kind hat den Ball in den Nachbargarten geworfen. Ich • ihn • wiederholen.
2 Ich habe es immer noch nicht verstanden. Bitte • die Regel • wiederholen.
3 Es ist kalt. Ich • einen Pullover • unterziehen.
4 Er hat wirklich gute Nerven. Er • sich • schon der dritten Prüfung • in dieser Woche • unterziehen.
5 Wir müssen ans andere Ufer. Wir • übersetzen • mit dem Boot.
6 Ich bin Dolmetscherin. Ich • vom Deutschen ins Englische • übersetzen.
7 Ich habe lange darüber nachgedacht. Aber • ich • das Problem • noch nicht • durchdringen.
8 Die Stiefel sind aus Gummi. Kein Wasser • durchdringen.

4 Konferenzen. Verben mit mehreren Präfixen. Schreiben Sie das angegebene Verb in der korrekten Form in die Lücke (Perfekt oder Infinitiv + *zu*).

Ich habe die Absicht, eine Sitzung ___________ [1] *(einberufen)*. Mein Kollege hatte schon vorher eine ___________ [2] *(einberufen)*. Vielleicht wäre es besser, gleich eine Konferenz zu dem Thema ___________ [3] *(veranstalten)*, aber wenn wir früher eine Konferenz ___________ [4] *(veranstalten)* haben, war die Resonanz oft gering. Wir haben vielleicht den Mitarbeitenden damit zu viel ___________ [5] *(abverlangen)*. Es ist ein Fehler, die Zeit der Mitarbeitenden zu sehr ___________ [6] *(beanspruchen)*. Die Grenze zwischen zu vielen und zu wenigen Zusammenkünften ist schwer ___________ [7] *(beurteilen)* und wir haben sie vielleicht manchmal falsch ___________ [8] *(beurteilen)*.

47 Genusregeln

Der, die oder das?

B2

Die meisten Nomen muss man mit Artikel lernen, aber es gibt auch einige Regeln:

DER	
männliche Personen	*Mann, Lehrer*
Nomen, die von einem Verb kommen, ohne -*en*	*fliegen → Flug*
Automarken	*VW, Jaguar*
Himmelsrichtungen	*Norden*
Alkohol	*Rum, Gin* (aber: *das Bier*)
viele Zeitangaben	*Montag, Mai, Frühling*
viele Wetterwörter	*Regen, Wind, Frost*
-ling	*Zwilling* (Plural *-linge*)
***-er* (90 %)**	*Keller* (Plural *-er*)
-ismus	*Impressionismus* (Plural *-ismen*)
-ist	*Anarchist* (Plural *-isten*)
-ant, -and, -ent	*Praktikant, Doktorand, Dissident* (Plural + *-en*)
-et	*Planet* (Plural *-eten*)
-or	*Doktor* (Plural *-oren*)

DAS	
Verben im Infinitiv	*Schlafen* (kein Plural)
substantivierte Adverbien, Farben, Adjektive + *e*	*Hier, Grün, Ja, Schöne* (kein Plural)
Buchstaben	*A*
Metalle	*Silber*
chemische Elemente	*Uran*
Sprachen	*Englisch*
-chen	*Mädchen* (Plural *-chen*)
-lein	*Fräulein* (Plural *-lein*)
***Ge-* (90 %)**	*Gesicht*
***-nis* (90 %)**	*Ergebnis* (Plural *-nisse*)
-ment	*Parlament* (Plural *-mente*)
-um	*Museum*

DIE	
weibliche Personen	*Frau, Lehrerin* (aber: *das Mädchen, das Fräulein, das Weib*)
Nomen, die von einem Verb kommen, ohne *-en + t*	*fahren → Fahrt**
Obst	*Banane* (aber: *der Apfel, der Pfirsich*)
Motorradmarken	*Yamaha*
Zahlen	*Drei*
-ei	*Bäckerei* (Plural *-eien*)
-eit	*Freiheit, Freundlichkeit* (Plural *-eiten*)
-in	*Schülerin* (Plural *-innen*)
-schaft	*Freundschaft* (Plural *-schaften*)
-ung	*Ladung* (Plural *-ungen*)
***-e* (90 %)**	*Flasche* (Plural *-en*)
-enz	*Tendenz* (Plural *-enzen*)
-ie	*Fantasie* (Plural *-ien*)
-ik	*Musik* (meistens kein Plural)
-ion	*Position* (Plural *-ionen*)
-itis	*Sinusitis*
-tät	*Universität* (Plural *-täten*)
-ur	*Tastatur* (Plural *-uren*; aber: *das Abitur*)

* Wenn *t* schon im Verbstamm enthalten ist, sind einige Nomen feminin, einige maskulin: *der Rat, die Antwort*.

Bei Komposita bestimmt das letzte Wort den Artikel (*der Englischlehrer*).

Bei Abkürzungen wird der gleiche Artikel verwendet wie beim ausgeschriebenen Wort (*der Lkw = der Lastkraftwagen, die Info = die Information).*

1 Ergänzen Sie den Artikel und die passende Regel.

1 *der* Anruf (*Verb ohne -en*)
2 ____ Blitz (____)
3 ____ Wäscherei (____)
4 ____ Thematik (____)
5 ____ Vier (____)
6 ____ Lesen (____)
7 ____ Sozialismus (____)
8 ____ Verzeichnis (____)
9 ____ Fiktion (____)
10 ____ Traktor (____)
11 ____ Wein (____)
12 ____ Besatzung (____)
13 ____ Kappe (____)
14 ____ April (____)
15 ____ Ananas (____)
16 ____ Fakultät (____)
17 ____ Leidenschaft (____)
18 ____ Rot (____)
19 ____ Transparenz (____)
20 ____ Schrift (____)
21 ____ Verlegenheit (____)
22 ____ Volvo (____)
23 ____ Gold (____)
24 ____ Gang (____)
25 ____ Häuschen (____)
26 ____ Argument (____)
27 ____ Angenehme (____)

2 **Ordnen Sie die Wörter zu und bilden Sie den Plural (wenn möglich).**

Ornament • Hemmung • Sonderling • Laborant • Böse • Fädchen • Verhängnis • Monarchist • Impression • Eitelkeit • Mimik • Magie • Magnet • Realität • O • Schreinerei • Bauen • Jetzt • Kohlendioxid

der	die	das

3 **Wortfamilien. Ergänzen Sie die Artikel.**

kaufen – _______[1] Kauf, _______[2] Kaufen , _______[3] Käufer, _______[4] Käuferin

lesen – _______[5] Lesung, _______[6] Lesen, _______[7] Leserei, _______[8] Leserin, _______[9] Leserschaft

konzentrieren – _______[10] Konzentration, _______[11] Konzentrat, _______[12] Konzentrieren

organisieren – _______[13] Organisator, _______[14] Organisation, _______[15] Organisieren

sprechen – _______[16] Gespräch, _______[17] Sprache, _______[18] Spruch, _______[19] Besprechung, _______[20] Sprüchlein

machen – _______[21] Macht, _______[22] Machen, _______[23] Macher, _______[24] Machenschaft

geben – _______[25] Gabe, _______[26] Ergebnis, _______[27] Vergebung, _______[28] Vergabe

finden – _______[29] Fund, _______[30] Findling, _______[31] Erfinder, _______[32] Erfindung

4 **Nominalisierung. Bilden Sie Nomen aus den Verben (es gibt mehrere Möglichkeiten) und ergänzen Sie die Artikel.**

ankommen • sich verspäten • explodieren • landen • berichten • schreiben • korrigieren • drucken • verkaufen • kündigen • reinigen • lernen • erfinden • benutzen • sich bewerben • sich sorgen • sich erinnern • erscheinen • widersprechen • berücksichtigen • steigen • anrufen • weinen • engagieren • abfahren

5 **BIONIK. Markieren Sie in der Klammer maskulin (m), feminin (f) oder neutral (n), suchen Sie die passende Regel und ergänzen.**

1 D*ie*___ Bionik *(m/f/n)* ist ein*e*___ Wissenschaft *(m/f/n)*, die sich mit d_______ Übertragen *(m/f/n)* von Erscheinungen *(m/f/n)* d_______ Natur *(m/f/n)* auf d_______ Technik *(m/f/n)* beschäftigt.

2 Ein Beispiel dafür ist d_______ Einfall *(m/f/n)* von Leonardo da Vinci, d_______ Vogelflug *(m/f/n)* auf ein_______ Flugmaschine *(m/f/n)* zu übertragen.

3 In d_______ Bionik *(m/f/n)* geht es um d_______ Erkennen *(m/f/n)* von Lösungen *(m/f/n)* d_______ Natur *(m/f/n)*, zum Beispiel d_______ Lüftung *(m/f/n)* in d_______ Bau *(m/f/n)* von Termiten.

4 D_______ interdisziplinär_______ Forschung *(m/f/n)* in d_______ Bionik *(m/f/n)* ist interessant für Naturwissenschaftler*innen *(m/f/n)*, Ingenieur*innen *(m/f/n)*, Designer*innen *(m/f/n)*, und andere.

5 Unter anderen fördert d_______ Bundesministerium *(m/f/n)* für Arbeit und Soziales *(m/f/n)* die Projekte d_______ Bionik *(m/f/n)*.

6 Durch dies_______ Subvention *(m/f/n)* konnten viel_______ Ergebnisse *(m/f/n)* aus d_______ Bionik *(m/f/n)* Produktreife *(m/f/n)* erlangen und vermarktet werden.

48 Artikelgebrauch

Handwerker, der Handwerker oder ein Handwerker?

B2

Kennst du **einen Handwerker**?
Der Handwerker, den ich kenne, hat nie Zeit. Aber ist dein Nachbar nicht **Handwerker**?

Vor einem Nomen steht im Deutschen normalerweise ein Artikel.

Indefiniter Artikel (ein, eine, Plural: ohne Artikel)	
zum ersten Mal genannt	*Da ist eine Frau.*
generalisierend*	*Ein Hund ist ein Haustier.*
Definiter Artikel (der, die, das)	
Die Hörenden und Lesenden kennen die Person oder Sache ...	
• ... aus dem Text (vorher genannt)	*Da ist eine Frau. Die Frau ...*
• ... aus der Situation	*Wo ist das Auto? (= dein Auto)*
• ... weil es sie nur einmal gibt	*der Bundeskanzler*
• bei Superlativ und Daten	*der schnellste Läufer, der dritte Mai*
Für die Hörenden und Lesenden ist klar, dass eine bestimmte Person oder Sache gemeint ist:	
• im Satz definiert	*Die Frau da vorne.*
• generalisierend*	*Das Theater ist eine kulturelle Einrichtung.*
• Namen mit Adjektiv	*das alte Rom*
Kein Artikel (Nullartikel)	
• Unzählbares**	*Hunger, Zeit, Leder*
• Namen (ohne Adjektiv)	*Lisa, Japan, Paris* (aber: *das schöne Paris*)
• Berufsbezeichnungen	*Ich bin Lehrer, er ist Arzt.*
• oft nach *ohne, mit, zu*	*ohne Zucker, mit Mühe, zu Abend essen*
• bei Verbgefährten ► Kapitel 5	*Gitarre spielen*
• in einigen Funktionsverbgefügen ► Kapitel 78, 79	*Kritik üben*
indefiniter Artikel im Plural = kein Artikel: *ein Mann – Männer*	

* Wenn man Nomen generalisierend verwendet, verwendet man meistens den indefiniten Artikel.

** Wenn unzählbare Nomen genauer definiert werden (mit Adjektiv, Genitiv, Nebensatz ...), haben sie den definiten Artikel: *der große Hunger / das Wachstum der Industrie / die Zeit, als ich ...*

1 NACHBARN 1. Streichen Sie die falschen Formen („–" steht für keinen Artikel). Die Regel ist am Ende des Satzes angegeben.

1. Ich kenne *einen/den/–* Mann. *(1. Mal im Text)*
2. *Der/Ein/–* Mann hat noch nie *das/ein/–* Meer und noch nie *die/eine/–* Sonne gesehen. *(2. Mal im Text/generalisierend/nur eine)* Aber er hat *das/ein/–* schönste Lied *der/einer/–* Welt gehört. *(nur eines/nur eine)*
3. *Die/Eine/–* Frau, die neben ihm wohnt, *(klar, dass bestimmte Person gemeint ist)* hat es auf *dem/einem/–* Klavier gespielt. *(klar für die Lesenden)*
4. Sie spielt jeden Tag zwei Stunden ohne *die/eine/–* Pause *das/ein/–* Klavier. *(ohne/Verb-Nomen-Kombination)*
5. *Die/Eine/–* Nachbarin heißt *die/eine/–* Lisa und *der/ein/–* Mann fühlt für sie *die/eine/–* große Sympathie. *(bekannt/Name/bekannt/unzählbar)*
6. *Die/Eine/–* gute Lisa ist *die/eine/–* Krankenschwester von *dem/einem/–* Beruf. *(Name mit Adjektiv/Beruf/feste Wendung)*

2 NACHBARN 2. Suchen Sie die passende Regel und streichen Sie die falschen Formen.

1 Der Nachbar (im Satz definiert)

Der/~~Ein~~/–[1] Nachbar links von mir frühstückt jeden Morgen auf *dem/einen/–*[2] Balkon. Er isst immer *die/eine/–*[3] Scheibe Brot mit *dem/einem/–*[4] Käse. Dazu trinkt er *den/einen/–*[5] Kaffee. Er ist *der/ein/–*[6] Buchhalter von *dem/einem/–*[7] Beruf. Ich bin sicher, er liebt *die/eine/–*[8] Frau von nebenan. *Die/Eine/–*[9] Frau ist nicht sehr hübsch, aber für ihn ist sie wahrscheinlich *die/eine/–*[10] Schönste auf *der/einer/–*[11] Welt. Wenn *der/ein/–*[12] Mann *die/eine/–*[13] Nachbarin trifft, scheint er sowohl *die/eine/–*[14] Freude als auch *die/eine/–*[15] Angst zu spüren. Er hat wohl *die/–*[16] Schwierigkeiten, ohne *das/ein/–*[17] Stottern mit *den/–*[18] Frauen zu sprechen. Das ist *das/ein/–*[19] Problem, wenn man so schüchtern ist. Also habe ich *der/einer/–*[20] Nachbarin gesagt, dass ich *den/einen/–*[21] Eindruck habe, dass *der/ein/–*[22] Herr Katz ein bisschen verliebt in sie ist. *Die/Eine/–*[23] Reaktion, die sie gezeigt hat, war *die/eine/–*[24] Überraschung für mich: Sie mag *den/einen/–*[25] Nachbarn auch und möchte ihn in *das/ein/–*[26] schickes Restaurant einladen. Ich wünsche den beiden *das/ein/–*[27] Glück.

3 SONNENFINSTERNIS. Welche Regel ist hier zutreffend? Schreiben Sie die Zahl in die Tabelle.

Der[1] Frühlingsanfang fällt in diesem Jahr mit der[2] Sonnenfinsternis zusammen, die am[3] Morgen des[4] 20. März in[5] Europa als[6] partielle Verdunklung der[7] Sonne zu beobachten sein wird. Da der[8] Mondschatten bei dem[9] Ereignis zwischen 9.14 Uhr und 10.21 Uhr MEZ über den[10] Nordatlantik wandert, wird die totale[11] Sonnenfinsternis nur für ganz wenige Menschen auf den[12] Inseln nördlich von[13] Schottland und[14] Spitzbergen zu sehen sein. Eine[15] Besonderheit bei der[16] Sonnenfinsternis gibt es in der[17] Nordpolregion. Von einer[18] Eisscholle aus könnte man dort am[19] Morgen des[20] 20. März beobachten, wie am[21] Pol zum ersten Mal seit sechs Monaten die[22] Sonne wieder aufgeht und währenddessen für einige Minuten vom[23] Mond verdeckt wird.

zum ersten Mal genannt		wird im Satz definiert	
im Text vorher genannt		Unzählbares	
es gibt diese Sache nur einmal	1	Namen ohne Adjektive	
Daten			

4 EIN BERÜHMTER BERGSTEIGER. Ergänzen Sie den definiten, den undefiniten Artikel oder keinen Artikel.

In ______[1] Friesach kann bis 7. Mai ______[2] Ausstellung über ______[3] österreichischen Bergsteiger und Schriftsteller Heinrich Harrer besucht werden. ______[4] Hörbeiträge wie ______[5] Interviews und ______[6] Vorträge ______[7] 2006 verstorbenen Abenteurers sind ebenso ______[8] Teil ______[9] Ausstellung wie ______[10] Fotografien und ______[11] Dokumentationen ______[12] berühmten Reisen ______[13] Harrers.

C1

5 EIN MISSGESCHICK. Suchen Sie die passende Regel und ergänzen Sie den definiten, den indefiniten oder keinen Artikel.

______[1] Aktivist ist leider in ______[2] sehr peinliche Situation geraten. Als ______[3] Aktivist zu ______[4] Verleihung ______[5] Preises gehen wollte, wählte er ______[6] falschen Gürtel.

Als er dann zusammen mit ______[7] Präsidentin für ______[8] Foto posierte, rutschte ihm ______[9] Hose bis zu ______[10] Füßen herunter. Nur ______[11] Urkunde, die er sich vor ______[12] Körper hielt, verdeckte notdürftig ______[13] Unterhose, wie ______[14] Fotos zeigten. ______[15] Präsidentin blickte während ______[16] Szene auf ______[17] Beine ______[18] Aktivisten und lächelte diskret. Gerade ______[19] engagierten Aktivisten wünscht man so ein Missgeschick nicht.

49

Genitiv

Deutschlands Süden

Das ist bestimmt Annas neues Auto.
Nein, das ist das Auto ihres neuen Freundes.

1. Formen des Genitivs: Artikel, Adjektiv und Nomen

		normale Deklination	n-Deklination	Adjektiv als Nomen
m.	des, eines, meines, deines ..., keines	(großen) Mannes* teuren Weins	... Nachbarn	... Kranken
n.	des, eines, meines, deines ..., keines	(großen) Autos teuren Essens	–	... Kranken
f.	der, einer, meiner, deiner ..., keiner	(großen) Frau großer Frau	–	... Kranken
Pl.	der, meiner, deiner ..., keiner ohne Artikel und ohne Adjektiv:	(großen) Kinder großer Kinder **von** Kindern**	... Nachbarn	... Kranken ohne Artikel: Kranker

* Bei einsilbigen deutschen Wörtern fügt man meistens ein „e" ein *(des Mannes* , jedoch nicht bei Fremdwörtern *(des Chefs, des Jobs)*. Endet das Wort auf einen Zischlaut *(s, tz, z)*, wird aus phonetischen Gründen ein *„e"* eingefügt *(des Platzes)*.

** Wenn das Nomen ohne Artikel und ohne Adjektiv im Satz steht, gibt es keinen Genitiv und man verwendet stattdessen die Präposition *von*: *Der Einsatz von Robotern wird in der Industrie immer wichtiger.; Ich mag den Geschmack von Bier.*

Die Artikelwörter *alle, manche, jede/-r, jene/-r, diese/-r* haben die gleiche Endung wie der definite Artikel.

2. Genitiv bei Namen

- **Namen von Personen**
  Personennamen werden vorangestellt. Sie haben dann als Markierung ein *s*: *Davids Auto, Frau Meyers Auto, Herrn Wagners Büro.* ► Kapitel 50
  Endet der Name auf *s* oder *x*, wird im Genitiv kein *s* angehängt, sondern ein Apostroph: *Hans' Auto, Beatrix' Auto, Fritz' Auto.*

- **geografische Namen**
  Geografische Bezeichnungen können im Genitiv voran- oder nachgestellt werden: *Deutschlands* Süden (kein Artikel!), *der Süden Deutschlands*.
  ⚠ Länder mit Artikel: *die Schweiz – die Hauptstadt der Schweiz.*
  Einige geografische Bezeichnungen werden als substantiviertes Adjektiv im Genitiv vor ein Nomen gesetzt: *Schweizer Uhren, Berliner Luft, Kölner Dom.*

3. Formen des Genitivs: Pronomen

	Relativpronomen im Genitiv	
m.	dessen	Mein Freund, **dessen** Firma weltweit Filialen hat, ist viel unterwegs.
n.	dessen	Das ist das Kind, **dessen** Eltern beide Musiker sind.
f.	deren*	Meine Kollegin, **deren** Mann viel unterwegs ist, macht gerne Überstunden.
Pl.	deren	Meine Freunde, **deren** Eltern aus Afrika kommen, sprechen fließend mehrere Sprachen.

Das Adjektiv nach einem Relativpronomen wird wie nach dem unbestimmten Artikel dekliniert:
Das ist die Frau, deren netter Freund auch in meiner Abteilung arbeitet.

* Wenn das Relativpronomen alleine steht (ohne Nomen), kann man auch *derer* verwenden.

B2 **Indefinitpronomen im Genitiv (Plural)**	aller, mancher, einiger, dieser, jener	*Auf die Kritikpunkte **aller** kann ich hier leider nicht eingehen.*
C1 **Personalpronomen im Genitiv (veraltet)**	ich – meiner, du – deiner, er – seiner, es – seiner, sie – ihrer, wir – unserer, ihr – eurer, sie – ihrer, Sie – Ihrer	*Ich bedarf **deiner**.* (= Ich brauche dich.)

wegen + Pronomen im Genitiv: *derentwegen* (= wegen derer), *meinetwegen* (= wegen meiner), *deinetwegen, seinetwegen, unseretwegen ...*

4. Funktionen des Genitivs

- Bedeutung von *von*: *das Auto meines Bruders, die Hälfte des Kuchens, der Rat eines Freundes ...* Der Genitiv kann durch *von* ersetzt werden:*** *das Auto von meinem Bruder, die Hälfte vom Kuchen, der Rat von einem Freund ...*
- Präposition + Genitiv ► Kapitel 22, 25, 26, 28: *Infolge einer Verletzung konnte er nicht an dem Spiel teilnehmen. Während des Spiels feuerte er seine Mannschaft an.*
- C1 Verben und Adjektive + Genitiv ► Kapitel 32: *Er rühmt sich seiner heldenhaften Taten. Er ist sich keiner Schuld bewusst.*
- C1 In einigen festen Wendungen als Modalangabe: *Er ist der Meinung, letzten Endes, meines Wissens, sehenden Auges, ruhigen Gewissens ...*

*** Schriftsprachlich gilt der Genitiv als stilistisch besser. Allerdings sollte eine Aneinanderreihung von mehreren Genitiven vermieden werden: *Das ist der Garten des Hauses meines Onkels.* Stilistisch besser: *Das ist der Garten vom Haus meines Onkels.*

B2

1 Ersetzen Sie die Präposition *von* durch den Genitiv.

1 der Vater von meinen Kindern
2 die Lehrer von meiner Tochter
3 die Direktorin von dem Gymnasium
4 die Verwandten von meinem Mann
5 die Interpretation von dem Text
6 die Anzahl von den Teilnehmern
7 die Hälfte von der Gruppe
8 die Präsentation von dem Ergebnis
9 die Verantwortung von den Eltern
10 der Fehler von dem Kind
11 das Urteil von der Richterin
12 die Entschuldigung von dem Autofahrer
13 der Computer von meinem alten Kollegen
14 das Büro von meinem netten Chef
15 die Arbeit von dem neuen Reinigungspersonal
16 der Urlaub von dem kompetenten Assistenten

B2

2 Schreiben Sie die Ausdrücke mit Genitiv.

1 Handy • meine Schwester
Handy • der Lehrer
Handy • Peter
Handy • das Kind

2 Auto • mein Freund
Auto • Anna
Auto • die Kollegin
Auto • Frau Meyer

1 das Handy meiner Schwester ...

B2

3 Ergänzen Sie den Ausdruck aus der Klammer im Genitiv.

1 Das ist die Landschaft ▮. *(meine Kindheit)*
2 Dort steht das Haus ▮. *(meine Eltern)*
3 Das ist der Hof ▮. *(ein alter Sonderling)*
4 Der Spielplatz ▮ war an diesem Bach. *(alle Kinder)*

1 Das ist die Landschaft meiner Kindheit.

B2

4 Formen Sie die unterstrichenen Satzteile in den Genitiv um.

1 Wir kommen gerade an der Firma <u>von meiner Frau</u> vorbei.
2 Dort im dritten Stock ist der Arbeitsplatz <u>von Tanja</u>.
3 Im Erdgeschoss ist das Fotogeschäft <u>von einer chinesischen Künstlerin</u>.
4 Das Geschäft <u>von Frau Wang</u> läuft sehr gut.
5 Die Fotos im Büro <u>von Clemens</u> sind alle von ihr.

B2

5 Schreiben Sie die Ausdrücke mit Genitiv.

1 Idee • die Bundeskanzlerin
Idee • Maria
Idee • ein großes Team
Idee • ein Selbstständiger
Idee • Herr Walter
Idee • viele ältere Menschen

2 90 % • alle Jugendlichen
90 % • die gut verdienenden Erwachsenen
90 % • das verfügbare Einkommen
90 % • dieser Umsatz
90 % • die diesjährige Inflation
90 % • das beeindruckende Wirtschaftswachstum

1 die Idee der Bundeskanzlerin

B2

6 a) Schreiben Sie die Sätze mit Genitiv. Es gibt meist zwei Möglichkeiten.

1 der größte Park • München • der Englische Garten
2 der berühmteste Sohn • Frankfurt • Goethe
3 die Hauptstadt • Österreich • Wien
4 die Hauptstadt • die Türkei • Ankara
5 der längste Fluss • Deutschland • der Rhein

1 Der größte Park Münchens ist der Englische Garten.
oder
Münchens größter Park ist der Englische Garten.

b) Formulieren Sie die Sätze um. Verwenden Sie den Genitiv. Es gibt jeweils zwei Möglichkeiten.

1 Die Strände von Deutschland sind sehr schön, aber nicht so sonnig.
2 Die Politiker und Politikerinnen von Europa müssen viele Probleme lösen.
3 Die Autobahnen in Deutschland sind sehr gut ausgebaut.
4 Die Regenwälder von Brasilien sind wichtig für das Klima in der ganzen Welt.
5 Die Schriftsteller und Schriftstellerinnen von Afrika sind in den letzten Jahren immer bekannter geworden.

B2

7 Formen Sie die Sätze um. Verwenden Sie Adjektive als Nomen im Genitiv wie im Beispiel.

1 Diese Uhren kommen aus der Schweiz.
2 Das ist eine Spezialität, die typisch für Frankfurt ist.
3 Die Luft in München ist meistens sehr frisch.
4 Der Fußballklub aus Dortmund ist seit vielen Jahren sehr erfolgreich.
5 Die kreative Szene in Berlin zieht junge Menschen aus der ganzen Welt an.

1 Das sind Schweizer Uhren.

B2

8 DER WEIHNACHTSMARKT IN DRESDEN. Ergänzen Sie die Wörter im Genitiv. In einigen Fällen muss der Genitiv durch *von* ersetzt werden.

Die Weihnachtsmärkte in ____________ [1] *(Deutschland)* kleinen und großen Städten sind sehr beliebt. Einer ____________ [2] *(die berühmtesten Weihnachtsmärkte, Pl.)* findet jedes Jahr in Dresden statt: der ____________ [3] *(Dresden)* Striezelmarkt. Innerhalb ____________ [4] *(vier Wochen)* kann man an den zahlreichen Buden ____________ [5] *(der Markt)* Kunsthandwerk aus dem Erzgebirge kaufen: Räuchermänner, Engel, Weihnachtssterne oder Weihnachtspyramiden.
In der Mitte ____________ [6] *(der Platz)* steht die größte erzgebirgische Stufenpyramide ____________ [7] *(die Welt)*. Der Duft ____________ [8] *(Gewürze, Pl.)* und ____________ [9] *(Glühwein)* ist auf dem ganzen Markt zu riechen und erwärmt die Herzen ____________ [10] *(die Besucher und Besucherinnen, Pl.)*, die sich trotz ____________ [11] *(Kälte oder Regen)* jedes Jahr auf dem Markt treffen. Eine besondere Attraktion ____________ [12] *(der Markt)* ist das Weihnachtstheater. Zur Freude ____________ [13] *(alle Kinder)* öffnet jeden Tag auf dem Weihnachtsmarkt das Puppentheater und zeigt lustige und spannende Geschichten. Und jeden Tag um 16.15 Uhr öffnet der Weihnachtsmann ein neues Fenster ____________ [14] *(der Adventskalender)*.
Natürlich ist der Striezelmarkt der berühmteste ____________ [15] *(die Weihnachtsmärkte, Pl.)* ____________ [16] *(Dresden)*. Er ist aber nicht der einzige. Südlich ____________ [17] *(die Elbe)*

liegen weitere sechs interessante Weihnachtsmärkte und auch nördlich ______________ [18] *(der Fluss)* gibt es einen Markt, der unterhalb ______________ [19] *(ein berühmtes Denkmal)*, ______________ [20] *(der Goldene Reiter)*, liegt.

B2 **9 Relativsätze im Genitiv. Was passt zusammen? Ordnen Sie zu.**

1 Der Kollege,	deren	A	Kinder so nett sind, auch eingeladen.
2 Meine Schwester,		B	Mieter ständig wechseln.
3 Ich habe die Nachbarn,	dessen	C	Auto gerade vor der Tür parkt, kommt selten zu Besuch.
4 Ich wohne in einem Haus,		D	Telefon gerade schon wieder klingelt, ist selten im Büro.

B2 **10 EINE GRAFIK BESCHREIBEN. Ergänzen Sie die passende Form im Genitiv.**

1 Der Titel ________ Grafik ____ lautet: Die Nutzung erneuerbar____ Energien ________ seit 2020.

2 Die Grafik basiert auf einer Umfrage ________ statistisch____ Amt____ der Stadt Wendburg.

3 Durchgeführt wurde eine Erhebung ________ Daten in 1000 Haushalten Wendburg____.

4 Die Grafik zeigt die Ausgaben für Energie all____ Haushalte____ in der Stadt.

5 Die Höhe ________ Ausgaben____ für Energie ist in Tausend angegeben.

6 In der Legende wird die Bedeutung ________ im Schaubild verwendet____ Abkürzungen____ erklärt.

7 Die Säulen ________ Diagramm____ zeigen den durchschnittlichen Stromverbrauch.

8 2021 gaben gut 80 Prozent ________ Befragte____ an, dass sie einen stärkeren Ausbau ________ erneuerbar____ Energien wünschen.

9 Man kann vermuten, dass ein Haushalt, ________ Strom aus Sonnenenergie gewonnen wird, weniger Geld für Energie ausgibt.

10 Bezüglich ________ erfasst____ Zeitraum____ kann man feststellen, dass es kaum Veränderungen gibt.

C1 **11 Ergänzen Sie.**

meinetwegen • derentwegen • seinetwegen • ihretwegen • deinetwegen • unseretwegen

1 Ich bin schon bereit. ______________ können wir sofort losfahren.

2 Das ist wirklich ärgerlich. Du bist zu spät. ______________ verpassen wir den Zug.

3 Das ist die Firma, ______________ ich nach Deutschland gekommen bin.

4 ______________ musst du dich nicht beeilen. Wir können gut hier im Café einen Moment warten.

5 Schade, dass Dennis nicht da ist. Eigentlich bin ich nur ______________ gekommen.

6 Anna ist noch nicht da? ______________ musst du dir keine Sorgen machen. Sie kommt meistens zu spät.

C1 **12 STADTGESCHICHTE. Schreiben Sie Relativsätze.**

1 Das sind die Stadtgrenzen. Innerhalb der Stadtgrenzen ist die Stadt im Mittelalter entstanden.
2 Die Namen auf diesem Brunnen sind die Namen von Opfern der Diktatur. Wir gedenken am 9. November der Opfer der Diktatur.
3 Der Dom ist seit 1996 Weltkulturerbe der UNESCO. Der Turm vom Dom ist 157 Meter hoch.
4 Der Karneval ist ein Wahrzeichen der Stadt. Während des Karnevals sind alle Schulen und viele Betriebe geschlossen.

Um welche Stadt handelt es sich? ______________

50 n-Deklination

An Herrn und Frau Schneider

B2

85
AN
HERRN UND FRAU SCHNEIDER
DUDENSTR. 17
27777 BERGEDORF

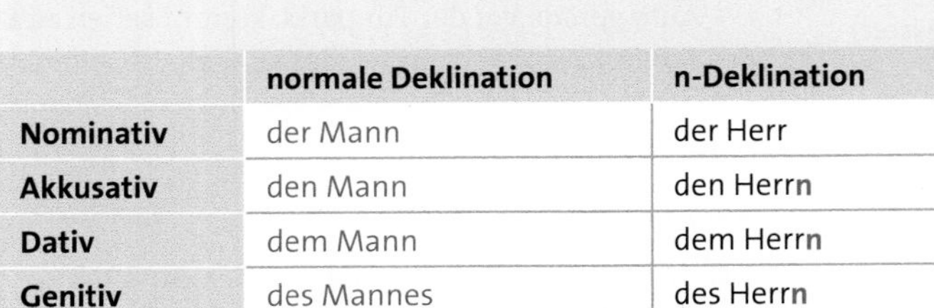

	normale Deklination	n-Deklination
Nominativ	der Mann	der Herr
Akkusativ	den Mann	den Herrn
Dativ	dem Mann	dem Herrn
Genitiv	des Mannes	des Herrn

Die Nomen der n-Deklination sind maskulin. Im Plural ist die Endung immer *-(e)n*. Das Genitiv-*s* am Ende entfällt.

Nach der n-Deklination werden dekliniert:

1. maskuline Nomen

- männliche Personen mit Ende *-e*:
  der Junge, der Kollege, der Türke ...
- männliche Tiere mit Ende *-e*:
  der Löwe, der Rabe ...
- Nomen mit Ende *-and, -ant, -ent, -at, -ist, -graf*:
  der Doktorand, der Praktikant, der Student, der Automat, der Christ, der Geograf

2. abstrakte maskuline Nomen mit der Endung *-e*

⚠ Diese Nomen haben im Genitiv zusätzlich ein *s* am Ende.
der Friede, des Friedens; der Name, des Namens; der Buchstabe, des Buchstabens; der Glaube, des Glaubens; der Gedanke, des Gedankens

3. maskuline Nomen, die in keine Gruppe gehören

der Architekt	*der Astronaut*	*der Fürst*
der Bär	*der Bauer*	*der Herr**
der Graf	*der Held*	*der Nachbar*
der Prinz	*der Mensch*	*der Ungar*

* im Singular + *-n*, im Plural + *-en* (*den Herrn / die Herren)*

⚠ *das Herz* – Akkusativ: *das Herz*, Dativ: *dem Herzen,* Genitiv: *des Herzens*, Plural: *die Herzen*
Umgangssprachlich und im medizinischen Kontext wird *Herz* normal dekliniert.

Die n-Deklination wird immer seltener benutzt. Sowohl in der gesprochenen als auch in der schriftlichen Sprache wird *-(e)n* oft weggelassen.

1 Markieren Sie die Nomen der n-Deklination.

1 der Finne, der Norweger
2 der Assistent, der Physiker
3 der Automat, die Maschine
4 die Giraffe, der Affe
5 der Brite, der Engländer
6 der Friede, der Krieg
7 der Löwe, der Tiger
8 der König, der Fürst
9 der Pole, der Schweizer
10 der Ochse, der Stier
11 der Mensch, die Person
12 der Student, der Teenager

2 Ergänzen Sie die Endungen.

1 Ich kenne einen Finne____. Ich gehe mit dem Herr____ mit Name____ Hakkunen spazieren.

2 Im Zoo gibt es einen Löwe____, einen Bär____ und viele Affe____.

3 An der Uni arbeite ich mit einem Assistent____, einem Doktorand____, einem Psychologe____, einem Anglist____ und einem Praktikant____ zusammen.

3 UNSER KURS. Ergänzen Sie die Endungen (wenn nötig).

In unserem Sprachkurs sind zwei Chinese____[1], ein Türke____[2], zwei Portugiese____[3], zwei Spanier____[4], drei Italienerinnen und ich. Viele haben schon einen Beruf. Es gibt einen Fotograf____[5], einen Architekt____[6], einen Professor____[7], einen Tänzer____[8], drei Lehrer____[9], einen Pianist____[10] und drei sind noch Student____[11]. Unser Lehrer____[12] ist ein junger Mann____[13] mit dem Name____[14] Scheibe. Er ist Doktorand____[15] an der Uni. Wir alle mögen den Unterricht____[16] von Herr____[17] Scheibe.
Was den Glaube____[18] angeht, sind alle außer dem Türke____[19] und den Chinese____[20] Christ____[21].
Ich mag jeden meiner Kollege____[22]. Alle sind sehr nette Mensch____[23] und wir verstehen uns alle gut.
Aber einer der Chinese____[24] ist der Mann____[25] meines Herz____[26].

4 Alles gemischt: n-Deklination, n-Deklination abstrakter Nomen, normale Deklination. Bilden Sie den Genitiv.

1 die Funktionsweise des Automat____, der Maschine____, des Gerät____, des Herz____

2 die Arbeit des Architekt____, des Ingenieur____, des Professor____, des Psychologe____

3 die Schreibweise des Name____, des Begriff____, des Buchstabe____, des Held____

4 der Preis der Freiheit____, des Friede____, des Glück____

5 die Sichtweise des Mensch____, des Christ____, des Atheist____, des Muslim____

6 die Konsequenz der Frage____, des Gedanke____, des Experiment____

5 Ergänzen Sie *-(e)n* (wenn nötig).

Herr____ Seifert 5. März 20...
Ladenstraße 15
96045 Bamberg

Sehr geehrter Herr____ Seifert,
wir freuen uns, Sie im nächsten Monat____ im Kreise____ der Kollege____ begrüßen zu dürfen. An Ihrem ersten Arbeitstag____ werden wir Ihnen einen Praktikant____ als Ihren persönlichen Assistent____ an die Seite____ stellen. Er wird Sie zum Betriebs-Fotograf____ begleiten, der für Sie einen Dienstausweis____ anfertigen wird.
Danach erfolgt die Vorstellung____ beim Präsident____ des Unternehmens.
Im Name____ der gesamten Abteilung____

H. Schmidt

51 Drei Deklinationen

des Mannes, des Herrn, des Alten

B2

Glück bedeutet etwas anderes ...

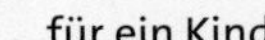

... für ein Kind

... für einen Studenten

... oder für einen Berufstätigen.

	normale Deklination			
	maskulin	**neutral**	**feminin**	**Plural**
Nominativ	der Mann ein Mann	das Kind ein Kind	die Frau eine Frau	die Leute Leute
Akkusativ	den Mann einen Mann	das Kind ein Kind	die Frau eine Frau	die Leute Leute
Dativ	dem Mann einem Mann	dem Kind einem Kind	der Frau einer Frau	den Leuten Leuten
Genitiv	des Mannes eines Mannes	des Kindes eines Kindes	der Frau einer Frau	der Leute von Leuten[1]

	n-Deklination		**Adjektive als Nomen**		
	maskulin	**Plural**	**maskulin**	**feminin**	**Plural**
Nominativ	der Herr ein Herr	die Herren Herren	der Alte ein Alter	die Alte eine Alte	die Alten Alte
Akkusativ	den Herrn einen Herrn	die Herren Herren	den Alten einen Alten	die Alte eine Alte	die Alten Alte
Dativ	dem Herrn einem Herrn	den Herren Herren	dem Alten einem Alten	der Alten einer Alten	den Alten Alten
Genitiv	des Herrn eines Herrn	der Herren von Herren[1]	des Alten eines Alten	der Alten einer Alten	der Alten Alter[1]

Die meisten Nomen folgen der normalen Deklination.
Einige maskuline Nomen werden nach der **n-Deklination** dekliniert ▶ Kapitel 50.
Nomen, die **vom Adjektiv** kommen, werden als Nomen **wie ein Adjektiv dekliniert**. Die Endung ist deshalb in manchen Fällen bei indefinitem Artikel anders als bei definitem: *der Erwachsene, ein Erwachsener*

Häufig verwendete Adjektive als Nomen:
der Angestellte, der Verwandte, der Bekannte, der Arbeitslose, der Erwachsene, der Berufstätige, der Kranke, der Verlobte, der Jugendliche, der Deutsche, der Verrückte, der Selbstständige ...

Adjektive als neutrale Nomen

Nach *alles* und *das* hat das Adjektiv als neutrales Nomen ein *e* am Ende, nach *etwas, viel, wenig, ein bisschen* ist die Endung *-es*, im Dativ endet das Adjektiv immer auf *-em*:
etwas / nichts / wenig / ein bisschen / viel Gutes; mit / zu ... etwas Gutem;
das / alles Gute; mit / zu ... dem / allem Gutem
Adjektive als Nomen schreibt man groß.

1 Indefinit Plural im Genitiv existiert in der normalen und in der n-Deklination nicht (nur mit Adjektiv), die Form wird ersetzt durch *von* + Dativ. Bei Adjektiven als Nomen gibt es eine Genitivform für Plural indefinit.

1 Normale Nomen und Adjektive als Nomen. Ergänzen Sie die Endungen (wenn nötig).

1 Was ist der Unterschied zwischen einem Kind____ und einem Erwachsen____ oder einer Erwachsen____? Kinder____ lachen im Durchschnitt viel häufiger als Erwachsen____. Die Erwachsen____ sind anscheinend schon frustriert.

2 Das Leben eines Angestellt____ oder einer Angestellt____ ist häufig einfacher als das Leben eines Selbstständig____ oder einer Selbstständig____. Selbstständig____ haben oft mehr Stress als Angestellt____.

3 Kennen Sie einen Arbeitslos____, eine Arbeitslos____? Oder einen Millionär____?

4 Kennst du den Vorgesetzt____ von meinem Bruder____? Er ist ein Verwandt____ von meinem Freund____.

5 Eine Person „Alt____" zu nennen ist unter Jugendlich____ zurzeit modern. Das Wort wird merkwürdigerweise zu Jung____ und Alt____ gesagt und auch zu Frauen____.

2 Ergänzen Sie die Endungen (wenn nötig).

1 Da steht ein Jugendliche____ / ein Junge____ / ein Teenager____.

2 Das ist mein Neffe____ / mein Verwandte____ / mein Sohn____.

3 Ich mag den Neffe____ / den Verwandte____ / den Sohn____.

4 Da steht ein Franzose____ / ein Japaner____ / ein Deutsche____.

5 Ich spreche mit einem Franzose____ / einem Japaner____ / einem Deutsche____.

6 Das ist mein Chef____ / ein Arbeitslose____ / ein Selbständige____.

7 Das sind die Chef____ / die Arbeitslose____ / die Selbständige____ (Plural).

8 Das ist mein Bekannte____ / mein Freund____ / mein Nachbar____.

9 Das ist die Frau meines Bekannte____ / meines Freund____ / meines Nachbar____.

10 Ich kenne einen Patient____ / einen Kranke____ / einen Arzt____.

11 Ich kenne Patient____ (Plural) / Kranke____ (Plural) / Ärzte____ (Plural).

12 Ich spreche mit Patient____ (Plural) / Kranke____ (Plural) / Ärzte____ (Plural).

3 Bilden Sie Nomen aus den Adjektiven und ergänzen Sie die Endung.

1	lecker	*etwas Leckeres*	5	oft gekauft	das ____________
2	gut	alles ____________	6	schön	viel ____________
3	schlimm	nichts ____________	7	modern	etwas ____________
4	interessant	wenig ____________	8	gewünscht	alles ____________

4 GUTE VORSÄTZE. Adjektiv oder Nomen? Ergänzen Sie die Wörter mit der richtigen Endung und schreiben Sie die Nomen groß.

Zum Jahreswechsel sagen wir zueinander: „Alles ________ [1] *(gut)* im ________ [2] *(neu)* Jahr!", und fast jeder wünscht sich viel ________ [3] *(positiv)* für die Zukunft. Man weiß, dass es wichtig ist, sich nichts zu ________ [4] *(groß)* zu wünschen, sondern etwas ________ [5] *(machbar)*. Es ist viel besser, sich wenig ________ [6] *(realisierbar)* vorzunehmen, statt viele ________ [7] *(groß)* Vorsätze zu fassen. Das ________ [8] *(gut)* an Vorsätzen für das ________ [9] *(neu)* Jahr ist, dass sie etwas ________ [10] *(magisch)* haben und deshalb eine ________ [11] *(höher)* Chance zur Realisierung besteht.

52 Deklination der Indefinit- und Possessivpronomen

Bringst du mir welche mit?

B2

Sprechtraining 33

Hier kann **man** ganz günstig Socken kaufen!
Socken im Angebot 2 für 3
Eigentlich brauche ich **keine**, aber bringst du mir **welche** mit? Es geht mir so oft **einer** verloren.

	maskulin	neutral	feminin	Plural
Nominativ	einer welcher* keiner meiner**	ein(e)s welches kein(e)s mein(e)s	eine welche keine meine	welche – keine meine
Akkusativ	einen welchen keinen meinen	ein(e)s welches kein(e)s mein(e)s	eine welche keine meine	welche – keine meine
Dativ	einem welchem keinem meinem	einem welchem keinem meinem	einer welcher keiner meiner	welchen – –*** meinen

* Für unzählbare Nomen (kein Plural) verwendet man *welch-*: *Ich trinke Wein. Möchtest du auch welchen?*

** ebenso: *deiner, seiner, ihrer, unserer, eurer, ihrer, Ihrer*

*** Nur im Singular: *Vertraust du den Leuten? – Nein, ich vertraue keinem.*

Man kann die Unbestimmtheit des Indefinitpronomens *einer* ... mit *irgend* verstärken: *irgendeiner, irgendeine, irgendeins, irgendwelche ...* ► Kapitel 75

Häufig auch als Zahlwort in der Konstruktion: *ein(e)s* *meiner größten Probleme* ► Kapitel 57

Deklination von *man*

Nominativ	man
Akkusativ	einen
Dativ	einem

*Wenn **man** krank ist, schreibt **einen** der Arzt krank und gibt **einem** ein Rezept.*

1 a) **IM ALLTAG. Ergänzen Sie die Indefinitpronomen *ein-/welch-* oder *kein-* ...**

1 ● Möchten Sie einen Kaffee? ● Ja, ich hätte gerne ________, danke.

2 ● Ich glaube, es gibt auch belegte Brötchen. ● Ja, hier sind ________.

3 ● Und, passen die Schuhe? ● Ich weiß nicht, mit ________ kann ich gut gehen, der andere ist zu eng.

4 ● Das ist mal wieder typisch. ________ hilft mir.

5 ● Es gibt so viele Probleme und leider kann ich ________ davon schnell lösen.

6 ● Brauchst du ein Taschentuch? Ich habe noch ________.

7 ● Wir sind sechs, aber im Auto sind nur fünf Plätze. ________ muss zu Fuß gehen.

8 ● Sind Kurznachrichten für dich wichtig? ● Ja, klar, ich schreibe dauernd ________.

1 b) **Ergänzen Sie die Possessivpronomen *mein-, dein-* ...**

1 Weißt du, wo mein Buch ist? Hier sind einige Bücher. Das ist ________, hier steht mein Name. Das ist von Tina. Vielleicht ist das hier ________?

2 Mein Job ist furchtbar, wie ist denn ________? Bist du zufrieden?

3 Entschuldigen Sie, hier liegt eine Jacke. Ist das ________? Nein, ich trage heute einen Mantel. Ah, dann ist der Mantel hier wahrscheinlich ________.

4 Ist das Ihr Stift? Ja, das ist einer von ________, danke!

2 Ergänzen Sie ein Indefinitpronomen mit *irgend-*.

1 Dein Auto ist ja nicht so toll. Na, besser ________ als zu Fuß gehen.

2 Oje, ich verstehe die Übung überhaupt nicht. Kann mir das ________ erklären?

3 Ich bin zu spät. Ich kriege kein Kleid mehr für die Party. Ach, ________ kriegst du bestimmt.

4 Kriegst du die Tür nicht auf? Ich habe hier viele Schlüssel. Mit ________ geht es bestimmt.

3 WENN MAN GUTE FREUNDE HAT... Ergänzen Sie *man, einen, einem*.

1 ... hört ________ immer jemand zu.

2 ... mögen ________ viele.

3 ... schicken ________ viele Leute E-Mails.

4 ... gehen viele mit ________ aus.

5 ... kaufen viele Leute Geschenke für ________.

6 ... hilft ________ immer jemand.

7 ... ist ________ glücklich.

8 ... ist ________ nie allein mit ________ Problem.

4 KREATIVITÄT – KENNEN SIE DAS AUCH? Ergänzen Sie *man, einen* oder *einem*.

Sie sitzen vor einem leeren Papier und haben keine Idee. Was tun, wenn ________ [1] nichts einfällt? Wenn ________ [2] das leere Papier vorwurfsvoll anstarrt? Ein Tipp ist, die Arbeit zu unterbrechen. Wenn ________ [3] zwischendurch eine kleine Pause einlegt und zum Beispiel spazieren geht, kann ________ [4] sich entspannen. Andere Leute können ________ [5] auch manchmal helfen. Sie können das Problem nicht für ________ [6] lösen, aber sie können ________ [7] auf neue Gedanken bringen. Wenn ________ [8] über das Problem spricht, sieht ________ [9] es aus einer anderen Perspektive und es kommen ________ [10] ganz neue Ideen.

5 Ergänzen Sie ein Indefinitpronomen: *ein-/welch-* oder *kein-* ...

1 Er schimpft auf Arbeitslose, dabei ist er selber ________.

2 Leute, die andere Faulpelze nennen, sind oft selber ________.

3 Wir sind ein tolles Team. Unser Motto: ________ für alle, alle für ________.

4 Hier passt alles nicht. Was soll ich hier ankreuzen? ________ von beidem trifft zu.

5 Es war so heiß im Büro. ________ von uns hatte Energie zu arbeiten.

6 Wir brauchen Reis. Bringst du ________ mit?

6 Welches Indefinitpronomen ist falsch? Streichen Sie.

1 Die Wanderung im Amazonas war *eines/eine* meiner schönsten Erlebnisse.
2 *Eine/Eines* meiner Ziele für das nächste Jahr ist es, meine Fortbildung erfolgreich abzuschließen.
3 *Eine/Eines* meiner besten Freundinnen wohnt jetzt am anderen Ende der Welt, in Neuseeland.
4 *Einer/Ein* unserer Mitarbeiter kommt morgen bei Ihnen vorbei.
5 Von *einem/einer* wie ihm hätte ich das nicht erwartet.

53 Indefinitpronomen für Menschen  

man, alle, jeder, jemand, niemand

Wenn *man* berühmt ist, kommen *alle* und *jeder* will ein Autogramm.

Kennt *jemand* den Mann da?

Niemand will ein Autogramm von ihm.

Indefinit-pronomen	Beispiel	Bemerkungen	
man	*Wenn man reist, erweitert man seinen Horizont.*	alle Menschen; unpersönlich, Generalisierung von persönlichen Meinungen und Erfahrungen, Objektivierung ►Kapitel 52	Singular
alle*	*Alle können mitmachen.*	alle Menschen (generell) (Dativ: mit alle**n** / Genitiv: die Freunde alle**r**)	Plural
jeder / jede*	*Jeder / Jede kann mitmachen.*	ein einzelner Mensch (generell) (wird dekliniert wie der definite Artikel)	Singular
jemand	*Jemand hat angerufen.* *Hast du mit jemand(em) gesprochen?*	(irgend-)ein Mensch, unbekannter Mensch (kann, muss aber nicht dekliniert werden)	Singular
niemand	*Niemand hat angerufen.* *Ich habe mit niemand(em) gesprochen.*	negativ für *jemand* – kein Mensch (kann, muss aber nicht dekliniert werden)	Singular

* Diese Wörter können auch als Artikel vor einem Nomen stehen: *alle Menschen* (nur Nomen im Plural), *jeder Mann, jedes Auto* (nur Nomen im Singular)

C1 **Dieses Pronomen benutzt man, wenn man über die gleiche Person weiter spricht.**

Indefinit-pronomen	Pronomen und Possessivartikel	Beispiel
man	**man** **sein ...**	*Man sollte einen Termin beim Augenarzt vereinbaren, wenn man Probleme mit seinen Augen hat.*
jeder / jede	**er / sie** **sein / ihr ...**	*Jeder / Jede sollte einen Termin beim Augenarzt vereinbaren, wenn sie / er Probleme mit ihren / seinen Augen hat.*
jemand	**er / sie** **sein ... / ihr...**	*Man sollte nicht bei jemand(em) im Auto mitfahren, wenn er / sie seine / ihre Brille nicht trägt.*
niemand	**er** **sein ...**	*Niemand sollte mit seinem Auto fahren, wenn er Probleme mit den Augen hat.*
alle	**sie** **ihr ...**	*Alle sollten zum Augenarzt gehen, wenn sie Probleme mit ihren Augen haben.*

B2 **1** **GUTE GEMEINSCHAFT. Ergänzen Sie *alle* oder *jeder/jede*.**

1 _______ hat das Recht, die eigene Meinung zu äußern.

2 _______ sollte etwas für die Gemeinschaft tun.

3 _______ müssen sich an die Gesetze halten.

4 _______ dürfen nicht nur an sich selbst denken.

5 _______ sollte auch an die anderen denken.

6 Wenn sich _______ so verhält, sind _______ zufrieden.

7 Wenn _______ nur an sich denken würde, hätten _______ Probleme.

B2 **2** **EIN FEST. Ergänzen Sie *jemand* (5x) oder *jede/jeder* (4x) in der korrekten Form.**

Einladung zur Einweihungsparty

_____________[1], der kommen möchte, ist herzlich willkommen. Wenn _____________[2] nicht pünktlich kommen kann, ist das kein Problem. _____________[3] soll bitte etwas zu essen mitbringen!

Emma und Nick

Auf der Party:

- Kennst du _____________[4] hier? – Nein, aber ich möchte mit _____________[5] sprechen!
- Ich habe Lust zu tanzen. Möchte noch _____________[6] tanzen?
- Kann mal bitte _____________[7] das Fenster aufmachen?
- Du musst bitte deinen Teller spülen. Es gib nur einen Teller für _____________[8]!
- Am Ende soll bitte _____________[9] aufräumen helfen.

C1 **3** **BILDUNGSCHANCEN. Ergänzen Sie.**

niemand • er/sie • jemand • er/sie • jemand • jemand

Wenn _____________[1] in Deutschland Eltern mit wenig schulischer Bildung hat, hat _____________[2] schlechte Chancen, einen guten Schulabschluss zu erreichen. Statistiken zeigen, dass _____________[3], der beispielsweise aus einer Arztfamilie kommt, mit höherer Wahrscheinlichkeit studieren wird als _____________[4], dessen Eltern Arbeiter sind. Aber _____________[5] sollte benachteiligt werden, nur weil _____________[6] aus einer bildungsfernen Familie kommt.

C1 **4** **IST DAS WAHR? Ergänzen Sie die Pronomen und Possessivartikel und diskutieren Sie.**

1 Jeder hat bessere Chancen, viel Geld zu verdienen, wenn _______ studiert hat.
2 Wenn man gut aussieht, findet man leichter _____________ Traumpartner.
3 Wenn man Glück im Spiel hat, hat _______ Pech in der Liebe.
4 Niemand hat Lust zu arbeiten, wenn _______ kein Geld bekommt.
5 Wenn man jemanden liebt, will man, dass _______ glücklich ist.
6 Alle werden gute Menschen, wenn _______ eine gute Kindheit haben.

***alle*: Plural**
***jed-*: Singular**

C1 **5** **TOLERANZ. Ergänzen Sie.**

er • niemand • niemand(em) • er/sie • jeder/jede • er/sie • niemand • jeder/jede • er/sie • jemand(em)

In Deutschland gibt es ein Anti-Diskriminierungsgesetz: _____________[1] darf wegen seiner Hautfarbe diskriminiert werden. _____________[2] kann leben, wie _____________[3] möchte, solange _____________[4] _____________[5] schadet. _____________[6] muss heiraten, weil _____________[7] ein Kind bekommt. Wenn _____________[8] die Lebensform seines Kollegen nicht gefällt, darf _____________[9] ihn deshalb nicht schlecht behandeln. _____________[10] sollte sich darum bemühen, tolerant und offen zu sein.

54 Indefinitpronomen für Menschen und Dinge

B2

Beide trinken beides

Tee oder Kaffee? Beide trinken beides.

Indefinitpronomen für Dinge	Beispiel	Bemerkung
alles	***Alles** ist gut.*	alle Dinge (Dativ: *mit alle**m***)
nichts	***Nichts** ist gut.*	Gegenteil von *alles* oder *etwas* (wird nicht dekliniert)
etwas	*Ich trinke nur **etwas**.*	ein bisschen von einer unzählbaren Menge / Quantität von Dingen (wird nicht dekliniert)

Die Indefinitpronomen *alles, etwas, nichts* sind in der Grammatik Singular. *Alles, etwas, nichts* können auch vor nominalisierten Adjektiven stehen: *etwas Schönes, nichts Gutes, alles Gute* ▶ Kapitel 51

Dinge	Menschen
alles, beides, einiges*, manches* Dativ: allem, beidem, einigem, manchem statt Genitiv: von allem, von beidem, von einigem, von manchem	**alle, beide, einige*, manche*** Dativ: allen, beiden, einigen, manchen Genitiv: aller, beider, einiger, mancher
Bedeutung: Plural Grammatisch Singular: ***alles ist*** ...	Bedeutung: Plural Grammatisch Plural: ***alle sind*** ...
Diese Pronomen stehen für Dinge und Abstrakta.	**Diese Pronomen stehen für Menschen** und Tiere. Diese Wörter können auch für Dinge stehen, wenn aus dem direkten Kontext deutlich wird, um welche konkreten Dinge es sich dabei handelt. *Hier stehen viele Autos, alle sind zufällig rot.* (= alle Autos) *Hier stehen Autos und LKWs. Alle sind zufällig rot.* (= alle Fahrzeuge)

* Die Wörter *manche(s)* und *einige(s)* sind synonym.

1 Singular oder Plural? Ergänzen Sie die Verben.

1 Alle ______________ *(hoffen)*: Alles ______________ *(werden)* gut.

2 Alles ______________ *(sein)* im grünen Bereich.

3 Wenn alle ______________ *(helfen)*, ______________ *(sein)* alles schnell erledigt.

4 ______________ *(können)* sich manchmal alle irren?

5 Es gibt keine Person, der alles Spaß ______________ *(machen)*. Aber alle ______________ *(haben)* an irgendetwas Spaß.

6 Man sollte zufrieden sein, wenn alle gesund ______________ *(sein)* und alles in Ordnung ______________ *(sein)*.

2 MEINE PARTY. Ergänzen Sie *alle* (auch im Dativ) oder *alles*.

alle: **Plural**
alles: **Singular**

Es hat viel Zeit und Energie gekostet, bis ich ________[1] vorbereitet hatte, aber es hat sich gelohnt. Zu meiner Geburtstagsparty sind ________[2] gekommen, und ________[3] haben ein Geschenk oder etwas zu essen mitgebracht und wir haben ________[4] auf ein Büfett gestellt. So haben bestimmt ________[5] etwas Leckeres gefunden. Ich konnte nicht mit ________[6] sprechen, aber ________[7] haben mir gratuliert. Und ________[8] hatten Hunger mitgebracht. Es wurde ________[9] aufgegessen! Später haben ________[10] getanzt, obwohl gar nicht ________[11] gut tanzen können. Ich denke, die Party hat ________[12] gefallen.

3 UNSER DEUTSCHKURS. Ergänzen Sie die Endungen (wenn nötig).

Wir haben zwei Lehrer. Wir mögen beide________[1] und können mit beide________[2] gut arbeiten. In unserem Kurs sind alle________[3] mit alle________[4] befreundet. Der Lehrer hat gefragt, ob wir mit alle________[5] zufrieden sind, was wir im Unterricht gemacht haben. Wir haben alle________[6] gut gefunden. In der Prüfung war manche________[7], was gefragt wurde, sehr schwer. Einige________[8] waren verzweifelt. Man hat mich gefragt, was ich schwerer fand: Lesen oder Hören. Aber glücklicherweise hatte ich mit beide________[9] kein Problem.

4 UMFRAGE. Ergänzen Sie.

manches • beide • beides • beiden • manche • manches • einiges • einige • beide • beide

Meine Frau und ich haben an einer Befragung teilgenommen, ob wir lieber Filme sehen oder im Internet surfen. Wir haben ________[1] gesagt, dass wir ________[2] ________[3] sehr gerne machen, obwohl uns ________[4], was es im Fernsehen gibt, nicht gefällt. Der Interviewer hat uns erzählt, dass ________[5], was ________[6] bei solchen Befragungen reden, totaler Unsinn ist. ________[7] von dem, was bei der Befragung herausgekommen ist, wird in zwei Zeitschriften veröffentlicht. ________[8] wollen dann am liebsten ihren Namen in dem Artikel sehen. Ich will mich nicht entscheiden müssen, welche von den zwei Zeitschriften ich dann lese. Ich werde ________[9] kaufen und die Artikel in ________[10] lesen.

C1

5 DER GESCHMACK DER KOHLENHYDRATE. Ergänzen Sie *nicht* oder *nichts*.

nichts = negativ für *etwas/alles* *nicht* = Satznegation

Bis vor kurzer Zeit hat man gedacht, dass wir außer süß, sauer, salzig und bitter ________[1] auf der Zunge schmecken können. Andere Geschmacksempfindungen nehmen wir ________[2] über die Zunge, sondern über die Nase wahr. *(Dies bemerkt man, wenn man wegen eines Schnupfens ________[3] riechen kann und dann ________[4] mehr so richtig gut schmeckt).* Nun haben Forscher herausgefunden, dass wir auch Kohlenhydrate schmecken können. Damit dieser Geschmack ________[5] mit süß verwechselt wird, blockierten die Forscher die Rezeptoren für Süßes. Die Probanden bezeichneten den Geschmack als „starchy", das bedeutet „stärkehaltig". Bisher gehört „starchy" ________[6] zu den offiziellen Geschmacksrichtungen, aber das ändert ________[7] daran, dass wir unsere Nudeln oder unseren Reis genießen!

Partnerseite 7: Deklination

Partner/-in A

B2

WÜRFELSPIEL. Sie würfeln und gehen von „Start“ oben links zum „Ziel“ (auf der rechten Seite). Sie gehen nur auf die orangefarbenen Felder und ergänzen den Satz. Anhand der Nummer des Feldes kann Ihre Partnerin / Ihr Partner Ihre Lösung kontrollieren. Sie kontrollieren Ihre Partnerin / Ihren Partner mithilfe der türkisen Lösung oben rechts.

Ziel
Start

1 Glaubst du etwa d... Verrückt... (m.)?

2 Hilf d... Arm.... (Pl.)

3 Wir danken d... Vorsitzend... (f.).

4 Er lebt außerhalb Fulda....

5 Der Hund gehorcht d... Mann....

6 Er antwortet d... Kollege....

7 Das neue Gesetz nützt nur d... Reich... (Pl.).

8 Nach dem Kurs möchte ich mit alle... in Kontakt bleiben.

9 Zwei Freunde. Ich habe mit beide... Spaß.

10 Das ist der größte Park München....

11 Er ist der Mann mein... Herz....

12 Der Termin passt d... Beamt... (m.) nicht.

13 Ich verzeihe d... Nachbar... (m.) nie!

14 Alle... sind pünktlich gekommen.

15 Nimm ein Brötchen. Hier ist e....

16 Berlin ist die größte Stadt Deutschland....

17 Hier gibt es nichts Schön....

18 Vertraust du d... Jugendlich... (f.)?

19 Das ist d... Best... (n.)!

20 Ich bin e... Tiger... begegnet.

21 Das Paket ist für Herr... Fuchs.

22 Das ist das Auto e... klein... Mann....

23 Das ist die Frau d... Präsident....

24 Ich wohne bei e... Arbeitslos... (f.).

25 Ich bin mit alle... befreundet.

26 Ich habe wenig Gut... gesehen.

27 Ich wünsche dir alles Gut...

28 Da steht e... Erwachsen.... (m.)

29 Ich helfe e... Arzt....

30 Ich kenne e... Pole... (m.).

Lösung: 1. dem Verrückten 2. den Armen 3. der Vorsitzenden 4. Fuldas 5. dem Mann 6. dem Kollegen 7. den Reichen 8. allen 9. beiden 10. Park Münchens 11. meines Herzens 12. dem Beamten 13. dem Nachbarn 14. Alle 15. eins 16. aller 17. des Wetters / dem Wetter 18. Schwangere 19. dem Jungen 20. des Friedens 21. allen Leuten 22. deins 23. einem 24. des Glaubens 25. Alter 26. eins 27. einen Löwen 28. dem Erben 29. dem Patienten 30. Jugendlicher

WÜRFELSPIEL. Sie würfeln und gehen von „Start“ unten links zum „Ziel“ (auf der rechten Seite). Sie gehen nur auf die türkisen Felder und ergänzen den Satz. Anhand der Nummer des Feldes kann Ihre Partnerin / Ihr Partner Ihre Lösung kontrollieren. Sie kontrollieren Ihre Partnerin / Ihren Partner mithilfe der orangefarbenen Lösung rechts oben.

28 Ich habe Streit mit d... Erbe... (m.).	**4** Das ist eine Frage d... Herz....	**27** Ich möchte e... Löwe... küssen.		**20** Das ist der Preis d... Frieden....	**12** Ich besuche e... Krank.... (m.)	**19** Bitte hör d... Junge... (Sg.) zu!
3 Hast du dir etwas Schön... gekauft?		**5** Rauchen schadet jede... Mensch....		**11** Das Experi-ment gelingt d... Physiker... (m.).		**13** Im Genitiv: Das ist das Auto von Jens.
29 D.... Patient... (m.) fehlt nichts.		**26** Ich brauche ein Tuch. Hast du e...?		**21** Sag das bitte alle... Leute...!		**18** Man muss Rücksicht auf Schwanger... (Pl.) nehmen.
2 Lisas Verlobte... (m.) ist viel älter als sie.		**6** Ich habe auf der Party mit alle... gesprochen.		**10** Zu viel Schlaf nützt ein... nicht.		**14** Du musst alle... hier auf der Hochzeit gratulieren.
30 Die Probleme Jugendlich... (Pl.) sind komplex.		**25** Die Wünsche Alt... (Pl.) sind oft klein.		**22** Das ist mein Buch und das ist dein....		**17** Er konnte wegen d... Wetter... nicht kommen.
1 Siehst du d... Bauer... dort?		**7** Ist das ein Kuli? Ja, das ist ein....		**9** Das war das Blödest... !		**15** Warst du schon mal bei e... Deutsch... (m.) zu Hause?
Ziel **Start**		**24** Das ist eine Frage d... Glaube....	**8** Wenn man hübsch ist, finden ein... viele Leute nett.	**23** Wenn man krank ist, gibt e... der Arzt Pillen.		**16** Er kam zur Freude alle... doch noch.

Lösung: 1. den Bauern 2. Verlobter 3. Schönes 4. des Herzens 5. jedem Menschen 6. allen 7. einer 8. einen 9. Blödeste 10. einem 11. dem Physiker 12. einen Kranken 13. Jens' Auto 14. allen 15. einem Deutschen 16. Deutschlands 17. Schönes 18. der Jugendlichen 19. das Beste 20. einem Tiger 21. Herrn Fuchs 22. eines kleinen Mannes 23. des Präsidenten 24. einer Arbeitslosen 25. allen 26. Gutes 27. Gute 28. ein Erwachsener 29. einem Arzt 30. einen Polen

55 Adjektivdeklination

Mit dem schnellen Zug fährt man sehr bequem

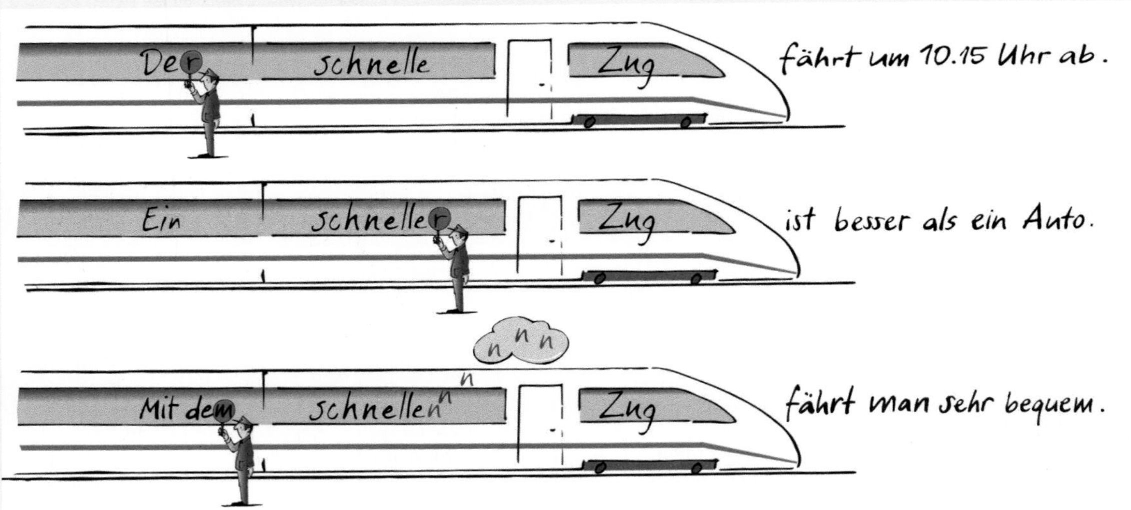

Die Formen der bestimmten Artikel *der, die, das, den, dem* sind **das Signal für die Nomengruppe**. Wenn nicht der Artikel das Signal enthält, z. B. *ein Zug*, dann muss sich das Signal am Adjektiv befinden.
Das heißt, das Signal befindet sich entweder **am Artikel oder am Adjektiv**:

der schnelle Zug → *ein schneller Zug*

Im Akkusativ maskulin, im Plural und im kompletten Dativ und Genitiv hat das Adjektiv ein zusätzliches ***-n***, wenn es nicht das Signal hat. (Siehe blauer Hintergrund in der Tabelle).

	maskulin	neutral	feminin	Plural
Nominativ	der Zug	das Auto	die U-Bahn	die Staus
	der schnelle Zug	das schnelle Auto	die schnelle U-Bahn	die langen Staus
	ein schneller Zug	ein schnelles Auto	eine schnelle U-Bahn	lange Staus
	kein schneller Zug	kein schnelles Auto	keine schnelle U-Bahn	keine langen Staus
	schneller Zug	schnelles Auto	schnelle U-Bahn	lange Staus
Akkusativ	den Zug	das Auto	die U-Bahn	die Staus
	den schnellen Zug	das schnelle Auto	die schnelle U-Bahn	die langen Staus
	einen schnellen Zug	ein schnelles Auto	eine schnelle U-Bahn	lange Staus
	keinen schnellen Zug	kein schnelles Auto	keine schnelle U-Bahn	keine langen Staus
	schnellen Zug	schnelles Auto	schnelle U-Bahn	lange Staus
Dativ	dem Zug	dem Auto	der U-Bahn	den Staus
	dem schnellen Zug	dem schnellen Auto	der schnellen U-Bahn	den langen Staus
	einem schnellen Zug	einem schnellen Auto	einer schnellen U-Bahn	langen Staus
	keinem schnellen Zug	keinem schnellen Auto	keiner schnellen U-Bahn	keinen langen Staus
	schnellem Zug	schnellem Auto	schneller U-Bahn	langen Staus
Genitiv	des Zuges	des Autos	der U-Bahn	der Staus
	des schnellen Zuges	des schnellen Autos	der schnellen U-Bahn	der langen Staus
	eines schnellen Zuges	eines schnellen Autos	einer schnellen U-Bahn	langer Staus
	keines schnellen Zuges	keines schnellen Autos	keiner schnellen U-Bahn	keiner langen Staus
	⚠ schnellen Zuges	⚠ schnellen Autos	schneller U-Bahn	langer Staus

⚠ Eine Ausnahme bildet der Genitiv maskulin und neutral: Ohne Artikel übernimmt das Adjektiv nicht das Signal, sondern hat nur ein zusätzliches *-n*. Das *-s* als Signal für den Genitiv befindet sich nur am Nomen.

Sprechtraining 34–37

- Nach dem Possessivartikel *mein, dein* ... hat das Adjektiv dieselbe Endung wie nach *kein: Das ist kein kleines Auto, das ist dein kleines Auto, das ist sein ...*
- Zwei oder mehrere Adjektive vor einem Nomen haben dieselbe Endung: *Ich fahre mit einem neuen, schnellen, bequemen Zug.*
- Das Adjektiv rechts vom Nomen hat keine Endung: *Der Zug fährt schnell. Die Staus sind lang.*
- Bei Adjektiven auf *-el* oder *-er* entfällt das *e: ein komfortabler Zug, ein teures Ticket.*
- ⚠ Die Adjektive *viel* und *wenig* haben vor unzählbaren Nomen keine Endung: *viel Zeit, wenig Geld.*
- ⚠ Die Adjektive *mehr, weniger, rosa* und *lila* haben keine Deklinationsendung: *Sie hat viele Bücher. Er hat weniger/mehr Bücher.*

1 Systematische Übung. Ergänzen Sie die Endungen. Schauen Sie nicht in die Tabelle.

a) Nominativ

m.	neu_____ Bahnhof	ein neu_____ Bahnhof	der neu_____ Hauptbahnhof
n.	neu_____ Schild	ein neu_____ Schild	das neu_____ Schild für Elektro-Tankstellen
f.	neu_____ Straße	eine neu_____ Straße	die neu_____ Umgehungsstraße
Pl.	neu_____ Parkplätze		die neu_____ Parkplätze für die Schule

b) Akkusativ

m.	ohne historisch_____ Platz	für einen historisch_____ Platz	für den historisch_____ Rathausplatz
n.	für modern_____ Wohnen	für ein modern_____ Haus	für das modern_____ Rathaus
f.	ohne alt_____ Brücke	für eine alt_____ Brücke	ohne die alt_____ Fußgängerbrücke
Pl.	für grün_____ Busse		für die grün_____ Elektrobusse

c) Dativ

m.	mit gut_____ Wein	mit meinem nett_____ Freund	mit dem nett_____ Freund meiner Schwester
n.	bei gut_____ Wetter	zu keinem neu_____ Café	in dem nett_____ Café
f.	bei gut_____ Musik	mit meiner nett_____ Kollegin	zu der nett_____ Nachbarin
Pl.	von nett_____ Kollegen		von den nett_____ Kollegen

d) Genitiv

m.	wegen laut_____ Verkehrs	wegen eines laut_____ Lkws	wegen des laut_____ Lkws vor dem Haus
n.	trotz gut besucht_____ Kinos	trotz eines gut besucht_____ Kinos	trotz des gut besucht_____ Kinos
f.	wegen defekt_____ Bahn	wegen einer defekt_____ Bahn	wegen der defekt_____ Bahn
Pl.	trotz viel_____ Unfälle		trotz der viel_____ Unfälle

2 a) Markieren Sie die Signale an den Adjektiven rot.

Die Ferienwohnung liegt in sehr ruhiger Lage. Sie hat zwei kleine Schlafzimmer und einen großzügigen Wohn-Ess-Bereich mit einer modern ausgestatteten Einbauküche. Von dem kleinen Südbalkon aus haben Sie einen beeindruckenden Blick auf den blauen See und die hohen Berge.

b) Markieren Sie in 2a) die Extra-*n* blau.

3 **Systematische Übung. Ergänzen Sie die Endungen. Schauen Sie nicht in die Tabelle.**

1 Trinkst du lieber einen gut__ Weißwein *(m.)*, ein kühl__ Bier *(n.)*, eine erfrischend__ Limonade *(f.)* oder heiß__ Getränke *(Pl.)*?

2 Sie trägt einen weiß__ Hut *(m.)*, ein lang__ rot__ Kleid *(n.)*, eine schwarz__ Jacke *(f.)* und hoh__ Stiefel *(Pl.)*.

3 Ein gut__ Stück *(n.)* Kuchen passt zu einer schön__ Tasse *(f.)* Kaffee. Eine frisch__ Brezel *(f.)* passt zu einem kalt__ Bier *(n.)*. Ein leicht__ Weißwein *(m.)* passt zu einem bunt__ Salat *(m.)* und stärker__ Weine *(Pl.)* passen zu herzhaft__ Fleischgerichten *(Pl.)*.

4 Ein normal__ Mensch *(m.)* braucht gut__ Freunde *(Pl.)*. Ein klein__ Kind *(n.)* braucht fürsorglich__ Eltern *(Pl.)*. Eine klug__ Frau braucht einen anspruchsvoll__ Job *(m.)*. Nett__ Leute *(Pl.)* verdienen gut__ Nachbarn *(Pl.)*.

4 **Plural. Ergänzen Sie die Endungen.**

1 Gut__ Freunde sind wichtig. Es müssen nicht viel__ Menschen sein, ich habe zwei gut__ Freunde. Wenn man keine gut__ Freunde hat, steht man alleine da. Meine zwei gut__ Freunde helfen mir immer, wenn ich sie brauche.

2 Ich sehe gerne gut__ Serien. Meine liebst__ Serien sind Action-Filme. Ich mag keine langweilig__ Serien.

3 Wir brauchen neu__ Ideen für unser Projekt. Ich habe meistens keine gut__ Ideen. Aber meine Kollegin hat beim letzten Meeting drei interessant__ Alternativen vorgestellt. Leider konnten wir ihre interessant__ Vorschläge aber nicht in die Praxis umsetzen.

5 **Ergänzen Sie die Endungen (wenn nötig).**

1 Nicht ________ *(viel)* Leute *(Pl.)* sagen, dass sie ________ *(viel)* Geld *(n.)* haben.

2 Kaufst du das ________ *(rosa)* Kleid *(n.)* mit den ________ *(lila)* Schuhen *(Pl.)*? – Nein, ich mag weder ein ________ *(rosafarben)* Kleid *(n.)* noch ________ *(lilafarben)* Schuhe *(Pl.)*.

3 Im Moment habe ich nicht ________ *(viel)* Energie *(f.)*. Wenn ich wieder regelmäßig joggen gehe, habe ich ________ *(mehr)* Energie.

4 Ich habe zurzeit ________ *(wenig)* Zeit *(f.)*. ________ *(viel)* Kollegen *(Pl.)* sind krank, deshalb habe ich ________ *(mehr)* Arbeit *(f.)* als sonst.

6 **Schreiben Sie die Adjektive in der richtigen Form.**

1 Es kommt bestimmt ein Gewitter. Es wird ganz ________ *(dunkel)* und ich sehe ________ *(dunkel)* Wolken *(Pl.)* am Himmel.

2 Wir müssen ________ *(flexibel)* sein. In dieser schwierigen Lage brauchen wir eine ________ *(flexibel)* Antwort *(f.)* auf die Probleme.

3 Wir werden ________ *(ungeheuer)* Probleme *(Pl.)* bekommen.

4 Das ist ein viel zu ________ *(teuer)* Hotelzimmer *(n.)*. Das ist kein ________ *(akzeptabel)* Angebot *(n.)*.

5 Ich liebe ________ *(sauer)* Dinge *(Pl.)*. Ich esse gerne einen ________ *(sauer)* Apfel *(m.)*.

7 LUST AUF MODE. Ergänzen Sie die Endungen (wenn nötig).

„Wie Urlaub im sonnig_____ 1 Süden *(m.)*" lautete das Motto der gestrig_____ 2 Modenschau *(f.)* in der gemütlich_____ 3 Lobby *(f.)* des bekannt_____ 4 Hotels *(n.)* „Dolce" am Marktplatz. Das bekannt_____ 5 Modeatelier *(n.)* „Mia Ovambo" hat in entspannt_____ 6 Atmosphäre *(f.)* seine diesjährig_____ 7 Kollektion *(f.)* präsentiert und die potenziell_____ 8 Kunden *(Pl.)* und Kundinnen mit den aktuell_____ 9 Trends *(Pl.)* vertraut gemacht. Die Mode *(f.)* dieser Saison ist alltagstauglich_____ 10 und sportlich_____ 11. Klar_____ 12 Linien *(Pl.)*, hell_____ 13 Farben *(Pl.)* und bequem_____ 14 Stoffe *(Pl.)*, das sind die Leitlinien. Aber trotz der viel_____ 15 sportlich_____ 16 Schnitte *(Pl.)* dürfen romantisch_____ 17 Kleider *(Pl.)* natürlich nicht fehlen. Die Mitarbeiterinnen präsentierten die Kleider mit einer perfekt_____ 18 Choreografie *(f.)*, mit anregend_____ 19 Musik *(f.)* und natürlich gut_____ 20 Laune *(f.)*.

Beim Sprechen hilft: Wenn sich ein *-n* oder *-m* am Artikel befindet, hat das Adjektiv automatisch auch ein *-n*.

C1

8 AUTOGERECHT ODER FAHRRADFREUNDLICH? Lesen Sie den Text und ergänzen Sie die Adjektivendungen (wenn nötig).

Das alt_____ 1 Ideal *(n.)* einer autogerecht_____ 2 Stadt *(f.)* wird in viel_____ 3 Städten *(Pl.)* der Welt in das Ideal einer fußgänger- und radfahrerfreundlich_____ 4 Stadt umgewandelt. Eine lebenswert_____ 5 Stadt ist eine Stadt mit wenig_____ 6 Luftverschmutzung *(f.)*, eine Stadt, in der es nicht gefährlich_____ 7 ist, sich zu Fuß zu bewegen, eine Stadt, in der man keine Angst um die eigen_____ 8 Kinder *(Pl.)* haben muss, wenn sie zu Fuß zur nahe gelegen_____ 9 Schule *(f.)* gehen. Und das gilt nicht nur für Städte in den reich_____ 10 Ländern *(Pl.)*. Eine der Städte, die grundlegend_____ 11 Veränderungen *(Pl.)* im Verkehrssystem durchgeführt hat, ist Bogotá. Die südamerikanisch_____ 12 Metropole *(f.)* hat verkehrsberuhigt_____ 13 Straßen *(Pl.)* geschaffen und neu_____ 14 Radwege *(Pl.)* und Bürgersteige *(Pl.)* angelegt. Auch ein neu_____ 15 städtisch_____ 16 Bussystem *(n.)* wurde eingeführt. Bogotá ist durch diese und andere Maßnahmen in kurz_____ 17 Zeit *(f.)* von einer der gefährlichst_____ 18 Städte Südamerikas zu einer friedlich_____ 19 Stadt mit sehr hoh_____ 20 Lebensqualität *(f.)* geworden. Ziel der Stadtplaner weltweit ist die nachhaltig_____ 21 Stadt. Wenn eine Stadt ein attraktiv_____ 22 Umfeld *(n.)* für Fußgänger und Radfahrer bietet, wenn der Anteil des luftverschmutzend_____ 23 Pkw- und Lkw-Verkehrs *(m.)* gering ist, wenn auf den öffentlich_____ 24 Plätzen *(Pl.)* viel_____ 25 Leben *(n.)* herrscht, dann können die Menschen in der Stadt sicher_____ 26 und gesund_____ 27 leben.

9 IMMOBILIENPREISE. Fehlersätze. Finden Sie 13 Fehler. Streichen Sie das falsche Wort und korrigieren Sie.

Die ~~teuerste~~ deutschen Städte sind München, Berlin und Frankfurt. Schöne, große Wohnungen in gute Lage sind in diesen Städten oft kaum bezahlbare. Die steigende Mieten führen dazu, dass sich Menschen mit geringes Einkommen kaum noch eine akzeptabele Wohnung im Stadtzentrum leisten können. Viel Leute müssen nach einem Umzug auch für eine kleiner Wohnung mehr Miete zahlen. Wohnt man außerhalb der große Städte, muss man oft einen weiten und teueren Arbeitsweg in Kauf nehmen. Das große Problem für die Politik: Sie muss dafür sorgen, dass auch Leute mit weniges Geld eine bezahlbare Wohnung finden können. Eine Lösung könnten neue Stadtviertel sein, in denen wenigere Luxuswohnungen und viel bezahlbare Wohnungen angeboten werden.

1 teuersten deutschen Städte

56 Artikelwörter und Adjektivdeklination

C1

Alle kleinen Kinder und viele große Kinder mögen Schokolade

Dieses kleine Kind isst Schokolade.

Irgendein kleines Kind isst Schokolade.

Definite Artikelwörter	Indefinite Artikelwörter
Nach den definiten Artikelwörtern werden **Adjektive wie nach dem definiten Artikel** dekliniert.	Nach den indefiniten Artikelwörtern werden **Adjektive wie nach dem indefiniten Artikel** dekliniert.
Singular und Plural: *Dieses kleine Kind isst Schokolade.* • **dieser**, dieses, diese, diese • **jeder**, jedes, jede, im Plural: alle • **jener**, jenes, jene, jene • **welcher**, welches, welche, welche, auch: irgendwelche, was für welche • **mancher**[1], manches, manche (Singular) • **solcher**, solches, solche (Singular)	**Singular und Plural:** *Irgendein kleines Kind isst Schokolade.* • **was für ein**, was für ein, was für eine, was für ... • **irgendein**, irgendein, irgendeine
nur Plural: *Alle kleinen Kinder essen Schokolade.* • **beide** • **die beiden** • **alle** • **sämtliche**	**nur Plural:** *Viele kleine Kinder essen Schokolade.* • **wenige** • **einige**[2] • **mehrere** • **etliche** • **viele** • **lauter**
Alle definiten Artikelwörter werden wie der definite Artikel dekliniert: *mit diesem Kind, mit allen Kindern.*	Die indefiniten Artikelwörter (Ausnahme: *lauter*) werden dekliniert wie *kein-*: *irgendeine Schokolade, trotz mehrerer Aufforderungen.* ⚠ *Viel* und *wenig* können vor **unzählbaren Nomen** auch im Singular stehen. Sie haben dann **keine Endung**: *viel Geld, wenig Zeit.*

Zahlwörter haben keinen Einfluss auf die Adjektivendung: *(drei) schwarze Katzen, die (drei) schwarzen Katzen.*

Folgen zwei Artikelwörter aufeinander *(dieser unser bester Freund, alle unsere neuen Kollegen, jeder meiner netten Freunde)*, bestimmt der zweite Artikel (der direkt vor dem Adjektiv stehende) die Adjektivendung.
Aber: Werden *einige, viele, mehrere* mit anderen Artikelwörtern kombiniert, verhalten sie sich wie Adjektive: *unsere vielen Freunde.*

1 *Solch* und *manch* können sich mit dem indefiniten Artikel verbinden. Dann sind sie ähnlich wie Adjektive: *ein solcher guter Wein, solch (ein) guter Wein, manch (ein) guter Wein.* Im Plural (bei dem man den indefiniten Artikel nicht sieht) kommen beide Deklinationsformen vor: *solche gute/-n Weine, manche gute/-n Weine.*

2 Die Adjektive nach *einige* im Plural können in einigen seltenen Fällen wie nach dem definiten Artikel dekliniert werden. Im Singular schwankt die Deklination je nach Form, z. B.: *bei einigem guten Willen / gutem Willen.*

1 URLAUBSERINNERUNGEN. Ergänzen Sie die richtige Form.

Ich bin schon manch_____ [1] Mal in den Süden in Urlaub gefahren. Ich erinnere mich besonders an jen_____ [2] Urlaub am Mittelmeer. Das war ein Urlaub, in dem all_____ [3] Beteiligten krank geworden sind. Wir mussten mit beid_____ [4] Kindern etlich_____ [5] Male zum Arzt fahren. Es war gar nicht so einfach, irgend_____________ [6] Arzt zu finden, der Deutsch sprechen konnte. Solch_____ [7] Probleme hat man nicht, wenn man in ein Land fährt, dessen Sprache man spricht oder in dem viel_____ [8] Leute Deutsch sprechen. Deshalb fahren wir seit einig_____ [9] Jahren in den Norden, nach Schweden, denn wir können etwas Schwedisch. Natürlich gibt es dort manchmal auch viel_____ [10] Regen. Wir haben mehrer_____ [11] Tage in Museen verbracht, um dem schlechten Wetter zu entgehen. Aber die Mittsommernächte sind fantastisch. In all_____ [12] Orten wird gefeiert und man sieht lauter_____ [13] festlich gekleidete Menschen auf den Straßen und Plätzen.

2 *Viele* und *alle*. Ergänzen Sie die Adjektivendungen.

1 Trotz vieler groß_____ Chancen konnte der TSC Assenheim das Spiel nicht gewinnen.
2 Er lud alle anwesend_____ Kollegen zu Kaffee und Kuchen ein.
3 Bei vielen älter_____ Programmen gibt es Probleme.
4 Ich habe schon in vielen unterschiedlich_____ Betrieben gearbeitet.
5 Alle Verwandt_____ und Bekannt_____ sind zur Feier eingeladen.

3 IM BÜRO. *Was für ein* und *welcher*? Ergänzen Sie die Adjektivendungen.

1 Man kann sich kaum vorstellen, was für ein unglaublich_____ Lärm bei offenem Fenster ins Büro dringt.
2 In welchem größer_____ Büro ist es schon ganz ruhig?
3 Ich weiß auch nicht, welche sinnvoll_____ Maßnahmen man ergreifen könnte, um mehr Ruhe zu haben.
4 Ich muss immer daran denken, was für ein groß_____ Privileg es für mich ist, im Homeoffice arbeiten zu können.

4 IN EINER BESPRECHUNG. *Welche* und *irgendein-/irgendwelche*. Ergänzen Sie die Adjektivendungen.

1 Welche wichtig_____ Punkte haben wir heute auf der Tagesordnung?
2 Gibt es irgendeinen nachvollziehbar_____ Grund für die Verschiebung des Termins?
3 Ich möchte mich nicht mit irgendwelchen unnötig_____ Problemen beschäftigen.
4 Haben Sie noch irgendwelche weitergehend_____ Fragen?
5 Welche neu_____ Informationen spielen bei diesem Geschäft eine Rolle?
6 Wir müssen darüber reden, welche weiter_____ Entscheidungen zu treffen sind.

5 DIE FIRMENKANTINE. *Zwei, beide, wenige, mehrere, viele, alle.* Welche Endung ist richtig? Streichen Sie das falsche Wort.

1 Ich finde, in unserer Kantine gibt es täglich mehrere gute / guten Angebote.
2 Das Angebot gilt für alle Angestellte / Angestellten der Firma.
3 In der Firma arbeiten auch viele Selbstständige / Selbstständigen.
4 Leider müssen alle Selbstständige / Selbstständigen mehr für das Essen bezahlen.
5 Ich habe zwei sehr nette / netten Kollegen.
6 Leider essen die beiden nette / netten Kollegen meistens nicht in der Kantine.
7 Sie sind Veganer und finden, dass es für sie nur wenige gute / guten Essensangebote in der Kantine gibt.
8 Mehrere andere / anderen Kollegen gehen häufig mit den beiden Veganern in ein Restaurant außerhalb der Firma.

57 Komparation

Der ältere Mann genießt einen der leckersten Kuchen der Welt

Positiv	Komparativ	Superlativ
Der Kuchen von meinem Freund ist lecker. **vor dem Nomen:** *Das ist ein leckerer Kuchen.*	**ohne Nomen:** *-er* *Der Kuchen von meiner Frau ist leckerer.* **vor dem Nomen:** *-er* **+ Adjektivendung** *Das ist ein leckererer Kuchen.* (einsilbige Adjektive oft mit Umlaut; Adjektive auf *-el*, *-er* ohne *-e*) Die Adjektive *mehr* und *weniger* werden nicht dekliniert.	**ohne Nomen:** *am ...-sten* *Mein Kuchen ist am leckersten.* **vor dem Nomen:** *-ste* **+ Adjektivendung** *Das ist der leckerste Kuchen.* (immer mit definitem Artikel; wenn das Adjektiv auf *-d*, *-t*, *-sch*, *-ß*, *-s* endet + *-e*)

⚠ *gut – besser – am besten*
⚠ *gern – lieber – am liebsten*
⚠ *viel – mehr – am meisten*
⚠ *groß – größer – am größten*
⚠ *hoch – höher – am höchsten*
⚠ *nah – näher – am nächsten*

1. Vergleiche

(genau)so
gleich **+ Positiv +** ***wie***

*Kuchen ist **gleich** lecker **wie** Eis.*

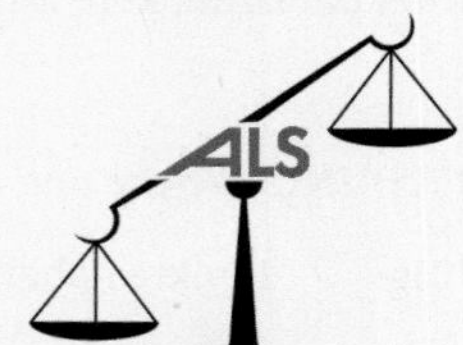

Komparativ + ***als***
(auch: *anders als, umgekehrt als*)

*Mein Kuchen ist (viel) leckerer **als** Eis.*

2. Eingeschränkter Superlativ

	Indefinitpronomen ▶ Kapitel 52	Genitiv (immer Plural und mit Adjektiv im Superlativ)	Genitiv
Er ist	einer	der besten Autoren	Deutschlands.
Kaffee ist	ein(e)s	der beliebtesten Getränke	der Welt.

3. Superlativ-Adverbien

Es gibt von einigen Adjektiven Superlativ-Adverbien (*frühestens, spätestens, höchstens, mindestens, erstens, zweitens ...*), die ohne *am* benutzt werden. Ihre Bedeutung entspricht nicht 100% der ursprünglichen Bedeutung des Adjektivs.
Er muss schnellstens kommen. (= es ist sehr dringend, so schnell wie möglich)
Er ist am schnellsten gekommen. (= schneller als alle anderen)

Sprechtraining 38

C1 **4. Mit *aller-* kann ein Superlativ weiter gesteigert werden.**
Hier ist es am allerschönsten.
Das schönste aller Gebäude steht in Rom.

C1 **5. Zusammengesetzter Superlativ: *größt-/best-/höchst-/nächst-/meist-* + Adjektiv oder Partizip**
der meistgelesene Autor, das nächstgelegene Dorf, der Höchstbietende, die bestmögliche Lösung

C1 **6. Absoluter Komparativ**
Der absolute Komparativ ist kein direkter Vergleich, sondern relativiert den Positiv. Er wird häufig aus Höflichkeit benutzt.
Ein älterer Mann ist jünger als ein alter Mann.
Ebenso: *seit längerer Zeit* (= nicht so lange wie seit langer Zeit), *ein neueres Auto* (= kein ganz neues Auto)

B2 **1 WOHNUNGSWECHSEL. Ergänzen Sie die Adjektive im Komparativ und die Endung (wenn nötig).**

Ich suche eine ____________ 1 *(hell)*, ____________ 2 *(groß)*, eben ____________ 3 *(gut)* Wohnung als die, die ich jetzt habe. Sie sollte außerdem ____________ 4 *(nah)* an meinem Arbeitsplatz liegen. Leider ist die neue Wohnung ____________ 5 *(teuer)*, in dem Haus wohnen ____________ 6 *(viel)* Leute und sie ist in einem ____________ 7 *(hoch)* Stockwerk – und ohne Aufzug! Manche Leute leben ____________ 8 *(gern)* auf dem Land und haben einen ____________ 9 *(lang)* Weg zur Arbeit, anstatt in der Stadt für eine ____________ 10 *(schlecht)*, ____________ 11 *(dunkel)*, ____________ 12 *(klein)* Wohnung ____________ 13 *(viel)* Miete zu bezahlen.

B2 **2 KOMPLIMENTE. Ergänzen Sie die Adjektive im Superlativ.**

Ich bin nicht die ____________ 1 *(anspruchsvoll)* Person, aber natürlich freue ich mich über Komplimente. Die ____________ 2 *(gut)* Komplimente sind die, die ganz ernst gemeint klingen. Mein Sportlehrer hat mal gesagt, dass ich die ____________ 3 *(fit)* Person im Kurs sei – da war ich für den Rest des Tages der ____________ 4 *(glücklich)* Mensch der Welt. Das ____________ 5 *(platt)* Lob war aber, als jemand sagte, wie toll es sei, dass ich die ____________ 6 *(groß)* Frau im Kurs sei. Dafür habe ich ja schließlich am ____________ 7 *(wenig)* getan. Am ____________ 8 *(viel)* habe ich mich gefreut, als meine kleine Tochter mich mal ihre ____________ 9 *(lieb)*, ____________ 10 *(gut)* Mami genannt hat.

B2 **3 TIERE UND MENSCHEN. *Am* oder *der/die/das* ...? Ergänzen Sie den Superlativ.**

Wer sagt, dass der Mensch ____________ 1 *(intelligent)* Lebewesen der Erde ist? Vielleicht sind ja Delfine ____________ 2 *(klug)*. ____________ 3 *(erstaunlich)* ist für mich der Oktopus. Er könnte ____________ 4 *(begabt)* und ____________ 5 *(lernfähig)* Tier sein. Er kann zum Beispiel in ____________ 6 *(kurz)* Zeit herausfinden, wie er einen Schraubverschluss öffnet. Und es kann sein, dass Elefanten, die ihre Artgenossen beerdigen, ____________ 7 *(mitfühlend)* Wesen sind, nicht der Mensch. ____________ 8 *(viel)* engagierten Tierschützer sagen, dass wir Menschen sicher ____________ 9 *(böse)* Lebewesen dieser Welt sind und dass es ____________ 10 *(schlimm)* ist, wie wir mit Tieren umgehen.

B2 **4 FEHLERSÄTZE. Korrigieren Sie die acht Fehler.**

Georg Riemer hatte vor kurzer Zeit das ~~am~~ erstaunlichste Erlebnis seines Lebens. Als er ins Flugzeug nach New York einstieg, wo er seinen bestesten Freund besuchen wollte, und seinen Sitznachbarn ansah, konnte er seinen Augen nicht trauen: Der Mann neben ihm sah ihm mehr ähnlich als sein Bruder! Der Mann war nicht mehr wenig überrascht als er. Nachdem sie sich vielere Sekunden angeschaut hatten, mussten sie erst einmal lachen. Nach langerer Unterhaltung stellten sie fest, dass sie nicht verwandt sind. Es war einer der am erstaunlichsten, größesten Zufälle, die man sich denken kann.

B2 **5 DER STERNENPARK GÜLPE. Ergänzen Sie die angegebenen Adjektive im Komparativ oder Superlativ.**

Der erste Sternenpark Deutschlands ist der ____________ [1] *(dunkel)* Platz der Republik. Um dies zu erreichen, verwenden die Menschen, die in dem nahe gelegenen Dorf Gülpe wohnen, ____________ [2] *(wenig)* künstliches Licht als andere Orte. Die Astronomen und Astronominnen in der Nähe von Gülpe machen das Licht ihrer Laptop-Bildschirme mit roter Folie ____________ [3] *(schwach)*. ____________ [4] *(hell)* Licht würde hier niemand anmachen. Alle sprechen ____________ [5] *(leise)*, als würden die Sterne verschwinden, wenn sie ____________ [6] *(laut)* sprechen würden. Hier sieht man die Milchstraße viel ____________ [7] *(plastisch)* und ____________ [8] *(schön)* als an anderen Orten. Es ist der ____________ [9] *(beliebt)* Platz für Hobbyastronomen in Deutschland. Die Menschen ____________ [10] *(früh)* Generationen dachten noch nicht an „Lichtverschmutzung". Aber heute wissen wir: Je ____________ [11] *(viel)* künstliche Beleuchtung wir haben, desto ____________ [12] *(schlecht)* ist es für unseren Biorhythmus.

B2 **6 ALLE JAHRE WIEDER. Ergänzen Sie die angegebenen Adjektive im Komparativ oder Superlativ und markieren Sie *wie* oder *als*.**

Alle Jahre wieder wird vor Weihnachten ________________ [1] *(großzügig)* Geld ausgegeben *als / wie* sonst im Jahr und es versammeln sich ________________ [2] *(viel)* Personen im Wohnzimmer *als / wie* normalerweise. Aber, anders *als / wie* vielleicht gedacht, wird Untersuchungen zufolge auch ________________ [3] *(häufig)* gelogen *als / wie* sonst. Für viele ist die Advents- und Weihnachtszeit die ________________ [4] *(schön)* Zeit des Jahres, für andere die ________________ [5] *(einsam)* und ________________ [6] *(ungeliebt)*. Das Fest am Heiligen Abend soll noch ________________ [7] *(schön)* werden *als / wie* jemals zuvor, die Geschenke noch ________________ [8] *(persönlich)* und ________________ [9] *(passend) als / wie* im Vorjahr. Aber die Rituale sollen immer genauso sein *als / wie* früher in der Kindheit. Das ist der ________________ [10] *(groß)* Konfliktpunkt unterm Weihnachtsbaum.

B2 **7 Bilden Sie Sätze mit dem eingeschränkten Superlativ.**

1 London ist eine der interessantesten Städte der Welt.

1 London • interessante • Stadt • Welt
2 die Zugspitze • hoch • Berg • Europa
3 die Mona Lisa • berühmt • Gemälde • Welt
4 die Gazelle • schnell • Tier • Welt
5 San Francisco • schön • Stadt • die USA
6 das Nashorn • gefährdet • Tierart • Afrika
7 die Nordseeküste • schön • Region • Deutschland
8 Marilyn Monroe • bekannt • Schauspielerin • die Filmgeschichte

B2 **8** **Ergänzen Sie Superlativ-Adverbien.**

mindestens • schnellstens • höchstens • spätestens • wenigstens • erstens • dringendst • zweitens • spätestens

- Das Paket muss ___________[1] beim Empfänger sein.
- Das dauert ___________[2] drei Tage. Dann ist es ___________[3] am Montag da. Warum haben Sie es nicht ___________[4] gestern abgeschickt?
- Ich hatte ___________[5] keine Zeit und ___________[6] keine Briefmarken zu Hause. Aber der Empfänger braucht den Inhalt ___________[7], das Paket muss ___________[8] übermorgen bei ihm sein.
- Sie können ___________[9] mehr Gebühr bezahlen und es per Express schicken.

C1 **9** **Zusammengesetzter Superlativ. Ergänzen Sie Adjektive im Superlativ.**

~~gut~~ • hoch • nah • nah • viel • gut • klein • groß

a) Jährlich wird die allerschönste und die *best*angezogene Frau des Jahres gekürt, während andere sich mit dem ___________möglichen[1] Aufwand kleiden. Sie gehen ins ___________gelegene[2] Geschäft und kaufen das erstbeste Kleidungsstück, das ihnen passt.

b) In vielen Firmen hat der ___________verdienende[3] Angestellte auch das ___________gelegene[4] Büro und bekommt grundsätzlich den ___________möglichen[5] Komfort sowie den ___________möglichen[6] Termin und ist auch oft die ___________geschätzte[7] Person.

C1 **10** **Absoluter Komparativ. Ergänzen Sie die Adjektive im absoluten Komparativ oder im Positiv.**

1 Eine ___________ Frau *(60 Jahre)* kam und fragte eine ___________ Frau *(80 Jahre)*, ob sie ihr helfen könne. *(alt)*

2 Wir leben schon ___________ in Deutschland, nämlich zweieinhalb Jahre, aber mein Nachbar lebt schon sehr ___________ hier: 17 Jahre. *(lang)*

3 ___________ Männer von ca. 25–35 Jahren finde ich attraktiv und interessant, während ich ganz ___________ Männer von ca. 18–23 Jahren nur attraktiv finde. *(jung)*

4 Für mich ist eine ___________ Wohnlage wichtig. Traditionell liegen im Westen von Hauptstädten die ___________ Wohnviertel. *(gut)*

C1 **11** **Absoluter oder normaler Komparativ? Markieren Sie.**

		absoluter Komparativ	normaler Komparativ
1	Mein jüngerer Bruder beginnt jetzt auch mit dem Studium.	◯	◯
2	Viele denken, jüngere Leute machen immer Lärm.	◯	◯
3	Bleibst du länger hier?	◯	◯
4	Letztes Jahr waren wir vier Wochen länger hier.	◯	◯
5	Ich beneide meine älteren Kollegen. Sie können bald in Rente gehen.	◯	◯
6	Man sollte für ältere Leute in der Bahn einen Platz frei machen.	◯	◯
7	Manchen Leuten stehen hellere Farben besser, manchen dunklere.	◯	◯
8	Ich würde auf jeden Fall die hellere Wohnung mieten.	◯	◯
9	Ich möchte in näherer Zukunft eine Weltreise machen.	◯	◯
10	Geh doch zum Bäcker. Das ist näher.	◯	◯

58 Partizip I und II als Adjektiv

Das malende und das gemalte Mädchen

B2

ein malendes Mädchen

ein gemaltes Mädchen

Partizip I: Verb im Infinitiv + *d* + Adjektivendung

Bedeutung: aktiv und gleichzeitig
Ein malendes Mädchen ist ein Mädchen, das malt.

Reflexivpronomen stehen vor dem Partizip I.

Partizip I kann nur vor einem Nomen verwendet werden.
~~Das Mädchen ist malend.~~

⚠ Einige Partizipien haben als Adjektive Eingang ins Wörterbuch gefunden. Sie können alleine stehen: *Das Getränk ist erfrischend. Alle Schüler sind anwesend.*

Partizip II (= Partizip Perfekt) + Adjektivendung

Bedeutung: Passiv und / oder Vergangenheit
Ein gemaltes Mädchen ist ein Mädchen, das gemalt wurde.

Bei Verben, die das Perfekt mit *sein* bilden, ist die Bedeutung Aktiv: *Ein angekommener Zug, ist ein Zug, der angekommen ist.*

Reflexivpronomen fallen weg.

Die Konstruktion *sein* + Partizip II wird in vielen Lehr- und Grammatikbüchern als **Zustandspassiv** bezeichnet: *Die Tür ist geöffnet.*

Oft wird das Partizip mit Erweiterungen gebraucht:

Eine sich automatisch öffnende Tür. | *Ein viel zu spät angekommener Zug.*

1 **Partizip I oder Partizip II? Bilden Sie das korrekte Partizip. Beschreiben Sie die Bilder wie im Beispiel.**

1 __ kochen
ein gekochtes Ei

2 __ ticken
____

3 __ weinen
____

4 __ lachen
____

5 __ brauchen
____

6 __ verstecken
____

7 __ brennen
____

8 __ spielen
____

9 __ essen
____

2 a) Bilden Sie das Partizip I.

1 Fische, die fliegen, sind ... .
2 Wasser, das kocht, ist ... .
3 Eine Kerze, die brennt, ist eine ... .
4 Eine Wunde, die schmerzt, ist eine ... .
5 Ein Argument, das überzeugt, ist ein ... .
6 Die Sonne, die untergeht, ist die ... .
7 Temperaturen, die sinken, sind ... .

b) Bilden Sie das Partizip II.

1 Ein Fenster, das geöffnet wurde, ist ein ... .
2 Haare, die gefärbt wurden, sind ... .
3 Kartoffeln, die gekocht wurden, sind ... .
4 Nägel, die lackiert wurden, sind ... .
5 Ein König, der ermordet wurde, ist ein ... .
6 Ein Steak, das gebraten wurde, ist ein ... .
7 Eine Tür, die abgeschlossen wurde, ist eine ...

3 (UN)WETTER. Partizip II: Ist die Bedeutung Aktiv oder Passiv? Markieren Sie die richtige Lösung.

1 gesunkene Temperaturen *(Aktiv/Passiv)*
2 der gefallene Schnee *(Aktiv/Passiv)*
3 der gebaute Schneemann *(Aktiv/Passiv)*
4 der vergessene Schirm *(Aktiv/Passiv)*
5 der umgestürzte Baum *(Aktiv/Passiv)*
6 die herbeigerufene Feuerwehr *(Aktiv/Passiv)*

4 Definieren Sie. Bilden Sie aus Partizip I und II Relativsätze.

1 ein gelesenes Buch
2 die aufgehende Sonne
3 ein selbst gebackener Kuchen
4 gekochter Schinken
5 ein Verletzter
6 ein wiedergewählter Präsident
7 ein Reisender
8 ein landendes Flugzeug
9 ein gelandetes Flugzeug
10 beantwortete E-Mails

1 Ein gelesenes Buch ist ein Buch, das gelesen wurde.

5 Kombinieren Sie jeweils ein Nomen mit dem Verb in Partizip I und das andere mit dem Verb in Partizip II.

1 bezahlen: die Rechnung / die Käuferin
2 putzen: die Wohnung / der Hausmeister
3 denken: der Mensch / die Antwort
4 reparieren: der Mechaniker / das Auto
5 backen: das Brot / die Bäckerin
6 kochen: die Person / das Ei
7 kaufen: die Kundin / der Kuchen
8 korrigieren: der Text / der Lehrer
9 singen: der Chor / das Lied

6 Bilden Sie das Partizip I oder II, benutzen Sie alle Angaben / Wörter.

1 Eine Mutter, die *(ihr Kind)* alleine erzieht, ist eine ...
2 Eine Maschine, die gerade repariert wurde, ist eine ...
3 Ein Ofen, der sich von selbst reinigt, ist ein ...
4 Eine Lampe, die hell brennt, ist eine ...
5 Ein Auto, das vollgetankt wurde, ist ein ...
6 Ein Mann, der weit gereist ist, ist ein ...
7 Leute, die ständig schweigen, sind ...
8 Ein Buch, das oft verkauft wurde, ist ein ...
9 Worte, die wütend gesprochen wurden, sind ...

1 ... eine alleinerziehende Mutter.

7 WIE HEISST DIESES GERÄT? Bilden Sie das Partizip I oder II der angegebenen Verben.

Es war früher sehr schwer, wenn man durch eine nie vorher ____________[1] *(besuchen)* Stadt gefahren ist. Heute hilft uns ein von vielen Menschen ____________[2] *(benutzen)* Gerät. Bevor dieses in alle neuen Autos ____________[3] *(einbauen)* Gerät erfunden wurde, sah man ____________[4] *(schwitzen)* Autofahrer oder Autofahrerinnen zwischen ____________[5] *(hupen)* Autos und ____________[6] *(schimpfen)* Personen viel zu langsam durch die Straßen fahren. Mit dem ____________[7] *(suchen)* Gerät kann man sich problemlos im ____________[8] *(fahren)* Auto orientieren. Wie heißt das Gerät?

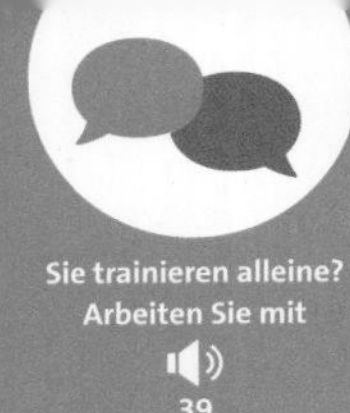

Sie trainieren alleine?
Arbeiten Sie mit
39

Partnerseite 8: Adjektivendungen

Partner/-in A

B2

1 EINE MERKWÜRDIGE TISCHGESELLSCHAFT – GEMEINSAM EIN BILD BESCHREIBEN.
Sie lesen den Satz in Orange und ergänzen die fehlenden Adjektivendungen (wenn nötig). Ihre Partnerin / Ihr Partner kontrolliert. Dann liest Ihre Partnerin / Ihr Partner den nächsten Satz und Sie kontrollieren mit den Lösungssätzen in Grau.

Lesen Sie am Ende noch einmal gemeinsam und vergleichen Sie den Text mit der Zeichnung. Finden Sie die fünf Fehler? (Lösung auf Seite 299)

1 Das hier abgedruckt... Bild *(n.)* zeigt eine merkwürdig... Tischgesellschaft *(f)*.
2 An einem runden Tisch sieht man vier sehr unterschiedliche Personen.
3 Ein älter... Herr sitzt vorne rechts an dem schön gedeckt... Tisch *(m.)* und liest in einem dick... Buch *(n.)*.
4 Er sieht sehr konzentriert aus.
5 Vor ihm steht ein voll... Glas *(n.)* und ein leer... Teller *(m.)*.
6 Links neben ihm sitzt ein kleiner, dünner Mann mit strohgelben Haaren.
7 Er trägt ein weiß-blau gestreift... Hemd *(n.)* und eine dunkelblau... Krawatte *(f.)*.
8 Die Jacke seines dunkelblauen Anzugs hat er unordentlich über die Stuhllehne gehängt.
9 Er isst ein groß... Steak *(n.)* und redet laut... auf den lesend... Mann ein.
10 Gegenüber von dem dünnen Mann sitzt eine jüngere, große, sehr schöne Frau.
11 Sie trinkt einen groß... Schluck *(m.)* Wein und schaut interessiert auf den dünn... Mann.
12 Sie möchte ihn auf sich aufmerksam machen und wirft ihm verliebte Blicke zu.
13 Zwischen dieser gutaussehend... Frau und dem dünn... Mann sitzt eine altmodisch... gekleidet..., älter... Frau.
14 Sie trägt einen großen, gelben Hut, ein buntes, sommerliches Kleid und lange lila Ohrringe.
15 Sie ist vielleicht die Gastgeberin dieser ungewöhnlich... Essenseinladung *(f.)*.
16 Vor ihr steht ein großer Suppentopf auf dem Tisch.
17 Sie hat eine Suppenkelle in der link... Hand *(f.)* und möchte die heiß... Suppe *(f.)* verteilen.
18 Leider hält sie die Kelle schräg, sodass ein roter Fleck mit Tomatensuppe auf die weiße Tischdecke getropft ist.
19 Sie schaut entsetzt... auf den sich ausbreitend... Fleck *(m.)* und schämt sich wegen ihrer peinlich... Ungeschicklichkeit *(f.)*.
20 Aber keiner der am Tisch Sitzenden hat es gemerkt.
21 Am link... Rand *(m.)* des Bildes sieht man ein klein... Mädchen *(n.)*.
22 Sie hat einen großen Malblock und mehrere farbige Stifte.
23 Sie schaut interessiert zu den Erwachsen... (Pl.).
24 Offensichtlich findet sie diese chaotische Szene sehr interessant.
25 Auf dem ober... Papier *(n.)* ihres groß... Malblocks *(m.)* sieht man viel... lila... Ohrringe (Pl.).

Sie trainieren alleine?
Arbeiten Sie mit
39

Partnerseite 8: Adjektivendungen

Partner/-in B

B2

1 EINE MERKWÜRDIGE TISCHGESELLSCHAFT – GEMEINSAM EIN BILD BESCHREIBEN.
Ihre Partnerin / Ihr Partner spricht. Sie kontrollieren mit den Sätzen in Grau. Dann lesen Sie den Satz in Türkis, ergänzen die Adjektivendungen (wenn nötig) und Ihre Partnerin / Ihr Partner kontrolliert.

Lesen Sie noch einmal gemeinsam und vergleichen Sie den Text mit der Zeichnung. Finden Sie die fünf Fehler? (Lösung auf Seite 299)

1 Das hier abgedruckte Bild zeigt eine merkwürdige Tischgesellschaft.
2 An einem runde... Tisch *(m.)* sieht man vier sehr unterschiedlich... Personen (Pl.).
3 Ein älterer Herr sitzt vorne rechts an dem schön gedeckten Tisch und liest in einem dicken Buch.
4 Er sieht sehr konzentriert... aus.
5 Vor ihm steht ein volles Glas und ein leerer Teller.
6 Links neben ihm sitzt ein klein..., dünn... Mann mit strohgelb... Haaren (Pl.).
7 Er trägt ein weiß-blau gestreiftes Hemd und eine dunkelblaue Krawatte.
8 Die Jacke seines dunkelblau... Anzugs *(m.)* hat er unordentlich... über die Stuhllehne gehängt.
9 Er isst ein großes Steak und redet laut auf den lesenden Mann ein.
10 Gegenüber von dem dünn... Mann sitzt eine jünger..., groß..., sehr schön... Frau.
11 Sie trinkt einen großen Schluck Wein und schaut interessiert auf den dünnen Mann.
12 Sie möchte ihn auf sich aufmerksam... machen und wirft ihm verliebt... Blicke (Pl.) zu.
13 Zwischen dieser gutaussehenden Frau und dem dünnen Mann sitzt eine altmodisch gekleidete, ältere Frau.
14 Sie trägt einen groß..., gelb... Hut *(m.)*, ein bunt..., sommerlich... Kleid *(n.)* und lang... lila... Ohrringe (Pl.).
15 Sie ist vielleicht die Gastgeberin dieser ungewöhnlichen Essenseinladung.
16 Vor ihr steht ein groß... Suppentopf *(m.)* auf dem Tisch.
17 Sie hat eine Suppenkelle in der linken Hand und möchte die heiße Suppe verteilen.
18 Leider hält sie die Kelle schräg..., sodass ein rot... Fleck *(m.)* mit Tomatensuppe auf die weiß... Tischdecke *(f.)* getropft ist.
19 Sie schaut entsetzt auf den sich ausbreitenden Fleck und schämt sich wegen ihrer peinlichen Ungeschicklichkeit.
20 Aber keiner der am Tisch Sitzend... hat es gemerkt.
21 Am linken Rand des Bildes sieht man ein kleines Mädchen.
22 Sie hat einen groß... Malblock *(m.)* und mehrer... farbig... Stifte (Pl.).
23 Sie schaut interessiert zu den Erwachsenen.
24 Offensichtlich findet sie diese chaotisch... Szene *(f.)* sehr interessant ...
25 Auf dem oberen Papier ihres großen Malblocks sieht man viele lila Ohrringe.

Indirekte Rede und Konjunktiv 1

B2

Er sagte, er sei fertig und komme gleich

Wenn man weitergibt (zitiert), was eine andere Person gesagt hat, kann man den **Indikativ** benutzen:
Der Mann sagt, dass die Leute faul sind. /
Der Mann sagt, die Leute sind faul.

Man kann auch den **Konjunktiv** benutzen:
Er sagt, dass die Leute faul seien. /
Er behauptet, die Leute seien faul.

Die **Funktion des Konjunktivs** in der indirekten Rede ist es, **Neutralität** oder **Distanz** auszudrücken.
Deshalb benutzt man den Konjunktiv häufig in formellen Kontexten (Zeitung, Berichte).

Indirekte Rede in der Gegenwart

normale Verben

	Konjunktiv 1	Ersatzform Konjunktiv 2
ich	~~kaufe~~	würde kaufen
du	~~kaufest~~	würdest kaufen
er, sie, es	kaufe	
wir	~~kaufen~~	würden kaufen
ihr	~~kaufet~~	würdet kaufen
Sie, sie	~~kaufen~~	würden kaufen

Konjunktiv 1 bildet man aus dem Verbstamm und den Konjunktivendungen. Die Formen für *wir* und *sie* sind immer mit den normalen Präsensformen identisch, die Formen für *ich* meistens. Um in diesen Fällen deutlich zu zeigen, dass man zitiert, ersetzt man sie durch Konjunktiv 2. Die Formen für *du* und *ihr* sind veraltet, auch sie ersetzt man durch den Konjunktiv 2.
Nur in der dritten Person Singular ist immer Konjunktiv 1 möglich.

Modalverben

	Konjunktiv 1	Ersatzform Konjunktiv 2
ich	müsse	
du	~~müssest~~	müsstest
er, sie, es	müsse	
wir	~~müssen~~	müssten
ihr	~~müsset~~	müsstet
Sie, sie	~~müssen~~	müssten

spezielle Form für *sein*

	Konjunktiv 1	Ersatzform Konjunktiv 2
ich	**sei**	
du	~~seiest~~	wär(e)st
er, sie, es	**sei**	
wir	**seien**	
ihr	~~seiet~~	wär(e)t
Sie, sie	**seien**	

Im Futur und auch im Passiv wird das Hilfsverb *werden* in den Konjunktiv 1 (bzw. Konjunktiv 2 als Ersatz) gesetzt.
Er werde morgen ins Krankenhaus gehen. (*Sie würden morgen gehen.*) (Futur)
Er werde operiert. (*Sie würden morgen operiert.*) (Passiv)

Fragen in der indirekten Rede
Er fragte: „Wann sprechen Sie mit einfachen Leuten?" – Er fragte, wann er mit einfachen Leuten spreche.
Er fragte: „Kennen Sie einfache Leute?" – Er fragte, ob er einfache Leute kenne.

1 **Setzen Sie folgende Verben in den Konjunktiv 1. Wo ist die Form identisch mit dem Indikativ? Benutzen Sie dann den Konjunktiv 2.**

1 ich / er – gehen
2 er / wir – kommen
3 es – passieren
4 wir / ich – wissen
5 ich / Sie – müssen
6 er / wir – können
7 ich / er – dürfen
8 er / sie (Pl.) – glauben
9 ich / er / Sie – haben
10 ich / er / wir / Sie – sein
11 ich / er – untersucht werden
12 er / sie (Pl.) – geschrieben werden

2 Schreiben Sie die Sätze in indirekter Rede. Benutzen Sie den Konjunktiv 1, wenn er eindeutig ist, sonst den Konjunktiv 2.

1 Sie sagten: „Wir haben keinen Hunger."
2 Du hast behauptet: „Er sagt immer die Wahrheit."
3 Wir waren der Meinung: „Das Leben ist schön."
4 Ich habe gesagt: „Das Medikament hilft gegen Schmerzen."
5 Sie hat gemeint: „Mir hilft es nie."
6 Sie erzählte: „Mein Mann fragt seine Mutter immer nach ihrer Meinung."
7 Sie meinte: „Manche Männer sind wie Kinder."
8 Sie hat berichtet: „Ich kann von meinem Fenster aus alles sehen."
9 Sie meint: „Ihr kauft zu viel."
10 Er sagte: „Ich werde dauernd von meinem Chef kritisiert."

> **Perspektivenwechsel:**
> Wenn man zitiert, ändern sich die Pronomen:
> Er sagte: *„**Ich** gehe heute mit **meiner** Schwester ins Kino."*
> ► *Er sagte, **er** gehe heute mit **seiner** Schwester ins Kino.*

3 DEMENTI. Ergänzen Sie die angegebenen Verben im Konjunktiv 1.

Auf seine umstrittene Äußerung im Fernsehen angesprochen, äußerte der Politiker Schnäuzle, er ________ [1] *(sein)* verärgert darüber, dass man diesen Satz ständig aus dem Zusammenhang ________ [2] *(reißen)*. So ________ [3] man seine Bemerkung natürlich ________ [4] *(missverstehen können)*. Aber er ________ [5] *(sein)* ganz im Gegenteil ein Freund dieser Bewegung. Was man schon allein daran ________ [6] ________ [7] *(erkennen können)*, dass er persönlich auch solche Menschen in seinem Freundeskreis ________ [8] *(haben)* und unterstützenden Institutionen regelmäßig Geldbeträge ________ [9] *(überweisen)*. Er ________ [10] *(hoffen)*, dass diese leidige Angelegenheit nun endlich vorüber ________ [11] *(sein)* und man nie wieder diesen völlig anders gemeinten Satz von ihm ________ [12] ________ [13] *(zitieren werden)*.

4 PARTNERGESPRÄCH. Schreiben Sie die Fragen in der indirekten Rede. Benutzen Sie den Konjunktiv 1, wenn es möglich ist.

1 Sie fragt ihn: „Woran denkst du?"
2 Er fragt sie: „Warum willst du das wissen?"
3 Sie fragt ihn: „Bist du sauer auf mich?"
4 Er fragt sie: „Was gibt es heute zum Abendessen?"
5 Sie fragt ihn: „Denkst du wieder an deine neue Kollegin?"
6 Er fragt sie: „Wieso soll ich an sie denken?"
7 Sie fragt ihn: „Warum können Männer nicht auf eine einfache Frage antworten?"
8 Er fragt sie: „Wie kommt es, dass Frauen so kompliziert sind?"

im Plural nie Konjunktiv 1, nur *er, sie, es* immer im Konjunktiv 1

5 IN DER ZEITUNG WIRD BERICHTET... Schreiben Sie den Text in der indirekten Rede. Benutzen Sie den Konjunktiv 1 (wenn möglich).

Renovierungsarbeiten am Rathaus

Friedhausen • Das alte Rathaus unserer schönen Heimatstadt wird renoviert. Bei dieser Gelegenheit wird es gleichzeitig umgebaut. Nach den Umbaumaßnahmen wird auch die städtische Bibliothek im Rathaus zu finden sein. Zusätzlich wird es dort ein großes Medienzentrum geben. Während der Bauarbeiten werden alle Abteilungen des Rathauses in Containern untergebracht. Die Öffnungszeiten sollen beibehalten werden. In vier Monaten werden die Renovierungsarbeiten abgeschlossen sein.

60

Indirekte Rede – Vergangenheit

B2

Sie sagte, sie habe Glück gehabt und sei pünktlich gewesen

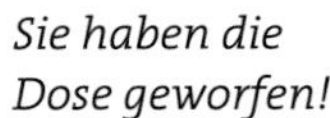

Sie haben die Dose geworfen!

Ich bin gerade erst in das Geschäft gekommen!

Der Mann sagt, er sei gerade erst in das Geschäft gekommen. Der Verkäufer behauptet, der Mann habe die Dose geworfen.

Vergangenheit der indirekten Rede
haben **oder** ***sein*** **im Konjunktiv + Partizip II**

Wenn der Konjunktiv 1 identisch mit dem Präsens ist, verwendet man die Ersatzform Konjunktiv 2.
Die Formen für *du* und *ihr* sind veraltet. Auch sie ersetzt man durch den Konjunktiv 2.

ich sei gekommen	*ich ~~habe~~ hätte geworfen*
du ~~seiest~~ wärest gekommen	*du ~~habest~~ hättest geworfen*
er sei gekommen	*er habe geworfen*
wir seien gekommen	*wir ~~haben~~ hätten geworfen*
ihr ~~seiet~~ wäret gekommen	*ihr ~~habet~~ hättet geworfen*
sie, Sie seien gekommen	*sie, Sie ~~haben~~ hätten geworfen*

Der Gebrauch von *haben* oder *sein* ist genauso wie im Perfekt. ► Kapitel 36

Vergangenheit in der indirekten Rede mit Modalverb
haben **im Konjunktiv + Infinitiv des Verbs + Infinitiv des Modalverbs**

er habe kaufen wollen
sie hätten sich einigen können

Passiv Vergangenheit in der indirekten Rede
sein **im Konjunktiv + Partizip II +** ***worden***

Die Dose sei geworfen worden.

Im Konjunktiv gibt es nur eine Vergangenheitsform. Diese Form ist vom Perfekt abgeleitet.
Ob die indirekte Rede in der Gegenwart oder in der Vergangenheit steht, hängt von der Bedeutung des Satzes ab und ist unabhängig vom Einleitungssatz.
Er sagt, er komme gerade erst an / er sei gerade erst gekommen.
Er sagte, er komme gerade erst an / er sei gerade erst gekommen.
Er hat gesagt, er komme gerade erst an / er sei gerade erst gekommen.

1 Vergangenheit der indirekten Rede. Setzen Sie folgende Verben in den Konjunktiv 1. Wo ist die Form identisch mit dem Indikativ? Benutzen Sie dann den Konjunktiv 2.

1 er ist gelaufen
2 wir haben gelacht
3 es ist passiert
4 ich bin aufgestanden
5 ihr habt verloren
6 er kam
7 wir wussten
8 er brachte
9 ich wurde genommen
10 ich habe gehen müssen
11 er hat kommen sollen
12 wir mussten arbeiten
13 sie konnte nicht einschlafen
14 wir sind gefragt worden
15 es wurde gefunden

2 EINE SCHWARZFAHRERIN VOR GERICHT. Schreiben Sie die Sätze in der indirekten Rede. Benutzen Sie den Konjunktiv 1, wenn es möglich ist.

1. Die angeklagte Frau sagte aus: „Ich habe mir einen Fahrschein gekauft."
2. Der Kontrolleur widersprach: „Ich habe die Frau ohne gültigen Fahrschein angetroffen."
3. Die Frau entgegnete: „Ich hatte einen Fahrschein."
4. Der Kontrolleur konterte: „Es ist der falsche Fahrschein gewesen."
5. Die Frau wandte ein: „Für diesen Fahrschein habe ich sogar 30 Cent mehr bezahlt."
6. Der Richter fragte den Kontrolleur: „Warum haben Sie der Frau eine Strafe gegeben?"
7. Der Kontrolleur entgegnete: „Ich musste sie darauf aufmerksam machen, dass der Fahrschein für ein anderes Gebiet war. Das war meine Pflicht."
8. Die Frau bemerkte: „Ich bin sehr ungerecht behandelt worden."

C1

3 a) AUS EINER ZEITUNG. Markieren Sie die Formen der indirekten Rede. Welche stehen in der Vergangenheit, welche in der Gegenwart? Notieren Sie.

Zeile 10: Die beiden Täter seien in einen dunklen Wagen gesprungen und davongerast. (Vergangenheit)

Geldautomat gesprengt

Unbekannte haben in der Nacht von Samstag auf Sonntag einen Geldautomaten in Buckow gesprengt.

Die Anwohner wurden laut Polizeimeldung durch einen lauten Knall geweckt. Zeugen sahen zwei Personen wegrennen, heißt es weiter in der Meldung. Die beiden Täter seien in einen dunklen Wagen gesprungen und davongerast. Trotz sofortiger Suche der Polizei sei den Tätern die Flucht gelungen.

Die Wohnungen über der Bank mussten evakuiert werden. Die Bewohner seien durch die Feuerwehr betreut worden, Verletzte habe es nicht gegeben.

Ob es den Tätern gelungen ist, Geld aus den Automaten zu stehlen, ist derzeit noch nicht klar. Die Polizei gehe aber davon aus, dass ihnen das gelungen sei. Wie viel Geld fehle und welcher Schaden entstanden sei, könne die Polizei derzeit noch nicht sagen. Auch sei noch nicht sicher, ob es ein oder doch zwei Geldautomaten waren, die in der Nacht zerstört und anschließend geleert wurden.

b) Formen Sie die indirekte Rede in die direkte Rede um.

1 In der Polizeimeldung steht: „Die beiden Täter sind in einen dunklen Wagen gesprungen und davongerast."

C1

4 Ergänzen Sie die Verben in Konjunktiv 2 Vergangenheit.

kennenlernen • ausgehen • preisgeben wollen • wiederfinden • machen

Frau bleibt im Kamin stecken

Von ihrer Leidenschaft getrieben, ist eine junge Frau im Kamin ihres Liebhabers stecken geblieben. Die Feuerwehr in Assenheim konnte Franziska L. erst nach fünf Stunden befreien, wie der Fernsehsender Rhein-Main-TV berichtete. Der Eigentümer des Hauses ______________ seine Identität nicht ______________. Er sagte dem Sender, er ______________ mehrfach mit Franziska L. ______________, nachdem er sie im Internet ______________. Sie ______________ einen „echt coolen" Eindruck ______________, bis er sie auf seinem Dach ______________ ______________.

Wiedergabe von Aufforderungen, Gerüchten und Selbstaussagen

Er will das nie gesagt haben

Sprechtraining 40

1. Imperativ in der indirekten Rede

Der Imperativ wird in der indirekten Rede immer mit einem **Modalverb im Konjunktiv** wiedergegeben: Welches Modalverb man benutzt, hängt vom Grad der Höflichkeit und der Dringlichkeit ab.

Höfliche Bitte: *mögen*	**Aufforderung:** *sollen**	**Befehl:** *müssen / nicht dürfen / nicht sollen*

Er bat sie, sie möge bitte kommen.	*Sie sagte ihm, er solle sie in Ruhe lassen.*	*Er schrie den Hund an, er dürfe nicht bellen und müsse endlich leise sein.*

* *Sollen* kann auch im Indikativ benutzt werden.

2. Wiedergabe von Gerüchten

sollen + **Infinitiv**

Ich habe gelesen: Sänger X gibt keine Konzerte mehr.
→ *Sänger X **soll** keine Konzerte mehr **geben**.*
*Ich habe gehört: Schauspielerin X hat wieder **geheiratet**.*
→ *Schauspielerin X **soll** wieder **geheiratet haben**.*

3. Wiedergabe von Äußerungen einer Person über sich selbst

wollen + **Infinitiv**

Damit drückt man eine deutliche Distanz zum Gesagten aus.
Herr X sagt: Ich bin der Größte.
→ *Herr X **will** der Größte **sein**.*
Herr Y sagt, er war als Erster im Ziel.
→ *Herr Y **will** als Erster im Ziel **gewesen sein**.*

1 Schreiben Sie diese Aufforderungssätze mit dem passenden Modalverb in der indirekten Rede.

1. Der Moderator bittet den Politiker: „Bitte äußern Sie sich zu dieser Angelegenheit."
2. Die Lehrerin ruft dem Schüler zu: „Rauchen ist hier verboten!"
3. Der Sprachlehrer sagt zu den Teilnehmern: „Lesen Sie den Text auf Seite 52."
4. Der Pilot sagt zu den Passagieren: „Bleiben Sie bitte sitzen, bis die Anschnallzeichen erloschen sind."
5. Die Mutter sagt zu ihren Kindern: „Macht jetzt endlich eure Hausaufgaben, sonst dürft ihr nicht fernsehen!"
6. Der Fluggast sagt zum Flugbegleiter: „Bringen Sie mir bitte einen Kaffee."
7. Die Chefin sagt zum Abteilungsleiter: „Bitte organisieren Sie das Meeting."
8. Der Abteilungsleiter sagt zum Angestellten: „Schreiben Sie an alle Kollegen und sorgen Sie für einen Raum!"
9. Der Angestellte sagt zum Hausmeister: „Räumen Sie schnellstens den Konferenzraum auf!"
10. Die Chemikerin sagt zum Besucher: „Hier müssen Sie eine Schutzbrille tragen."

2 Geben Sie diese Gerüchte und Äußerungen einer Person über sich selbst wieder. Benutzen Sie die Modalverben *wollen* und *sollen*.

1 Man sagt:
München ist die teuerste Stadt Deutschlands.
München ist schon immer die teuerste Stadt Deutschlands gewesen.
2 Frau Blümchen sagt über sich:
Ich bin die schönste Frau der Welt.
Ich bin auch früher die schönste Frau der Welt gewesen.
3 Man sagt:
In Berlin ist am meisten los.
Früher war in Hamburg am meisten los.
4 Andrea sagt über sich:
Ich kann alles.
Ich konnte auch als Kind schon alles.

1 München soll die teuerste Stadt Deutschlands sein.

3 BÜROGEMAUSCHEL. Geben Sie diese Gerüchte und Selbstaussagen mit *sollen* und *wollen* wieder.

1 Meine Kollegen sagen, unser Bürogebäude werde saniert.
2 Sie sagen, dass sie ein Gespräch darüber gehört hätten.
3 Mein Kollege sagt, er sei der erfolgreichste Mitarbeiter der Firma.
4 Mein anderer Kollege sagt, er sei schon immer erfolgreicher als alle anderen gewesen.
5 Man sagt, dass der Wettbewerb um die nächste Beförderung sehr hart wird.
6 Uns wurde mitgeteilt, dass dieses Jahr keine Weihnachtsfeier stattfindet.
7 Eine Kollegin sagt, das wisse sie schon lange.
8 Jemand hat mir erzählt, dass Frau Geller eine Gehaltserhöhung gefordert habe.
9 Frau Geller sagt, sie sei eben eine extrem kompetente Person.
10 An der Infotafel steht, die Kantine werde geschlossen.
11 Die Geschäftsführung gibt an, dass sie mit den betroffenen Mitarbeitenden bereits gesprochen habe.

4 Schreiben Sie eine Zeitungsmeldung. Formulieren Sie die Sätze mit Modalverben (Imperative, Gerüchte, Äußerungen über sich selbst).

1 Man sagt, in einem Supermarkt der Kette „Kaufmehr" habe sich gestern ein ganz besonderer Fall ereignet.
2 Eine Kassiererin berichtete, dass sie einen Mann mit weißem Bart und einem prall gefüllten Rucksack gesehen habe.
3 Sie bat ihn: „Würden Sie mich bitte in Ihren Rucksack sehen lassen."
4 Der Mann antwortete: „Lassen Sie mich in Ruhe!"
5 Angeblich hat die Kassiererin den Filialleiter herbeigeholt.
6 Der befahl dem Kunden: „Öffnen Sie Ihren Rucksack!"
7 Der Bärtige, in dessen Rucksack eine große Menge unbezahlter Schokolade war, behauptete: „Ich bin der Weihnachtsmann!"

5 Markieren Sie die Gerüchte und Selbstaussagen im Text und formulieren Sie sie mithilfe der vorgegebenen Satzanfänge um.

Falscher Chirurg festgenommen

In Argentinien wurde ein 63-jähriger Deutscher festgenommen, der sich seit Jahren unter falschem Namen als Chirurg ausgegeben haben soll. Der Mann, der lediglich eine Ausbildung zum Zahnarzthelfer absolviert haben soll, soll in verschiedenen Krankenhäusern gearbeitet haben und auch mehrfach Operationen durchgeführt haben. Dabei soll er gefälschte Papiere benutzt haben. Er will sogar eine Herzoperation erfolgreich gemeistert haben.

Nach unbestätigten Informationen *hat er* ____________________.

Den Gerüchten zufolge ____________________.

Man geht davon aus, dass er ____________________.

Er behauptet ____________________.

62 Temporale Nebensätze

Seitdem die Katze kommt, wenn ich koche ...

B2

Konnektor	Bedeutung	Beispiel
während	zwei parallele Aktivitäten	***Während* ich koche**, *sieht mich meine Katze die ganze Zeit an.*
nachdem*	Reihenfolge: Aktion 1 – Aktion 2	***Nachdem* ich gekocht habe**, *esse ich und meine Katze bekommt Futter.*
bevor **ehe**	Reihenfolge: Aktion 2 – Aktion 1	***Bevor/Ehe* ich eine Katze hatte**, *war ich beim Kochen allein und unbeobachtet.*
bis	Ende einer Phase / Aktion	***Bis* das Essen fertig ist**, *verlässt die Katze die Küche nicht.*
seit(dem)	Beginn in der Vergangenheit, jetzt noch (meistens mit Präsens)	***Seitdem/Seit* ich eine Katze habe**, *habe ich beim Kochen Publikum.*
wenn	Routine / mehrmals passiert oder einmal passiert in Gegenwart oder Zukunft	***Wenn* ich koche**, *(dann)** kommt die Katze in die Küche und setzt sich neben den Herd.* ***Wenn* ich früher gekocht habe**, *war ich unbeobachtet.*
als	einmal in der Vergangenheit passiert	***Als* ich gestern Fisch gekocht habe**, *war die Katze besonders aufgeregt.*
solange	zwei parallele Aktivitäten / Phasen bis zum Ende einer Aktion / Phase	***Solange* ich koche**, *bleibt die Katze neben mir sitzen.*
sobald **sowie**	*sofort wenn*, Anfang einer Aktion	***Sobald/Sowie* ich esse**, *will die Katze auch ihr Futter haben.*
sooft	*jedes Mal wenn*, wiederholte Aktion	***Sooft* ich auch die Katze aus der Küche schicke,** *steht sie eine Minute später wieder am Herd.*

* Der *nachdem*-Satz muss immer in einer Zeitstufe vor dem Hauptsatz stehen. ▸ Kapitel 38

** Nach dem *wenn*-Satz kann der Hauptsatz mit einem *dann* beginnen.

Alle Nebensätze können auch an zweiter Stelle stehen: *Die Katze kommt in die Küche, wenn ich koche.*
Zwischen Hauptsatz und Nebensatz steht ein Komma. ▸ Kapitel 87

1 Bilden Sie Sätze, verwenden Sie den richtigen temporalen Nebensatzkonnektor.

1. 1. Frühstück – 2. duschen *(Aktion 1 – Aktion 2)*
2. 1. schlafen gehen – 2. Zähne putzen *(Aktion 2 – Aktion 1)*
3. bügeln – Radio hören *(zwei parallele Aktionen)*
4. U-Bahn fahren – immer Zeitung lesen *(Routine)*
5. der Zug kommt an – Zeitung lesen *(Ende einer Aktion)*
6. im Büro ankommen – E-Mails checken *(Anfang der Aktion)*
7. ich habe studiert – ich habe einen guten Job *(Beginn in der Vergangenheit, jetzt noch)*

2 DAMALS UND HEUTE. Verbinden Sie die Sätze mit *wenn* oder *als*.

1 Er hat sonntags immer seine Mutter besucht. Sie haben zusammen Kaffee getrunken.
2 Gestern besuchte er seine Mutter. Es war kein Kaffee mehr da.
3 Die Mutter wollte zum Supermarkt gehen. Er gab der Mutter Geld.
4 Er war fünf Jahre alt. Seine Mutter hat ihm Geld gegeben.
5 Er ging als Kind einkaufen. Er durfte damals immer das Restgeld behalten.

3 DIE KONZERTREISE. Ergänzen Sie *wenn* oder *als*.

_______ [1] das Münchner Orchester eine Reise macht, ist es üblich, dass die Musiker nur ihre Instrumente mit in den Zug nehmen und ihre Koffer alleine mit der Bahn schicken. _______ [2] das Orchester eine Reise nach Wien gemacht hat, sollten die Orchestermitglieder ihre Koffer packen und abgeben, _______ [3] sie nach der Aufführung im Hotel angekommen sind. _______ [4] der Cellist seinen Koffer packte, war er noch in Gedanken beim Konzert und packte alles um sich herum ein und stellte seinen Koffer zum Abholen vor die Tür. _______ [5] er am nächsten Morgen aufwachte und sich anziehen wollte, bemerkte er, dass er außer seinem Schlafanzug und seinen Waschsachen nichts mehr hatte! Alles war im Koffer verschwunden, _______ [6] er gestern gepackt hatte! Immer _______ [7] im Münchner Orchester Sätze fallen, die das Wort „Wien", „Koffer" oder „Cellist" beinhalten, erinnern sich alle daran, wie lustig es war, _______ [8] der arme Musiker im Schlafanzug reisen musste, und lachen sich halbtot.

4 EIN SCHÖNER ABEND. Ergänzen Sie die Sätze in der richtigen Zeitform mit den angegebenen Wörtern.

1 Ich habe das Essen geplant, nachdem ich mit der Arbeit _______________. *(fertig sein)*
2 Ich koche ein leckeres Essen, nachdem ich _______________. *(einkaufen)*
3 Nachdem meine Frau von der Arbeit _______________ *(kommen)*, essen wir zusammen.
4 Nachdem wir gut gegessen hatten, _______________. *(ins Kino gehen)*
5 *(wir spät zu Hause sein)* _______________, nachdem wir aus dem Kino gekommen waren.
6 *(wir schnell ins Bett gehen)* _______________, nachdem wir zu Hause angekommen waren.
7 *(wir nicht einschlafen können)* _______________, nachdem wir einen spannenden Film gesehen haben.

5 MORGENROUTINE. Ergänzen Sie den Konnektor.

als • bis • ehe • nachdem • seit • solange • sooft • während • sobald • bevor

1 _______________ der Wecker fünf Minuten lang geklingelt hat, stehe ich auf.
2 _______________ ich frühstücke, bade ich.
3 _______________ das Badewasser läuft, mache ich mir Kaffee.
4 _______________ die Badewanne voll ist, setze ich mich ins Wasser und entspanne mich, _______________ meine Kinder aufstehen.
5 _______________ ich Kinder habe, stehe ich morgens immer früher auf, um noch ein bisschen Ruhe zu haben, _______________ sie wach werden.
6 _______________ ich noch kinderlos war, konnte ich fernsehen, _______________ ich gefrühstückt habe, aber _______________ ich meine Kinder ansehe, weiß ich, dass ich jetzt glücklicher bin.

63 Kausale und konzessive Nebensätze

weil, da, obwohl, wobei ...

B2 C1

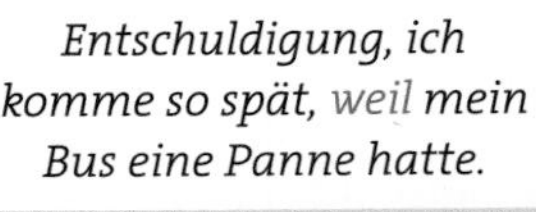

Kausale Nebensätze: Grund

	Konnektor	Beispiel	Bemerkung
	weil	*Ich komme so spät, **weil** mein Bus eine Panne hatte.*	Der *weil*-Satz steht meistens nach dem Hauptsatz.
	da	***Da** der öffentliche Nahverkehr so schlecht finanziert wird, wundert mich das nicht.*	Der *da*-Satz steht meistens auf Position 1. Auf „Warum ...?“ antwortet man nicht mit einem *da*-Satz.
C1	**zumal**	*..., **zumal** auch die Ausbildung der Fahrer immer schlechter geworden ist.*	Ein zusätzlicher Grund / ein Nachtrag[1]

Konzessive Nebensätze: Gegengrund

	Konnektor	Beispiel	Bemerkung
	obwohl	***Obwohl** ich spät aufgestanden bin, habe ich meine S-Bahn noch bekommen.*	seltener auch: *obschon, obzwar und obgleich*
C1	**auch wenn**	***Auch wenn** du zu spät gekommen bist, hast du nichts Wichtiges verpasst.*	
C1	**wobei**	*(Du hast nichts Wichtiges verpasst), wobei Zuspätkommen aber natürlich immer einen schlechten Eindruck macht.*	Der Konnektor *wobei* macht aus dem vorhergehenden Satz einen Gegengrund und nennt selbst ein neues, wichtiges Argument.[2] Häufiger in der gesprochenen Sprache.
C1	**ungeachtet dessen, dass**	***Ungeachtet dessen, dass** die Chefin meist freundlich reagiert, würde ich in nächster Zeit vorsichtiger sein und pünktlich kommen.*	in der gehobenen Sprache auch: *ungeachtet der Tatsache, dass ...*

Zwischen Haupt- und Nebensatz steht ein Komma. ▶ Kapitel 87

1 Im Kontext stehen der *zumal*-Satz und der *wobei*-Satz manchmal alleine.

2 Diese Nebensätze nennt man auch „weiterführende Nebensätze“. Sie können nicht vor dem Hauptsatz stehen.

B2

1 SOZIALE NETZWERKE. Verbinden Sie die Sätze mit *obwohl* oder *weil / da*.

Ich bin in sozialen Netzwerken aktiv, ...

1 Ich möchte mit meinen Freunden im Ausland in Kontakt bleiben.
2 Ich weiß, dass meine Privatsphäre nicht gut geschützt ist.
3 Man kann dort für das Berufsleben leicht neue Kontakte finden.
4 Ich habe schon einmal Cyber-Mobbing erlebt.

B2

2 GEHEN WIR INS KINO? Ergänzen Sie die kausalen Konnektoren aus dem Schüttelkasten.

obwohl • weil • da • obwohl • da

- Warum willst du denn heute schon wieder ausgehen?
- ____________[1] es einen tollen Fantasy-Film gibt.
- Dann komme ich auch mit, ____________[2] ich eigentlich arbeiten müsste.
- Ach übertreib nicht. ____________[3] die Prüfungen erst Ende Februar sind, können wir doch jetzt noch ein bisschen was machen.
- O.k., sollen wir Tine und Clara fragen, ob sie mitkommen?
- Ja, können wir, ____________[4] ich gerne mal wieder mit dir alleine was machen würde.
- Ich auch. Aber es wäre praktisch, ____________[5] Tine ein Auto hat.

C1

3 URLAUB MIT PROBLEMEN. Verbinden Sie die Sätze mit dem konzessiven Konnektor.

1 Wir haben lange im Stau gestanden. Wir haben die Fähre noch erreicht. *(obwohl)*
2 Wir haben das Ferienhaus zwei Wochen vorher fest gebucht. Es war nicht für uns vorbereitet. *(obschon)*
3 Wir hatten viel Ärger mit der Agentur. Wir hatten gute Laune. *(auch wenn)*
4 Der Ferienort ist sehr teuer. Wir haben nicht auf das Geld geschaut und sind gut essen gegangen. *(obzwar)*
5 Wir könnten noch eine Woche Urlaub von der Firma bekommen. Wir könnten keine Reise machen, weil wir unser Urlaubsgeld ausgegeben haben. *(selbst wenn)*

C1

4 STADT UND LAND. Ergänzen Sie die Nebensätze. Verwenden Sie die Sätze aus dem Schüttelkasten.

In den Großstädten gibt es auch bessere Betreuungsmöglichkeiten für Kinder. • Die Fahrt von außerhalb zur Arbeit dauerte lange. • Viele attraktive städtische Wohngebiete sind entstanden. • Sie wollten in der Natur leben. • Auf den Straßen herrschte der Autoverkehr vor und es gab wenig Platz für Kinder.

1 In den 1970er-Jahren sind viele Menschen aufs Land gezogen, weil ______________________.
2 Die Städte waren besonders für Familien mit Kindern nicht so attraktiv, weil ______________________ ______________________.
3 Da ______________________, war mindestens ein Elternteil selten zu Hause.
4 Jetzt leben gutsituierte Familien wieder mehr innerhalb der Städte, weil ______________________, zumal ______________________.

C1

5 ÖKOLOGISCHE PROBLEME IN URLAUBSGEBIETEN. Verbinden Sie die Sätze mit *ungeachtet dessen, dass ...*

1 Skipisten sind ein ökologisches Problem. Viele Leute fahren Ski.
2 Kunstschnee verbraucht viel Wasser und Strom. Die Skigebiete setzen Kunstschnee ein, um ihren Gästen ein großes Pistenangebot zu schaffen.
3 Es gibt zu Ferienanfang immer lange Staus auf den Autobahnen. Das Auto ist ein beliebtes Verkehrsmittel für die Fahrt in den Urlaub.
4 Es gibt in vielen Regionen Probleme mit der Wasserversorgung. Die Hotels bieten ihren Gästen große Swimmingpools an.

Konsekutive Nebensätze

sodass, weshalb, dermaßen ..., dass

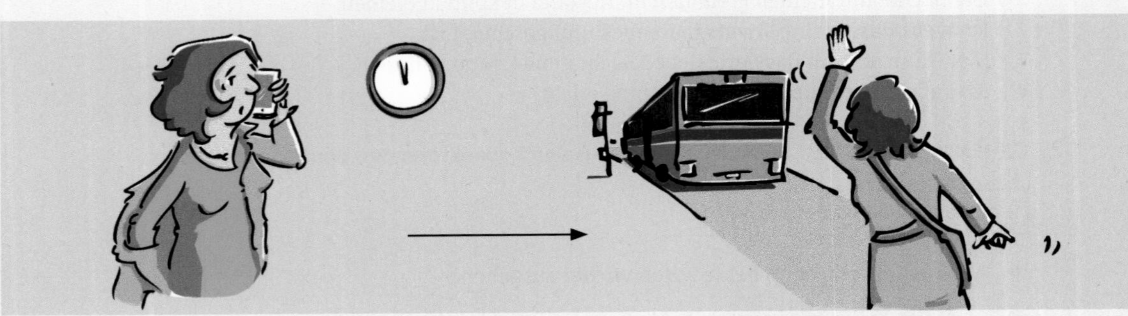

Situation:
Ich bin spät aufgestanden.

Die Konsequenz aus der Situation:
Ich habe den Bus verpasst.

Konsekutive Nebensätze: Konsequenz, Folge

Konnektor	Beispiel	Bemerkung
sodass	*Ich war spät,* ***sodass*** *ich den Bus verpasst habe.*	
so ... dass **dermaßen ..., dass** **derart ..., dass**	*Ich war* ***so*** *spät,* ***dass*** *ich den Bus verpasst habe.* *Ich war* ***dermaßen / derart*** *spät,* ***dass*** *ich den Bus verpasst habe.* *Ich hatte eine* ***derartige*** *Verspätung,* ***dass*** *ich den Bus verpasst habe.*	Das Wort „so" vor dem Adjektiv wird betont gesprochen. Dadurch wird das Adjektiv hervorgehoben. auch: *dermaßen* und *derartig*
	Ich bin ***so / dermaßen*** *gerannt,* ***dass*** *ich ganz außer Atem war.* (Man versteht: ... *so / dermaßen* ***schnell*** *gerannt, ...*)	Wenn kein Adjektiv im Satz ist, steht das *so / dermaßen / derartig* beim Verb. Man versteht das Adjektiv aus dem Kontext.
C1 **weshalb** **weswegen**	*Ich war sehr spät,* ***weshalb / weswegen*** *ich auch den Bus verpasst habe.*	*Weshalb und weswegen* machen aus dem vorhergehenden Satz einen Grund für die folgende Aktion*. Sie können immer durch einen Hauptsatz mit *deshalb / deswegen / darum* ersetzt werden.
C1 **zu ... als dass** **+ Konjunktiv 2** ▶ Kapitel 13	*Ich war* ***zu*** *spät,* ***als dass*** *ich den Bus noch bekommen hätte.*	Negative Konsequenz: „zu ... als dass" (+ Konjunktiv 2) nennt die positive Alternative, die nicht realisiert ist.

* Diese Nebensätze nennt man auch „weiterführende Nebensätze". Sie können nicht vor dem Hauptsatz stehen.

Konsekutive Nebensätze können nicht auf Position 1 im Satz stehen.
Zwischen Haupt- und Nebensatz steht ein Komma. ▶ Kapitel 87

B2 **1** HANDYPROBLEME. Schreiben Sie konsekutive Nebensätze mit *sodass*.

1 Der Akku von meinem Handy ist leer, sodass ich meine Nachrichten nicht lesen kann.

1 Der Akku von meinem Handy ist leer. Die Konsequenz: Ich kann meine Nachrichten nicht lesen.
2 Ich warte auf eine wichtige Nachricht von einem Kollegen. Die Konsequenz: Ich bin sehr unruhig.
3 Ich habe kein Ladekabel dabei. Die Konsequenz: Ich kann mein Handy nicht laden.
4 Ich kenne die Handynummer von dem Kollegen nicht. Die Konsequenz: Ich kann ihn auch nicht von einem anderen Handy aus anrufen.
5 Ich antworte dem Kollegen nicht. Die Konsequenz: Er wird bestimmt ärgerlich werden.

B2 **2 IM BÜRO. Heben Sie das Adjektiv hervor. Schreiben Sie Konsekutivsätze mit *so / dermaßen ..., dass.***

1 Ich habe viel Arbeit. Ich kann mir nicht einmal einen Kaffee zwischendurch machen.
2 Die Arbeit ist dringend. Ich muss einen Kollegen bitten, mir zu helfen.
3 Wir schreiben schnell. Wir werden vor der Mittagspause fertig.
4 Wir haben die Arbeit gut erledigt. Die Chefin ist zufrieden und gibt uns eine Extrastunde Mittagspause.
5 Das Essen in der Kantine ist meistens schlecht. Ich gehe mit dem Kollegen in ein Restaurant in der Nähe.

B2 **3 IN DER UNIVERSITÄT. Hat das *dass* konsekutive Bedeutung? Kreuzen Sie an. Lesen Sie dann die Sätze laut und betonen Sie das *so* in den Sätzen mit konsekutiver Bedeutung.**

		konsekutiv	nicht konsekutiv
1	Er ist so fleißig, **dass** er sein Studium eher abschließen kann.	○	○
2	Sie ist so intelligent, **dass** ihr das Lernen keine Mühe macht.	○	○
3	Er bereitet sich so gut wie möglich vor und hofft, **dass** er besteht.	○	○
4	Sie interessiert sich so für das Projekt, **dass** sie in den Semesterferien freiwillig ein Praktikum dort macht.	○	○
5	Er freut sich so, **dass** er die Klausur bestanden hat.	○	○
6	Sie arbeitet so schnell und möchte nicht, **dass** man ihr hilft.	○	○

C1 **4 IM BÜRO. Formulieren Sie die Sätze um. Verwenden Sie *weswegen / weshalb.***

1 Ich arbeite erst seit zwei Monaten in der Firma. ◄Grund— Ich kann keinen Urlaub nehmen.
2 Meine Kollegin ist heute krank. ◄Grund— Ich muss mich auch um ihre Kunden kümmern.
3 Der Drucker in meiner Abteilung ist kaputt. ◄Grund— Ich muss zum Drucken in den zweiten Stock gehen.
4 Heute hat es ein Problem mit dem Internet gegeben. ◄Grund— Ich bin nicht fertig mit meiner Arbeit.
5 Mein Kollege telefoniert dauernd. ◄Grund— Ich kann mich schlecht konzentrieren.

C1 **5 WIRTSCHAFTLICHE FRAGEN. *Weshalb, weswegen.* Fragewort oder Konnektor? Kreuzen Sie an.**

		Fragewort	Konnektor
1	Die neue Filiale ist erfolgreich, **weshalb** daran gedacht wird, weitere Filialen in der Region aufzubauen.	○	○
2	Die Diskussionen darüber, **weshalb** die anderen Regionen weniger erfolgreich waren, werden noch andauern.	○	○
3	Die positive Entwicklung der letzten Jahre hat sich etwas abgeschwächt, **weswegen** die Firmenleitung eine Überprüfung angeordnet hat.	○	○
4	Man möchte wissen, **weswegen** die Zahlen trotz guter gesamtwirtschaftlicher Entwicklung eingebrochen sind.	○	○

C1 **6 RUND UM DEN ZUCKER. Verbinden Sie die Sätze mit dem Nebensatzkonnektor in Klammern. Achten Sie darauf, welcher Satz die Konsequenz nennt.**

1 Sehr viele Menschen essen viel Zucker. Sie schaden ihrer Gesundheit. *(dermaßen ..., dass)*
2 In vielen Fertigprodukten sind große Mengen von Zucker versteckt. Wir merken es oft nicht, wenn wir Zucker zu uns nehmen. *(sodass)*
3 Die meisten Menschen mögen süße Nahrungsmittel. Der süße Geschmack ist den Menschen angeboren. *(weshalb)*
4 Viele Menschen essen mehr Zucker, als für ihre Gesundheit gut ist. Viele Menschen sind abhängig von süßen Nahrungsmitteln. *(sodass)*
5 Wir essen gerne einen Schokoriegel oder trinken ein süßes Getränk, wenn wir erschöpft sind. Der Zucker geht schnell ins Blut. *(sodass)*
6 Aber Zucker ist nicht nur schädlich, er enthält auch nützliche Stoffe. Er kann für die Konservierung von Lebensmitteln oder sogar zur Wundheilung eingesetzt werden. *(weshalb)*

C1 **7 Formen Sie die Sätze um. Schreiben Sie Sätze mit *zu ... als dass.***

1 Sie hat so große Schmerzen, dass sie nicht weiterlaufen kann.
2 Er fährt so schnell, dass er nicht mehr bremsen kann.
3 Er ist so nett, dass ich ihm keinen Wunsch abschlagen kann.
4 Wir haben selbst so viel zu tun, dass wir euch nicht helfen können.
5 Das Wetter ist so schlecht, dass wir nicht schwimmen gehen können.

65 Konditionale und adversative Nebensätze

B2
C1

wenn, falls, während, wohingegen ...

Sofern ich es schaffe, komme ich heute zu dir. *Sogar wenn* ich nur ganz wenig Zeit habe.

Konditionale Nebensätze: Bedingung

Nebensatz-konnektor	Beispiel	Bemerkung
wenn **falls**	***Wenn*** *ich Zeit habe, (dann) komme ich heute zu dir.* ***Falls*** *ich Zeit habe, komme ich.*	= Unter der Bedingung, dass ich Zeit habe, komme ich zu dir. *Wenn* kann auch temporal verstanden werden. ► Kapitel 62 Der *wenn*-Satz steht häufig auf Position 1. *Falls* hat nur konditionale Bedeutung.
nur wenn **sogar wenn** **außer wenn**	***Nur wenn*** *ich Zeit habe, komme ich.* *Ich komme,* ***sogar wenn*** *ich nur ganz wenig Zeit habe.*	*Wenn* kann mit vielen Wörtern kombiniert werden: *nur wenn* = ausschließlich wenn, *sogar wenn* = Bedingung wird als etwas Besonderes hervorgehoben *selbst wenn, außer wenn ...*
C1 **sofern** **gesetzt den Fall, dass** **vorausgesetzt, dass**	***Sofern*** *ich Zeit habe, komme ich.* ***Gesetzt den Fall, dass*** *ich Zeit habe, komme ich.* ***Vorausgesetzt, dass*** *ich Zeit habe, komme ich.*	Hauptsächlich in der gehobenen Sprache verwendet.
uneingeleiteter Konditionalsatz ► Kapitel 12	***Komme*** *ich heute nicht mehr, rufe ich dich an.* ***Sollte*** *ich Zeit haben, komme ich heute noch.*	Der uneingeleitete Konditionalsatz muss vor dem Hauptsatz stehen. Das Verb steht auf Position 1. Häufig mit *sollte*. In der gesprochenen Sprache selten verwendet.

Du gibst dauernd Geld für neue Handys aus, *wohingegen* ich mein Geld für meine Papageien spare.

Adversative Nebensätze: Gegensatz

Nebensatz-konnektor	Beispiel	Bemerkung
während	***Während*** *ich immer das neueste Handy habe, benutzt du eine Antiquität.*	Manchmal kann *während* sowohl adversativ als auch temporal verstanden werden.
wohingegen	*Du gibst dauernd Geld für neue Handys aus,* ***wohingegen*** *ich mein Geld für meine Reisen spare.*	*Wohingegen* macht aus dem vorhergehenden Satz einen Gegensatz für die folgende Aktion[1]. Er kann immer durch einen Hauptsatz mit *dagegen* ersetzt werden.

Zwischen Haupt- und Nebensatz steht ein Komma. ► Kapitel 87

1 Diese Nebensätze nennt man auch „weiterführende Nebensätze". Sie können nicht vor dem Hauptsatz stehen.

B2 **1 RICHTIGES LERNEN. Verbinden Sie die Sätze mit dem Konnektor in der Klammer.**

1 Man möchte eine neue Sprache lernen. Man braucht ein gutes Buch und Unterricht. *(wenn)*
2 Man hat genug Zeit zum Üben. Man kommt schnell voran. *(falls)*
3 Manchmal denkt man, dass es sehr anstrengend ist. Es lohnt sich weiter durchzuhalten. *(auch wenn)*
4 Man kennt Muttersprachler. Man sollte versuchen, viel mit ihnen zu sprechen. *(falls)*
5 Man versteht nicht jedes Wort. Man kann ein interessantes Gespräch führen. *(selbst wenn)*

B2 **2 WETTER. Welche Kombination passt? Schreiben Sie die Sätze.**

nur wenn • außer wenn • auch wenn • nur wenn

1 Es regnet und stürmt. Ich gehe jeden Tag spazieren. *(Regen und Sturm mag ich nicht.)*
2 Es ist richtig heiß. Ich gehe ins Schwimmbad. *(Sonst habe ich keine Lust.)*
3 Das Wetter an der Nordsee ist nicht immer schön. Ich fahre gerne an die Nordsee. *(Das schlechte Wetter macht mir nichts aus.)*
4 Das Wetter ist stabil. Man sollte eine Bergtour in den Alpen machen. *(Sonst ist es gefährlich.)*

B2 **3 Adversativ oder temporal? Lesen Sie die Sätze und kreuzen Sie an.**

	adversativ	temporal	nicht eindeutig
1 **Während** es heute regnet, geht man davon aus, dass das Wetter morgen besser wird.	○	○	○
2 **Während** es heute geschneit hat, habe ich am Fenster gesessen und vom Skiurlaub geträumt.	○	○	○
3 **Während** sie sich auf die Prüfung vorbereitete, musste sie mehrmals pro Woche im Café als Kellnerin jobben.	○	○	○
4 **Während** sie Angst vor jeder Prüfung hatte und Tag und Nacht lernte, ging er auch weiter seinen Hobbys nach.	○	○	○
5 **Während** ich jogge, spielt meine Freundin Basketball.	○	○	○
6 **Während** ich gut kochen kann, macht meine Freundin nur Fertiggerichte.	○	○	○

C1 **4 a) COMPUTERSICHERHEIT. Schreiben Sie Konditionalsätze mit den Konjunktionen in der Klammer.**

1 Man hat kein Sicherheitsprogramm auf dem Computer. Der Computer kann leicht von Schadsoftware angegriffen werden. *(wenn)*
2 Man schützt seine Passwörter nicht gut. Kriminelle können persönliche Daten ausspähen. *(falls)*
3 Man hat einen Computervirus auf dem Computer. Man muss ein Antivirenprogramm einsetzen. *(gesetzt den Fall, dass)*
4 Man hat ein Antivirenprogramm auf dem Computer installiert. Man hat keine hundertprozentige Sicherheit. *(selbst wenn)*
5 Man lädt keine unbekannten Dateien und Programme auf den Computer. Die Gefahr, dass der Computer von Schadsoftware befallen wird, ist geringer. *(sofern)*

b) Formulieren Sie die Sätze als uneingeleitete Konditionalsätze.

C1 **5 INTERNETAKTIVITÄTEN. Formulieren Sie die Sätze mit *während* und *wohingegen*. Es gibt immer drei Möglichkeiten.**

> *1 Während die meisten jüngeren Leute in sozialen Netzwerken aktiv sind, nutzen ältere ...*
> *Die meisten jüngeren Leute sind in sozialen Netzwerken aktiv, während ältere Leute ...*
> *Die meisten jüngeren Leute sind in sozialen Netzwerken aktiv, wohingegen ältere Leute ...*

1 Die meisten jüngeren Leute sind in sozialen Netzwerken aktiv. Ältere Leute nutzen das Internet mehr für die Recherche.
2 1996 waren ca. zwei Prozent der Menschheit online. 25 Jahre später waren es schon fast 90 Prozent.
3 Die Deutschen kaufen gerne Kleidung oder Elektrogeräte im Internet. Sie kaufen nicht gerne Möbel online.

66 Modale Nebensätze (Methode)

indem, dadurch dass, wodurch ...

Sie können den Motorraum öffnen, indem Sie hier an dem Griff drehen.

Modale Nebensätze: Mittel, Instrument, Methode

Konnektor	Beispiel	Bemerkungen
indem	*Sie können den Motorraum öffnen, **indem** Sie hier an dem Griff drehen.*	Frage: Wie?
dadurch dass	*Der Motorraum öffnet sich, **dadurch dass** Sie an dem Griff drehen.* *Ich kam **dadurch** noch pünktlich, **dass** mir der Autodienst geholfen hat.*	Frage: Wie? Wodurch? *Dadurch dass* kann auch getrennt werden. Der Satzteil, vor dem *dadurch* steht, wird hervorgehoben und das *dadurch* wird betont gesprochen. *Dadurch dass* kann auch kausale Bedeutung haben (Grund): *Sie hat viele Vorteile, dadurch dass sie sehr gut Deutsch spricht.* Sätze mit *dadurch dass* in kausaler Bedeutung können nicht mit *indem* umgeformt werden.
C1 **wodurch**	*Ich drehte an dem Griff, **wodurch** sich der Motorraum öffnete.*	*Wodurch* macht aus dem vorhergehenden Satz (im Nachhinein) eine modale Information für die Aussage des folgenden Satzes.* Sätze mit *wodurch* können auch kausale Bedeutung haben. Nebensätze mit *wodurch* können durch einen Hauptsatz mit *dadurch* ersetzt werden.

* Diese Nebensätze nennt man auch „weiterführende Nebensätze". Sie können nicht vor dem Hauptsatz stehen.

Zwischen Haupt- und Nebensatz steht ein Komma. ► Kapitel 87

B2 **1 GEBRAUCHSANWEISUNGEN. Formulieren Sie die Sätze mit *indem*.**

1 Öffnen Sie die Verpackung, indem Sie an dem roten Ring ziehen.

1. So öffnen Sie die Verpackung: Ziehen Sie an dem roten Ring.
2. So starten Sie das Gerät: Drücken Sie gleichzeitig auf den Startknopf und den Hebel.
3. So reinigen Sie das Gerät: Öffnen Sie die Abdeckung und wischen Sie die Glasplatte mit einem weichen Tuch ab.
4. So laden Sie die Software herunter: Klicken Sie auf den grünen Button.
5. So starten Sie das Programm: Geben Sie den Sicherheitscode ein und klicken Sie auf Start.

B2 **2 SPRACHENLERNEN. Verbinden Sie die Sätze mit *dadurch dass*. Welche Positionen sind für *dadurch* möglich?**

1 Man kann erfolgreich eine Fremdsprache lernen, dadurch dass man sich häufig in der Fremdsprache unterhält, auch wenn man mal einen Fehler macht.
Man kann dadurch erfolgreich eine Fremdsprache lernen, dass man sich häufig in der Fremdsprache unterhält, auch wenn man mal einen Fehler macht.

1. Man kann erfolgreich eine Fremdsprache lernen. Man unterhält sich häufig in der Fremdsprache, auch wenn man mal einen Fehler macht.
2. Man kann Wörter besser behalten. Man spricht sie laut.

3 Viele lernen auch besonders gut. Sie schreiben die neuen Wörter auf Karteikarten und tragen sie immer zum Lernen bei sich.
4 Man übt sprechen. Man spricht viel mit anderen.
5 Man kann auch sprechen üben. Man spricht mit sich selber.
6 Man kann seine Sprachkenntnisse verbessern. Man liest viel in der Fremdsprache.
7 Eine gute Aussprache kann man auch erwerben. Man hört Muttersprachlern zu.
8 Wie bei allen Dingen kann man zum Erfolg kommen. Man bleibt hartnäckig an der Sache dran.

B2

3 UMWELT. Schreiben Sie Sätze mit *dadurch dass* oder *indem*.

1 Wodurch können wir die Umwelt schonen? *(jeder von uns • weniger Auto • fahren).*

Wir können die Umwelt schonen, ______________________________.

2 Wie können wir den Energieverbrauch senken? *(wir • benutzen • moderne, energiesparende Geräte)*

Wir können den Energieverbrauch senken, ______________________________.

3 Wodurch kann man einen Teil der Stromkosten einsparen? *(man • Geräte • nicht • auf Standby stehen lassen)*

Man kann einen nicht unerheblichen Teil der Stromkosten einsparen, ______________________________

______________________________.

4 Wodurch kann man fossile Brennstoffe vermeiden? *(man • Solarenergie • nutzen)*

Man kann fossile Brennstoffe vermeiden, ______________________________.

5 Wie können Wissenschaftler/innen einen Beitrag zum Umweltschutz leisten? *(sie • energiesparende Technologien • entwickeln)*

Wissenschaftler/innen können einen wichtigen Beitrag zum Umweltschutz leisten, ______________________________

______________________________.

6 Wie können wir alle zum Umweltschutz beitragen? *(wir alle • sich politisch dafür engagieren)*

Wir alle können zum Umweltschutz beitragen, ______________________________.

C1

4 STELLENSUCHE. Formulieren Sie die Sätze um. Verwenden Sie *wodurch*.

1 Er hat nach dem Studium mehrere Praktika gemacht. ◄ Methode — Er hat erste Berufserfahrungen gewonnen.
2 Sie hat zusätzlich eine Fremdsprache gelernt. ◄ Methode — Ihre Chancen auf dem Arbeitsmarkt haben sich verbessert.
3 Sie hat einige Jahre in einer Zeitarbeitsfirma gearbeitet. ◄ Methode — Sie hat viele unterschiedliche Firmen kennengelernt.
4 Er hat an einem Kurs für Bewerbungstraining teilgenommen. ◄ Methode — Sein Auftreten ist selbstbewusster und souveräner geworden.

C1

5 Hat *dadurch dass* bzw. *wodurch* modale oder kausale Bedeutung? Kreuzen Sie an. Schreiben Sie dann die modalen Sätze mit *indem*.

		modal	kausal
1	Dadurch dass man viel Obst und Gemüse isst, bleibt man gesund.	◯	◯
2	Ich bereite mich dadurch auf den Skiurlaub vor, dass ich regelmäßig ins Fitnessstudio gehe.	◯	◯
3	Dadurch dass die Kurse häufig ausgefallen sind, musste ich oft alleine trainieren.	◯	◯
4	Ich beuge dadurch Rückenschmerzen vor, dass ich durch Krafttraining meine Muskeln aufbaue.	◯	◯
5	Sie trainiert viel, wodurch sie ihre Muskeln aufbaut.	◯	◯
6	Ein Gerät war leider kaputt, wodurch sie sich verletzt hat.	◯	◯

Infinitiv mit und ohne *zu*

Wir wollen pünktlich kommen, aber fürchten, zu spät losgefahren zu sein

1. Infinitiv mit *zu* steht nach:

• *haben* + abstrakte Nomen	*Wir haben Angst, zu spät zu kommen.*
• *es ist* + Adjektiv	*Es ist sehr schön, eine tolle Oper zu hören.*
• *ich finde es* + Adjektiv	*Ich finde es wunderbar, gute Musik zu hören.*
• Verben, auf die ein weiteres Verb folgt	*Wir hoffen, nicht zu spät zu kommen.*
• Verben mit Präpositionen	*Ich freue mich darauf, die Oper zu sehen.*

Das Wort *zu* steht am Ende des Satzes vor dem letzten Verb im Infinitiv: *Wir hoffen, pünktlich zu kommen.*
Der Infinitiv mit *zu* hat nur eine grammatische Funktion, keine Bedeutung.[1]

Das Komma vor dem Infinitiv-Satz mit *zu* ist nicht immer obligatorisch. Empfehlung: immer ein Komma setzen.

Infinitiv mit *zu* – gleichzeitig oder rückblickend:

Wir haben Angst,	*... zu spät zu kommen.*	(gleichzeitig Aktiv)
	... einen Fehler zu machen.	(gleichzeitig Aktiv)
	... vom Navi falsch geführt zu werden.	(gleichzeitig Passiv)
Wir hatten Angst,	*zu spät gekommen zu sein.*	(rückblickend Aktiv)
	einen Fehler gemacht zu haben.	(rückblickend Aktiv)
	vom Navi falsch geführt worden zu sein.	(rückblickend Passiv)

Der **Infinitiv in der Vergangenheit** (*zu spät gekommen zu sein, einen Fehler gemacht zu haben)* bedeutet immer **einen Blick zurück vor die Zeit im Hauptsatz**, egal ob der Hauptsatz im Präsens oder in einer Vergangenheitsform steht.

2. Infinitiv ohne *zu* steht nach:

• Modalverben	*Wir möchten eine tolle Oper sehen.*
• *bleiben*	*Wir bleiben hoffentlich nicht im Stau stecken.*
• *lassen*	*Wir lassen das Auto hier stehen.*
• *gehen*	*Wir gehen eine tolle Aufführung anschauen.*
• *hören*	*Wir hören heute Abend einen Star singen.*
• *sehen*	*Wir sehen Opernstars spielen.*
• *lernen*	*Ich lerne jetzt auch singen.*

C1 **Infinitiv ohne *zu* im Perfekt**

mit Infinitiv: Modalverben und die Verben *lassen, hören, sehen*	**mit Partizip II mit *ge-*:** *bleiben*, *gehen* und *lernen*
*Ich habe in die Oper gehen **wollen**.* *Ich habe das Auto vor der Oper stehen **lassen**.* *Ich habe den Star-Tenor singen **hören**.* *Ich habe die Stars spielen **sehen**.*	*Ich bin drei Stunden in der Oper sitzen **geblieben**.* *Wir sind danach essen **gegangen**.* *Ich habe leider nie singen **gelernt**.*

1 Aber *sein* + *zu* + Infinitiv, *haben* + *zu* + Infinitiv und *brauchen* + *zu* + Infinitiv, *um* ... *zu* + Infinitiv, *anstatt* ... *zu* + Infinitiv sind Infinitivkonstruktionen mit einer speziellen Bedeutung. ► Kapitel 16, 41, 69

B2 **1 KLAVIER SPIELEN LERNEN. Ergänzen Sie *zu* (wenn nötig).**

1 Es ist schön, Klavier ______ spielen.
2 Ich möchte unbedingt Klavier ______ spielen.
3 Ich habe Lust, Klavier ______ spielen.
4 Ich freue mich darauf, Klavier ______ spielen.
5 Ich lerne jetzt Klavier ______ spielen.
6 Ich lasse mein Kind Klavier ______ spielen.
7 Ich finde es gut, Klavier ______ spielen.
8 Ich fange an, Klavier ______ spielen.
9 Ich höre mein Kind Klavier ______ spielen.
10 Ich gehe jetzt Klavier ______ spielen.
11 Ich muss jeden Tag Klavier ______ spielen.
12 Ich liebe es, Klavier ______ spielen.

B2 **2 MEIN MANN UND UNSERE FREUNDE. Ergänzen Sie *zu* (wenn nötig).**

Wenn wir unsere Freunde tanzen ______ [1] sehen, wünschen wir uns, so wie sie tanzen ______ [2] können. Immer, wenn sie uns Klavier spielen ______ [3] hören, beginnen sie sofort, sich ______ [4] bewegen, und können nicht mehr ruhig ______ [5] stehen. Wir lernen jetzt auch ______ [6] tanzen, dazu gehen wir samstags ______ [7] tanzen. Wir möchten bald so gut wie sie tanzen ______ [8] können und sind sicher, unser Ziel bald ______ [9] erreichen.

C1 **3 Partizip II oder Infinitiv? Schreiben Sie die Sätze im Perfekt.**

1 Ich habe Musik gehört. Ich habe Michael Jackson singen hören.

1 Ich höre Musik. Ich höre Michael Jackson singen.
2 Ich sehe den Film. Ich sehe Charlie Chaplin lachen.
3 Wir gehen ins Kino. Wir gehen essen.
4 Ich bleibe zu Hause. Ich bleibe auf dem Sofa sitzen.
5 Ich lasse dich in Ruhe. Ich lasse dich schlafen.
6 Ich kann Englisch. Ich kann den Text übersetzen.

C1 **4 MEINE NACHBARN. Partizip II oder Infinitiv? Schreiben Sie die Sätze im Perfekt.**

Jeden Abend sehe ich gemütlich fern und spät sehe ich dann meine Nachbarn nach Hause kommen. Ich höre immer schon ihr Auto um die Ecke fahren und kann dann nicht mehr ruhig sitzen bleiben, denn dann lassen sie in der Wohnung über mir erst mal Wasser in die Badewanne laufen. Ich höre sie durch die Wohnung rennen und höre sie laut sprechen. Meinen Fernseher höre ich dann nicht mehr. Und natürlich kann ich bei dem Lärm nicht einschlafen. Ich will es erst gar nicht versuchen. Ich weiß: Ich soll bei ihnen klingeln und mich beschweren. Aber ich lasse das lieber bleiben. Ich will sie gar nicht sehen.

C1 **5 FLORENCE FOSTER JENKINS. Ergänzen Sie die Infinitivsätze: g = gleichzeitig, r = rückblickend.**

Florence erhielt als Kind Klavierunterricht, sie hatte aber immer den Wunsch, Sängerin *zu werden* [1] *(werden, g)*. Ihr Vater war aber nicht bereit, ihr Gesangsunterricht ______ [2] *(bezahlen, g)*. Als sie mit 17 heiratete, hatte sie das Pech, sich mit Syphilis ______ [3] *(anstecken, g, Passiv)*. Als ihr Vater starb, war sie sehr glücklich darüber, kurz zuvor ihren zweiten Mann ______ [4] *(finden, r)*. Da sie es immer bedauerte, nicht Sängerin ______ [5] *(werden, r)*, nahm sie nun Gesangsstunden. Leider hatte sie nicht das Talent, gut und richtig ______ [6] *(singen, g)*. Da sie trotzdem Konzerte gab, achtete ihr Mann immer darauf, alle Zuschauer persönlich ______ [7] *(auswählen und einladen, r)*. Mit 76 beschloss Florence, ein Konzert in der Carnegie Hall in New York ______ [8] *(geben, g)*. Ihr Pianist hatte große Angst, ______ [9] *(auslachen, g, Passiv)* und seinen Ruf ______ [10] *(verlieren, g)*. Kurz nach dem Konzert starb Florence – wohl an dem Schmerz darüber, in der Zeitung sehr kritisiert ______ [11] *(werden, r, Passiv)*. Auf ihrem Sterbebett sagte sie, es sei das Wichtigste, ______ [12] *(singen, r)*.

68 Nebensatz mit *dass* und Infinitiv mit *zu*

Ich finde es wichtig, gesund zu essen und dass mein Kind gesund isst

Infinitivsatz mit *zu*	**Nebensatz mit *dass***
• Das Subjekt im Hauptsatz gilt auch als Subjekt im Infinitivsatz: ***Ich** finde es wichtig, gesund zu essen.* • Das Wort *zu* steht direkt vor dem letzten Infinitiv, bei trennbaren Verben hinter dem Präfix am Ende des Satzes. • *gerade / schon dabei sein* + Infinitivsatz mit *zu* = man macht in diesem Moment etwas, man ist zurzeit in diesem Prozess.  *Ich **bin gerade dabei**, etwas Gesundes **zu** kochen.*	• Das Subjekt im Hauptsatz kann anders sein als das Subjekt im *dass*-Satz: ***Ich** finde es wichtig, dass **mein Kind** gesund isst.* ***Ich** finde es wichtig, dass **ich** gesund esse.* • Im *dass*-Satz steht das Verb konjugiert am Ende.

Der Infinitiv mit *zu* und der Konnektor *dass* haben nur eine grammatische Funktion, keine Bedeutung.
Sowohl der Infinitivsatz mit *zu* als auch der *dass*-Satz können auf Position 1 stehen:
Etwas Gesundes zu kochen, finde ich ganz einfach.
Dass mein Kind gesund isst, freut mich sehr.

C1 Bei Verben wie *bitten, verbieten, warnen* wird das Objekt aus dem Hauptsatz zum gedachten Subjekt im Infinitivsatz.

*Ich bitte **ihn**, mich anzurufen. (= **Er** soll mich anrufen.)*
Akkusativ — Subjekt

*Ich verbiete **ihm**, mich anzurufen. (= **Er** darf mich nicht anrufen.)*
Dativ — Subjekt

B2 **1 KEINE ANGST. Bilden Sie Nebensätze mit Infinitiv + *zu*, wo es möglich ist, oder benutzen Sie *dass*.**

1. Ich finde es gut • *ich spüre einen Nervenkitzel*
2. Es macht mir Spaß • *ich habe eine Gänsehaut am Körper*
3. Es ist nur schade • *meine Frau hat dauernd Angst um mich*
4. Ich freue mich schon darauf • *ich springe im Schwimmbad vom Zehnmeterbrett*
5. Es ist super • *andere sind viel ängstlicher als ich*
6. Es gefällt mir • *ich habe keine Angst*
7. Ich habe nur Angst • *meine Frau verlässt mich*

B2

2 Formen Sie die *dass*-Sätze in Infinitivsätze mit *zu* um, wenn es möglich ist.

1 Es ist ein schönes Gefühl, dass man gebraucht wird.
2 Ich glaube, dass es bald regnen wird.
3 Er freut sich darüber, dass seine Tochter so viel Erfolg hat.
4 Ich hoffe sehr, dass ich noch pünktlich komme.
5 Ich bin froh, dass ich das gemacht habe.
6 Er meint, dass sie sich ausreichend qualifiziert hat.
7 Es ist entsetzlich, dass es immer noch Kriege gibt.

B2

3 VORWEIHNACHTSZEIT. Formulieren Sie die unterstrichenen Sätze mit *gerade dabei sein, etwas zu tun.*

1 Der Urlaubsplan für nächstes Jahr muss gemacht werden.
Ja, der Chef macht ihn im Moment gerade.
2 Was machst du so lange? Ich packe im Moment Geschenke ein.
3 Die Öffnungszeiten der Geschäfte sollten vor Weihnachten verlängert werden. Im Stadtparlament diskutiert man das zurzeit.
4 Wann müssen wir die Weihnachtsgans vorbereiten? Ich bereite sie gerade zu.
5 Wir müssen die Pakete abschicken! Ich habe sie gerade eingepackt, als du mich gestört hast.
6 Warum bist du schon seit Stunden in der Küche? Ich backe seit 15.00 Uhr Plätzchen.
7 Warum bist du nicht ans Telefon gegangen? Ich habe in dem Moment den Weihnachtsbaum aufgestellt.

1 Ja, der Chef ist gerade dabei, ihn zu machen.

B2

4 Nach welchen Satzanfängen kann ein Infinitivsatz mit *zu* kommen, nach welchen ein Finalsatz mit *um ... zu* (Ziel)? Kreuzen Sie an.

		zu	um ... zu
1	Ich arbeite, ...	○	○
2	Ich versuche, ...	○	○
3	Wir hoffen, ...	○	○
4	Sie mussten ihr Haus verkaufen, ...	○	○
5	Wir sind ausgewandert, ...	○	○
6	Viele Leute haben Angst, ...	○	○
7	Wir brauchen einen Kredit, ...	○	○
8	Es ist immer gut, ...	○	○
9	Er lernt Deutsch, ...	○	○
10	Sie hatte das Gefühl, ...	○	○
11	Findest du es richtig, ...?	○	○
12	Er hat die Hoffnung, ...	○	○
13	Ich schreibe meinen Lebenslauf, ...	○	○
14	Manchmal ist es unmöglich, ...	○	○

B2

5 ARMUT. *Um ... zu* oder Infinitiv mit *zu*? Verbinden Sie die Sätze.

1 Man hat viele Leute befragt • wissen, was Armut bedeutet
2 Viele Leute haben nicht die Möglichkeit • sich aus der Armut befreien
3 Es ist schwierig • Armut definieren
4 Manche Familien sind zu arm • ihren Kindern gute Bildungschancen geben
5 Kinder aus wohlhabenden Familien haben gute Chancen • eine gute Ausbildung bekommen
6 Die UN hat deshalb beschlossen • einen Weltkindertag gründen
7 Es gibt Veranstaltungen • auf die Lage der Kinder aufmerksam machen
8 Wir müssen beginnen • die Armut bekämpfen

um ... zu nennt das Ziel, den Zweck.

C1

6 EINSEITIGE LIEBE. Formen Sie die Sätze in Infinitivsätze mit *zu* um. Manchmal sind Objekt im Hauptsatz und Subjekt im Nebensatz gleich.

1 Er gestand ihr, dass er sich in sie verliebt hat.
2 Er erinnerte sie daran, dass sie ihn täglich anruft.
3 Er teilte ihr mit, dass er sie auf ewig liebt.
4 Er bat sie, dass sie immer bei ihm bleibt.
5 Er flehte sie an, dass sie ihn nicht verlässt.
6 Sie entschied kurze Zeit später, dass sie ihn verlässt.
7 Er rief ihr zu, dass sie ihn trotzdem täglich anruft.
8 Er informierte sie drei Jahre später, dass er sie nicht vergessen hat.

69 Finale und modale Infinitiv- und Nebensätze

um ... zu, damit, anstatt ..., ohne ...

Infinitivsatz

Im Infinitivsatz steht kein Subjekt. Das Subjekt im Hauptsatz gilt auch als Subjekt im Infinitivsatz.

Bedeutung	Konnektor		Beispiel
Ziel / Zweck (final) Die Bedeutungen der Modalverben *möchten* und *wollen* sind in *um ... zu* enthalten.	**um ... zu**		*Ich trinke einen Tee,* ***um*** *mich wohler* ***zu fühlen****.*
Alternative / Tausch (modal)	**anstatt ... zu**		*Ich trinke einen Tee,* ***anstatt*** *eine Tablette* ***zu nehmen****.*
ohne Konsequenz (modal)	**ohne ... zu**		*Ich trinke einen Tee,* ***ohne*** *ihn* ***zu mögen****.*

Das Wort *zu* steht vor dem Verb im Infinitiv am Ende des Satzes (bei trennbaren Verben zwischen dem Präfix und dem Verbstamm).

1 **ARBEIT UND LEBEN. Bilden Sie Nebensätze mit *um ... zu*, wo es möglich ist, oder benutzen Sie *damit*.**

1 Arbeiten Sie • *Sie möchten leben* • oder ...
2 ... leben Sie • *Sie möchten arbeiten* • ?
3 Natürlich muss man arbeiten • *man möchte Geld verdienen* • .
4 Aber die meisten suchen einen Job • *ihre Eltern sollen glücklich sein* • .
5 Dann arbeiten sie weiter • *der Chef soll zufrieden sein* • .
6 Dann arbeiten sie mehr • *ihre Familie kann sich alles kaufen* • .
7 Später gehen sie dann gerne morgens aus dem Haus • *sie möchten mal Zeit außerhalb der Familie haben* • .
8 Manche arbeiten auch • *sie wollen Spaß haben und sie verwirklichen sich bei ihrer Arbeit* • .
9 Andere arbeiten weniger • *sie wollen Freizeit* • .

1 Arbeiten Sie, um zu leben oder ...

2 **EIN TRAUMMANN? Verbinden Sie die Sätze. Benutzen Sie *anstatt ... zu*, wo es möglich ist, oder *anstatt dass*.**

1 Nach der Arbeit kocht er das Essen. Er setzt sich nicht aufs Sofa und trinkt nicht erst mal ein Bier.
2 Im Kino sieht er Dokumentarfilme mit seiner Frau an. Er besteht nicht darauf, Action- oder Science-Fiction-Filme zu sehen.
3 Am Morgen kocht er als Erster Kaffee und macht Frühstück. Seine Frau steht nicht auf.
4 Am Samstag begleitet er seine Frau beim Einkaufen. Er sieht nicht die Sportschau im Fernsehen.
5 Am Abend bringt er die Kinder ins Bett und liest ihnen vor. Seine Frau macht das nicht.
6 Danach macht er leise Ordnung in den Kinderzimmern. Seine Kinder räumen nicht auf.
7 Wenn es verschiedene Wünsche oder Meinungsverschiedenheiten gibt, gibt er nach. Er diskutiert nicht darüber.

Nebensatz

Wenn das Subjekt im Hauptsatz ein anderes als das im Nebensatz ist, ist der Nebensatz obligatorisch. Er ist auch möglich, wenn das Subjekt in beiden Sätzen gleich ist. *Ich trinke einen Tee, damit ich mich wohler fühle.*

Bedeutung	Konnektor		Beispiel
Ziel / Zweck (final) Die Bedeutungen der Modalverben *wollen, möchten* und *sollen* sind in *damit* enthalten.	**damit**		*Ich gebe meinem Sohn einen Tee, **damit** er sich wohler **fühlt**.*
Alternative / Tausch (modal) (= damit nicht)	**anstatt dass**		*Ich gebe meinem Sohn lieber einen Tee, **anstatt dass** er eine Tablette **nimmt**.*
ohne Konsequenz (modal)	**ohne dass**		*Ich gebe meinem Hund eine Tablette, **ohne dass** er es **merkt**.*

Das Verb steht konjugiert am Ende des Satzes.

3 VORSICHT. Bilden Sie Nebensätze mit *ohne … zu*, wo es möglich ist, oder *ohne … dass*.

1 Er geht nie ins Bett • *die Tür dreimal abschließen* • .
2 Er geht nie aus dem Haus • *kontrollieren, ob er wirklich abgeschlossen hat* • .
3 Er fährt nie Auto • *er sieht nach, ob alle Räder dran sind* • .
4 Er fliegt nie mit dem Flugzeug • *der Pilot muss ihm seine Lizenz zeigen* • .
5 Er lacht nie • *er putzt sich vorher die Zähne* • .
6 Er trifft keine Frau • *er holt vorher Informationen über sie ein* • .
7 Er führt kein Gespräch • *der Gesprächspartner wundert sich über ihn* • .

4 SPORT. Verbinden Sie die Sätze. Benutzen Sie *anstatt … zu, um … zu, ohne … zu*, wo es möglich ist, oder *ohne dass, anstatt dass, damit*.

1 Mein Mann sieht Sport im Fernsehen • er treibt keinen Sport • .
2 Ich treibe Sport • ich möchte fit bleiben • .
3 Ich mache jeden Tag Fitnesstraining • ich besuche kein Fitnessstudio • .
4 Ich jogge seit 60 Minuten • ich mache keine Pause • .
5 Morgens gehe ich schwimmen • ich jogge nicht im Park • .
6 Ich melde mein Kind im Sportverein an • mein Kind soll Sport treiben • .
7 Ich kaufe meinem Mann ein Fahrrad • er fährt dann nicht jeden Tag mit dem Auto • .
8 Das neue Fahrrad steht im Keller • mein Mann benutzt es nicht • .
9 Ich würde gern mal wieder mit meinem Mann tanzen • ich will Spaß haben • .

70 Relativpronomen im Nominativ, Akkusativ und Dativ

Sprechtraining 41

..., denen wir die Idee für dieses Fest verdanken

An erster Stelle möchte ich Herrn und Frau Meyer nennen, denen wir die Idee für dieses Fest verdanken.

Ohne Herrn Schmalstock, der bei der Technik geholfen hat, hätten wir es nicht geschafft.

Mein besonderer Dank gilt Clemens, von dem wir heute Abend einige seiner schönsten Lieder hören werden.

1. Relativsatz im Nominativ, Akkusativ und Dativ

An erster Stelle möchte ich Herrn und Frau Meyer nennen, denen wir die Idee für dieses Fest verdanken.

Plural Dativ

Das **Bezugswort** determiniert das Genus (maskulin, neutral, feminin) und den Numerus (Plural, Singular) des Relativpronomens.
Das Verb im Relativsatz determiniert den Kasus (Nominativ, Akkusativ oder Dativ) des Relativpronomens.

2. Relativsatz mit Präposition

Bei Relativsätzen mit Präpositionen determiniert das **Bezugswort** das Genus (maskulin, neutral, feminin) und den Numerus (Singular, Plural) und die Präposition determiniert den Kasus des Relativpronomens:

Dativ

Mein besonderer Dank gilt Clemens, von dem wir heute Abend einige seiner schönsten Lieder hören werden.

maskulin Singular

3. Relativpronomen

	maskulin	neutral	feminin	Plural
Nominativ	der	das	die	die
Akkusativ	den	das	die	die
Dativ	dem	dem	der	denen

- Der Relativsatz ist ein Nebensatz: Das konjugierte Verb steht am Ende.
- Der Relativsatz steht (fast) direkt hinter dem Bezugswort und steht deshalb manchmal mitten im Hauptsatz: *Ohne Herrn Schmalstock, der bei der Technik geholfen hat, hätten wir es nicht geschafft.*
- Vor einem Relativsatz steht immer ein Komma. Wenn ein Relativsatz mitten im Satz steht, steht vor und nach dem Relativsatz ein Komma.
- In der Schriftsprache werden auch *welcher, welche, welches* als Relativpronomen verwendet, wenn das Relativpronomen identisch mit dem Artikel ist, der danach im Satz steht. *Die Kollegin, die / welche die Passwörter vergibt, ist heute nicht da. Welch-* wirkt jedoch schwerfälliger und ist deshalb stilistisch meist nicht zu empfehlen.

1 AUF EINER PARTY. Ergänzen Sie die Relativpronomen.

Nominativ

1 Das ist mein Freund Wang, ____________ heute aus China gekommen ist.

2 Das ist meine Freundin Tanja, ____________ hier ganz in der Nähe wohnt.

3 Das sind Sue und Dan, ____________ mir bei der Vorbereitung sehr viel geholfen haben.

4 Das ist das kleine Kind unserer Nachbarn, ____________ so gerne mit unserem Hund spielt.

Akkusativ 1 Gibst du mir etwas von dem Kaviar, ______ ich so gerne mag?
2 Und auch von der Soße, ______ Tanja gemacht hat?
3 Das Steak, ______ Dennis so empfohlen hat, finde ich ein bisschen zäh.
4 Hier sind auch die Salate, ______ die Nachbarn mitgebracht haben.

Dativ 1 Wo ist denn das Geburtstagskind, ______ wir gratulieren wollen?
2 Das ist Till Wagner, ______ wir viel Glück wünschen.
3 Das ist seine Frau, ______ ich ganz herzlich für ihre viele Mühe danken möchte.
4 Das sind die Kinder, ______ ich noch zeigen will, wo sie spielen können.

mit Präposition

tanzen zu (Musik),
sich unterhalten mit (Person) über (Thema),
sich engagieren für

1 Ich finde, das ist eine Musik, ______ man nicht gut tanzen kann.
2 Die Nachbarn, ______ ich mich gerade unterhalten haben, sind sehr nett.
3 Wir hatten viele Themen, ______ wir uns gut unterhalten konnten.
4 Das Flüchtlingsprojekt, ______ sie sich engagieren, finde ich sehr interessant.

2 IM BÜRO. Ergänzen Sie die Relativpronomen und die Präpositionen (wenn nötig).

hören von	sich verabreden mit
speichern auf + Dativ	sich verlassen auf
sich interessieren für	sprechen über

1 Das ist die Firma,
______ im IT-Bereich sehr aktiv ist.
______ ich schon viel gehört habe.
______ drei interessante Stellen ausgeschrieben hat.
______ aber leider noch nicht geantwortet hat.

2 Wo ist das Smartphone,
______ gestern hier gelegen hat?
______ mir Titus geliehen hat?
______ ich meine Infos gespeichert habe?
______ ich Titus heute zurückgeben muss?

3 Das ist mein Kollege,
______ für das Projekt zuständig ist.
______ man sich immer verlassen kann.
______ dieser schicke Porsche gehört.
______ sich einige Kolleginnen interessieren.

4 Das sind die neuen Kolleginnen,
______ erst seit einer Woche hier arbeiten.
______ wir gestern gesprochen haben.
______ der Chef in der E-Mail vorgestellt hat.
______ ich am Anfang die Firma gezeigt habe.

3 POLITIK. Verbinden Sie die Sätze und schreiben Sie Relativsätze. Achten Sie auf die Kommas.

1 Die Ministerin hat auf einer Veranstaltung das neue Gesetz vorgestellt. Zu der Veranstaltung sind mehr als tausend Bürgerinnen und Bürger gekommen.
2 Die Bürgerinnen und Bürger waren verärgert. Man hatte ihnen vollständige Informationen versprochen.
3 Nach dem neuen Gesetz müssen die Lebensmittel gekennzeichnet werden. Sie enthalten Zucker.
4 Über das neue Gesetz ist heute im Parlament diskutiert worden. Es gab viele Demonstrationen dagegen.

4 FEHLERSÄTZE. In jedem Satz ist ein Fehler. Korrigieren Sie.

1 Kennst du die Frau, die der Kollege gerade spricht mit?
2 Der Kollege kommt erst morgen wieder, der dafür zuständig ist.
3 Der Laptop, damit ich geschrieben habe, ist abgestürzt.
4 Kannst du bitte auf diese Anfrage antworten, das ich dir weitergeleitet habe?
5 Das Handy, mit das ich gerade telefonieren wollte, habe ich gestern neu gekauft.

1 Kennst du die Frau, mit der der Kollege gerade spricht?

71 Relativpronomen im Genitiv

Die Frau, deren Hund ...

B2 C1

Gehört der Hund der Frau dort?
Ja, das ist ihr Hund.
Und wer ist die Frau?
Die Frau, deren Hund gerade meine Katze jagt, ist meine Nachbarin.

Relativpronomen im Genitiv

	maskulin	neutral	feminin	Plural
Genitiv	dessen	dessen	deren*	deren*

C1 * Wenn das Relativpronomen alleine (ohne Nomen) steht, kann man anstelle von *deren* auch *derer* im Femininum und Plural verwenden.

Relativpronomen im Genitiv vor einem Nomen

Die Frau, deren Hund gerade meine Katze jagt, ist meine Nachbarin.

Das **Bezugswort** bestimmt das Genus (maskulin, neutral, feminin) und den Numerus (Singular, Plural). Das Nomen nach dem Relativpronomen im Genitiv steht ohne Artikel.

Die Form des Nomens hängt von der Präposition oder vom Verb im Relativsatz ab:
Die Frau, für deren Kinder (Akkusativ) *ich ein Geschenk gekauft habe, ist meine Nachbarin.* (*für* + Akkusativ)
Die Frau, mit deren Kindern (Dativ) *meine Kinder gerne spielen, ist meine Nachbarin.* (*mit* + Dativ)
Die Frau, deren Kinder (Akkusativ) *du auf dem Spielplatz dort siehst, ist meine Nachbarin.* (*sehen* + Akkusativ)
Die Frau, deren Kindern (Dativ) *ich bei den Hausaufgaben helfe, ist meine Nachbarin.* (*helfen* + Dativ)

Wenn ein Adjektiv dabeisteht, hat es denselben Kasus wie das Nomen: *Die Frau, für deren nette Kinder ...*
Die Frau, mit deren netten Kindern ...

C1 **Relativpronomen im Genitiv ohne Nomen**

Das Relativpronomen hängt vom Verb im Relativsatz oder von der Präposition vor dem Relativpronomen ab:
Die Vorbereitungen, derer/deren dieses Projekt bedarf, brauchen noch einige Zeit. (*bedürfen* + Genitiv)
Sie waren genervt von den Streitigkeiten, infolge derer/deren die Arbeit am Projekt stockte. (*infolge* + Genitiv)

B2 **1 BEKANNTE MENSCHEN. Ergänzen Sie das Relativpronomen im Genitiv.**

1 Der Sportler,	________ Trainer viel Erfahrung hat, ________ Frau auch Profisportlerin ist, ________ Einkommen auf mehr als 10 Millionen geschätzt wird, ________ zwei Kinder noch ganz klein sind,	ist dieses Jahr deutscher Meister geworden.
2 Die Politikerin,	________ Ehemann kaum in der Öffentlichkeit zu sehen ist, ________ Partei große Hoffnungen auf sie setzt, ________ neues Programm heftig diskutiert wird, ________ Wähler aus allen Teilen der Gesellschaft kommen,	hat gute Chancen, wiedergewählt zu werden.

3 Das Genie,	________ Vater ein einfacher Bauer ist, ________ Heimat in einer armen, sehr entlegenen Region liegt, ________ unglaubliches Talent lange unentdeckt geblieben ist, ________ Bilder weltweit berühmt sind,	ist heute mehrfache Millionärin.
4 Die Musiker,	________ neuester Hit wieder sehr erfolgreich ist, ________ Kreativität bewundernswert ist, ________ bekanntestes Video sehr oft angeklickt wurde, ________ Konzerte immer ausverkauft sind,	leben trotz ihres Erfolges ein ganz normales Leben.

B2

2 AUF DER TECHNIKMESSE. Ergänzen Sie das Relativpronomen und die Endungen (wenn nötig).

1 Das sind die Ingenieure, ____________ Software____ ich hier zum ersten Mal gesehen habe.

2 Das ist die Firma, mit ____________ jung____ Ingenieure____ ich am Messestand gesprochen habe.

3 Das ist das Gerät, ____________ Funktionsweise____ ich mir auf der Messe habe erklären lassen.

4 Das ist der Bildschirm, ____________ Qualität____ mich überrascht hat.

5 Bald gibt es den Laptop, von ____________ besonder____ Eigenschaft____ ich schon viel gehört habe.

B2

3 EINKAUFEN. Genitiv mit Nomen. Verbinden Sie die Sätze mit einem Relativsatz.

1 Ich suche eine Lampe. Mir gefällt das Design der Lampe.
2 Ich mag Möbel. Das Design der Möbel ist etwas Besonderes.
3 Gestern war ich bei einem Freund. Die Wohnung meines Freundes ist originell eingerichtet.
4 Mein Freund will mir helfen, eine schöne Lampe zu finden. Der Geschmack meines Freundes ist sehr sicher.
5 Er kennt auch ein Lampengeschäft. Das Angebot des Geschäfts ist exklusiv.

B2

4 IN DER UNIVERSITÄT. Verbinden Sie die Sätze mit einem Relativsatz. Achten Sie auf die Präpositionen.

1 Maria kommt heute auch mit in die Mensa. Ich bin mit ihrem Bruder nach Italien in Urlaub gefahren.
2 Ich gehe heute zu Professor Steiner. Von seinen Vorlesungen sind alle so begeistert.
3 Die meisten Studierenden ärgern sich darüber, dass der Bus so selten fährt. Das Wohnheim von den Studierenden liegt fünf Kilometer außerhalb.
4 Hast du schon die Note für das Referat gesehen? Vom Inhalt des Referats habe ich nächtelang geträumt.
5 Ich bin meiner Freundin dankbar. Ohne ihre Hilfe hätte ich keine so gute Note für mein Referat bekommen.
6 Alle wollen in das Tutorium bei Max Schönherr gehen. Alle sind begeistert von seinem Aussehen.

C1

5 Relativsätze mit Präposition. Ergänzen Sie die Sätze mit *innerhalb*, *anlässlich* oder *aufgrund* und dem Relativpronomen im Genitiv.

1 Die engen Grenzen, ____________ ____________ er sich nur bewegen konnte, machten ihn nervös.

2 Der Zeitplan, ____________ ____________ das Projekt durchgeführt werden musste, war sehr eng.

3 Die Vorbereitung des Firmenjubiläums, ____________ ____________ die Firma zu einer großen Feier eingeladen hatte, bedeutete für ihn einen erneuten Zeitverlust.

4 Die Beweise, ____________ ____________ ihm gekündigt wurde, waren gefälscht.

C1

6 Verbinden Sie die Sätze. Verwenden Sie einen Relativsatz. Achten Sie auf die Kommas.

1 Es war eine sehr merkwürdige Tat. Man bezichtigte ihn der Tat.
2 Der Diebstahl ging auf ein Missverständnis zurück. Man verdächtigte ihn des Diebstahls.
3 Die Offenheit war leider nicht gegeben. In guten Teams bedarf es der Offenheit.
4 Der Betrug beruhte auf einem Rechenfehler. Man klagte ihn des Betrugs an.

Relativpronomen mit *w*- und *als*

etwas, was ..., nichts, worüber ...

Sprechtraining 42

Relativpronomen	Beispiel	Das Relativpronomen bezieht sich auf:
wo **wohin** **woher**	*Das ist ein Ort, **wo** das Essen fertig an Bäumen wächst.* *Das ist der Platz, **wohin** wir nur in der Fantasie reisen können.* *Ist das das Land, **woher** die glücklichen Menschen kommen?* *Ich lebe in Köln, **wo** kein Essen an Bäumen wächst.*	**allgemeine Lokalangaben** Bei konkreten Ortsangaben besser: *an dem, zu dem ...* *Das ist die Schule, in der ich gelernt habe.* **obligatorisch bei Ortsnamen**
als	*Das war die Zeit, **als** man noch geträumt hat.*	**Zeitangaben**, wenn die Handlung des Satzes in der Vergangenheit liegt (alternativ: *in der / zu der ...*)
was **wo(r)- + Präposition**	*Das Schlaraffenland ist etwas, **was** wir alle schön finden.* *, **wovon** wir **träumen**.* *Da findet man das Leckerste, **was** man sich vorstellen kann.*	**Indefinitpronomen** *(etwas, alles, nichts)* oder ***das*, Superlativ als Nomen**
was **wo(r)- + Präposition**	*Mein Vater hat mir viel vom Schlaraffenland erzählt, **was** ich genossen habe.* *Mein Vater hat mir viel davon erzählt, **worüber** ich mich gefreut habe.*	**Inhalt des ganzen Satzes** Diese Sätze werden auch als weiterführende Nebensätze bezeichnet. Man verwendet sie vor allem mündlich.
wer ..., der C1 **wem ...**, dessen	***Wer** im Schlaraffenland lebt, dem geht es gut.* (= Allen Leuten, die im Schlaraffenland leben, geht es gut.) ***Wen** man dort trifft, der ist wahrscheinlich satt.* ***Wem** das Essen schmeckt, dessen Laune ist gut.* ***Wessen** Laune gut ist, dem gefällt das Leben.* ***Für wen** Stress kein Problem ist, mit dem kann man ganz entspannt zusammen sein.* ***Wer** im Schlaraffenland lebt, (der) muss nicht arbeiten.*	**generalisierende Aussage über Personen** 1. Satz: Relativsatz, beginnend mit *wer, wen* ... (Kasus abhängig vom Verb); 2. Satz: Hauptsatz, beginnend mit einem Demonstrativpronomen (*der, den ...*); (Kasus abhängig vom Verb). Wenn der Kasus im Hauptsatz der gleiche wie im Relativsatz ist, kann man das Relativpronomen weglassen.
C1 **was ...**, (das) ...	***Was** dir gut schmeckt, (das) solltest du genießen.*	**generalisierende Aussage über Sachen**

B2

1 DAS BETT. Ergänzen Sie *wo, wohin, woher, als*.

1 Das Bett ist für viele ein Ort, ______________ sie sich zurückziehen, wenn es ihnen nicht gut geht.

2 In der Phase, ______________ sie sehr oft im Bett lag, ging es ihr nicht gut.

3 Das ist das Geschäft, ______________ ich meine Matratze habe.

4 Früher waren die Betten viel kürzer. Das war zu einer Zeit, ______________ die Menschen im Sitzen schliefen.

5 Das Bett ist ein Ort, ______________ wir mindestens ein Drittel unseres Lebens verbringen.

B2

2 EINDRÜCKE VOM GEBURTSTAGSFEST. Wozu gehört der Relativsatz? Unterstreichen Sie.

1 Ich habe ein Geschenk bekommen, über das ich mich sehr gefreut habe.
2 Ich habe ein Geschenk bekommen, worüber ich mich sehr gefreut habe.
3 Ich habe einen alten Freund getroffen, was ich sehr schön fand.
4 Ich habe einen alten Freund getroffen, den ich sehr nett finde.
5 Zum Essen gab es Nudeln, die ich gerne mag.
6 Als Vorspeise gab es Obst, was ich ein bisschen komisch fand.
7 Zum Essen gab es etwas, was ich ein bisschen komisch fand.

B2

3 Bezieht sich der Relativsatz auf ein Nomen, ein Indefinitpronomen oder den ganzen Satz? Markieren Sie das korrekte Relativpronomen.

1 Er hat etwas gesagt, *das/was* mich geärgert hat.
2 Er hat einen Satz gesagt, *der/was* mich geärgert hat.
3 Das war das schönste Geschenk, *das/was* ich bekommen habe.
4 Das war das Schönste, *das/was* ich in meinem Leben gesehen habe.
5 Wir fahren nach Griechenland, *auf das/worauf* ich mich schon sehr freue.
6 Wir machen Urlaub in Griechenland, *das/was* ich dir ja schon gesagt habe.
7 Wir machen Urlaub in einem Land, *das/was* ich noch nicht kenne.

B2

4 ZEIT UND ZEITGEFÜHL. Ergänzen Sie ein Relativpronomen mit *w-* in den Sätzen.

1 An Weihnachten gibt es mehrere freie Tage, ______________ sich viele freuen.
2 Erst wenn man sich ein bisschen langweilt, wird man kreativ, ______________ ich interessant finde.
3 Langeweile ist also etwas, ______________ durchaus produktiv sein kann.
4 Ich musste ewig warten, ______________ ich mich sehr aufgeregt habe.
5 Man sollte sich regelmäßig eine Auszeit nehmen, ______________ auch Ärzte hinweisen.
6 Zeit ist das Einzige, ______________ man nicht vermehren kann.
7 Wie verschiedene Kulturen mit Zeit umgehen, ist etwas, ______________ sich die Forschung beschäftigt.

B2

5 BEZIEHUNGEN. Schreiben Sie generalisierende Relativsätze.

> 1 *Wer dreimal lügt, dem glaubt man nicht mehr.*

1 ______________ dreimal lügt, ______________ glaubt man nicht mehr.
2 ______________ man Freund nennt, ______________ schätzt man sehr.
3 ______________ ein guter Freund ist, ______________ muss einen guten Charakter haben.
4 ______________ man helfen kann, ______________ sollte man auch helfen.
5 ______________ ich oft helfe, ______________ hilft auch mir.
6 ______________ ich liebe, ______________ möchte ich beschützen.

C1

6 WEICHE FAKTOREN. Formulieren Sie Relativsätze mit *wer, wem, wessen* und *was*.

> 1 *Was im Beruf eine wichtige Fähigkeit neben Fachwissen ist, (das) nennt man Soft Skills.*

1 *Eine Sache* ist im Beruf eine andere wichtige Fähigkeit neben Fachwissen. *Diese Sache* nennt man Soft Skills.
2 *Eine Person* hat viele Ideen und setzt sie auch um. *Diese Person* kann man eigeninitiativ nennen.
3 Ich arbeite schon lange mit *einer Person* zusammen. Ich kenne *sie* ziemlich gut.
4 Ich habe Vertrauen zu *jemandem*. Ich arbeite gerne mit *ihm* zusammen.
5 *Jemand* hat viele unterschiedliche Herausforderungen zu meistern. *Seine* Belastbarkeit muss groß sein.
6 *Eine Sache* ist nicht einfach. *Diese Sache* stellt eine Herausforderung dar.
7 Die Soft Skills *einer Person* sind gut. *Ihr* Ansehen im Unternehmen ist hoch.

Sie trainieren alleine? Arbeiten Sie mit 43, 44

Partnerseite 9: Relativsätze

Partner/-in A

B2

1 GEMEINSAM EINEN KRIMINALFALL LÖSEN. WAS IST PASSIERT? Fragen und antworten Sie abwechselnd. Sie formulieren aus den orangefarbenen Sätzen eine Frage mit Relativsatz. Ihre Partnerin / Ihr Partner kontrolliert und antwortet dann. Sie kontrollieren die Antwort mit der Lösung in Grau. Dann stellt Ihre Partnerin / Ihr Partner eine Frage, Sie kontrollieren und formulieren Ihre Antwort aus den orangefarbenen Sätzen mit einem Relativsatz.

1 Auf dem Boden liegt ein Messer. Was für ein Messer ist das?
Das ist das Messer, mit dem das Fenster geöffnet wurde.
2 Wer ist der unangenehm aussehende Herr, der an der Tür steht?
Das ist Herr Schleicher. In seine Wohnung wurde eingebrochen.
3 Der Mann ist anscheinend gerade schnell gelaufen. Wer ist das?
Das ist der Mann, der jeden Morgen hier vorbeijoggt und dem das offene Fenster aufgefallen ist.
4 Was für Spuren sind das, die vom Fenster zur Straße führen?
Das sind Spuren von dem Mountainbike. Herr Schleicher hat gestern Nacht damit eine Tour gemacht.
5 Der Mann hat eine große Tasche dabei. Wer ist das?
Das ist der Nachbar, der gerade von der Nachtschicht zurückkommt.
6 Wer ist die Frau, die im Nachbarhaus hinter der Gardine steht?
Man sagt von ihr, dass sie ein Verhältnis mit Herrn Schleicher hat.
7 Die Frau dort hat eine Hundeleine in der Hand. Wer ist das?
Das ist eine neue Nachbarin, deren Hund eine verdächtige Tasche gefunden hat.
8 Was für eine Tasche ist das, die der Kriminalbeamte gerade durchsucht?
Der Hund hat die Tasche gefunden und in der Tasche hat man zerfetzte Papiere gefunden.
9 Auf den Papierfetzen kann man einen Mann und eine Frau erkennen. Was für Papierfetzen sind das?
Das sind Reste von den Fotos, die der Dieb gestohlen, zerfetzt und versteckt hatte.
10 Was für ein Farbtopf ist das, der von der Fensterbank gefallen ist?
Mit der Farbe hat Herr Schleicher gestern das Fenster gestrichen.

C1

2 GEMEINSAM DEN KRIMINALFALL LÖSEN (TEIL 2). Sie ergänzen im orangefarbenen Satz ein Relativpronomen mit *w-* oder *als* und lesen den Satz vor. Ihre Partnerin / Ihr Partner kontrolliert. Dann liest der/die andere den nächsten Satz vor und Sie kontrollieren mit dem Lösungssatz in Grau.

1 Das Aufbrechen des Fensters hat wahrscheinlich Lärm gemacht, ... aber anscheinend niemand gehört hat.
2 Der Einbruch geschah in der Zeit, *als* Herr Schleicher auf der Fahrradtour war.
3 Der Nachbar vermutete, dass sich seine Frau häufig mit Herrn Schleicher getroffen hatte, ... er aber nicht beweisen konnte.
4 Als er seine Frau darauf ansprach, sagte sie, es sei nichts vorgefallen, *wofür* sie sich entschuldigen müsse.
5 Herr Schleicher, der Fotograf ist, wollte bei jedem Treffen Fotos von sich und der Nachbarin machen, ... die Nachbarin aber nicht einverstanden war.
6 Sie hoffte, dass sie alles, *was* sie belasten konnte, vernichtet hatte.
7 Die Kriminalbeamten mussten allen Beteiligten viele Fragen stellen, ... sich insbesondere Herr Schleicher sehr geärgert hat.
8 Die Polizei fand nichts, *was* auf den Täter hindeutete.

(Die Auflösung des Kriminalfalls siehe Seite 308)

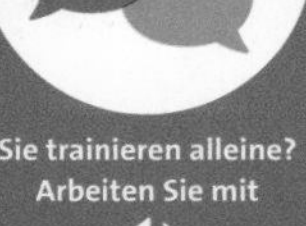

Partnerseite 9: Relativsätze

Partner/-in B

Sie trainieren alleine? Arbeiten Sie mit 43, 44

1 GEMEINSAM EINEN KRIMINALFALL LÖSEN. WAS IST PASSIERT? Fragen und antworten Sie abwechselnd. Ihre Partnerin / Ihr Partner stellt Ihnen eine Frage. Sie kontrollieren die Frage mit der Lösung in Grau. Dann formulieren Sie aus den Sätzen in Türkis eine Antwort mit Relativsatz. Der/Die andere kontrolliert. Danach formulieren Sie aus den türkisen Sätzen eine Frage mit Relativsatz. Der/Die andere kontrolliert.

1 Was für ein Messer ist das, das auf dem Boden liegt?
Mit dem Messer wurde das Fenster geöffnet.
2 Dort steht ein unangenehm aussehender Herr an der Tür. Wer ist das?
Das ist Herr Schleicher, in dessen Wohnung eingebrochen wurde.
3 Wer ist der Mann, der anscheinend gerade schnell gelaufen ist?
Der Mann joggt jeden Morgen hier vorbei und ihm ist das offene Fenster aufgefallen.
4 Spuren führen vom Fenster zur Straße. Was für Spuren sind das?
Das sind Spuren von dem Mountainbike, mit dem Herr Schleicher gestern Nacht eine Tour gemacht hat.
5 Wer ist der Mann, der eine große Tasche dabeihat?
Das ist der Nachbar. Er kommt gerade von der Nachtschicht zurück.
6 Im Nachbarhaus steht eine Frau hinter der Gardine. Wer ist das?
Das ist die Frau, von der man sagt, dass sie ein Verhältnis mit Herrn Schleicher hat.
7 Wer ist die Frau, die eine Hundeleine in der Hand hat?
Das ist eine neue Nachbarin. Ihr Hund hat eine verdächtige Tasche gefunden.
8 Der Kriminalbeamte durchsucht gerade eine Tasche. Was für eine Tasche ist das?
Das ist die Tasche, die der Hund gefunden hat und in der man zerfetzte Papiere gefunden hat.
9 Was für Papierfetzen sind das, auf denen man einen Mann und eine Frau erkennen kann?
Das sind Reste von den Fotos. Der Dieb hatte sie gestohlen, zerfetzt und versteckt.
10 Ein Farbtopf ist von der Fensterbank gefallen. Was für ein Farbtopf ist das?
Das ist die Farbe, mit der Herr Schleicher gestern das Fenster gestrichen hat.

C1 **2 GEMEINSAM DEN KRIMINALFALL LÖSEN (TEIL 2). Ihre Partnerin / Ihr Partner spricht und Sie kontrollieren mit dem Lösungssatz in Grau. Dann ergänzen Sie im türkisen Satz ein Relativpronomen mit *w*- oder *als* und lesen den Satz vor. Der/Die andere kontrolliert.**

1 Das Aufbrechen des Fensters hat wahrscheinlich Lärm gemacht, *was* aber anscheinend niemand gehört hat.
2 Der Einbruch geschah in der Zeit, ... Herr Schleicher auf der Fahrradtour war.
3 Der Nachbar vermutete, dass sich seine Frau häufig mit Herrn Schleicher getroffen hatte, *was* er aber nicht beweisen konnte.
4 Als er seine Frau darauf ansprach, sagte sie, es sei nichts vorgefallen, ... sie sich entschuldigen müsse.
5 Herr Schleicher, der Fotograf ist, wollte bei jedem Treffen Fotos von sich und der Nachbarin machen, *womit* die Nachbarin aber nicht einverstanden war.
6 Sie hoffte, dass sie alles, ... sie belasten konnte, vernichtet hatte.
7 Die Kriminalbeamten mussten allen Beteiligten viele Fragen stellen, *worüber* sich insbesondere Herr Schleicher sehr geärgert hat.
8 Die Polizei fand nichts, ... auf den Täter hindeutete.

(Die Auflösung des Kriminalfalls siehe Seite 308)

73 Doppelkonnektoren

Entweder A oder B

Sprechtraining 45

Doppelkonnektor	Bedeutung		Beispiel
sowohl ... als auch	beides	A + B	*Im Internet kann man **sowohl** Zeitung lesen **als auch** einkaufen.*
nicht nur ..., sondern auch	beides (das 2. betont)	A + B	*Das Internet ist **nicht nur** ein Informationsmedium, **sondern auch** eine Kommunikationsplattform.*
entweder ... oder	eines von beidem	A oder B	*Man kann **entweder** einen Computer **oder** ein Smartphone benutzen.*
weder ... noch	beides nicht	nicht A, nicht B	*In manchen Ländern stehen **weder** Youtube **noch** Wikipedia zur Verfügung.*
teils ..., teils	ein bisschen von beidem	ein bisschen A, ein bisschen B	*Viele Menschen benutzen ihr Smartphone **teils** zum Telefonieren, **teils** als mobilen Internetzugang.*
zwar ..., aber	positiv / negativ; negativ / positiv	A ☺ B ☹ oder A ☹ B ☺	*Im Internet zu surfen ist **zwar** interessant, **aber** es kostet auch viel Zeit.*
einerseits ..., andererseits	zwei Aspekte	A = 1 Aspekt B = 1 Aspekt	*Das Internet ist **einerseits** ein gutes Informationsmedium, **andererseits** werden dort auch falsche Informationen verbreitet.*
je ..., desto **je ..., umso**	B abhängig von A, beides wird mehr, beides wird weniger	↗A ↗B ↘A ↘B	***Je** länger man im Internet surft, **desto** weniger Zeit hat man für andere Dinge.*

je **+ Komparativ (+ Nomen)**	**Subjekt**	**Verb am Ende**	***desto / umso*** **+ Komparativ (+ Nomen)**	**Verb = Position 2**	**Subjekt**	
Je schneller	das Internet	ist,	**desto** schneller **umso** teurer **desto** mehr Arbeit	kann ist schafft	man es. man.	arbeiten.
Je mehr Computer	im Netzwerk	sind,	**desto** langsamer	wird	das Internet.	

Nebensatz (je-Teil) — Hauptsatz (desto/umso-Teil)

C1 Wenn das Nomen einen Artikel braucht, steht der Artikel vor *je* oder *desto / umso*:
Ein je schnelleres Auto man fährt, ein desto vorsichtigerer Fahrer muss man sein.

C1 *Nicht nur ..., sondern auch*: Wenn es im zweiten Teil des Satzes ein Subjekt und ein Verb gibt, stehen Subjekt und Verb zwischen *sondern* und *auch*: *Sie ist nicht nur sehr schön, sondern (sie) arbeitet auch viel.*

B2

1 MEIN JOB ALS LEHRER IST TOLL! Ergänzen Sie die Doppelkonnektoren.

1 Ich habe ________________ nette Kollegen, ________________ eine gute Chefin.

2 Und ich habe ________________ günstige Arbeitszeiten ________________ lange Ferien.

3 Außerdem habe ich ________________ eine langweilige ________________ eine nutzlose Arbeit.

4 ________________ länger ich Lehrer bin, ________________ lieber unterrichte ich.

5 ________________ bleibe ich bis zur Rente auf diesem Arbeitsplatz ________________ ich arbeite später einmal im Ausland.

6 ________________ möchte ich in dieser Schule bleiben, ________________ ist ein Auslandsaufenthalt auch sehr interessant.

7 Im Ausland würde ich ________________ meinen Horizont erweitern, ________________ ich müsste meine wunderbare Stelle hier aufgeben. Das wäre schade.

8 Ich habe ________________ Lust, ________________ Angst, ins Ausland zu gehen.

B2

2 Schreiben Sie allgemeine Aussagen mit *je ..., desto / umso* und *man*.

1 viel Freizeit haben • viele Hobbys haben können
2 viel Sport treiben • fit sein
3 viel Geld verdienen • viel Geld ausgeben
4 viele Kinder haben • viel Arbeit und viel Spaß haben
5 wenig schlafen • müde sein
6 alt sein • gerne alleine sein
7 schnell arbeiten • schnell fertig sein
8 gut kochen können • das Essen lecker sein

1 Je mehr Freizeit man hat, desto mehr Hobbys kann man haben.

B2

3 ESSEN GEHEN. Schreiben Sie Sätze. Verwenden Sie Doppelkonnektoren.

1 in der Nähe • kein gutes Restaurant, keine gemütliche Kneipe *(beides nicht)*
2 die Fahrt zum Restaurant • ziemlich weit, lohnt sich *(negativ/positiv)*
3 als Vorspeise • kalte und warme Speisen *(beides)*
4 die Gerichte • mit Knoblauch, mit frischen Kräutern gewürzt *(ein bisschen von beidem)*
5 der Wein • exzellenter Geschmack und genau die richtige Temperatur *(beides, das Zweite betont)*
6 im Restaurant können Sie bezahlen • bar oder mit Kreditkarte *(eines von beidem)*
7 ich gehe oft in dieses Restaurant • ich bin begeistert *(beides wird mehr)*
8 ich würde gerne jeden Tag in dem Restaurant essen • zu Hause essen ist auch gemütlich *(2 Aspekte)*

C1

4 IST DAS WAHR? *Je ... desto.* Schreiben Sie die Sätze.

1 Je länger man studiert, ... *(ein hohes Gehalt • bekommen)*
2 Je intelligenter man ist, ... *(eine hohe Position • haben)*
3 Je schlechter der Führungsstil des Chefs ist, ... *(ein schlechtes Betriebsklima in der Firma • herrschen)*
4 Je länger eine Konferenz dauert, ... *(eine große Ermüdung der Anwesenden • sich zeigen)*
5 Je weniger eine Maßnahme begründet wird, ... *(ein großer Unwille aufseiten der Betroffenen • zu bemerken sein)*

C1

5 EINE VERANSTALTUNG. Verbinden Sie die Sätze mit *nicht nur ..., sondern auch.*

1 Die Show war in der Presse beworben worden und man hatte in der Umgebung viele Plakate aufgehängt.
2 Die Veranstaltung war für die Einheimischen attraktiv und es kamen viele Touristen.
3 Es gab sehr gute Musik und man konnte spektakuläre Tanzdarbietungen sehen.
4 Die Bühne war sehr groß und die Lichtanlage war hervorragend.
5 Die Presse war begeistert und empfahl eine Verlängerung der Show.
6 Obwohl der Eintritt teuer war und gleichzeitig ein wichtiges Fußballspiel stattfand, war die Veranstaltung sehr gut besucht.

74

Negationswörter
nie, nirgends, nicht mehr

B2

Sprechtraining 46

Mit meiner Interrail-Karte kann ich überallhin fahren.
Sie haben keine Fahrkarte? Ohne Fahrkarte kommen Sie nirgendwohin.

Negationswort	Beispiel		Bemerkung
nicht	positiv: negativ:	*Ich kann weiterfahren.* *Ich kann **nicht** weiterfahren.*	Negation des ganzen Satzes oder eines Satzteils
kein ...	positiv: negativ:	*Ich habe **eine** Karte.* positiv: *Ich habe Geld.* *Ich habe **keine** Karte.* negativ: *Ich habe **kein** Geld.*	Negation von *ein* und von Nomen ohne Artikel muss dekliniert werden
ohne	positiv: negativ:	***mit** einer Fahrkarte* ***ohne** Fahrkarte*	*ohne* + Akkusativ, meistens ohne Artikel vor dem Nomen
niemand/ keiner	positiv: negativ:	***Jeder** kann die Karte kaufen.* **Alle** können sie kaufen. ***Niemand / keiner** kann die Karte kaufen.*	
niemand	positiv: negativ:	*Ich kenne **jemand(en)** mit Karte.* *Ich kenne **niemand(en)** mit Karte.*	muss nicht obligatorisch dekliniert werden
nirgends/ nirgendwo	positiv: negativ:	*Man findet sie* überall. *Man findet sie **nirgends / nirgendwo**.*	
nirgendwohin	positiv: negativ:	*Ich kann* überallhin *fahren.* *Ich kann **nirgendwohin** fahren.*	
nichts	positiv: negativ:	*Man bezahlt **viel / alles**.* *Man bezahlt **nichts**.*	
nie niemals	positiv: negativ:	*Ich kaufe **immer** eine Karte.* *Ich kaufe **nie / niemals** eine Karte.*	
noch kein ...	positiv: negativ:	*Ich habe **schon eine** Karte gekauft.* *Ich habe **noch keine** Karte gekauft.*	muss dekliniert werden
noch nie	positiv: negativ:	*Ich habe **schon immer** eine Karte gehabt.* *Ich habe **noch nie** eine Karte gehabt.*	
noch nie / noch nicht	positiv: negativ:	*Ich war **schon (oft)** im Ausland.* *Ich war **noch nie / noch nicht** im Ausland.*	
nicht mehr	positiv: negativ:	*Fährst du **noch** los?* *Ich fahre **nicht mehr** los.*	
kein ... mehr	positiv: negativ:	*Ich habe **noch eine** Karte.* *Ich habe **keine** (Karte) **mehr**.*	muss dekliniert werden
un-	positiv: negativ:	*Meine Karte ist gültig.* *Meine Karte ist **un**gültig.*	
in-	positiv: negativ:	*Er ist tolerant.* *Er ist **in**tolerant.*	nur bei Fremdwörtern
-los	positiv: negativ:	*Ich habe Fantasie.* *Ich bin fantasie**los**.*	*-los* hat immer eine abwertende Bedeutung. Neutral: *Ich habe keine Fantasie.*

1 GLÜCKSKIND UND PECHVOGEL. Negieren Sie den Monolog.

Das Leben ist wirklich gerecht. Ich habe alles! Mein Leben ist voller Freude! Ich habe Geld und Freunde. Und ich bin beliebt, jeder mag mich. Ich kann überallhin fahren. Ich war schon oft in fremden Ländern und ich kann auch noch oft wegfahren. Ich habe einfach immer Glück! Meine Situation ist absolut akzeptabel.

Das Leben ist wirklich ungerecht.

2 VIELE FRAGEN. Antworten Sie mit *noch nie / noch kein ... / noch nicht / nicht mehr / kein ... mehr.*

- Glaubst du, dass Thomas noch kommt? – Nein, ich glaube, ______ [1]
- Warst du schon oft in diesem Club? – Nein, ______ [2]
- Hast du schon oft Prosecco getrunken? – Nein ______ [3] Prosecco, nur Sekt.
- Hast du schon mal Salsa getanzt? – Nein, ______ [4]
- Hast du noch Lust zu bleiben? – Nein, ______ [5]
- Hast du schon den Führerschein? – Nein, ______ [6]
- Machst du ihn noch dieses Jahr? – Nein, dieses Jahr ______ [7]
- Hast du schon mal einen Mercedes gehabt? – Nein, ______ [8] Mercedes, aber ich habe mir mal einen BMW gekauft.
- Hattest du danach noch Geld? – Nein, gar ______ [9]

3 DIE MENSCHEN SIND UNTERSCHIEDLICH. Ergänzen Sie *nicht, kein(e)* oder *nichts.*

Manche Menschen wollen alles kontrollieren, andere planen ______ [1]. Diese wollen sich ______ [2] festlegen und haben ______ [3] das Bedürfnis, heute schon zu wissen, was morgen passiert. Sie wollen ______ [4] To-do-Listen machen, während andere unglücklich sind, wenn ihr Tag ______ [5] strukturiert ist. Das ist eigentlich ______ [6] Problem, denn es muss ja ______ [7] jeder so sein wie der andere. Aber es geht oft ______ [8] gut, wenn jemand, der ______ [9] vorher überlegt, mit jemandem zusammenkommt, der ______ [10] Spontaneität hat und es ______ [11] aushalten kann, wenn ______ [12] im Vorhinein organisiert ist. Dann hilft vielleicht ______ [13] anderes als getrennte Wege zu gehen.

4 GELD ODER ZEIT? Fügen Sie die Wörter oder Präfixe ein.

nie • nirgendwo • kein • nichts • niemand • keine • keine • ohne • keine • un- • noch nie • nicht mehr • kein • in-

Man sagt, Geld macht nicht glücklich, aber ______ [1] Geld ist alles ______ [2]. Aber was ist schlimmer – ______ [3] Geld oder ______ [4] Zeit? Wenn man immer Geld hat, aber ______ [5] Zeit, ist das Leben auf jeden Fall ______ [6] akzeptabel. ______ [7] wird sagen, dass Geld alleine hilft; das wäre ______ [8] überlegt. Mit Geld kann man sich schließlich ______ [9] Gesundheit und ______ [10] Liebe kaufen. Aber wer ______ [11] einen schönen Urlaub gemacht hat, aus Geldmangel ______ [12] war, für den ist Geld sehr erstrebenswert. Wenn man allerdings einmal wirkliche Armut gesehen hat, wird man ______ [13] behaupten, dass Geld ______ [14] Glücksfaktor ist.

75 Irgend...
Hat irgendjemand irgendetwas gesehen?

B2

Irgendwer hat meine Schlüssel *irgendwohin* gelegt. Das kommt mir *irgendwie* komisch vor.

- *Irgend...* kann mit vielen Fragewörtern, dem indefiniten Artikel und einigen Indefinitpronomen kombiniert werden.
- *Irgend...* = etwas Unbekanntes, Beliebiges: Ich habe keine genaueren Informationen / betone die Beliebigkeit.
- *Irgend...* wird meistens mündlich in der Umgangssprache gebraucht. Es kann – abhängig vom Tonfall – abwertend klingen.

***Irgend...* ohne Nomen**

für Personen	für Sachen	für Orte	für Zeit	für Methoden / oft vor Adjektiven
irgendjemand* irgendwer** irgendeiner** irgendeine** irgendeins** irgendwelche**	irgend(et)was irgendeins** irgendwelche**	irgendwo irgendwohin irgendwoher	irgendwann	irgendwie

* Kann dekliniert werden.
** Muss dekliniert werden. ► Kapitel 51

Irgendjemand, *irgendwer* und *irgendeiner* haben die gleiche Bedeutung.

Irgend... steht an der Stelle, wo das Satzteil, das es repräsentiert, stehen würde. Zum Beispiel: *irgendwann* = temporal, *irgendwie* = modal. ► Kapitel 4

***Irgend...* als Artikel vor einem Nomen**

	maskulin	neutral	feminin	Plural
Nominativ	irgendein Mann	irgendein Kind	irgendeine Frau	irgendwelche Leute
Akkusativ	irgendeinen Mann	irgendein Kind	irgendeine Frau	irgendwelche Leute
Dativ	irgendeinem Mann	irgendeinem Kind	irgendeiner Frau	irgendwelchen Leuten
Genitiv	irgendeines Mannes	irgendeines Kindes	irgendeiner Frau	irgendwelcher Leute

Im Singular: *irgend* + indefiniter Artikel; im Plural: *irgend* + *welche* (dekliniert).

1 AUFMERKSAMKEIT. Ergänzen Sie die Wörter aus dem Kasten.

irgendetwas • irgendwer • irgendjemand • irgendetwas • irgendwann • irgendwann • irgendwo • irgendetwas • irgendwann

Leider hat meine Wohnung sehr dünne Wände. Gestern hat sich ___ [1] im Haus sehr aufgeregt. Er hat geschrien und geschimpft. ___ [2] hat er gerufen: Sag doch endlich ___ [3]! Siehst du mich ___ [4] vielleicht mal an? Immer liest du nur ___ [5]! Du bist ___ [6], aber nicht hier! Endlich hat ___ [7] zurückgeschrien: Kann ich ___ [8] auch mal ___ [9] ohne dich tun?

2 *Irgend...* als Artikel. Ergänzen Sie.

1 Kinder sollten nicht mit irgend___ Mann auf der Straße sprechen und sie dürfen nie mit irgend___ fremden Person mitgehen.

2 Wenn ich irgend___ Leute sehe, die irgend___ Sachen einfach auf die Straße werfen, rege ich mich auf.

3 Es hat irgend___ Mann im Hotel angerufen, er hatte irgend___ wichtige Information. Ich habe weder seinen Namen noch irgend___ Telefonnummer von ihm. Wie findet man die Telefonnummer irgend___ unbekannten Mannes? Hast du irgend___ Vorschlag? Hast du mit irgend___ neuen Gast gesprochen?

3 Setzen Sie das Wort mit *irgend...* an die korrekte Position.

1 Können wir das Problem heute lösen? *(irgendwie)*
2 Er kommt zu mir ins Büro. *(irgendwann)*
3 Ich mache spontan zwei Wochen einfach Urlaub. *(irgendwo)*
4 Hast du für die Nachbarn im Garten gegrillt? *(irgendetwas)*
5 Die Katze hat das Fleisch heute Morgen gestohlen. *(irgendwo)*
6 Du musst dich unbedingt bei deiner Lehrerin entschuldigen. *(irgendwann)*
7 Ich habe mich schon den ganzen Tag komisch gefühlt. *(irgendwie)*

4 Bilden Sie aus zwei Sätzen einen Satz und benutzen Sie ein Wort mit *irgend...*

1 Ein Mann hat angerufen, ich weiß nicht, wer.
2 Sie ist heute Nacht nach Hause gekommen, aber ich weiß nicht, wann.
3 Er hat viele Probleme, aber ich weiß nicht genau, welche.
4 Sie kommt nicht allein zur Party, sie bringt jemanden mit, den ich nicht kenne.
5 Als er kam, hat er komisch reagiert. Ich kann nicht genau erklären, wie.
6 Er hat etwas gesagt, aber ich habe es nicht genau gehört.
7 Ich fühle mich schlecht. Ich kann es nicht genau erklären.
8 Sie hat sich ein Motorrad gekauft. Ich weiß nicht, welche Marke.
9 Sie ist gegangen. Ich weiß nicht, wohin.
10 Das Baby hat Schmerzen, aber es kann nicht sagen, wo.
11 Ich möchte nicht hier sein. Ich möchte an einem anderen Ort sein.

1 Irgendein Mann hat angerufen.

C1

5 FEHLERSÄTZE. Korrigieren Sie die Fehler in den Wörtern mit *irgend...*

Auf unserem nächsten Betriebsausflug wollen wir irgendwo fahren. Es ist nicht leicht, irgendetwas Ziel zu finden, das allen gefällt. Es gibt immer irgendein, der nicht zufrieden ist. Jetzt haben wir eine Liste mit irgendeine Orten zusammengestellt, über die wir abstimmen. Hoffentlich finden wir irgendwo. Ich möchte gerne irgendwohin gut essen auf dem Ausflug.

76 Position und Direktion

rauf, runter, stehen, stellen, legen

Sprechtraining 47, 48

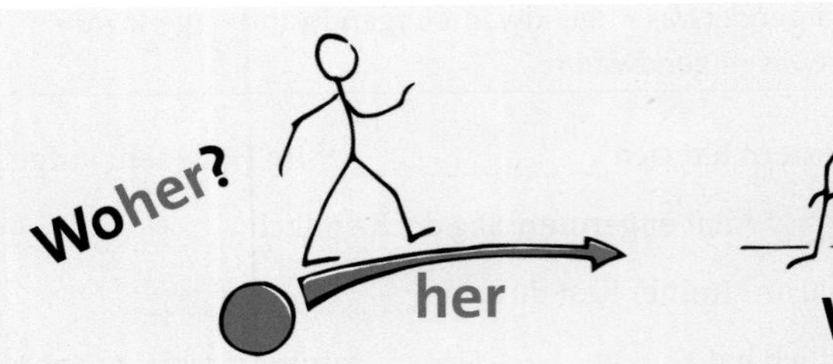

Wo?

Woher? (Herkunft)	Wo? (Position)	Wohin? (Direktion)
von **oben**	**oben**	nach **oben** Präfix: hinauf- / herauf- = **rauf-** / hoch-
von **unten**	**unten**	nach **unten** Präfix: hinunter- / herunter- = **runter-**
von **drüben**	**drüben**	nach **drüben** Präfix: hinüber- / herüber- = **rüber-**
von **drinnen**	**drinnen**	nach **drinnen** Präfix = hinein- / herein = **rein-**
von **draußen**	**draußen**	nach **draußen** Präfix = hinaus- / heraus = **raus-**
von **dort** / **dort**her von **da** / **da**her	**dort** **da**	**dort**hin **da**hin
	hier	**hier**hin / **hier**her Präfix: hin- / her-
von **überall** / **überall**her	**überall**	**überall**hin
von **(n)irgendwo** / **(n)irgendwo**her	**(n)irgendwo**	**(n)irgendwo**hin

hin bedeutet „vom Sprecher weg“, *her* bedeutet „auf den Sprecher zu“. Heutzutage benutzt man *hin* und *her* nicht mehr so exakt und die Formen *raus, runter* etc. bedeuten sowohl *hin* als auch *her*.
rauf, runter, rein, raus werden vor allem in der Umgangssprache verwendet.

Verben für Direktion / Aktion – Wohin? (Diese Verben sind regelmäßig)	Verben für Position / Situation – Wo? (Diese Verben sind unregelmäßig)
stellen **stellte** **gestellt**	**stehen** **stand** **gestanden**
setzen **setzte** **gesetzt**	**sitzen** **saß** **gesessen**
legen **legte** **gelegt**	**liegen** **lag** **gelegen**
hängen **hängte** **gehängt**	**hängen** **hing** **gehangen**

1 **Ergänzen Sie die umgangssprachlichen Formen und die schriftlichen Formen *rauf* und *nach oben*, *runter* und *nach unten* ...**

1 Es regnet. Nimm einen Schirm mit, wenn du *raus* / *nach draußen* gehst.

2 Der Aufzug fährt immer ______ / ______ und ______ / ______.

3 Die Mutter sagt zu ihrem Kind: „Bring bitte dein Fahrrad ______ / ______ in den Keller."

4 Ich gehe mal eine Stunde ______ / ______ zu meiner Nachbarin nebenan.

5 Ich bin hier auf dem Baum. Komm doch auch ______ / ______.

6 Ihr Zimmer ist im fünften Stock. Sie können mit dem Aufzug ______ / ______ fahren.

7 Meine Frau ist im Garten. Gehen Sie doch zu ihr ______ / ______.

8 Es regnet, kommen Sie lieber ______ / ______.

2 **Ergänzen Sie.**

dahin / dorthin • dahin / dorthin • nirgendwo • hierher • nirgendwo • da / dort • dahin / dorthin • da / dort • überallhin • überall

da = dort
dahin = dorthin

1 Waren Sie schon mal in Rom? – Nein, ich war noch nie ______, aber ich möchte so gerne mal ______ fahren.

2 Kannst du bitte mal ______ kommen?

3 Thomas ist im Park, geh doch auch ______.

4 Wenn Sie ins Museum möchten, müssen Sie ______ zum Eingang gehen.

5 Wo bist du? Im Museum? Ich bin auch gleich ______.

6 Wenn man viel Geld hat, kann man natürlich ______ fahren, aber ich arme Kirchenmaus war noch ______.

7 Meine Brille ist weg! Ich habe schon ______ gesucht, aber ich kann sie ______ finden.

3 **Position oder Direktion? Markieren Sie das korrekte Verb und den korrekten Artikel.**

1 *Setzt / Sitzt* du das Baby bitte *im / in den* Kinderstuhl? Es möchte immer neben *der / die* Oma *setzen / sitzen*.
2 Mein Fahrrad *steht / stellt im / in den* Keller. Du kannst deins *im / in den* Garten oder *an der / an die* Mauer *stehen / stellen*.
3 Er *steht / stellt* die Blumen *ins / in dem* Wasser. Die Vase *steht / stellt* schon *auf dem / auf den* Tisch.
4 Kannst du bitte das Baby *ins / in dem* Bett *legen / liegen*?
5 Kommst du mit *im / ins* Schwimmbad? Ich möchte mich ein bisschen *in der / in die* Sonne *legen / liegen*.
6 Der Vater *setzt / sitzt* sich heute *auf das / auf dem* Sofa. Sonst *setzt / sitzt* er immer *im / in den* Sessel.
7 Wir haben das Bild jetzt *im / ins* Esszimmer *gehängt / gehangen*. Früher *hängte / hing* es *im / ins* Wohnzimmer.
8 Kannst du bitte die Bücher *auf dem / auf den* Stuhl *legen / liegen*? *Auf dem / Auf den* Tisch *legt / liegt* schon so viel Papier.

4 **Markieren Sie die korrekte Form des Partizips II.**

1 Das Bild hat früher über dem Kamin *gehängt / gehangen*.
2 Hast du dein Fahrrad in den Keller *gestellt / gestanden*?
3 In der Schule habe ich meistens neben Magdalena *gesetzt / gesessen*.
4 Wo ist mein Schlüssel? Der hat doch gerade noch hier *gelegt / gelegen*.
5 Warum hast du dich auf den unbequemsten Stuhl *gesetzt / gesessen*?
6 Ich habe heute meine Sommerkleider in den Schrank *gehängt / gehangen*.
7 Mein Vater hat sich früher nach der Arbeit eine Stunde aufs Sofa *gelegt / gelegen*.
8 Ich habe eine halbe Stunde in der Schlange *gestellt / gestanden*.

77 Es

Wann brauche ich es?

B2

Sprechtraining 49

Es surrt und es summt!
Ich bin es leid, dauernd dieses esssssssss zu hören!
Es gibt einfach zu viele Insekten auf der Welt!
Es muss etwas dagegen unternommen werden!

1. „es“ muss immer benutzt werden.		
a) „es“ ist ein Pronomen:		
Das Insekt ist lästig. ***Es*** *ist lästig.*	für Subjekt (Nominativ)	
Ich hasse das Insekt. Ich hasse ***es****.**	für Objekt (Akkusativ)	
Biologen finden Insekten nützlich. Einige sind ***es**** *wirklich.*	für ein Adjektiv	
Viele Leute fliehen vor den Insekten. Ich tue ***es**** *auch.*	für einen ganzen Satz	
b) „es“ ist nur grammatikalisches, inhaltsloses Subjekt oder Objekt:		
es *geht mir gut, mich juckt* ***es*** *…*	Befinden	„es“ ist Subjekt
es *regnet, heute schneit* ***es***, ***es*** *stürmt …*	Wetter	
es *klingelt,* ***es*** *surrt, hier kracht* ***es*** *…*	Geräusche	
es *gibt,* ***es*** *handelt sich um,* ***es*** *geht um,* ***es*** *kommt darauf an, heute hängt* ***es*** *davon ab,* ***es*** *dreht sich um …*	Thema	
Ich habe ***es*** *eilig, ich meine* ***es*** *gut, sie macht* ***es*** *sich leicht, sie hat* ***es*** *weit gebracht, er hat* ***es*** *auf XY abgesehen, ich bin* ***es*** *leid …**	Ausdrücke, in denen „es“ ein unbestimmtes Objekt ist	
Sie ist ***es****.*	*sein* und zwei Nominative	

* In diesem Fall kann „es“ nicht auf Position 1 stehen.

2. „es“ fällt bei der Umstellung des Satzes weg.	
a) „es“ verweist auf einen Nebensatz:	
Es *ist wichtig, dass du kommst. Dass du kommst, ist wichtig.*	– *dass*-Satz
Es *ist die Frage, wann sie kommt. Wann sie kommt, ist die Frage.*	– indirekter Fragesatz
Es *ist schön, was sie mitgebracht hat. Was sie mitgebracht hat, ist schön.*	– Relativsatz
Es *hat mich gefreut, sie kennenzulernen. Sie kennenzulernen, hat mich gefreut.*	– Infinitiv mit *zu*
b) „es“ als Platzhalter: Die Position 1 darf nicht frei bleiben, deshalb wird sie mit „*es*“ besetzt.	
Es *wird getanzt. Heute wird getanzt.*	– im subjektlosen Passivsatz
Es *sind viele Gäste gekommen. Viele Gäste sind gekommen.*	– zur Betonung eines Satzteils

1 **FEHLERSÄTZE: DAS WETTER IN DEUTSCHLAND. Wo fehlt ein „es"? Ergänzen Sie.**

Heute geht *es* mir gut, denn die Sonne scheint und regnet nicht. Mir gefällt sehr, wenn das Wetter gut ist, vor allem, wenn warm ist. Leider gibt nicht so oft schönes Wetter in Deutschland. Manchmal denke ich, wäre gut, auszuwandern. Aber ist auch nicht so leicht, die Heimat zu verlassen und in einem anderen Land neu anzufangen. Und hängt ja nicht nur vom Wetter ab, wie man sich fühlt.

2 **Bilden Sie Sätze und benutzen Sie die angegebenen Verben.**

es eilig haben • es hängt von ... ab • es handelt sich um • es kommt auf ... an • es geht • es lohnt sich • es gibt • es ist möglich

1 in Berlin • die meisten Nationalitäten • deutschlandweit
2 bei dem vorliegenden Buch • ein moderner Roman
3 unsere Stimmung • das Wetter
4 heute • ich • nicht so gut wie gestern
5 er • jeden Morgen • leider
6 beim Einkaufen • auf die Preise achten
7 für ein gutes Arbeitsklima • die Beziehungen zu Kollegen und Kolleginnen und Chef oder Chefin
8 nicht immer • im Winter • in Deutschland • in den Bergen • Ski fahren

1 In Berlin gibt es die meisten Nationalitäten deutschlandweit.

3 **ARBEITSLOSIGKEIT. Verändern Sie die Wortstellung. Schreiben Sie die unterstrichenen Satzteile an den Satzanfang. Fällt „es" weg oder nicht?**

1 Es wurde ihm vorgestern gekündigt.
2 Es ärgert ihn, dass ihm gekündigt wurde.
3 Es fehlt das Geld.
4 Es ist jetzt wichtig, zu sparen.
5 Es ist auch wichtig, nicht aufzugeben.
6 Es folgen viele Tage mit viel Freizeit.
7 Es machte ihn immer müde, so lange zu arbeiten.
8 Es gibt nicht viele Stellen in der Region.
9 Es kommt auf die Kollegen und Kolleginnen an, ob er sich bei der Arbeit wohlfühlen wird.
10 Es ist natürlich gut, eine Arbeit zu haben.
11 Es ist vielleicht gut, ein gutes Gehalt zu haben.
12 Es spielt keine große Rolle, wie viel man verdient.
13 Es wird viel zu viel über Arbeit und Geld geredet.

4 **GEWITTER. Welche Funktion hat „es" hier? Pronomen (1), inhaltsloses Subjekt (2), „es" verweist auf einen Nebensatz (3), Platzhalter im Passivsatz (4).**

Es donnert und blitzt. (__)[1] **Es** gibt ein Gewitter. (__)[2] Manchmal ist **es** befreiend, ein Gewitter zu haben. (__.)[3] Manchen Leuten macht **es** aber auch Angst. (__)[4] **Es** wird gezittert und gejammert, bis das Gewitter vorbei ist. (__)[5] Dabei ist **es** in Deutschland höchst unwahrscheinlich, dass ein Blitz in ein Haus einschlägt. (__)[6] Am sichersten ist **es**, im Auto zu sein (__)[7], denn **es** ist durch die Reifen gut isoliert. (__)[8] **Es** wird immer wieder gesagt (__)[9], dass man nicht unter hohen Bäumen stehen soll und auch Wasser *(Schwimmbad, Meer)* sofort verlassen soll, denn **es** zieht Blitze an. (__)[10]

5 **VITAMIN D. Worauf bezieht sich „es"? Unterstreichen Sie.**

Es ist wichtig, genügend Vitamin D zu haben, denn **es** schützt unseren Körper vor vielen Krankheiten. Vitamin D ist eigentlich kein Vitamin, **es** ist ein Prohormon. Unser Körper erzeugt **es** mithilfe des Sonnenlichts zunächst als Provitamin D. **Es** ist gut, dass das Provitamin D lichtempfindlich ist, denn wenn wir länger in der Sonne bleiben, wird **es** wieder abgebaut. Deshalb ist **es** unmöglich, eine Vitamin-D-Vergiftung zu bekommen. **Es** kommt also nicht darauf an, besonders lange in der Sonne zu bleiben, sondern regelmäßig kurze Sonnenbäder zu nehmen. Ich tue **es** möglichst täglich.

78 Funktionsverbgefüge 1

Wir müssen jetzt eine Entscheidung treffen

B2

Sprechtraining 50

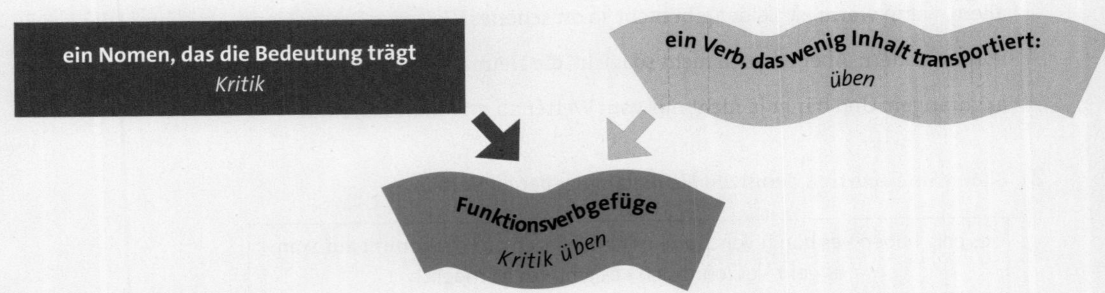

Die Verben in Funktionsverbgefügen haben nur die Funktion, für das Nomen da zu sein.
Das Nomen (mit Präposition) hat die Position eines Verbgefährten im Satz. ▶ Kapitel 5

	Verb 1		Information direkt zum Verb	Verb 2
Die Studierenden	**wollen**	an den Plänen	**Kritik**	**üben.**

Funktionsverbgefüge kommen insbesondere in formellen Texten vor, zum Beispiel in Zeitungsartikeln, wissenschaftlichen und bürokratischen Texten. Aber einige Funktionsverbgefüge werden auch in der gesprochenen Sprache häufig verwendet: *Abschied nehmen, Freundschaft schließen, einen Rat geben, ...*

Die Formen von Funktionsverbgefügen können nicht (kaum) verändert werden:

- Präposition + Nomen + Verb
  (mit und ohne Artikel, definit und indefinit): *in Kauf nehmen, zur Kenntnis nehmen*
- Akkusativ + Verb
  (mit und ohne Artikel, definit und indefinit): *Kritik üben, einen Antrag stellen, den Vorzug geben*
  selten: Dativ + Verb: *sich einer Untersuchung (D) unterziehen*
  C1 selten: Genitiv + Verb: *der Klärung (G) bedürfen, sich seiner Taten (G) rühmen*

Negation

1. Bei Funktionsverbgefügen mit Präpositionen: *etwas in Auftrag geben – etwas **nicht** in Auftrag geben*
(falsch: ~~*etwas in keinen Auftrag geben*~~)

2. Bei Funktionsverbgefügen ohne Präposition gelten die normalen Negationsregeln: ▶ Kapitel 6, 74

positiv: *einen Beitrag leisten* — negativ: ***keinen** Beitrag leisten*
positiv: *seinen Abschied nehmen* — negativ: ***nicht** seinen Abschied nehmen*

3. Wenn vor dem Nomen im Singular kein Artikel steht, kann *nicht* oder *kein* gebraucht werden.
positiv: *Kritik üben* — negativ: ***nicht** Kritik üben* (auch: ***keine** Kritik üben)*
Empfehlung: Negation mit *nicht*

1 IM ALLTAG. Häufige Funktionsverbgefüge in der mündlichen Sprache. Formulieren Sie die Sätze um. Verwenden Sie die Funktionsverbgefüge in Klammern. Achten Sie auf die Wortstellung.

1 Mein Zug geht in einer Stunde. Wir müssen uns jetzt leider verabschieden. *(Abschied nehmen)*
2 Bitte setzen Sie sich. *(Platz nehmen)*
3 Die Lehrer unterrichten jede Woche mehr als 20 Stunden. *(Unterricht geben)*
4 Sollen wir uns für nächste Woche verabreden? *(eine Verabredung treffen)*
5 Ich habe bei der Behörde gefragt. Aber sie haben noch nicht geantwortet. *(eine Antwort geben)*
6 Ich möchte für das nächste Wochenende etwas vorschlagen. *(einen Vorschlag machen)*
7 Das Wetter ist bei unseren Plänen natürlich auch wichtig. *(eine Rolle spielen)*

1 Wir müssen jetzt leider Abschied nehmen.

2 Formulieren Sie die Sätze um. Verwenden Sie die Funktionsverbgefüge in Klammern.

1 Wir müssen in dieser Angelegenheit bald entscheiden. *(eine Entscheidung treffen)*
2 Wir müssen unbedingt das Thema Arbeitszeit ansprechen. *(zur Sprache bringen)*
3 Die Arbeitnehmer wollen streiken. *(in Streik treten)*
4 Arbeitnehmer und Arbeitgeber wollen am nächsten Wochenende weiterverhandeln. *(weitere Verhandlungen führen)*
5 Die Arbeitgeber müssen ihre Meinung dazu sagen. *(Stellung nehmen)*
6 Beide Seiten müssen zu einem Ergebnis beitragen. *(einen Beitrag leisten)*

3 FEHLERSÄTZE. Korrigieren Sie die falschen Wortpositionen. Schreiben Sie die Sätze richtig.

1 Unfähige Führungskräfte werden zur Verantwortung oft nicht gezogen.
2 Durch die Fehlentscheidungen des Managements kamen in Bedrängnis die Mitarbeitenden.
3 Der Betriebsrat wollte ein Gespräch sofort mit den Verantwortlichen führen.
4 Durch die kurzfristigen Entlassungen standen die Mitarbeitenden schnell eine neue Arbeit zu finden unter Druck.
5 Jeder Einzelne muss die Initiative selbst in dieser Situation ergreifen.
6 Alle Maßnahmen werden in Kraft schon ab nächster Woche treten.

1 Unfähige Führungskräfte werden oft nicht zur Verantwortung gezogen.

4 Negieren Sie die Funktionsverbgefüge. Manchmal gibt es zwei Möglichkeiten.

1 sich nicht in Acht nehmen

1 sich in Acht nehmen
2 Anklage erheben
3 in Gang kommen
4 in Kraft treten
5 ein Risiko eingehen
6 die Konsequenz ziehen
7 die Initiative ergreifen
8 Kritik üben
9 Rücksicht nehmen
10 den Eindruck machen
11 den Rat geben
12 einen Vertrag schließen
13 zu Ende gehen
14 in Schwung kommen
15 Einfluss nehmen

5 a) EIN KREUZWORTRÄTSEL. Lesen und ergänzen Sie.

1 Einfluss ...
2 einen Rat ...
3 einen Vertrag ...
4 ein Risiko ...
5 eine Frage ...
6 zu Ende ...
7 einen Antrag ...
8 eine Entscheidung ...
9 Kritik ...
10 ein Gespräch ...
11 Rücksicht ...
12 Eindruck ...

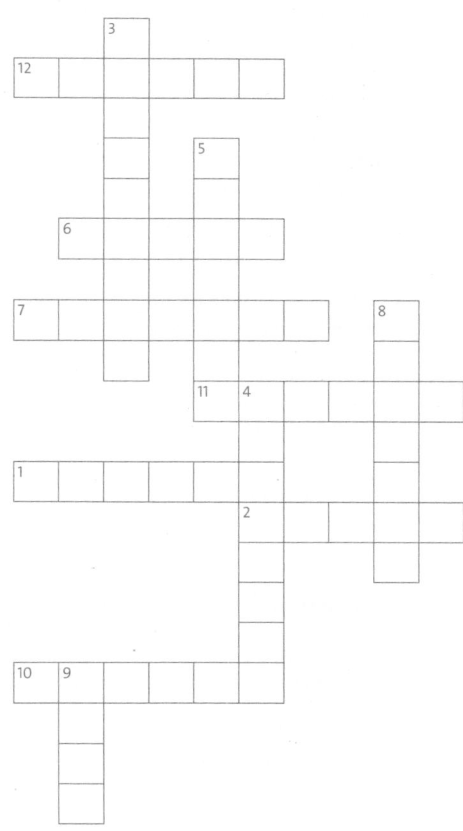

b) PROBLEME BEI DER ARBEIT. Formen Sie die Sätze um. Benutzen Sie neun Funktionsverbgefüge aus Aufgabe 5 a). Achten Sie auf die Zeitform.

1 Die Kollegen hatten ihr geraten, diese Klasse nicht zu unterrichten.
2 Sie hat den Rat nicht beachtet und sich trotzdem vertraglich verpflichtet.
3 Sie hat es riskiert und hat den Direktor etwas gefragt.
4 Sie sprachen ausführlich miteinander.
5 Ihr Vertrag endete früher, weil sie das beantragt hatte.
6 Sie hatte falsch entschieden und kritisierte sich selbst.

79 Funktionsverbgefüge 2

In Aufregung versetzen oder in Aufregung geraten?

Der morgige Termin versetzt sie in Aufregung.

Sie gerät in Aufregung.

Sie ist in Aufregung.

In Funktionsverbgefügen haben die Verben ihre ursprüngliche Bedeutung fast ganz verloren. Sie haben nur die Funktion, für das Nomen da zu sein.

Einige Bedeutungen von Verben in Funktionsverbgefügen

Bedeutung	Verben	Beispiel
aktivisch	***versetzen**, bringen, stellen, setzen, ziehen, schenken, treten*	*in Aufregung versetzen* (= jemanden aufregen)
passivisch (Prozess)	***geraten****, *kommen, finden, gelangen*	*in Aufregung geraten* (= aufgeregt werden, sich aufregen)
passivisch (Zustand)	***sein**, sich befinden, genießen, stehen, bekommen, erhalten, erfahren*	*in Aufregung sein* (= aufgeregt sein)

* Das Verb *geraten* enthält zusätzlich die Bedeutung von „gegen den Willen".

Beziehungen zwischen Funktionsverbgefüge und einfachem Verb

	Funktionsverbgefüge	einfaches Verb
Es gibt ein inhaltsgleiches einfaches Verb.	***eine Entscheidung treffen***	*entscheiden*
Es gibt ein Verb aus derselben Wortfamilie, aber die Bedeutung ist anders.	*Sie **erteilt** **dem Journalisten** **eine Absage**.*	*Sie sagt **den Termin** ab.*
Die Bedeutung ist (fast) gleich, aber man verwendet Verb und Funktionsverbgefüge in unterschiedlichen Kontexten.	*jmd. **Hilfe leisten*** (formell) (falsch: *Bitte leiste mir bei dieser Aufgabe Hilfe.*)	*Bitte hilf mir bei dieser Aufgabe.*
Je nach Verb im Funktionsverbgefüge ändert sich die Perspektive.	***in Aufregung versetzen*** (aktivisch) ***in Aufregung geraten*** (passivisch) ***in Aufregung sein*** (Zustand)	***Das** regt mich auf.* ***Ich** rege mich auf.* ***Ich bin** aufgeregt.*
Die Bedeutung ist (fast) gleich, aber die Grammatik ändert sich.	*Ich **stelle** **dir** **eine Frage**.* *Ich **mache den Vorschlag**, **einen Ausflug zu unternehmen**.*	*Ich frage **dich**.* *Ich schlage **einen Ausflug** vor.*
Es gibt kein entsprechendes einfaches Verb mit der Bedeutung.	***in Kraft treten*** ***ein Geschäft abschließen*** ***etwas zur Verfügung stellen***	– – –

Funktionsverbgefüge sind mehr oder weniger stark veränderbar

unvariabel, lexikalisiert
kann nicht verändert werden, kann keinen Artikel und kein Adjektiv haben, kann nur mit *nicht* verneint werden
zum Beispiel: *etwas in Kauf nehmen*

veränderbar, aber oft zusammen
zum Beispiel: *(k)eine (gute / schlechte) Entscheidung treffen*

1 Formulieren Sie die Sätze um. Verwenden Sie die Wörter in Klammern und achten Sie auf die Veränderung in der grammatischen Struktur.

1 Viele der Teilnehmenden haben die Absicht, den Präsidenten etwas zu fragen. *(jmd. eine Frage stellen)*
2 Sie kritisieren die Politik der letzten Jahre. *(Kritik üben an* + Dativ)
3 Sie möchten die Entscheidung beeinflussen. *(Einfluss nehmen auf* + Akkusativ)
4 Sie klagen die Verantwortlichen des Skandals an. *(Anklage erheben gegen* + Akkusativ)
5 Sie empören sich darüber, dass der Präsident sie zu spät informiert hat. *(Anstoß nehmen an)*
6 Sie hoffen, dass sie von vielen Menschen unterstützt werden. *(Unterstützung finden bei* + Dativ)

2 Aktivische Bedeutung, passivische Bedeutung oder Zustand? Ergänzen Sie die Verben.

1 **bringen • kommen**
Ich weiß nicht, wie ich dieses Projekt in Gang __________ soll. Das letzte Projekt hat nicht so lange gebraucht, bis es in Gang __________ __________ *(Perfekt)*.

2 **bringen • kommen • sein**
Kommst du mit? – Nein, ich muss diese Arbeit erst noch zu Ende __________.
Wenn du so langsam arbeitest, __________ du nie zu einem Ende.
Doch, warte noch fünf Minuten, dann __________ das Meeting zu Ende und ich kann Feierabend machen.

3 **bringen • geraten / kommen • sein**
Er wusste nicht, wie er in Verdacht __________ __________ *(Plusquamperfekt)*. Erst später erfuhr er, dass sein Nachbar ihn in Verdacht __________ __________ *(Plusquamperfekt)*. Nachdem er zwei Wochen in Verdacht __________ __________ *(Plusquamperfekt)*, wurde seine Unschuld bewiesen.

4 **ausüben • geraten • stehen**
Ich verstehe nicht, wie mein Freund unter den Einfluss dieser Gruppe __________ __________ *(Perfekt)*. Er __________ vollkommen unter dem Einfluss seiner neuen Freunde. Durch ihr Verhalten __ sie einen sehr ungünstigen Einfluss auf meinen Freund __________ *(Perfekt)*.

5 **finden • schenken**
Man sollte nicht jedem kleinen Problem zu viel Beachtung __________. Die großen Probleme sollten aber unbedingt die Beachtung aller __________.

6 **versetzen • geraten**
Seine Frechheit __________ mich immer wieder in Erstaunen. Und er findet es so normal, dass er nicht versteht, warum ich in Erstaunen __________.

3 SPORT. Aktivisch oder passivisch? Ergänzen Sie das passende Verb.

1 Es ist wichtig, dass uns eine gute Ausrüstung zur Verfügung __________.
Der Verein __________ uns freundlicherweise die Materialien zur Verfügung. *(stellen • stehen)*

2 Der Trainer __________ großen Respekt bei der Mannschaft. Auch die Fans __________ ihm Respekt __________. *(entgegenbringen • genießen)*

3 Grobe Fouls müssen auf jeden Fall unter Strafe __________. Ich finde es richtig, dass die Sportorganisation grobe Fouls unter Strafe __________. *(stellen • stehen)*

4 Für einen Spielertransfer, sind die beiden Vereine in Verhandlungen __________. Noch gibt es kein Ergebnis. Beide Seiten __________ noch immer in Verhandlung. *(treten • stehen)*

5 Die Spieler __________ unter hohem Erfolgsdruck. Das Gefühl, dieses Jahr genauso erfolgreich sein zu müssen wie im letzten Jahr, __________ die Spieler unter Druck. *(setzen • stehen)*

4 **DISKUSSIONEN IN DER REISEGRUPPE. Schreiben Sie die Sätze mit einem Funktionsverbgefüge als Passivsatz. Der Akteur entfällt. Beachten Sie die Zeitform.**

1 Die Reiseleiterin stellte der Gruppe drei Touren zur Auswahl. *(zur Auswahl stehen)*
2 Die Teilnehmenden brachten dem Redner großen Respekt entgegen. *(Respekt genießen)*
3 Die Reiseagentur stellte den Teilnehmenden Fahrräder für Tagestouren zur Verfügung. *(zur Verfügung stehen)*
4 Die schwierigen Wetterverhältnisse brachten die Teilnehmenden in eine schwierige Lage. *(in eine Lage kommen)*
5 Ein kleines Mädchen in der Reisegruppe brachte sie auf eine gute Idee. *(auf eine Idee kommen)*
6 Die anderen Teilnehmenden stimmten dem Vorschlag gerne zu. *(Zustimmung erfahren)*

1 Der Gruppe standen drei Touren zur Auswahl.

5 **NACHBARN. Formen Sie die Sätze um. Verwenden Sie das Verb und den Akteur in Klammern.**

1 Ich gerate immer wieder in Wut. *(meine lauten Nachbarn • bringen)*
2 Diese lästige Angelegenheit muss jetzt endlich zum Abschluss kommen. *(ich • bringen)*
3 Gestern ist ein neuer Plan zur Ausführung gekommen. *(ich • bringen)*
4 Meine Nachbarn sind in Erstaunen geraten. *(ich • versetzen)*
5 Denn als sie wieder laut wurden, haben sie eine Nachricht bekommen. *(mein Hund • überbringen)*

1 Meine lauten Nachbarn bringen mich immer wieder in Wut.

6 a) **Nomen und Verben in Gruppen. Welches Verb passt zu der Nomengruppe? Ordnen Sie zu.**

wecken • stehen • stellen • nehmen • leisten • begehen • machen • geben • finden • stoßen

1	2	3	4	5
einen Rat	zur Verfügung	zur Verfügung	Anerkennung	Interesse
Unterricht	zur Auswahl	zur Auswahl	Trost	Hoffnungen
die Erlaubnis	infrage	infrage	Beachtung	Erinnerungen
eine Antwort	zur Diskussion	zur Diskussion	Beifall	Emotionen
einen Auftrag	unter Druck	einen Antrag	Unterstützung	Erwartungen
das Versprechen	in Verbindung	eine Aufgabe	Zustimmung	Assoziationen
______	______	______	______	______

6	7	8	9	10
Eindruck	auf Kritik	Platz	Hilfe	ein Verbrechen
Angst	auf Unverständnis	in Anspruch	Gesellschaft	einen Mord
sich Sorgen	auf Zustimmung	Rücksicht	Folge	Selbstmord
einen Unterschied	auf Ablehnung	Stellung	einen Beitrag	eine Straftat
einen / den Vorwurf	auf Resonanz	in Besitz	Verzicht	einen Diebstahl
		Bezug	einen *(guten)* Dienst	einen Fehler
______	______	______	______	______

b) **Zu welcher Nomengruppe in 6a) passen die Nomen? Schreiben Sie das passende Verb.**

1 Verständnis *finden* *(= verstanden werden)*
2 Einfluss ______ *(= beeinflussen)*
3 unter Beweis ______ *(= beweisen)*
4 den Anfang ______ *(= anfangen)*
5 Ersatz ______ *(= etwas als Ersatz geben)*
6 unter Strafe ______ *(= verboten sein)*
7 in Rechnung ______ *(= berechnen, Geld fordern)*
8 auf Probleme ______ *(= Probleme finden)*
9 Neugier ______ *(= neugierig machen)*
10 Fahrerflucht ______ *(= sich nach einem Unfall von der Unfallstelle unerlaubt entfernen)*

7 ***Begehen, schließen, versetzen* oder *wecken*? Ergänzen Sie das Verb in der passenden Zeitform.**

Ich kenne einen Musiker, dessen Musik mich immer in gute Laune ________________ [1] *(Präsens)*. Der Musiker erzählte mir, dass er als Jugendlicher mehrere Gewaltdelikte ____________ ________________ [2] *(Konjunktiv 1)*. In einem Jugendzentrum lernte er dann einen Gitarristen von einer Samba-Band kennen und ________________ [3] *(Präteritum)* mit ihm Freundschaft. Dieser Musiker ________________ bei ihm das Interesse für lateinamerikanische Musik ________________ [4] *(Perfekt)*. Diese Musik ________________ [5] *(Präteritum)* ihn in einen rauschhaften, glücklichen Zustand. Er lernte selbst Gitarre spielen, ________________ [6] *(Präteritum)* mit seinen ehemaligen Feinden Frieden und gründete eine Band. Seine Musik ist sehr kraftvoll und poetisch und ________________ [7] *(Präsens)* Hoffnungen auf eine bessere Welt.

- etwas Negatives machen: *begehen*
- zwei Parteien einigen sich: *schließen*
- hervorrufen, verursachen: *wecken*

8 **DIENSTWAGEN. *stehen* oder *stellen*? Streichen Sie das falsche Verb.**

Firmen *stehen/stellen* Mitarbeitenden in höheren Positionen oft Dienstwagen zur Verfügung. Diese Regelung sollte man meiner Meinung nach in Frage *stehen/stellen*. Jedem Menschen *stehen/stellen* öffentliche Verkehrsmittel zur Verfügung und überall *steht/stellt* der Autoverkehr zur Diskussion. Für mich *steht/stellt* auch zur Diskussion, ob man Werbung für Autos unter Strafe *stehen/stellen* sollte.

9 **a) EIN KREUZWORTRÄTSEL. Lesen und ergänzen Sie.**

1 etwas in Zweifel ...
2 zum Ausdruck ...
3 in Betracht ...
4 sich eine Meinung ...
5 den Beweis ...
6 im Gegensatz ...
7 Anklage ...
8 Beifall ...
9 zur Einsicht ...
10 die Konsequenz ...
11 in Vergessenheit ...
12 in Erfahrung ...

9, 12▼/4, 1, 3, 6, 8, 7, 2, 5, 11, 10

b) VOR GERICHT. Formen Sie die Sätze um. Benutzen Sie acht Funktionsverbgefüge aus Aufgabe 9a).

1 Die Polizei konnte beweisen, dass Herr N. zur Tatzeit am Tatort war.
2 Der Staatsanwalt klagte ihn wegen öffentlicher Ruhestörung an.
3 Der Angeklagte erklärte seine Sicht der Ereignisse sehr eloquent.
4 Seine Aussage wurde vom Publikum sehr wohlwollend aufgenommen.
5 Allerdings waren die Aussagen des Angeklagten und die der drei Zeugen gegensätzlich.
6 Der Richter bezweifelte die Angaben des Angeklagten.
7 Der Angeklagte sah ein, dass ihm nur noch die vollständige Wahrheit helfen konnte.
8 Er hoffte, dass diese unglückliche Angelegenheit bald vergessen sein würde.

80 Wörter mit *da-*

Da ist Assenheim. Da habe ich lange gewohnt. Dabei wollte ich eigentlich nie in einem Dorf leben.

Da ist Assenheim. *Da* habe ich lange gewohnt.
Dabei wollte ich eigentlich nie in einem Dorf leben.

Bedeutung	Beispiel	Bemerkung
Ortsangabe	*Ich habe lange in Kenia gewohnt.* ***Da*** (= in Kenia) *ist es immer warm.*	Adverb
	Am Platz ist eine Apotheke und links ***daneben*** (= neben der Apotheke) *ist das Kino.*	Kombinationen aus *da* + Präposition
Richtungsangabe	*Sie fliegt nach Rom. Er fährt auch* ***dahin****.*	Kombinationen aus *da* + *hin / her / rüber / runter*
	Siehst du den Tisch dort? Kannst du den Ordner bitte ***darauf*** (= auf den Tisch) *legen?*	Kombination aus *da* + Präpositionen
Zeitangabe	*Ich bin letzte Woche mit dem Zug nach Hause gefahren,* ***da*** (= als ich letzte Woche mit dem Zug nach Hause gefahren bin) *stand eine Kuh auf dem Gleis.*	Adverb
	Ich war nicht gerne im Kindergarten. ***Damals*** (= in der Zeit, als ich im Kindergarten war) *wollte ich lieber alleine spielen.*	Adverb (ein Bezug auf Ereignisse in der weiter zurückliegenden Vergangenheit, die Ereignisse müssen vorher genannt worden sein). Auch als Adjektiv: *damalig*
	Ich muss jetzt erst etwas essen, ***danach*** (= nach dem Essen) *können wir spazieren gehen.*	Kombinationen aus *da* + Präposition *(nach, vor, bei, zwischen)*
	Er arbeitet und hört ***dabei*** *Musik.* (beim Arbeiten, temporale Präposition.) *Er fühlt sich nicht wohl dabei.* *Ich bin gerade dabei, den Kaffee zu machen.*	besonders häufig wird *dabei* für zwei parallele Handlungen verwendet: *(gerade) dabei sein, etwas zu tun*; idiomatisch: *Was ist schon dabei?* (= Das ist nicht schlimm / unangenehm.)
Pronomen	*Interessierst du dich auch für den IT-Kurs?* *– Ja, ich interessiere mich sogar sehr* ***dafür*** (= für den IT-Kurs).	Pronomen für Dinge bei Verben mit Präpositionen
	Er lässt sich nicht alles gefallen. *Und ich finde,* ***damit*** *hat er recht.*	Das Pronomen bezieht sich auf die Aussage des ganzen vorhergehenden Satzes.
	Interessierst du dich ***dafür****,* *was deine Nachbarn machen?*	Das Pronomen verweist auf einen nachfolgenden Nebensatz.
Nebensatzkonnektor	***Da*** *ich ein Jobangebot in Köln hatte, bin ich dorthin umgezogen.*	kausale Nebensätze
	Ich muss mich beeilen, ***damit*** *der Bericht rechtzeitig fertig wird.*	finale Nebensätze

Sprechtraining 51

Konnektoren, die Hauptsätze verbinden	*Ich bin nicht gekommen.* ***Darum/Daher*** *ist er sauer.*	konsekutiv, nennt die Konsequenz, die aus einem vorher genannten Grund folgt (= deshalb)
	Er ist immer zu spät gekommen. ***Daraufhin*** *hat ihm sein Chef gekündigt.*	verbindet zwei Handlungen konsekutiv miteinander
	Er ist zur Party gekommen. ***Dabei*** *hatte er eigentlich keine Zeit* (= obwohl er eigentlich keine Zeit hat). *Dabei, weißt du, ich ...*	konzessiv (= obwohl). Die einschränkende Bedeutung ist weniger ausgeprägt als bei *obwohl, dabei* kann in der Umgangssprache auch als allgemeiner Anschluss verwendet werden, im Sinne von *übrigens.*
Kombinationen mit Verben	***Hast*** *du einen Regenschirm* ***dabei*** (= bei dir)? *Es könnte gleich regnen.* *Das ist eine wichtige Sache. Du musst unbedingt* ***dranbleiben*** (= dich weiter darum kümmern).	Diese Wörter sind in Kombinationen mit Verben sehr häufig.* Die Verben sind eher umgangssprachlich. Das *da*-Wort wird oft gekürzt, z. B. *dranbleiben.* Das *da*-Wort in dem Verb kann konkrete oder übertragene Bedeutung haben.

* Die Verben werden meistens zusammengeschrieben, z. B. *dabeihaben, dableiben, dalassen.* Ausnahme: *da sein.*

1 Was bedeutet *da* in den Sätzen? Ergänzen Sie die Erklärung wie im Beispiel.

1 Er war 23. Da (= *als er 23 war*) lernte er Susanne kennen.

2 Ich wollte aus dem Haus gehen. Da (= ______________) kam der Schornsteinfeger.

3 Warst du schon mal auf dem Feldberg? Bei gutem Wetter hat man da (= ______________) einen tollen Panoramablick.

4 Wir kamen im Schwimmbad an. Da (= ______________) fing es an zu regnen.

5 Wir wollten gerade die Straße überqueren. Da (= ______________) fuhr ein Auto um die Ecke.

6 Wie war die Party? – Ach, es geht. Da (= ______________) war nicht viel los.

2 Wann kann man *damals/damalig...* verwenden? Wann muss man *früher* verwenden? Ergänzen Sie die Sätze mit den Wörtern aus dem Schüttelkasten.

damalig... • früher • früher • damals • damals • früher

1 Meine Großeltern erzählen gerne von ______________.

2 Sie sind in den 1960er-Jahren aufgewachsen. ______________ gab es keine Computerspiele oder Smartphones.

3 1999 war ich mehrere Monate im Ausland. ______________ hatte ich noch keine Kinder.

4 In der Zeit war ich beruflich sehr gestresst. Mein ______________ Chef war sehr pedantisch.

5 Viele ältere Leute sagen, dass ______________ alles besser gewesen sei. Ich glaube, dass es ______________ und heute Gutes und Schlechtes gab und gibt.

3 **a) Schreiben Sie Sätze mit *dabei* wie im Beispiel.**

1 Essen ist mir wichtig. Ich will dabei nicht an meine Arbeit denken.

1 Essen ist mir wichtig. Ich will während des Essens nicht an meine Arbeit denken.
2 Ich sehe oft mit meinen Freunden Serien. Wenn wir Serien sehen, essen wir gerne Chips.
3 Computerspiele spielen ist auch ein Sport. Beim Spielen trainiert man die Auge-Hand-Koordination.
4 Kochen ist eine anspruchsvolle Tätigkeit. Während des Kochens muss man sich konzentrieren.
5 Er lebt so ungesund. Er arbeitet bis in die Nacht und trinkt beim Arbeiten viel Kaffee.
6 Bitte stör mich nicht. Ich schreibe gerade das Protokoll. Ich muss mich beim Schreiben konzentrieren.

b) Schreiben Sie Sätze mit *dabei* + Infinitiv mit *zu* wie im Beispiel.

1 Ich bin gerade dabei, die Fotos zu suchen.

1 Ich bin gerade damit beschäftigt, die Fotos zu suchen.
2 Wir sind gerade im Begriff, aus dem Haus zu gehen.
3 Ich kümmere mich gerade darum, die Blumen zu gießen.
4 Jetzt gerade telefoniert sie mit ihrer Mutter.
5 Ich schreibe in diesem Moment das Protokoll.
6 Du bekommst das Dokument sofort. Ich schicke es jetzt ab.

4 **Welche Bedeutung hat *dabei*? Konzessiv oder gleichzeitig? Formen Sie die Sätze mit *obwohl* oder *als/während* um.**

1 Er ist schnell gekommen, um mir zu helfen, obwohl ich das auch alleine geschafft hätte.
2 Als er gekommen ist, um mir zu helfen, hat er die Vase umgestoßen.

1 Er ist schnell gekommen, um mir zu helfen. **Dabei** hätte ich das auch alleine geschafft.
2 Er ist schnell gekommen, um mir zu helfen. **Dabei** hat er die Vase umgestoßen.
3 Er joggt regelmäßig fünfmal pro Woche. **Dabei** hört er klassische Musik.
4 Er joggt regelmäßig fünfmal pro Woche. **Dabei** hat er eigentlich keine Zeit dafür.
5 Sie spricht kaum Deutsch. **Dabei** lebt sie schon zwei Jahre in Deutschland.
6 Sie spricht gut Deutsch. Manchmal macht sie **dabei** noch ein paar kleine Fehler.

5 **Welche Bedeutung hat *damit*? Finaler Nebensatzkonnektor oder Pronomen? Formen Sie die Sätze wie im Beispiel um.**

1 ... mit meiner neuen Kaffeemaschine schmeckt der Espresso fantastisch.
2 ... mein Ziel war es, auch zu Hause guten Espresso trinken zu können.

1 Das ist meine neue Kaffeemaschine, **damit** schmeckt der Espresso fantastisch.
2 Ich habe mir eine neue Kaffeemaschine gekauft, **damit** ich auch zu Hause guten Espresso trinken kann.
3 Ich hatte mich beeilt, von der Arbeit nach Hause zu kommen, **damit** ich alles für meine Gäste vorbereiten konnte.
4 Meine Gäste sind schon kurz vor acht gekommen, **damit** hatte ich nicht gerechnet.
5 Ich will meinen Job wechseln, **damit** sind leider einige Probleme verbunden.
6 Ich will meinen Job wechseln, **damit** ich nicht mehr so weit zur Arbeit fahren muss.

6 **Ergänzen Sie das passende Verb aus dem Schüttelkasten.**

dabei sein • dalassen • dabeihaben • dabei sein • dableiben • dafür sein • daraus machen • dranbleiben • dabeihaben • drüberschauen • dabei sein

1 Ich __________ __________, dass wir das jetzt besprechen.

2 Es ist gut, wenn man in Deutschland immer einen Schirm __________.

3 Kleine Kinder möchten überall ______________ ______________. Das ist ganz normal.

4 Was machst du? – Ich ______________ gerade ______________, die Wohnung aufzuräumen.

5 Ich kann nicht den ganzen Tag ______________. Ich muss auch mal einkaufen gehen.

6 Kannst du mir das Buch ______________? Ich würde es auch gerne lesen.

7 Ich bin mir nicht sicher, ob ich alles richtig geschrieben habe. Kannst du noch mal ______________?

8 Jeder hat mal Pech, das kommt vor. ______________ dir nichts ______________!

9 Ich habe mein Portemonnaie vergessen. ______________ du Geld ______________?

10 Sprachenlernen ist ein langer Prozess. Aber es ist wichtig, dass man ______________.

11 Manchmal mache ich kleine Fehler in der Deklination. Was ______________ schon ______________?

7 Was bedeutet das *da*-Wort in den Sätzen? Schreiben Sie die Nummer des Satzes in die Liste unten.

1 Ich warte schon lange **darauf**, dass er sich entschuldigt.
2 Sie wollte alles bestimmen, **dabei** hatte sie keine Ahnung.
3 Die Welt ist ungerecht. – Ja, **damit** hast du recht!
4 Ich bin selber schuld. – Was meinst du **damit**?
5 Er kommt heute nicht? **Davon** weiß ich nichts.
6 Siehst du das Gitter dort? Du kannst dein Fahrrad **daran** anschließen.
7 Frankfurt hat fast 700 000 Einwohner und ist **damit** die fünftgrößte Stadt in Deutschland.
8 2002 habe ich in Japan gearbeitet. **Damals** habe ich meinen Mann getroffen.
9 Die Ungerechtigkeit in der Gesellschaft hat ihre Gründe **darin**, dass es keine Bildungschancengleichheit gibt.
10 Was kommt im Fernsehen? – Erst kommt die Sportschau und **danach** ein Krimi.
11 Bleib doch noch ein bisschen **da**, es ist noch nicht so spät.
12 In Frankfurt sind die Bodenpreise extrem hoch. Ein Neubau ist **daher** sehr teuer.
13 **Da** die Bodenpreise sehr hoch sind, ist ein Neubau sehr teuer.
14 Ich habe ein Ehrenamt. **Damit** helfe ich anderen.
15 Mach doch bitte die Musik aus. **Dabei** kann ich mich nicht konzentrieren.
16 Kommst du am Wochenende? **Da** habe ich Zeit für dich.
17 Ich gebe meinem Kind ein Schulbrot mit, **damit** es sich in der Pause stärken kann.
18 Mein Kind soll sich in der Pause stärken, **darum** gebe ich ihm ein Schulbrot mit.
19 In Frankfurt reicht ein Mindestlohn nicht, um **davon** die Miete zu zahlen.
20 Leidest du unter der schlechten Stimmung hier? – Ja, ich leide **darunter**.
21 Ich suche nach einem Wort und komme nicht **darauf**.

lokales Adverb (Ort / Richtung): *6* ______________

temporales Adverb: ______________

verweist auf einen kommenden Nebensatz: ______________

Pronomen bei Verben mit Präpositionen: ______________

verweist auf den vorherigen Satz: ______________

konsekutiver Konnektor: ______________

Konnektor für zwei gleichzeitige Handlungen: ______________

Nebensatzkonnektor: ______________

konzessiver Konnektor: ______________

Präfix von einem Verb: ______________

***da*-Wörter verweisen immer auf den Kontext.**

81 Modalpartikeln

Im Kino waren wir doch gestern

Es gibt sehr viele Modalpartikeln im Deutschen und einige Modalpartikeln, zum Beispiel *doch*, werden in vielen verschiedenen Kontexten gebraucht. Die Bedeutung der Modalpartikeln kann man nicht ganz eindeutig beschreiben, sie muss immer auch aus dem Kontext erschlossen werden.

Modalpartikeln ändern nichts am Inhalt des Satzes. Sie „ölen" nur die Kommunkation. Sie zeigen an, wie der Sprecher den Inhalt des Satzes findet, welche Einstellung er zu dem Gesagten hat:
Im Kino waren wir gestern.
Im Kino waren wir doch gestern.

Modalpartikeln kommen in der informellen mündlichen Sprache häufig vor. In formeller mündlicher Sprache oder schriftlichen Texten sollte man sie nicht verwenden. (Die Liste unten ist nicht vollständig.)

Modalpartikel*	Beispiele	Bemerkungen	Grundbedeutung des Wortes
aber in Ausrufen	*Du bist **aber** groß geworden!*	Erstaunen, Emotion	Adversativer Konnektor: *Sie kommt, aber er hat keine Zeit.*
auch in Ja/Nein-Fragen	*Hast du **auch** den Schlüssel mitgenommen?*	Besorgnis	*Peter kommt, Susi auch* (= ebenfalls).
auch in W-Fragen	*Warum hat er das **auch** gemacht?*	Frage bekommt einen rhetorischen oder vorwurfsvollen Charakter.	
bloß in W-Fragen	*Was hat er **bloß**?*	Verwunderung / Ratlosigkeit (= Modalpartikel *nur*)	Adverb: *Ich habe bloß* (= nur) *5 Euro bei mir, kannst du mir etwas leihen?*
bloß in Aufforderungen	*Komm **bloß** her!* *Geh **bloß** nicht in den Film, es lohnt sich überhaupt nicht.*	Drohung, Warnung (= Modalpartikel *nur*)	
denn in Fragen	*Was ist **denn** hier passiert?* (Reaktion, z. B. auf eine chaotische Situation) *Kommt Dennis **denn** heute?* (Reaktion, z. B. auf die vorherige Frage, ob Dennis schon da ist)	Häufig eine Reaktion auf eine Situation. *Denn* kann z. B. Zweifel, Überraschung, Vorwurf, Freundlichkeit ausdrücken.	Kausaler Konnektor: *Ich komme nicht mit, denn ich habe keine Zeit* (= weil ich keine Zeit habe).
doch in Aussagesätzen	*Im Kino waren wir **doch** gestern. (Ich möchte lieber in die Disco gehen.)*	Kann bedeuten: Ich denke, dass du das auch weißt, und ich möchte eine andere Konsequenz daraus ziehen; manchmal ein Vorwurf.	▪ Positive Antwortpartikel: *Hast du keine Zeit? Doch, natürlich habe ich Zeit.* ▪ Adversativer Konnektor: *Er ist da, doch* (= aber) *er hat die Tickets vergessen.*
doch (mal) in Aufforderungen	*Probier **doch** (mal), es schmeckt lecker.*	macht die Aufforderung persönlicher / freundlicher	
doch in Ausrufesätzen	*Das darf **doch** nicht wahr sein!*	verstärkt die Überraschung / Empörung	
doch in Wunschsätzen	*Wenn er **doch** gleich käme!*	verstärkt den Wunsch	
eben in Aussagesätzen	*Er ist **eben** vor uns da gewesen.*	Resignation	Adverb: *Er war eben* (= gerade, vor Kurzem) *hier.*

eigentlich in Fragen	*Kannst du **eigentlich** Spanisch?*	Interesse (= Das wollte ich immer schon einmal fragen.)	Adjektiv, Adverb: *Der eigentliche* (= ursprüngliche) *Grund für seinen Besuch war, dass er um Hilfe bitten wollte.*
etwa in Fragen	*Willst du **etwa** zu Fuß gehen?*	verstärkt die Frage, Ungläubigkeit	Adverb: *Meine Heimatstadt hat etwa* (= ungefähr) *10 000 Einwohner.*
ja in Aussagesätzen	*Die Wohnung liegt **ja** so günstig.*	verweist auf gemeinsames Wissen (= Modalpartikel *doch*)	Positive Antwortpartikel: *Hast du Zeit? – Ja, natürlich.*
ja in Aufforderungen	*Geh **ja** nicht alleine, die ziehen dich über den Tisch.*	Warnung, Drohung	
ja in Ausrufesätzen	*Das ist **ja** toll!*	Erstaunen / Überraschung, oft ironisch	
mal in Aufforderungen und Aussagesätzen	*Ruf mich **mal** an* (= wenn du Zeit hast). *Ich rufe dich **mal** an* (= Ich rufe dich bei Gelegenheit an).	macht die Aussage unverbindlicher, weniger dringlich und dadurch freundlicher	Adverb (*mal = einmal*): *Sie ist einmal gekommen und dann nie wieder.*
nun einmal in Aussagesätzen	*Er ist **nun einmal** vor uns da gewesen.*	Resignation – man kann an der Tatsache nichts ändern	*nun*: Adverb (= jetzt), *einmal*: Adverb (= nicht mehrmals); Kombination nur bei Modalpartikeln
nur in Fragen	*Was hat er **nur**?*	Verwunderung / Ratlosigkeit	Adverb: *Ich habe nur* (= wenig, nicht viel) *5 Euro bei mir, kannst du mir etwas leihen?*
nur in Aufforderungen	*Komm **nur** her!* *Geh **nur** nicht in den Film, es lohnt sich überhaupt nicht.*	Drohung, Warnung (= Modalpartikel *bloß*)	
ruhig in W-Fragen	*Das kannst du **ruhig** benutzen.*	Erlaubnis verstärken (= Es ist wirklich kein Problem!)	Adjektiv / Adverb: *Man hört nichts, es ist ganz ruhig* (= still, leise).
schon in W-Fragen	*Was kann man da **schon** machen?*	Resignation	Adverb: *Er ist schon* (= früh) *da.*
vielleicht in Ausrufesätzen	*Der hat sich **vielleicht** aufgeregt!*	starkes Erstaunen	Satzadverb: *Ich komme vielleicht* (= es ist möglich) *heute Abend.*
wohl in Aussagesätzen	*Er wird **wohl** gleich da sein.*	Vermutung	Adverb (z. T. mit einem Verb zusammengeschrieben): *Leben Sie wohl!* *Hier kann ich mich wohlfühlen* (= gut fühlen).

- Modalpartikeln können nicht auf Position 1 stehen. Sie stehen immer im Mittelfeld des Satzes, meist vor *auch* oder *nicht* bzw. vor Modal- und Lokalangaben und vor den Verbgefährten. ► Kapitel 4, 5, 7
- Modalpartikeln betont man nicht (Ausnahme: *bloß, nur* in Warnungen und *ja* in Drohungen).
- Einige Modalpartikeln kann man auch kombinieren: *doch mal, aber wohl, ja mal, denn doch, doch endlich, doch immer, ja auch* ... Die Bedeutung erschließt sich dann nicht aus den Bestandteilen und die Reihenfolge kann nicht getauscht werden.

1 **IMMER PROBLEME. Markieren Sie die Position der Modalpartikeln im Satz. Lesen Sie dann den Dialog laut. Betonen Sie die Modalpartikeln nicht.**

- Sag mal, kommst du heute | *(eigentlich)*? Du wolltest mir Bescheid sagen *(doch)*.
- Tut mir leid. Es könnte sein, dass es nichts wird. Ich muss heute Abend länger arbeiten *(wohl)*. Ich habe auch keine Lust *(ja)*, aber ich kann den Kollegen nicht so sitzen lassen *(doch)*. Er hilft mir auch immer *(ja)*.
- Schade, da kann man nichts machen. Dann muss ich alleine ins Kino gehen *(eben)*.
- Kannst du nicht morgen ins Kino gehen? Der Film läuft bis Ende der Woche *(doch)*.
- Ja, aber morgen treffe ich mich mit Carla, übermorgen hast du Training und Freitag sind wir bei Paul eingeladen. Hast du das vergessen *(etwa)*?
- Stimmt, daran habe ich nicht gedacht. Es ist auch wirklich schwierig, einen Termin zu finden *(aber)*!
- Was läuft nächste Woche *(denn)*?
- Da läuft „Barbie". Aber willst du in den Film gehen *(etwa)*?
- Reg dich nicht gleich auf *(doch)*! Du gehst auch in Unterhaltungsfilme *(ja)*.

2 **Ergänzen Sie die Modalpartikeln. Lesen Sie die Ausrufe / Warnungen laut und betonen Sie die Modalpartikeln.**

1 Es ist glatt und das Auto ist neu. Fahr vorsichtig! *(ja)* ____________________

2 Die Chefin hat gesagt, dass die Sitzung ganz pünktlich anfangen soll. Komm nicht zu spät! *(bloß)*

____

3 Wenn du das weitersagst, bekomme ich Probleme. Sag das nicht weiter! *(bloß)* ____________________

4 Letztes Mal haben wir zu viel gekauft und alles ist trocken geworden. Kauf nicht schon wieder so viel Brot! *(bloß)* ____________________

3 **Lesen Sie den Dialog laut. Betonen Sie nicht die Modalpartikeln. Ergänzen Sie die Bedeutung.**

~~überrascht über die Frage~~ • vorwurfsvoll • das weißt du auch, vorwurfsvoll • resignierend • freundlicher / weniger direkt • ungläubig, erstaunt • emotional • emotional • überrascht, erstaunt • das wissen wir beide • das wissen wir beide

- Hast du das Essen schon vorbereitet?
- Nein, wann sollte ich das denn machen? (*überrascht über die Frage*)[1] Ich habe doch bis gerade gearbeitet. (____________________)[2]
- Das ist aber blöd! (____________________)[3] Unsere Gäste kommen doch gleich. (____________________)[4]
- Dann müssen sie eben mithelfen. (____________________)[5] Tina und Marco machen das doch gerne. (____________________)[6]
- Na gut, aber fang du doch schon mal mit dem Salat an. (____________________)[7] Ich gehe noch schnell zum Supermarkt.
- Willst du etwa jetzt noch einkaufen? (____________________)[8] Dafür haben wir aber keine Zeit mehr! (____________________)[9]
- Nein, ich hole nur einfach zwei Flaschen Wein und etwas Baguette. Das können wir ja aufbacken. (____________________)[10]
- Gute Idee! – Oh, ich sehe Tina und Marco kommen. Meine Güte, die sind vielleicht pünktlich! (____________________)[11]

4 **Welche Partikel passt? Schreiben Sie die Minidialoge mit Modalpartikeln. Die Position für die Modalpartikeln ist vorgegeben.**

aber • eigentlich • schon

- Was hat ▮ dein neues Kleid gekostet?
- 699 Euro.
- Das ist ▮ teuer!
- Ja, das stimmt, aber für eine solche Party muss man ▮ richtig angezogen sein.

ja • eigentlich • ja • wohl

- Bist du ▮ noch bei der Firma intech?
- Ja, aber es gibt Probleme. Du weißt ▮ auch, dass ich die Arbeitsatmosphäre dort noch nie mochte. Ich werde mir ▮ eine andere Stelle suchen müssen.
- Das tut mir leid! Ein Jobwechsel macht ▮ immer Stress.

ruhig • ja • bloß • etwa • doch • ja mal • mal

- Karina wirkt heute so traurig.
- Ja, finde ich auch. Was hat sie ▮ ? Hat sie sich ▮ von ihrem Freund getrennt?
- Du kannst sie ▮ fragen.
- Ich trau mich nicht. Sie ist ▮ so empfindlich.
- Aber ihr kennt euch ▮ schon so lange. Ich denke, du kannst sie ▮ fragen.
- Okay, ich lade sie nachher ▮ zu einem Kaffee ein.

5 **Welche Erklärung passt? Lesen Sie und kreuzen Sie an.**

1	Er hat sich das **nun einmal** in den Kopf gesetzt	◯ Resignation	◯ Zweifel
2	Wie siehst du **denn** aus?	◯ Freundlichkeit	◯ Überraschung
3	Mist! Wenn ich **doch** besser aufgepasst hätte!	◯ starker Wunsch	◯ Empörung
4	Komm mir **nur** nicht zu nahe, ich bin krank	◯ Warnung	◯ Ärger
5	Ist das alles? Haben wir **auch** nichts vergessen?	◯ Verwunderung	◯ Besorgnis
6	Morgen wird es **wohl** Schnee geben.	◯ Vermutung	◯ Freude
7	Wer kann mir **schon** helfen?	◯ Erstaunen	◯ Resignation
8	Hast du **auch** dein Medikament genommen?	◯ Interesse	◯ Besorgnis

6 **Welches von den fett gedruckten Wörtern ist eine Modalpartikel? Unterstreichen Sie und ergänzen Sie bei den Modalpartikeln die Bedeutung in der Klammer.**

1 Woher hast du eigentlich das tolle Kleid? (*Interesse*)

2 **Eigentlich** wollte ich heute ins Kino gehen, aber ich musste zu lange arbeiten. (________________)

3 Das war heute Morgen **vielleicht** ein Ärger! Alle Computer sind abgestürzt. (________________)

4 Die IT-Experten sagen, dass es **vielleicht** noch ein paar Stunden dauert, bis alles wieder läuft.

(________________)

5 Kannst du in **etwa** schätzen, wie lange du für diese Arbeit brauchst? (________________)

6 Hast du diese Arbeit **etwa** noch nicht gemacht? (________________).

82 Nominalisierung

Durch Verwendung von Nomen entsteht Verdichtung

C1

Normalerweise benutzt man Nomen für Dinge, Personen und Abstrakta. Für Aktionen und Prozesse benutzt man Verben.

*Wir **benutzen** neue Technologien.*
*Die Gesellschaft **verändert** sich rasant.*

Man kann aber auch für Aktionen und Prozesse Nomen verwenden. Das Nomen ist dann ein nominalisiertes Verb.

*benutzen – **die Benutzung***
*verändern – **die Veränderung***

So wird der ganze Satz zu einer Nominalgruppe, die nur ein Teil von einem Satz ist.

Satz: *Wir benutzen neue Technologien.*
Nominalgruppe: ***die Benutzung neuer Technologien ...***
Satz: *Die Gesellschaft verändert sich rasant.*
Nominalgruppe: ***die rasante Veränderung der Gesellschaft ...***

Wenn man Nominalgruppen benutzt, kann man mehr Informationen in einem Satz kombinieren. Das ist typisch für formal geschriebene Texte, z. B. Zeitungstexte, wissenschaftliche und bürokratische Texte.

Durch die Benutzung neuer Technologien kommt es zu einer rasanten Veränderung der Gesellschaft.

Satz	Nominalgruppe
Subjekt von intransitiven und reflexiven Verben bzw. ohne Akkusativobjekt im Satz ***Der Arzt** erscheint.* ***Der Patient** freut sich.*	**Genitiv** *Das Erscheinen **des Arztes** ...* *Die Freude **des Patienten** ...*
Akkusativobjekt *Er verstand **den Text**.*	**Genitiv** *Das Verstehen **des Textes** ...*
Subjekt und Akkusativobjekt ***Der Arzt** operiert **den Patienten**.*	**Genitiv** (war Akkusativobjekt) **+ *durch*** (war Subjekt) *Die Operation **des Patienten durch den Arzt** ...*
Objekt mit Präposition *Er bemühte sich **um den Patienten**.*	**Objekt mit Präposition** *Die Bemühungen **um den Patienten** ...*
Personalpronomen ***Er** bemühte sich um den Patienten.*	**Possessivartikel** ***Seine** Bemühungen um den Patienten ...*
Adverbien *Er half **unermüdlich**.*	**Adjektive** (mit Endung) *Seine **unermüdliche** Hilfe*
Negation und Einschränkung *Man half **nicht**.* *Man war **wenig** hilfsbereit.*	**Adjektive oder Nomen:** fehlen, das Fehlen, unzureichend ... *Die **fehlende / mangelnde** Hilfe.* *Die **unzureichende** Hilfsbereitschaft.*
von **im Passivsatz** *Er wurde **vom Arzt** operiert.*	***durch*** **(+Akkusativ)** *Die Operation **durch den Arzt** ...*
Nebensatz-Konnektor ***Wenn** der Arzt erscheint, ...* ***Weil** der Arzt erscheint, ...*	**Präposition** ▶ Kapitel 84–86 ***Bei** Erscheinen des Arztes ...* ***Wegen** des Erscheinens des Arztes ...*
mit Modalverb *Der Arzt **muss** dem Patienten helfen.*	**Nomen mit der Bedeutung des Modalverbs** ***Die Pflicht** des Arztes ...*

Manchmal sind Nominalisierungen nicht ganz klar und nur im Kontext zu verstehen:

das Bild des Königs

1 Subjekt intransitiv / reflexiv. Formen Sie um.

1 Der Zug kommt an. *die Ankunft des Zuges*
2 Die Zeit vergeht. ______
3 Das Kind weint. ______
4 Der Angestellte verspätet sich. ______
5 Der Chef ärgert sich. ______
6 Die Raumsonde landet. ______
7 Die Bombe explodierte. ______
8 Der Journalist berichtet. ______

2 Subjekt und Akkusativobjekt. Formen Sie um.

1 Der Journalist schreibt den Artikel.
2 Die Redakteurin korrigiert den Text.
3 Eine Druckerei druckt die Zeitung.
4 Der Händler verkauft Presseerzeugnisse.
5 Die Pressesprecherin liest den Artikel.
6 Der Politiker dementiert seine Aussage.

1 Das Schreiben des Artikels durch den Journalisten ...

3 Objekt mit Präposition und Personalpronomen. Formen Sie um.

1 Er ärgert sich über den Artikel.
2 Sie bewirbt sich um die Stelle bei der Zeitung.
3 Sie sorgen sich um die Werbeeinnahmen.
4 Du warnst vor zu viel Medienkonsum.
5 Du erinnerst dich daran, wie es ohne Internet war.
6 Wir fürchten uns davor, einsam zu sein.

1 Sein Ärger über den Artikel ...

4 Adverbien und Personalpronomen. Formen Sie um.

1 Er trat gestern auf. *Sein gestriger Auftritt...*
2 Sie rief mehrfach an. ______
3 Er weint unaufhörlich. ______
4 Wir engagieren uns stark. ______
5 Er fährt morgen ab. ______
6 Wir irren uns oft. ______

heute – heutig
gestern – gestrig
morgen – morgig
oft – häufig

5 Negation und Einschränkung. Formen Sie um.

1 Sie engagierte sich nicht.
2 Er wusste vieles nicht.
3 Sie war nicht überrascht.
4 Kaum jemand war begeistert.
5 Er bemühte sich zu wenig.
6 Es gab kein Dokument.

nicht genug: unzureichend
nicht vorhanden: fehlend / mangelnd / das Fehlen / der Mangel

6 Passiv. Formen Sie um.

1 Der Vertrag wurde vom Arbeitgeber gekündigt.
2 Die Hausaufgaben wurden von der Lehrerin korrigiert.
3 Das Schwimmbad wurde vom Personal gründlich gereinigt.
4 Über 50 Mitarbeitende wurden von der Firma entlassen.
5 Die Glühbirne wurde von Edison erfunden.
6 Die Fähigkeiten von Tieren wurden von der Wissenschaft unterschätzt.

1 Die Kündigung des Vertrags durch den Arbeitgeber ...

7 Nebensatz. Formen Sie um.

1 Bei Erscheinen des Artikels ...

1 Wenn der Artikel erscheint, ...
2 Weil der Politiker widerspricht, ...
3 Um alle Aspekte zu berücksichtigen, ...
4 Seit Deutschland wiedervereinigt ist, ...
5 Bevor die Zinsen weiter steigen, ...
6 Indem wir den Satz umstellen, ...

8 Modalverben. Formen Sie um.

1 der Wunsch der Studierenden, die Prüfung zu verschieben

1 Die Angestellte will die Prüfung verschieben.
2 Der Konsument möchte alles bequem bezahlen können.
3 Man darf hier nicht parken.
4 Die Studierende kann die Prüfung ablegen.
5 Im Winter kann man hier Ski fahren.
6 Er kann drei Sprachen sprechen.
7 Wir müssen einander helfen.
8 Man kann alles im Internet kaufen.
9 Mit diesem Schulabschluss darf man in Deutschland studieren.

- *wollen / möchten*: der Wille, die Absicht, der Plan, der Wunsch
- *können*: die Fähigkeit, die Kenntnis, die Möglichkeit, die Berechtigung
- *müssen*: die Pflicht, der Zwang
- *dürfen*: die Möglichkeit, die Erlaubnis, die Berechtigung
- *nicht dürfen*: das Verbot

9 Nominalisieren Sie die Sätze.

1 die pünktliche Landung des Flugzeugs

1 Das Flugzeug landete pünktlich.
2 Die Angestellte kam gestern zu spät.
3 Der Konferenzraum wird von den Teilnehmenden benutzt.
4 Wenn die Zeitung erscheint ...
5 Während man fernsieht, ...
6 Der Autofahrer ärgert sich.
7 Von der Firma werden Möbel exportiert.
8 Der bekannte Autor übersetzt einen Roman.
9 Sie verbesserte ihr Resultat.
10 Er berichtete ausführlich über den Unfall.
11 Die Organisation kämpft gegen Analphabetismus.
12 Er kann gut Deutsch sprechen.
13 Ich möchte meine Meinung äußern.
14 Hier darf man nicht rauchen.

10 HOTELBRAND. Nominalisieren Sie die unterstrichen Satzteile.

1 Gestern brannte ein Hotel. Dabei wurden 22 Menschen verletzt.

2 Die Polizei löste den Fall sehr schnell. Es dauert nur zwei Stunden.

3 Weil eine Köchin sehr stark mit einem Kollegen konkurrierte, war es zwischen den beiden schon oft zum Streit gekommen.

4 Als sie diesmal gestritten hatten, war die Köchin hinausgestürmt, um sich bei einer Zigarette zu beruhigen, und hatte vergessen, den Herd abzuschalten.

5 Nachdem die Köchin von der Polizei festgenommen worden war, gestand sie ihre Schuld.

6 Der Bürgermeister der Stadt äußerte, dass er über den Vorfall sehr betroffen sei.

1 Beim Brand des Hotels wurden 22 Menschen verletzt.

11 **Nominalisieren Sie die unterstrichenen Satzteile und schreiben Sie den Text als Zeitungstext.**

Betrug in der Kunstszene

Es geht hier um einen Kunstberater, der erfolgreich war und schließlich abstürzte. Als er eine Feier im MoMa in NY veranstaltete, freute sich der Kunstberater darüber, dass unter anderen Madonna und Yoko Ono kamen. Heute sitzt er in Haft.

H.A. wurde 1952 in Deutschland geboren und studierte Sozialpädagogik, bevor er sich ein Firmenimperium aufbaute. Er verdiente Millionen, indem er große Unternehmen in Deutschland und angrenzenden Ländern mit Kunst ausstattete. Um zu verstehen, wie der Kunstberater aufstieg, kann empfohlen werden, eines seiner zwei autobiografischen Bücher zu lesen. Der Autor ist unter anderem stolz darauf, den Beruf des Kunstberaters aus den USA nach Deutschland importiert zu haben. Viele Kulturschaffende meinen allerdings, dass sich dadurch, dass Kunstberater aufkamen, die Art verändert hat, wie man mit Kunst handelt. Vorher kauften normalerweise nur Menschen, die sich für Kunst interessieren, Gemälde und Skulpturen. Nun seien Sammler und Sammlerinnen vor allem daran interessiert, Geld anzulegen. Dass H.A. so erfolgreich war, basiert wohl vor allem darauf, dass er schnell Interesse und Begeisterung wecken kann. Der Prozess gegen H.A. begann Ende 2014, nachdem er sechs Monate in Untersuchungshaft war. Ihm wird vorgeworfen, mehrere Firmen um etliche Millionen Euro betrogen zu haben. Es ist der größte Skandal in der Kunstszene, seit W. Betracchi Kunstwerke gefälscht hat.

Es geht hier um den Erfolg und Absturz eines Kunstberaters.

der Erfolg
der Absturz
das Kommen
der Aufbau
die Ausstattung
die Lektüre
der Import
das Aufkommen
der Kunsthandel
Kunstinteressierte
die Geldanlage
der Erfolg
die Fähigkeit
der Aufenthalt
der Betrug
die Fälschung

83 Links- und Rechtsattribute

Komplexe Sätze verstehen und umformen

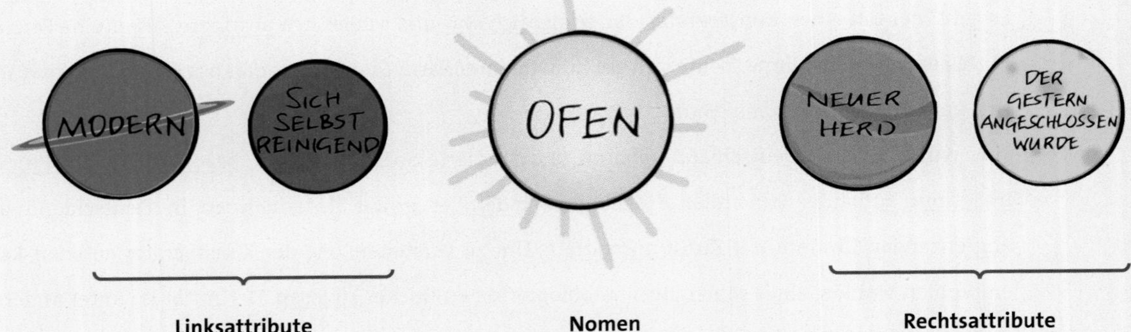

Linksattribute | Nomen | Rechtsattribute

Leider funktioniert der moderne, sich von selbst reinigende (Ofen) des neuen Herdes, der gestern angeschlossen wurde, schon nach der ersten Benutzung nicht mehr so, wie er sollte.

Ein Nomen kann durch **Attribute links vom Nomen** sowie durch **Attribute rechts vom Nomen** genauer definiert werden. Beim Lesen ist es wichtig, zu erkennen, welches das Nomen ist, auf das sich die Attribute beziehen. Das Nomen, das Bezugswort, ist sozusagen die Sonne im Planetensystem.

		Linksattribut	Nomen	Rechtsattribut	
	der		Ofen	des neuen Herdes	**Genitiv**
	der		Ofen,	der gestern ange-schlossen wurde	**Relativsätze**
	der		Ofen	mit dem tollen Grill	**Präposition und Nomen**
	der		Ofen	dort	**Adverb**
	der		Ofen,	ein modernes Gerät,	**Apposition**
	die		Entscheidung	einen Ofen zu kaufen	**Infinitiv + *zu***
	die		Entscheidung,	dass wir den Ofen kaufen	**Nebensatz mit *dass***
		bessere	Geräte	als der Ofen	**Vergleiche mit *als* und *wie***
(erweiterte) Adjektive	der	heute moderne	Ofen		
(erweiterte) Partizipien*	der	sich von selbst reinigende*	Ofen		
(erweiterte) modale Partizipien**	der	regelmäßig zu reinigende	Ofen		

* ► Kapitel 58 ** ► Kapitel 17

Adjektive und Partizipien können erweitert werden:

Die zwei modernen, sich in einer Stunde automatisch von selbst reinigenden Öfen sind wunderbar.

Zahlen (zwei) | Reflexivpronomen (sich) | Angaben mit Präposition (in einer Stunde) | Adverbien (automatisch)

Die Erweiterungen stehen vor dem Adjektiv oder dem Partizip.

Umformung von Linksattributen in Relativsätze (= Rechtsattribute) **und umgekehrt**

Partizipialattribute		**Relativsätze**
Partizip I (Reflexivpronomen möglich) *Einen sich rasierenden Mann sollte man nicht stören.* *Dort stand ein sich rasierender Mann.*	↔	**Verb im Aktiv / Handlung gleichzeitig** *Einen Mann, der sich rasiert, sollte man nicht stören.* *Dort stand ein Mann, der sich rasierte.*
Partizip II *Der reparierte Zug ...*	↔	**Verb im Passiv oder Partizip II + *sein*** *Der Zug, der repariert wurde, ...* (die Handlung ist wichtig) *Der Zug, der repariert ist, ...* (der Zustand ist wichtig)
• **bei reflexiven Verben** (kein Reflexivpronomen) *Ein rasierter Mann ...*	↔	**Verb im Passiv oder im Perfekt oder Partizip II + *sein*** *Ein Mann, der rasiert wurde, ...* (die Handlung ist wichtig) *Ein Mann, der rasiert ist, ...* (der Zustand ist wichtig) *Ein Mann, der sich rasiert hat, ...* (die Abgeschlossenheit der Handlung ist wichtig)
• **Nennung des „Täters" mit *von* oder *durch*** *Ein von einem Starfrisör rasierter Mann ...* (Subjekt des Relativsatzes mit *von* oder *durch*)*	↔	**„Täter" ist Subjekt im Relativsatz** *Ein Mann, den ein Starfrisör rasiert hat, ...*
• **bei intransitiven Verben, die Perfekt mit *sein* bilden**** *Der angekommene Zug ...*	↔	**Verb im Aktiv in der Vergangenheit** *Der Zug, der angekommen ist, ...* *Der Zug, der ankam, ...*
modales Partizip *Der zu reparierende Zug ...*	↔	**Passiv mit Modalverb oder *sein* + *zu* + Infinitiv** *Der Zug, der repariert werden soll/ muss/ kann, ...* *Der Zug, der zu reparieren ist, ...*

* ▶ Kapitel 14

** Partizipien II von Verben, die Perfekt mit *sein* bilden, können nur dann als Adjektive verwendet werden, wenn das Verb das Resultat einer Aktion ausdrückt, der ~~*gelaufene*~~ *Mann, die gefahrenen Kilometer.*

1 Markieren Sie das Nomen, die „Sonne", in den Sätzen und markieren Sie die Rechts- und Linksattribute auf verschiedene Weise wie im Beispiel.

1 Nachdem die diesjährig besonders schwer verlaufende Grippeepidemie, die bereits Ende Januar ihren Höhepunkt gefunden hatte, abgeklungen war, nahm Anfang März der Tourismus wieder zu.

2 Auf der internationalen alljährlich stattfindenden Tourismusbörse unter dem Funkturm in Berlin präsentierten sich auch in diesem Jahr wieder 5500 Aussteller aus mehr als 100 Ländern.

3 Es war angesichts der wachsenden Bedeutung der Tourismusbranche für das Land eine Selbstverständlichkeit, dass der Präsident den Stand eröffnete.

4 Um unter den engagierten 5500 Ausstellern, die bei der ITB für ihre Reiseziele werben, aufzufallen, muss man sich schon etwas einfallen lassen.

5 Angehende Tourismusmanager der Universität Mannheim haben dazu mehrere Tage lang die Messestände nach zahlreichen Kriterien wie Standbau, Informationsgehalt, Servicequalität, Freundlichkeit und besondere Effekte beurteilt. *(zwei Nomen!)*

2 STELLENSUCHE. Formulieren Sie komplexe Sätze mit den angegebenen Links- und Rechtsattributen. Das fett gedruckte Nomen ist das Bezugswort.

1 **ein Bewerbungsgespräch**
es ist gut (Adjektiv)
es findet bei der Firma statt (Partizip)

1 das gute, bei der Firma stattfindende Bewerbungsgespräch

2 **die Arbeitsmoral**
sie ist hoch (Adjektiv)
manche Leute haben sie (Relativsatz)

3 **das Absolvieren**
das Absolvieren passiert häufig (Adjektiv)
ein Praktikum wird absolviert (Genitiv)

4 **die Erfahrungen**
sie sind unterschiedlich (Adjektiv)
der Bewerber hat die Erfahrungen gemacht (Genitiv)
sie vergrößern die Jobaussichten (Relativsatz)

5 **eine Ausbildung**
sie wurde vor 15 Jahren absolviert (erweitertes Partizip)
sie ist veraltet (Adjektiv)
sie ist nicht mehr nützlich (Relativsatz)

6 **die Stelle**
ich wünsche sie mir (erweitertes Partizip)
sie scheint attraktiv zu sein (erweitertes Partizip)
sie ist bei einer bekannten Firma (Präposition und Nomen)

7 **die Firma**
sie liegt in der Nähe (erweitertes Partizip)
sie hat die Stelle ausgeschrieben (Relativsatz)

8 **ein Lebenslauf**
er überzeugt (Partizip)
es gibt keinen Fehler darin (Adjektiv)

9 **der Ehrgeiz**
er ist in letzter Zeit gestiegen (erweitertes Partizip)
ich möchte eine gute Stelle finden (Infinitiv + *zu*)

10 **die Kleidung im Vorstellungsgespräch**
sie muss sorgfältig ausgewählt werden (erweitertes modales Partizip)
ihre Wichtigkeit darf nicht unterschätzt werden (Relativsatz)

11 **die Freude**
die Freude ist groß (Adjektiv)
meine Freundin freut sich (Genitiv)
ich habe eine neue Stelle gefunden (Infinitiv + *zu*)

3 VERKEHRSMITTEL. Formulieren Sie die Relativsätze als Linksattribute mit Partizipien.

1 Ein Auto, das ohne Fahrer fährt, ...

____

2 Ein Verkehrsmittel, das kürzlich erfunden wurde, ...

____

3 Ein Transportweg, der Zeit spart, ...

____

4 Das neue Verkehrsmittel, das ein Japaner erfunden hat, ...

___

5 Das neue Fahrzeug, das mit einem Autopiloten ausgestattet ist, ...

___

6 Die U-Bahn, die gerade eingefahren ist, ...

___

7 Ein Bus, der ohne Fahrer gefahren werden kann, ...

___

8 Das neue Fahrzeug, das noch einmal auf Mängel überprüft werden soll, ...

___

9 Das Verkehrsmittel, das flächendeckend eingesetzt werden kann, ...

___

4 WALE UND DELFINE. Formulieren Sie die erweiterten Partizipien als Relativsätze.

1 Die regelmäßig an der Wasseroberfläche auftauchenden Wale und Delfine atmen Luft.
2 Bei einem neben einem Schiff schwimmenden und springenden Meerestier wird es sich um einen Gemeinen Delfin oder einen Schlankdelfin handeln.
3 Ein Schlankdelfin hat einen fast vollständig mit Flecken bedeckten Körper.
4 Der Blau-Weiße Delfin kann aufgrund seiner von den Augen bis zum Schwanz gehenden Streifen leicht identifiziert werden.
5 Bei den in Gruppen von 30 bis 40 Exemplaren zusammenlebenden Tümmlern leben die Männchen getrennt von den Weibchen mit ihrem Nachwuchs.
6 Die Sauerstoff atmenden Meeressäugetiere können bis zu einer Stunde die Luft anhalten.
7 Ein bis zu 1000 m tief tauchender Wal kann über eine Stunde unter Wasser bleiben.

5 TAUBENBEKÄMPFUNG. Formulieren Sie die Relativsätze als erweiterte Partizipien.

1 Tauben, die sich schnell vermehren, sind an vielen Orten unbeliebt.
2 Das Töten von Tauben ist allerdings eine Maßnahme, die nicht zu gestatten ist.
3 Deshalb werden inzwischen mancherorts zur Taubenjagd Bussarde eingesetzt, die man extra hierfür züchtet.
4 Die Bussarde, die an vier Tagen pro Woche freigelassen werden, sollen die Tauben abschrecken.
5 Ein Bussard, der sich in der Nähe befindet, macht Tauben solche Angst, dass sie ihre Fluggewohnheiten ändern.
6 Diese Art der Taubenbekämpfung, die üblicherweise an Flughäfen praktiziert wird, basiert auf den natürlichen Verhaltensweisen der Vögel.
7 Nach mehreren Testflügen, die unter Aufsicht von Experten durchgeführt wurden, wurde diese Art der Taubenbekämpfung für äußerst gut befunden.
8 Diese Praxis, die von Experten und Expertinnen als mit dem Tierwohl vereinbar bezeichnet wurde, ist sehr effizient.

6 HAUSORDNUNG. Ersetzen Sie die Relativsätze durch das modale Partizip (*zu* + Partizip I).

1 Die Regeln, die von allen beachtet werden müssen, sind unten aufgelistet.
2 Schäden, die dringend beseitigt werden müssen, sind umgehend dem Hausmeister zu melden.
3 Andere Reparaturarbeiten, die ausgeführt werden sollen, sollten auf der monatlichen Zusammenkunft aller Bewohner und Bewohnerinnen besprochen werden.
4 Termine für den Sperrmüll, die im Voraus telefonisch vereinbart werden müssen, sollten mit den anderen Bewohnern und Bewohnerinnen abgesprochen werden.
5 Gegenstände, die als Sperrmüll abgeholt werden sollen, dürfen erst einen Tag vor dem vereinbarten Termin auf die Straße gestellt werden.
6 Müll, der als Sondermüll entsorgt werden muss, ist in der Garage zu lagern.

84 Präposition – Adverb – Konnektor 1

temporal: vor, vorher, bevor, nach ...

Beim Tanzen ...

..., wenn ich tanze.

Ich tanze. Dabei ...

	Präposition (vor einem Nomen)	**Nebensatzkonnektor** (Verb am Ende)	**Satzverbindendes Adverb** *
Zwei parallele Aktivitäten	**während** (+ Genitiv) ***Während des Tanzens*** filmt mich mein Vater.	**während** ***Während ich tanze***, filmt mich mein Vater.	**währenddessen, gleichzeitig** Ich tanze, ***währenddessen filmt mich mein Vater.***
Reihenfolge: Aktion 1 – Aktion 2	**nach** (+ Dativ) ***Nach dem Tanzen*** bin ich müde.	**nachdem** ***Nachdem ich getanzt habe***, bin ich müde.	**danach, nachher** Ich tanze, ***danach bin ich müde.***
Reihenfolge: Aktion 2 – Aktion 1	**vor** (+ Dativ) ***Vor dem Tanzen*** esse ich nichts.	**bevor** ***Bevor ich tanze***, esse ich nichts.	**vorher, davor, zuvor** Ich tanze. ***Vorher esse ich nichts.***
Ende einer Phase / Aktion	**bis** (nur vor Nomen ohne Artikel, wenn das Nomen einen Artikel hat: *bis* + *zu* + Dativ) ***Bis zum Auftritt*** bin ich nervös.	**bis** ***Bis ich auftrete,*** bin ich nervös.	**bis dann** Ich komme auf die Bühne, ***bis dann bin ich nervös***.
Beginn in der Vergangenheit, jetzt noch	**seit** (+ Dativ) ***Seit dem Tanzen*** fühle ich mich wohl.	**seit(dem)** ***Seitdem / Seit ich tanze***, fühle ich mich wohl.	**seitdem** Ich habe mit dem Tanzen angefangen. ***Seitdem fühle ich mich wohl.***
Routine / mehrmals passiert oder einmal passiert in Gegenwart oder Zukunft	**bei** (+ Dativ) ***Beim Tanzen*** bin ich glücklich.	**wenn** ***Wenn ich tanze***, bin ich glücklich.	**dabei, jedesmal** Ich tanze, ***dabei bin ich glücklich.***
Einmal in der Vergangenheit passiert	**bei** (+ Dativ) ***Beim Tanzen*** habe ich mich einmal verletzt.	**als** ***Als ich getanzt habe***, habe ich mich einmal verletzt.	**da** Ich habe getanzt, ***da habe ich mich einmal verletzt.***

* Die satzverbindenden Adverbien stehen meistens auf Position 1 oder 3: *Danach bin ich müde. - Ich bin danach müde.* Sie müssen aber hinter dem Subjekt und Pronomen stehen: *Ich habe mich danach entspannt. - Manchmal hat er mich danach abgeholt.*

Um zeitliche Beziehungen auszudrücken, kann man verschiedene sprachliche Mittel verwenden:
Vor dem Tanzen esse ich nichts. (Präpositionaler Ausdruck)
Bevor ich tanze, esse ich nichts. (Konnektor mit Nebensatz)
Ich tanze. Vorher esse ich nichts. / Ich esse vorher nichts. (Satzverbindendes Adverb mit/im Hauptsatz)

Die Sätze entsprechen sich nicht zu 100 %, vor allem gibt es stilistische Unterschiede. Nominale Strukturen sind typisch für formal geschriebene Texte, z. B. Zeitungstexte, bürokratische und wissenschaftliche Texte.

1 Ergänzen Sie die Präposition, das Adverb oder den Nebensatzkonnektor.

1 ______________ ich gefrühstückt habe, dusche ich. ______________ dem Frühstück dusche ich. Ich frühstücke, ______________ dusche ich.

2 ______________ ich schlafen gehe, putze ich mir die Zähne. ______________ dem Schlafen putze ich meine Zähne. Ich gehe schlafen, ______________ putze ich meine Zähne.

3 ______________ ich bügle, höre ich Radio. ______________ des Bügelns höre ich Radio. Ich bügle, ______________ höre ich Radio.

4 ______________ ich mit der U-Bahn fahre, lese ich Nachrichten. ______________ U-Bahn-Fahren lese ich Nachrichten. Ich fahre mit der U-Bahn. Ich lese ______________ Nachrichten.

5 ______________ der Zug kommt, lese ich Nachrichten. ______________ zur Ankunft des Zuges lese ich Nachrichten. Der Zug kommt. ______________ lese ich Nachrichten.

6 ______________ ich in Bonn wohne, gehe ich oft ins Theater. ______________ meinem Umzug nach Bonn gehe ich oft ins Theater. Ich bin nach Bonn gezogen, ______________ gehe ich oft ins Theater.

2 EIN KINOBESUCH. Ergänzen Sie die temporalen Präpositionen, Adverbien und Nebensatzkonnektoren.

1 Du kochst das Abendessen und ich decke ______________ den Tisch.

2 Wir essen zu Abend und gehen ______________ ins Kino.

3 ______________ der Film anfängt, essen wir Popcorn, ______________ des Films ist das zu laut.

4 ______________ du in einen neu angelaufenen Film gehst, solltest du Karten reservieren und diese mindestens eine halbe Stunde ______________ Beginn des Films abholen.

5 Wir haben den Film ______________ zehn Jahren schon einmal gesehen, aber ______________ nie mehr.

6 Einige Leute kamen zu spät, ______________ musste eine ganze Reihe aufstehen und es wurde unruhig im Kino.

7 Ich habe geweint, ______________ diese rührende Szene im Film kam.

8 Einige Leute stürmen sofort ______________ Abspann des Films aus dem Kino, andere bleiben sitzen, ______________ die Leinwand schwarz ist.

3 ZEITPROBLEME. Finden Sie ein passendes Verb und formen Sie die präpositionalen Ausdrücke in Nebensätze um.

1 Nach einem langen Flug hat man oft eine Woche Probleme mit der Anpassung an die Zeit.
2 Bei Beginn der Sommerzeit werden die Uhren eine Stunde zurückgestellt.
3 Seit der Umstellung auf Sommer- bzw. Winterzeit gibt es Klagen von einigen Leuten.
4 Vor einer Prüfung kann man oft schlecht schlafen.
5 Während einer Prüfung scheint die Zeit zu rennen.
6 Bei meiner letzten Prüfung ist die Zeit viel zu schnell vergangen.
7 Aber die Zeit verging quälend langsam bis zur Bekanntgabe des Prüfungsergebnisses.

4 AUTOBAHNPROBLEME. Formen Sie die Nebensätze in Präposition und Nomen um.

1 Bevor die Autobahn gebaut wurde, dauerte die Fahrt nach Hause doppelt so lang.
2 Wenn es einen Stau gibt, dauert die Fahrt aber wieder so lange wie früher.
3 Seitdem es Reparaturen an der Autobahn gibt, muss ich wieder die Landstraße nehmen.
4 Bis die Reparaturen beendet werden, muss ich morgens eine Stunde früher aufstehen.
5 Am besten arbeite ich von zu Hause aus, während die Autobahn gesperrt ist.
6 Nachdem die Bauarbeiten beendet sind, fahre ich wieder täglich ins Büro.

85 Präposition – Adverb – Konnektor 2

kausal, konsekutiv, konzessiv, adversativ

C1

Wegen ihres Talents ... ..., **weil** sie talentiert ist ..., **denn** sie ist talentiert

Bedeutung	Präposition (vor einem Nomen)	Konnektor mit Nebensatz (Verb am Ende)	Satzverbindendes Adverb oder satzverbindender Ausdruck im Hauptsatz*	Konnektor mit Hauptsatz (auf Position 0)
kausal (Grund)	**wegen** (+ Genitiv) **aufgrund** (+ Genitiv)	**weil** **da**	**nämlich** (nie auf Position 1)	**denn**
konzessiv (Gegen-argument)	**trotz** (+ Genitiv) **ungeachtet** (+ Genitiv)	**obwohl**	**dennoch, trotzdem, allerdings**	**aber**
			zwar (Position 1 oder 3) ...	**aber** (Position 0)
konsekutiv (Konsequenz = Folge)	**infolge** (+ Genitiv)	**weshalb** **weswegen** **sodass**	**deshalb, deswegen, darum, daher, also, infolgedessen, folglich** **aus diesem Grund, somit, demnach**	
adversativ (Gegensatz)	**im Gegensatz zu**	**während** **wo(hin)gegen**	**dagegen** **demgegenüber** **im Gegensatz dazu**	**doch, aber**

* Die satzverbindenden Adverbien stehen meistens auf Position 1 oder 3: *Deshalb kommt sie zu spät. - Sie kommt deshalb zu spät.* Sie müssen aber hinter dem Subjekt und Pronomen stehen: *Er hat sich deshalb geärgert. - Heute hat sie ihm deshalb geholfen.*

Um inhaltliche Beziehungen, z. B. Gründe auszudrücken, kann man verschiedene sprachliche Mittel verwenden:
Wegen ihres Talents hat sie großen Erfolg. (Präpositionaler Ausdruck)
Sie hat großen Erfolg, weil sie talentiert ist. (Konnektor mit Nebensatz)
Sie hat großen Erfolg. Sie ist nämlich talentiert. (Satzverbindendes Adverb im Hauptsatz)
Sie hat großen Erfolg, denn sie ist talentiert. (Konnektor mit Hauptsatz)

Die Sätze entsprechen sich nicht zu 100 %, vor allem gibt es stilistische Unterschiede. Nominale Strukturen sind typisch für Fachtexte, bürokratische und wissenschaftliche Texte.

1 UMWELTPROBLEM PLASTIKTÜTEN. Streichen Sie den falschen Konnektor.

Kausale Konnektoren

1 *Weil/Aufgrund* Plastik sich auch nach vielen Jahren nicht völlig zersetzt, gibt es in den Weltmeeren große Mengen von Plastikmüll.
2 *Denn/Aufgrund* der langen Haltbarkeit von Plastik gibt es in den Weltmeeren große Mengen von Plastikmüll.
3 In den Meeren gibt es große Mengen von Plastikmüll, *weil/denn* Plastik zersetzt sich erst nach mehreren Hundert Jahren.
4 Es gibt in den Meeren große Mengen von Plastikmüll. Plastik zersetzt sich *denn/nämlich* erst nach einigen Hundert Jahren.

Konzessive Konnektoren

5 *Obwohl/Ungeachtet* der Folgen für die Umwelt verwenden immer noch viele Leute Plastiktüten.
6 Viele Leute verwenden immer noch Plastiktüten, *trotz/obwohl* sie der Umwelt schaden.
7 *Trotz/Trotzdem* der Schäden für die Umwelt verwenden immer noch viele Leute Plastiktüten.

Finale Konnektoren

8 Geschäfte müssen jetzt für Plastiktüten Geld nehmen, *deshalb/sodass* die Käufer und Käuferinnen häufiger darauf verzichten.
9 Geschäfte müssen jetzt für Plastiktüten Geld nehmen, *infolge/infolgedessen* verzichten die Käufer und Käuferinnen häufiger darauf.
10 *Deshalb/Infolge* der Kosten für Plastiktüten verzichten Käufer und Käuferinnen häufiger darauf.
11 Käufer und Käuferinnen müssen für Plastiktüten zahlen. Deshalb/Infolge verzichten sie häufiger darauf.

Adversative Konnektoren

12 Eine einfache Plastiktüte landet schnell im Müll, *wohingegen/demgegenüber* stabile Plastiktaschen mehrfach verwendet werden können.
13 Eine einfache Plastiktüte landet schnell im Müll, *doch/demgegenüber* können stabile Plastiktaschen mehrfach verwendet werden.
14 *Im Gegensatz zu/Wohingegen* einfachen Plastiktüten können stabile Plastiktüten mehrfach verwendet werden.
15 Einfache Plastiktüten werden nur einmal verwendet, *doch/demgegenüber* stabile Plastiktüten können mehrfach verwendet werden.

2 KLIMAWANDEL. Formen Sie die Sätze um. Verwenden Sie einen Nebensatzkonnektor.

1 Ungeachtet der wissenschaftlichen Erkenntnisse gehen einige Politiker und Politikerinnen immer noch davon aus, dass es keinen Klimawandel gibt.
2 Aufgrund des Klimawandels wird der Meeresspiegel in den kommenden Jahren steigen.
3 Fliegen ist im Gegensatz zu Bahnfahren sehr schädlich für die Umwelt.
4 Infolge des Klimawandels muss sich die Landwirtschaft umstellen.

3 ÜBERSETZUNGEN. Formen Sie die Sätze um. Verwenden Sie eine Präposition.

1 Sprachen sind kulturell geprägt, sodass bei einer Übersetzung immer etwas verloren geht.
2 Da literarische Texte viele kulturelle Assoziationen enthalten, müssen sich Übersetzer von Literatur besonders viel Mühe geben.
3 Gebrauchstexte sind leicht, aber literarische Texte sind oft schwer zu übersetzen.
4 Obwohl Übersetzer von literarischen Texten schlecht bezahlt werden, gibt es hervorragende literarische Übersetzungen.

4 RUND UMS GELD. Verbinden Sie die Sätze jeweils mit einem Konnektor mit Nebensatz, einem Konnektor mit Hauptsatz und mit einer Präposition (wenn nötig).

1 Früher hat man wertvolle Gegenstände wie Muscheln als Geld verwendet. Heute verwendet man auf der ganzen Welt Papier- und Münzgeld. *(während/dagegen)*
2 Papiergeld wurde zum ersten Mal in China im 7. Jahrhundert eingesetzt. In Europa kam es erst im 15. Jahrhundert auf. *(wohingegen/dagegen)*
3 Gold und wertvolle Materialien sind schwer und unpraktisch. Man hat Papiergeld erfunden. *(da/nämlich/denn)*
4 Die Einführung des Euro verlief ohne Probleme. Viele Menschen waren am Anfang skeptisch. *(obwohl/trotz/zwar ... aber)*
5 Der 20- und der 50-Euro-Schein sind häufig gefälscht worden. Die Notenbanken in Europa mussten neue Sicherheitsmerkmale einarbeiten. *(sodass/aus diesem Grund/infolge)*
6 In Deutschland kann man in Geschäften immer noch mit Münzgeld und Scheinen bezahlen. Andere Länder haben schon mehr elektronische Bezahlsysteme eingesetzt. *(während/demgegenüber)*

1 Während man früher wertvolle Gegenstände wie Muscheln als Geld verwendet hat, verwendet man heute auf der ganzen Welt Papier- und Münzgeld. Früher hat man wertvolle Gegenstände wie Muscheln als Geld verwendet. Dagegen verwendet man heute auf der ganzen Welt Papier- und Münzgeld.

86 Präposition – Adverb – Konnektor 3

modal, konditional, final

Bei guten Chancen ...

Wenn ich gute Chancen habe, ...

..., **sonst** werde ich nicht weltberühmt.

Vorausgesetzt ich habe gute Chancen, ...

Bedeutung	**Präposition** (vor einem Nomen)	**Konnektor mit Nebensatz** (Verb am Ende)	**Satzverbindendes Adverb oder satzverbindender Ausdruck im Hauptsatz***	**Konnektor mit Hauptsatz** (auf Position 0)
konditional (Bedingung)*	**bei** (+ Dativ) **im Falle** (+ Genitiv)	**wenn** **falls, sofern** **uneingeleiteter Nebensatz****	**sonst, andernfalls** (= wenn nicht)	**vorausgesetzt** (= wenn) **es sei denn** (= wenn nicht)
final (Ziel, Zweck)	**zu** (+ Dativ)*** **zwecks** (+ Genitiv) **für** (+ Akkusativ)	**damit** **um ... zu**	**dazu** **dafür**	
modal				
Art und Weise, Methode **Mittel, Instrument***	**mit** (+ Dativ) **mittels** (+ Genitiv) **mithilfe** (+ Genitiv) **durch** (+ Akkusativ)	**indem** **dadurch dass** **wodurch**	**damit, dadurch** **so** **auf diese Weise** **dadurch**	
Alternative*	**(an)statt** (+ Genitiv)	**(an)statt dass** **(an)statt ... zu**	**stattdessen**	
fehlende Handlung*	**ohne** (+ Akkusativ)	**ohne dass** **ohne ... zu**		
Vergleich*	**nach, gemäß, entsprechend** (+ Dativ)	**wie**	**(genau)so**	

* Die satzverbindenden Adverbien stehen meistens auf Position 1 oder 3. Sie müssen aber hinter dem Subjekt und Pronomen stehen.

** Beispiel: *Habe ich gute Chancen, werde ich weltberühmt. Sollte ich gute Chancen haben, werde ich weltberühmt.* ► Kapitel 65

*** nur mit Nomen, die vom Verb kommen

Um Bedingungen, auszudrücken, kann man verschiedene sprachliche Mittel verwenden:
Bei guten Chancen werde ich weltberühmt. (Präpositionaler Ausdruck)
Wenn ich gute Chancen habe, werde ich weltberühmt. (Konnektor mit Nebensatz)
Vorausgesetzt ich habe gute Chancen, werde ich weltberühmt. (Konnektor mit Hauptsatz)
Ich brauche gute Chancen. Sonst werde ich nicht weltberühmt. (Satzverbindendes Adverb im Hauptsatz)

Die Sätze entsprechen sich nicht zu 100 %, vor allem gibt es stilistische Unterschiede. Nominale Strukturen sind typisch für Fachtexte, bürokratische und wissenschaftliche Texte.

1 COMPUTER UND INTERNET. Wählen Sie den passenden Konnektor.

Konditionale Konnektoren

1 *Bei/Wenn/Es sei denn* einem Absturz des Computers entstehen meist große Probleme.
2 *Bei/Wenn/Es sei denn* der Computer abstürzt, hat man meist große Probleme.
3 Man kann ohne Probleme arbeiten. *Bei/Wenn/Es sei denn,* der Computer stürzt ab.

Finale Konnektoren

4 Man sollte nicht zu viele Informationen über sich ins Netz stellen, *zum / damit* die Privatsphäre geschützt bleibt.
5 *Zum/Damit* Schutz der Privatsphäre sollte man nicht zu viele Informationen über sich ins Netz stellen.

Modale Konnektoren: Art und Weise oder Methode

6 *Durch/Dadurch dass/Dadurch* man in sozialen Netzwerken aktiv ist, kann man leicht in Kontakt bleiben.
7 Viele Leute sind in sozialen Netzwerken aktiv. *Durch/Dadurch dass/Dadurch* können sie leicht in Kontakt bleiben.
8 *Durch/Dadurch dass/Dadurch* soziale Netzwerke kann man leicht in Kontakt bleiben.
9 *So/Indem/Mit einem* elektronischen Vokabeltrainer habe ich die neuen Vokabeln gut gelernt.
10 *So/Indem/Mit* ich mit einem elektronischen Vokabeltrainer geübt habe, habe ich die Vokabeln gut gelernt.
11 Ich habe mit einem elektronischen Vokabeltrainer geübt. *So/Indem/Mit* habe ich die Vokabeln gut gelernt.

Modale Konnektoren: Alternative und fehlende Handlung

12 *Anstatt/Anstatt dass/Stattdessen* ich den Computer teuer reparieren lasse, kaufe ich mir einen neuen.
13 Ich kaufe mir keinen gebrauchten Computer. *Anstatt/Anstatt dass/Stattdessen* kaufe ich mir einen neuen.
14 *Anstatt/Anstatt dass/Stattdessen* eines gebrauchten Computers kaufe ich mir einen neuen.
15 *Ohne/Ohne dass* die Hilfe meines Freundes hätte ich den Drucker nicht anschließen können.
16 Mein Freund hat mir geholfen, *ohne/ohne dass* ich ihn lange darum bitten musste.

Modale Konnektoren: Vergleich

17 Ich installiere das Programm, *gemäß/wie/genauso* es in der Hilfe-Datei beschrieben ist.
18 Ich installiere das Programm *gemäß/wie/genauso* der Beschreibung.
19 In dieser Datei ist die Installation beschrieben. *Gemäß/Wie/Genauso* habe ich es gemacht.

2 KOCHEN. Formen Sie die Sätze um. Verwenden Sie einen Konnektor mit Nebensatz.

1 Kochen lernt man am besten durch Zuschauen bei einem guten Koch oder einer guten Köchin.
2 Für ein gutes Essen braucht man vor allem gute Zutaten.
3 Bei größeren Einladungen ist es viel Arbeit, das Essen selbst zuzubereiten.
4 Anstatt teurer Lebensmittel aus fernen Ländern kann man auch regionales Gemüse verwenden.
5 Ich koche das Gericht entsprechend dem Rezept meiner Großmutter.

3 YOGA. Formen Sie die unterstrichenen Satzteile in Nebensätze um.

1 Mithilfe von Yoga kann ich mich körperlich und geistig fit halten.
2 Ich gehe regelmäßig in den Yogakurs. Es sei denn, ich muss Überstunden machen.
3 Durch meine regelmäßigen Yogaübungen kann ich immer gut schlafen.
4 Mein Freund geht nicht in den Yogakurs. Er macht stattdessen einen Tai-Chi-Kurs.
5 Ich finde, zum Wohlfühlen braucht man sportliche Aktivität.

4 DAS AUTO DER ZUKUNFT. Formen Sie die Nebensätze um. Verwenden Sie die angegebene Präposition.

1 Der Verkehr auf den Autobahnen könnte optimiert werden, dadurch dass Lastwagen elektronisch gesteuert werden. *(mithilfe)*
2 Falls es in nächster Zeit vermehrt Unfälle mit selbstfahrenden Autos gibt, wird die Skepsis in der Bevölkerung steigen. *(im Falle)*
3 Um die Akzeptanz von selbstfahrenden Autos zu steigern, müssen die Autobauer großen Wert auf Sicherheit legen. *(zwecks)*
4 Autos müssen in Deutschland einen Fahrer haben, so schreibt es die Straßenverkehrsordnung vor. *(gemäß)*
5 Sofern die Forschung im Bereich der künstlichen Intelligenz sich weiter rasant entwickelt, werden selbstfahrende Autos in absehbarer Zeit auf unseren Straßen selbstverständlich sein. *(bei)*

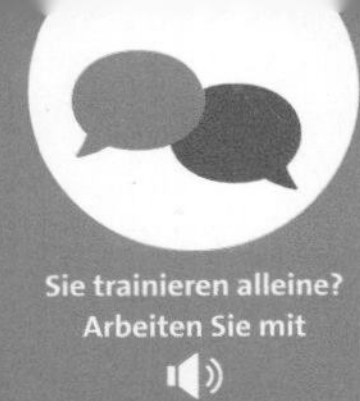

Sie trainieren alleine?
Arbeiten Sie mit
52, 54

Partnerseite 10: Umformung von Sätzen

Partner/-in A

Sie sehen einen Nebensatz oder einen Satz mit nominalem Ausdruck (mit Präposition). Sie formen einen Nebensatz in einen Ausdruck mit Präposition um und umgekehrt. Ihre Partnerin / Ihr Partner hat jeweils die andere Form und kann Sie also kontrollieren, und Sie kontrollieren Ihre Partnerin / Ihren Partner. Es spielt keine Rolle, wer beginnt.

1 SCHULANFANG. Temporale Konnektoren.

1 *Bei meinem Schulbeginn* war ich sechs Jahre und drei Monate alt.
2 *Seitdem mir meine Cousine von ihrem ersten Schultag berichtet hatte,* fantasierte ich, was bei mir an diesem Tag passieren würde.
3 *Immer wenn ich sie besuchte,* musste sie mir alles noch einmal erzählen.
4 *Nach meinem sechsten Geburtstag* war ich aufgeregt und voller Vorfreude.
5 Ich ging meiner Mutter auf die Nerven, *bis sie mir den heiß ersehnten Ranzen gekauft hatte.*
6 *Während ich auf der Feier zum Schulanfang war,* betrachtete ich stolz meinen neuen Ranzen und meine Schultüte.
7 *Als ich meine Schultüte öffnen durfte,* war der Höhepunkt des Tages erreicht.
8 *Vor dem Naschen aus der Schultüte* musste ich leider erst meine Hausaufgaben erledigen.
9 *Nach dem Genuss von sehr viel Schokolade* war mir allerdings sehr übel und ich wollte nur noch ins Bett.
10 *Seitdem ich das erlebt hatte,* erschien mir die Schule ein bisschen weniger süß.

2 SELBERMACHEN. Kausale, konzessive, finale, konditionale, modale, adversative Konnektoren.

1 *Wegen meines Umzugs in eine andere Wohnung* wollte ich mir einen neuen Schrank kaufen.
2 *Um diesen Schrank zu kaufen,* fuhr ich zu einem Möbelmarkt.
3 *Ohne Gedanken an die Folgen* kaufte ich einen Schrank, den man selbst aufbauen muss.
4 *Obwohl ich Befürchtungen hatte,* wollte ich den Schrank im Alleingang aufbauen.
5 Ich orientierte mich zuerst *mittels / mithilfe / mit / anhand der Gebrauchsanweisung.*
6 Dann ordnete ich alle Schrankteile an, *wie es die Anweisung vorschrieb.*
7 *Im Gegensatz zu den klar wirkenden Bildern in der Anweisung* sah das, was vor mir lag, wie ein totales Chaos aus.
8 Zu meiner Erleichterung las ich am Ende der Gebrauchsanweisung, dass man die Schrankteile zurückbringen kann, *falls der Aufbau misslingt.*
9 *Anstatt eines erneuten Versuchs eines Schrankaufbaus* beschloss ich, mir einen fertigen Schrank liefern zu lassen.

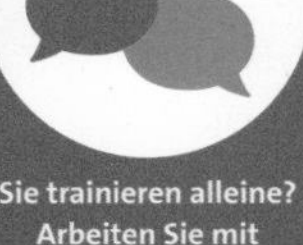

Sie trainieren alleine? Arbeiten Sie mit 53, 55

Partnerseite 10: Umformung von Sätzen

C1

Partner/-in B

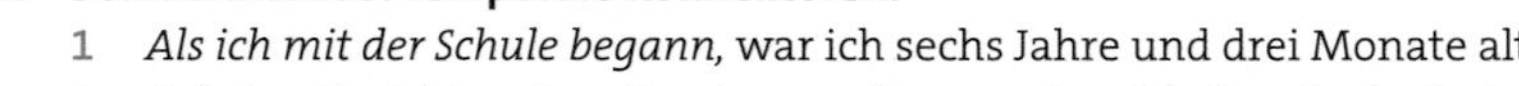

Sie sehen einen Nebensatz oder einen Satz mit nominalem Ausdruck (mit Präposition). Sie formen einen Nebensatz in einen Ausdruck mit Präposition um und umgekehrt. Ihre Partnerin / Ihr Partner hat jeweils die andere Form und kann Sie also kontrollieren, und Sie kontrollieren Ihre Partnerin / Ihren Partner. Es spielt keine Rolle, wer beginnt.

1 SCHULANFANG. Temporale Konnektoren.

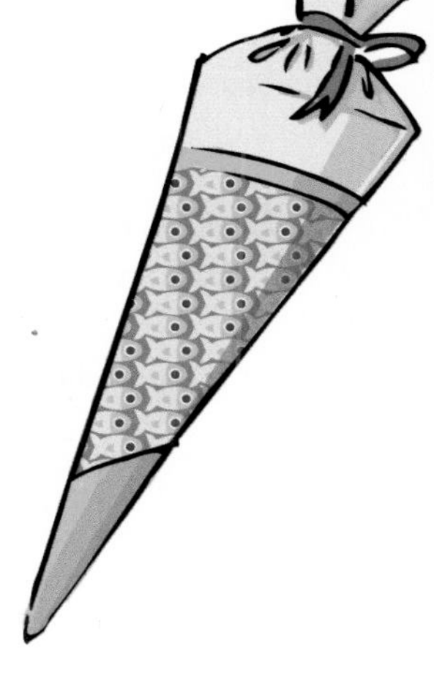

1. *Als ich mit der Schule begann,* war ich sechs Jahre und drei Monate alt.
2. *Seit dem Bericht meiner Cousine von ihrem ersten Schultag* fantasierte ich, was bei mir an diesem Tag passieren würde.
3. *Bei jedem Besuch* musste sie mir alles noch einmal erzählen.
4. *Nachdem ich meinen sechsten Geburtstag gefeiert hatte,* war ich aufgeregt und voller Vorfreude.
5. Ich ging meiner Mutter *bis zum Kauf des heiß ersehnten Ranzens* auf die Nerven.
6. *Während der Feier zum Schulanfang* betrachtete ich stolz meinen neuen Ranzen und meine Schultüte.
7. *Beim Öffnen der Schultüte* war der Höhepunkt des Tages erreicht.
8. *Bevor ich aus der Schultüte naschen durfte,* musste ich leider erst meine Hausaufgaben erledigen.
9. *Nachdem ich sehr viel Schokolade genossen hatte,* war mir allerdings sehr übel und ich wollte nur noch ins Bett.
10. *Seit diesem Erlebnis* erschien mir die Schule ein bisschen weniger süß.

2 SELBERMACHEN. Kausale, konzessive, finale, konditionale, modale, adversative Konnektoren.

1. *Weil/Da ich in eine andere Wohnung umgezogen bin,* wollte ich mir einen neuen Schrank kaufen.
2. *Zum Kauf / Zwecks Kaufs dieses Schrankes* fuhr ich zu einem Möbelmarkt.
3. *Ohne an die Folgen zu denken,* kaufte ich einen Schrank, den man selbst aufbauen muss.
4. *Trotz meiner Befürchtungen* wollte ich den Schrank im Alleingang aufbauen.
5. Ich orientierte mich zuerst, *indem ich die Gebrauchsanweisung studierte.*
6. Dann ordnete ich alle Schrankteile *gemäß / nach / entsprechend der Anweisung* an.
7. *Während die Bilder in der Anweisung klar wirkten,* sah das, was vor mir lag, wie ein totales Chaos aus.
8. Zu meiner Erleichterung las ich am Ende der Gebrauchsanweisung, dass man *im Falle eines Misslingens / bei Misslingen des Aufbaus* die Schrankteile zurückbringen kann.
9. *Anstatt erneut einen Schrankaufbau zu versuchen,* beschloss ich, mir einen fertigen Schrank liefern zu lassen.

87

Kommaregeln

Er isst seine Katze auch???

B2

Häh?? Dieser Barbar!!
Hat er etwa seinen
Hund auch schon
gegessen????
Er isst seine Katze auch.
Ein Komma hilft!

1. Das Komma trennt Sätze voneinander.

Hauptsatz und Nebensatz	
Wenn der Nebensatz eingebettet ist, steht vor und nach dem Nebensatz ein Komma. Relativsätze sind auch Nebensätze.	*Ich gehe gerne wandern, weil mir die Bewegung an der frischen Luft guttut.* *Wenn ich Zeit habe, wandere ich jede Woche.* *Nächstes Wochenende mache ich, weil ich wenig Zeit habe, nur eine kleine Tour.* *Ich habe viele Freunde, die auch gerne wandern.* *Das Café, das ich dir zeigen möchte, liegt mitten im Wald.*
Infinitivsatz mit *zu* Das Komma ist nicht immer obligatorisch. Empfehlung: immer ein Komma setzen.	*Ich freue mich darauf, im Urlaub eine Wandertour im Himalaja zu machen.* *Ich gehe im Sommer wandern, anstatt im Winter Ski zu fahren.* *Ich habe schon angefangen(,) dafür zu sparen.*
kein Komma Wenn zwei Nebensätze mit *und* oder *oder* verbunden sind	*Ich hoffe, dass es nicht regnet **und** dass es nicht so stürmisch ist.* *Ich hoffe, dass die Sonne scheint **oder** dass es wenigstens nicht regnet.*
Hauptsatz und Hauptsatz	
ohne Konnektor mit verbindendem Satzadverb (Man kann auch einen Punkt setzen.)	*Ich wandere, mein Freund klettert.* *Mein Freund klettert schon seit seiner Kindheit, **deshalb** fühlt er sich in den Bergen zu Hause.*
immer mit Hauptsatzkonnektor ***aber, sondern, jedoch, doch, denn,*** auch wenn die Sätze verkürzt sind	*Ich würde auch gerne klettern, **aber** ich bin nicht schwindelfrei.* *Heute sind wir nicht mit dem Auto gefahren, **sondern** zu Fuß gelaufen.* *Ich würde auch gerne klettern, **aber** nicht alleine.* *Wir sind nicht mit dem Auto gefahren, **sondern** mit dem Bus.*
Wenn Hauptsätze mit ***und*** und ***oder*** verbunden sind, kann ein Komma stehen.	*Im nächsten Urlaub wandern wir in den Anden(,) oder wir machen eine Trekkingtour im Himalaja.* *Wir bereiten uns im Fitnessstudio vor(,) und wir müssen natürlich auch genug Geld sparen.*

2. Das Komma trennt Satzteile voneinander

Aufzählung außer: vor *und*, *oder* und *sowie*	*Wir haben dort **eine Suppe**, **ein Schnitzel**, **einen Salat** und **ein Stück Torte** gegessen.* *Wir wollten **einen Kaffee**, **eine Schokolade** oder **einen Tee** trinken.*
Apposition	*Mein Freund, **ein passionierter Bergsteiger**, fand die Wanderung langweilig.*
kein Komma nach Position 1 (Ausnahme: wenn ein Nebensatz auf Position 1 steht)	***Nach dieser langen Wanderung bei wunderbarem Sonnenschein*** **(kein Komma!)** *hatte ich all meine Alltagssorgen vergessen.*

1 DER OPERNBALL. Ergänzen Sie die zu den Nebensätzen gehörigen Kommas.

1. Da das Interesse am Opernball groß ist sind die Karten meist schon lange vorher ausverkauft.
2. Natürlich braucht man die passende Kleidung um am Opernball teilnehmen zu können.
3. Wer am Opernball teilnehmen kann der gehört zu den wichtigen Leuten und trifft andere wichtige Leute.
4. Nachdem der Bundespräsident eingezogen ist und junge Damen und Herren die Tanzveranstaltung mit einem Walzer eröffnet haben wird die Tanzfläche für alle freigegeben.
5. Der große Opernball auf dem sich viel Prominenz trifft findet jedes Jahr an Fasching statt.

2 EINE PARTY. Schreiben Sie die Sätze. Achten Sie auf die Kommas in den Aufzählungen.

1. mit dem Fahrrad / und einige zu Fuß / mit dem Auto / , / Die Gäste / kamen / .
2. Sie / essen und trinken / wollten / oder tanzen / flirten / , / .
3. und zum Nachtisch eine Mousse au Chocolat / gab / , / eine Fischsuppe / Kaviar / Lachsbrötchen / Es / , / .
4. und tranken Wein / unterhielten sich angeregt / tanzten viele Gäste noch / Lange nach Mitternacht / , / .

3 Ergänzen Sie den Satzteil in Klammern als Apposition. Setzen Sie die Kommas.

1. Mein Kollege macht Homeoffice. *(ein Vater von zwei kleinen Kindern)*
2. Seine Kinder sind heute krank. *(zwei und vier Jahre alt)*
3. Mein anderer Kollege regt sich darüber auf. *(ein sehr karriereorientierter junger Mann)*
4. Er meint, die Kinder könnten ja im Kindergarten betreut werden. *(dem Kindergarten in der Firma)*

4 BERLIN. Ergänzen Sie die fehlenden Kommas.

Berlin die Hauptstadt von Deutschland ist immer eine Reise wert. Mit über einer Million Übernachtungen ist Berlin der attraktivste Ort in Deutschland der Gäste aus der ganzen Welt anzieht.
Die Interessen der Menschen sind natürlich unterschiedlich aber es ist für jeden Geschmack etwas dabei. Bei einer Schiffstour auf der Spree und dem Landwehrkanal kann man die Stadt aus einer anderen Perspektive sehen. Während man auf dem Schiff gemütlich einen Kaffee trinkt kann man das Regierungsviertel und das historische Zentrum vom Wasser aus betrachten. Musikbegeisterte können zwischen drei Opern der Komischen Oper der Staatsoper und der Deutschen Oper wählen.
Und Feiernde finden nicht nur auf dem Ku'damm interessante Bars sondern auch in vielen anderen Stadtteilen angesagte Locations die bis in die frühen Morgenstunden geöffnet haben.

5 FEHLERSÄTZE. Welche Kommas sind falsch, wo fehlt ein Komma? Korrigieren Sie die zehn Fehler.

1. Die Schauspielerin die in der neuen Serie die Hauptrolle spielt hat schon 100 000 Follower auf Instagram.
2. Die Begeisterung für prominente Personen, ist etwas was viele Leute teilen.
3. Schauspielerinnen, Sportlerinnen und Musikerinnen sind häufige Vorbilder für junge Frauen.
4. Sie interessieren sich dafür wie ihre Vorbilder leben, was sie denken, und wie sie es geschafft haben so berühmt zu sein.
5. Nach wenigen Jahren, können die Vorbilder, die zunächst von allen bewundert werden auch schon wieder in Vergessenheit geraten sein.

C1

6 COMPUTER IM KINDERGARTEN? Ergänzen Sie 22 Kommas.

Unter Eltern in der Wissenschaft und in der Politik wird darüber gestritten ob schon kleine Kinder mit Computern spielen und lernen sollten oder nicht. Die einen sagen dass wir in einer informationstechnischen Welt leben und die Kinder schon früh mit Computern umgehen müssen damit sie für die zukünftige Welt fit werden wohingegen die anderen betonen dass es wichtig ist dass Kinder die Welt erkunden bevor sie mit Bildschirmmedien umgehen. Nur wenn Kinder die Möglichkeit haben zu spielen sich zu bewegen und mit ihren Sinnen die Welt zu verstehen können sie sich zu einer starken Persönlichkeit entwickeln die ihre Fähigkeiten sinnvoll einsetzen kann das meinen die Computergegner. Wenn man den Computer exzessiv nutzt befürchten sie Sucht Depressionen und andere Krankheiten. Während die Computergegner häufig ältere Menschen überall Gefahren sehen betonen die Befürworter dass sich die Menschen schon immer an neue Technologien gewöhnen mussten und das auch erfolgreich gemacht haben. Bei der Einführung der Eisenbahn hatten einige Menschen Angst vor den hohen Geschwindigkeiten von 30 bis 40 km/h wohingegen heutige Menschen auch bei Tempo 400 gemütlich Musik hören oder lesen. Sie fordern gerade deshalb mehr Umgang mit Computern mehr Programmierkurse auch für Kinder damit unsere Gesellschaft sachverständig mit der Computertechnologie umzugehen lernt.

88 Besondere Formen der mündlichen Sprache

Da kommste nich drauf

Wo fährste hin?

Fährste mit dem Auto?

Da kommste nich drauf.

ugs. für:
Wohin fährst du?
Fährst du mit dem Auto?
Darauf kommst du nicht.

Bemerkung	Das hört man oft	schriftsprachliche Form
Phonetische Verschleifungen, Zusammenziehungen	*vonner, beier, aufer,* *inner, inne, innen* *aufs, übers, vors, ...* *n, ne, nen, ner* *stellstes* *hab, hamse,* *Na, wie isset?* *Was issn das?* *liebn*	*von der, bei der, auf der,* *in der, in die, in den* *auf das, über das, vor das, ...* *ein, eine, einen, einer* *stellst du es* *habe, haben sie / Sie* *Na, wie ist es?* (= Wie geht's?) *Was ist denn das?* *lieben*
Wörter werden verkürzt oder phonetisch vereinfacht.	***ma(l)*** ***was*** ***nix*** ***nee***	*einmal* *etwas* *nichts* *nein*
Das Subjekt wird weggelassen. Der Satz beginnt mit dem konjugierten Verb.	***Bin** gerade erst angekommen.*	*Ich bin gerade erst angekommen.*
Fragewörter und Adverbien werden wie trennbare Verben getrennt.	***Wo** fährst du **hin**?* ***Wo** kommt das **her**?* ***Da** habe ich nichts **gegen**.*	*Wohin fährst du?* *Woher kommt das?* *Dagegen habe ich nichts.*
Das „da" vom Präpositionalpronomen wird verdoppelt.	***Da** kommst du nicht **drauf**.*	*Darauf kommst du nicht.*
Man nimmt zur Betonung den Satzteil noch einmal mit einem Demonstrativpronomen in demselben Kasus auf. Mit *sein* verwendet man immer das generelle Demonstrativpronomen *das*.	*Den Text, **den** habe ich nicht verstanden.* *Der Kuli, **das** ist mein Kuli.* *Die Bücher, **das** sind meine Bücher.*	*Den Text habe ich nicht verstanden.* *Der Kuli ist mein Kuli.* *Die Bücher sind meine Bücher.*
Man ergänzt ein „zeigendes" *da*. Dadurch betont man den Satzteil. Das funktioniert nur, wenn man auf diesen Gegenstand zeigen kann / könnte. Häufig wird der Satzteil zusätzlich noch mit einem Demonstrativpronomen wieder aufgenommen.	*Die Übung **da(, die)** habe ich nicht verstanden.*	*Diese Übung habe ich nicht verstanden.*
Weil und *obwohl* (Konnektoren mit Nebensatz) werden mit Hauptsatz verwendet (häufig mit einer Sprechpause).	*Ich komme nicht, **weil**: Ich **habe** keine Lust.*	*Ich komme nicht, weil ich keine Lust habe.*
Nachgestellte (nicht eingeschobene) Relativsätze werden durch Hauptsätze mit Demonstrativpronomen ersetzt.	*Ich kenne ein Management, **das** hat Mist gebaut.*	*Ich kenne ein Management, das Mist gebaut hat.*
Ein trennbares Verbpräfix steht nicht am Satzende (bei einigen Präfixen ist es in der mündlichen Sprache sehr häufig).	*Kommst du **mit** ins Kino?* *Gehst du noch mal **zurück** in die Firma?* *Wann fängst du **an** mit der Arbeit?*	*Kommst du ins Kino mit?* *Gehst du noch einmal in die Firma zurück?* *Wann fängst du mit der Arbeit an?*

Die Formen der mündlichen Sprache sind regional, je nach Dialektfärbung, unterschiedlich.
Lernen Sie, diese Formen zu verstehen, aber verwenden Sie sie nur mit Vorsicht.

1 Schreiben Sie die Dialoge schriftsprachlich.

Dialog 1

Hastu das verstandn? Erklärste mir das mal?

Nee, ich versteh auch nix. Was solln das sein?

Dialog 1: Hast du das verstanden? ...

Das is n Tipp vonner Kollegin. Der Weg zu nem Restaurant.

Vielleicht kommtse heute noch. Dann kannste se noch ma fragen.

Dialog 2

Na, wie isset?

Geht so. War am Wochenende ganz alleine. War n bisschen langweilig.

Schade. Ich hab auch nix gemacht. Willste nächsten Samstag innen Club gehen? Bei mir inner Nähe gibts nen tollen. Da hamse immer gute Musik.

2 Trennbare Adverbien und Fragewörter. Schreiben Sie die Sätze schriftsprachlich.

1 *Siehst du den Berg dort hinten? Da ist ein Sendemast drauf.*

1 ... Darauf ist ein Sendemast.

2 *Wo geht ihr denn heute hin?*

3 *Da habe ich nichts gegen.*

4 *Da kann ich nichts für.*

5 *Wo kommt das denn her? Da kannst du doch gar nichts mit machen.*

3 Formulieren Sie die Antworten in mündlicher Sprache. Betonen Sie den Satzteil mit einem Demonstrativpronomen.

1 Kennst du den Kollegen?
2 Hast du den Ordner gelöscht?
3 Hast du die Vorspeise schon mal probiert?
4 Liegt der Schlüssel in der Schublade?

Nein, den Kollegen, den kenne ich nicht.

4 Formulieren Sie die Antworten in mündlicher Sprache. Betonen Sie den Satzteil mit einem „zeigenden *da*".

1 Ist dieser Porsche dein Auto?
2 Gehört dieses Handy dir?
3 Brauchst du diesen Zettel noch?
4 Sind diese spielenden Kinder deine Kinder?

Ja, der Porsche da(, das) ist mein Auto.

5 Wie kann man es mündlich sagen? Schreiben Sie in die Sprechblasen.

1 Wann kommen deine Freunde aus dem Urlaub zurück?

Wann kommen ______________________________

____

2 Kommt deine Freundin auch ins Kino mit?

____

____

3 Ich fange jetzt noch nicht mit dem Bericht an.

____

____

Sprechtraining

Im Folgenden finden Sie die Texte zu den Sprechtraining-Übungen zu den Kapiteln 1–88.

1 Verbposition in einfachen Sätzen

02 ***Beispiel:*** ► S. 12

Können Sie am Montag kommen?	***Ja, am Montag kann ich kommen.***
Können Sie am Montag kommen?	Ja, am Montag kann ich kommen.
Gehen Sie morgen zum Fitnessstudio?	Ja, morgen gehe ich zum Fitnessstudio.
Müssen Sie heute Abend länger arbeiten?	Ja, heute Abend muss ich länger arbeiten.
Gehen Sie in der Pause mit den Kollegen essen?	Ja, in der Pause gehe ich mit den Kollegen essen.
Trinken Sie während der Arbeit viel Kaffee?	Ja, während der Arbeit trinke ich viel Kaffee.
Schlafen Sie im Urlaub lange?	Ja, im Urlaub schlafe ich lange.
Gehen Sie am Wochenende oft aus?	Ja, am Wochenende gehe ich oft aus.
Checken Sie manchmal private E-Mails im Büro?	Ja, manchmal checke ich private E-Mails im Büro.

2 Verbposition in Satzverbindungen

03 ***Beispiel:*** ► S. 16

Er hat eine Großstadt besichtigt, immer wenn er Zeit hatte.	***Immer wenn er Zeit hatte, hat er eine Großstadt besichtigt.***
Er hat eine Großstadt besichtigt, immer wenn er Zeit hatte.	Immer wenn er Zeit hatte, hat er eine Großstadt besichtigt.
Er ist zum ersten Mal nach Berlin gefahren, als er 18 Jahre alt war.	Als er 18 Jahre alt war, ist er zum ersten Mal nach Berlin gefahren.
Er hat viel über Berlin gelesen, um sich auf die Reise vorzubereiten.	Um sich auf die Reise vorzubereiten, hat er viel über Berlin gelesen.
Er hat sich sehr gefreut, da es tolle Clubs in Berlin gibt.	Da es tolle Clubs in Berlin gibt, hat er sich sehr gefreut.
Er wollte jeden Abend ausgehen, nachdem er einmal in einem Club gewesen war.	Nachdem er einmal in einem Club gewesen war, wollte er jeden Abend ausgehen.
Von den Sehenswürdigkeiten hat er nicht viel gesehen, weil er tagsüber müde war.	Weil er tagsüber müde war, hat er von den Sehenswürdigkeiten nicht viel gesehen.
Sein Freund hat die Museen besucht, während er geschlafen hat.	Während er geschlafen hat, hat sein Freund die Museen besucht.
Er war sehr zufrieden mit seiner Berlinreise, obwohl er nur wenig gesehen hat.	Obwohl er nur wenig gesehen hat, war er sehr zufrieden mit seiner Berlinreise.

3 Position von Dativ- und Akkusativobjekt

04 ***Beispiel:*** ► S. 18

Gibst du deiner Kollegin bitte das Protokoll?	***Ja, ich gebe es ihr.***
Gibst du deiner Kollegin bitte das Protokoll?	Ja, ich gebe es ihr.
Zeigst du dem neuen Kollegen bitte die Kantine?	Ja, ich zeige sie ihm.
Bringst du der Chefin bitte den Kaffee?	Ja, ich bringe ihn ihr.
Erklärst du dem Kollegen den neuen Kopierer?	Ja, ich erkläre ihn ihm.
Schreibst du den Freunden die Nachricht?	Ja, ich schreibe sie ihnen.
Glaubst du der Kollegin die Entschuldigung?	Ja, ich glaube sie ihr.
Erzählst du uns noch einmal die Geschichte?	Ja, ich erzähle sie euch.
Leihst du mir mal das Buch?	Ja, ich leihe es dir.

4 Position der Angaben im Satz (lokal – temporal)

05

Beispiel: ► S. 20

Wann kommst du zum Fitnessstudio? Heute Abend?	***Ja, ich komme heute Abend zum Fitnessstudio.***
Wann kommst du zum Fitnessstudio? Heute Abend?	Ja, ich komme heute Abend zum Fitnessstudio.
Wann triffst du Lukas in Frankfurt? Nächste Woche?	Ja, ich treffe Lukas nächste Woche in Frankfurt.
Wo gehst du heute joggen? Im Park?	Ja, ich gehe heute im Park joggen.
Wo hast du gestern zu Mittag gegessen? Im Restaurant?	Ja, ich habe gestern im Restaurant zu Mittag gegessen.
Wie lange bleibst du noch im Schwimmbad? Zwei Stunden?	Ja, ich bleibe noch zwei Stunden im Schwimmbad.
Wie lange fährt man von Hamburg nach Berlin? Knapp zwei Stunden?	Ja, man fährt knapp zwei Stunden von Hamburg nach Berlin.
Wohin fährst du im Sommer? Nach Italien?	Ja, ich fahre im Sommer nach Italien.
Wohin geht der Kollege jetzt gerade? In die Kantine?	Ja, der Kollege geht jetzt gerade in die Kantine.

6 Position von *nicht*

06

Beispiel: ► S. 24

Spielst du gerne Fußball?	***Nein, ich spiele nicht gerne Fußball.***
Spielst du gerne Fußball?	Nein, ich spiele nicht gerne Fußball.
Verstehst du diese Erklärung?	Nein, ich verstehe diese Erklärung nicht.
Ist sie heute pünktlich gekommen?	Nein, sie ist heute nicht pünktlich gekommen.
Hat er sich letzte Woche im Club über Anna geärgert?	Nein er hat sich letzte Woche im Club nicht über Anna geärgert.
Gehört der USB-Stick dir?	Nein, der USB-Stick gehört mir nicht.
Bist du am Wochenende nach München gefahren?	Nein, ich bin am Wochenende nicht nach München gefahren.
Hast du heute Klavier gespielt?	Nein, ich habe heute nicht Klavier gespielt.
Kommst du heute ins Café?	Nein, ich komme heute nicht ins Café.

7 Position von *auch*

07

Beispiel: ► S. 26

Ich kann nicht Fahrrad fahren.	***Ich kann auch nicht Fahrrad fahren.***
Ich kann nicht Fahrrad fahren.	Ich kann auch nicht Fahrrad fahren.
Ich habe heute keine Zeit.	Ich habe heute auch keine Zeit.
Ich kenne den Kollegen schon länger.	Ich kenne den Kollegen auch schon länger.
Ich konnte heute dank seiner Hilfe pünktlich kommen.	Ich konnte heute dank seiner Hilfe auch pünktlich kommen.
Ich bin trotz des schlechten Wetters mit dem Fahrrad gefahren.	Ich bin trotz des schlechten Wetters auch mit dem Fahrrad gefahren.
Ich fahre im Sommer mit meinen Freunden in die Alpen.	Ich fahre im Sommer auch mit meinen Freunden in die Alpen.
Ich kenne die Alpen sehr gut.	Ich kenne die Alpen auch sehr gut.
Ich mag Klettertouren in den Alpen.	Ich mag Klettertouren in den Alpen auch.

8–9 **Hörtext zu Partnerseite 1,** ► S. 30

11 Vorwürfe mit Konjunktiv 2

10

► S. 36

Beispiel:	
Hast du nicht eingekauft?	***Oh nein, stimmt, ich hätte einkaufen sollen.***
Hast du nicht eingekauft?	Oh nein, stimmt, ich hätte einkaufen sollen.
Hast du keinen Kaffee mitgebracht?	Oh nein, stimmt, ich hätte einen Kaffee mitbringen sollen.
Hast du Tanja nicht angerufen?	Oh nein, stimmt, ich hätte Tanja anrufen sollen.
Hast du dem Kollegen nicht Bescheid gesagt?	Oh nein, stimmt, ich hätte dem Kollegen Bescheid sagen sollen.
Bist du nicht zum Meeting gegangen?	Oh nein, stimmt, ich hätte zum Meeting gehen sollen.
Hast du den Chef nicht gefragt?	Oh nein, stimmt, ich hätte den Chef fragen sollen.
Hast du nicht gewartet?	Oh nein, stimmt, ich hätte warten sollen.
Bist du nicht mit dem Fahrrad gefahren?	Oh nein, stimmt, ich hätte mit dem Fahrrad fahren sollen.

12 Irreale Bedingungen mit Konjunktiv 2

11

► S. 38

Beispiel:	
Kommst du mit ins Kino?	***Wenn ich Zeit hätte, würde ich gerne mit ins Kino kommen.***
Kommst du mit ins Kino?	Wenn ich Zeit hätte, würde ich gerne mit ins Kino kommen.
Gehst du dieses Wochenende aus?	Wenn ich Zeit hätte, würde ich gerne dieses Wochenende ausgehen.
Hilfst du mir bei dieser Arbeit?	Wenn ich Zeit hätte, würde ich dir gerne bei dieser Arbeit helfen.
Reparierst du mein Fahrrad?	Wenn ich Zeit hätte, würde ich gerne dein Fahrrad reparieren.
Gehst du heute shoppen?	Wenn ich Zeit hätte, würde ich gerne shoppen gehen.
Kommst du mich mal besuchen?	Wenn ich Zeit hätte, würde ich dich gerne mal besuchen.
Fährst du im Sommer nach Berlin?	Wenn ich Zeit hätte, würde ich gerne im Sommer nach Berlin fahren.
Kochst du heute Abend ein schönes Essen?	Wenn ich Zeit hätte, würde ich heute Abend gerne ein schönes Essen kochen.

13 Irreale Vergleiche und irreale Folgen mit Konjunktiv 2

12

Übung 1

► S. 40

Beispiel:	
Bist du müde?	***Sehe ich aus, als ob ich müde wäre?***
Bist du müde?	Sehe ich aus, als ob ich müde wäre?
Hast du ein Problem?	Sehe ich aus, als ob ich ein Problem hätte?
Bist du traurig?	Sehe ich aus, als ob ich traurig wäre?
Hast du es eilig?	Sehe ich aus, als ob ich es eilig hätte?
Musst du schnell weg?	Sehe ich aus, als ob ich schnell weg müsste?
Musst du viel arbeiten?	Sehe ich aus, als ob ich viel arbeiten müsste?
Willst du etwas sagen?	Sehe ich aus, als ob ich etwas sagen wollte?
Kannst du nicht tanzen?	Sehe ich aus, als ob ich nicht tanzen könnte?

13

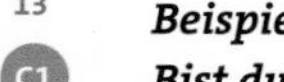
C1

Übung 2

Beispiel:

Bist du auf ihn reingefallen?	***Nein, aber ich wäre fast auf ihn reingefallen.***
Bist du auf ihn reingefallen?	Nein, aber ich wäre fast auf ihn reingefallen.
Bist du zu spät gekommen?	Nein, aber ich wäre fast zu spät gekommen.
Hast du den Zug verpasst?	Nein, aber ich hätte ihn fast verpasst.
Bist du hingefallen?	Nein, aber ich wäre fast hingefallen.
Hast du den Schlüssel vergessen?	Nein, aber ich hätte ihn fast vergessen.
Hast du es geschafft?	Nein, aber ich hätte es fast geschafft.
Hast du die Tasche fallen lassen?	Nein, aber ich hätte sie fast fallen lassen.
Hast du einen Unfall gebaut?	Nein, aber ich hätte fast einen Unfall gebaut.

14–15

Hörtext zu Partnerseite 2, ▶ S. 42

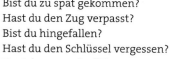

14 Passiv

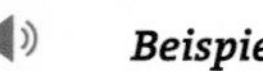
16

Beispiel: ▶ S. 44

Soll ich die Presse informieren?	***Nicht nötig, die Presse ist schon informiert worden.***
Soll ich die Presse informieren?	Nicht nötig, die Presse ist schon informiert worden.
Soll ich den Raum mieten?	Nicht nötig, der Raum ist schon gemietet worden.
Soll ich die Einladungskarten schreiben?	Nicht nötig, die Einladungskarten sind schon geschrieben worden.
Soll ich die Mitarbeiter einladen?	Nicht nötig, die Mitarbeiter sind schon eingeladen worden.
Soll ich ein Büfett bestellen?	Nicht nötig, das Büfett ist schon bestellt worden.
Soll ich das Programm ausarbeiten?	Nicht nötig, das Programm ist schon ausgearbeitet worden.
Soll ich Musik organisieren?	Nicht nötig, die Musik ist schon organisiert worden.
Soll ich die Beleuchtung vorbereiten?	Nicht nötig, die Beleuchtung ist schon vorbereitet worden.

15 Passiv mit Modalverben im Präteritum

17

Beispiel: ▶ S. 48

Musstet ihr den Müll wegbringen?	***Ja, der Müll musste weggebracht werden.***
Musstet ihr den Müll wegbringen?	Ja, der Müll musste weggebracht werden.
Musstet ihr die leeren Flaschen einsammeln?	Ja, die leeren Flaschen mussten eingesammelt werden.
Musstet ihr den Raum lüften?	Ja, der Raum musste gelüftet werden.
Musstet ihr den Teppichboden erneuern?	Ja, der Teppichboden musste erneuert werden.
Musstet ihr die Wände neu streichen?	Ja, die Wände mussten neu gestrichen werden.
Musstet ihr die Lampen reparieren?	Ja, die Lampen mussten repariert werden.
Musstet ihr die Bücher ordnen?	Ja, die Bücher mussten geordnet werden.
Musstet ihr die Bilder wieder aufhängen?	Ja, die Bilder mussten wieder aufgehängt werden.

16 Alternativen zum Passiv

18

▶ S. 52

Beispiel:
Das Problem ist leicht zu lösen.
Sie haben recht, das Problem lässt sich leicht lösen.

Das Problem ist leicht zu lösen.
Sie haben recht, das Problem lässt sich leicht lösen.

Dieser Kopierer ist leicht zu bedienen.
Sie haben recht, dieser Kopierer lässt sich leicht bedienen.

Der Redner ist gut zu verstehen.
Sie haben recht, der Redner lässt sich gut verstehen.

Seine Verspätung ist leicht zu erklären.
Sie haben recht, seine Verspätung lässt sich leicht erklären.

Die Software ist leicht zu installieren.
Sie haben recht, die Software lässt sich leicht installieren.

Das ist trotz der knappen Zeit gut zu schaffen.
Sie haben recht, das lässt sich trotz der knappen Zeit gut schaffen.

Das ist leicht zu ändern.
Sie haben recht, das lässt sich leicht ändern.

Das kann man nicht mehr reparieren.
Sie haben recht, das lässt sich nicht mehr reparieren.

18 Passivsätze ohne Subjekt

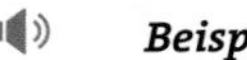
19

▶ S. 58

Beispiel:
Arbeitet man in deiner Firma oft am Wochenende?
Ja, in meiner Firma wird oft am Wochenende gearbeitet.

Arbeitet man in deiner Firma oft am Wochenende?
Ja, in meiner Firma wird oft am Wochenende gearbeitet.

Tratscht man in deiner Firma viel?
Ja, in meiner Firma wird viel getratscht.

Fährt man in Deutschland viel mit dem Auto?
Ja, in Deutschland wird viel mit dem Auto gefahren.

Arbeitet man in vielen Firmen unter Stress?
Ja, in vielen Firmen wird unter Stress gearbeitet.

Diskutiert man in den Meetings oft sehr lange?
Ja, in den Meetings wird oft sehr lange diskutiert.

Arbeitet man in Ihrer Firma in Gleitzeit?
Ja, in meiner Firma wird in Gleitzeit gearbeitet.

Isst man in Ihrer Firma mittags zusammen?
Ja, in meiner Firma wird mittags zusammen gegessen.

Feiert man in Ihrer Firma oft krank?
Ja, in meiner Firma wird oft krank gefeiert.

20–23 **Hörtext zu Partnerseite 3,** ▶ S. 62

20 Wechselpräpositionen

24

▶ S. 64

Beispiel:
Bist du schon in der Stadt?
Nein, aber ich gehe gleich in die Stadt.

Bist du schon in der Stadt?
Nein, aber ich gehe gleich in die Stadt.

Bist du schon am Strand?
Nein, aber ich gehe gleich an den Strand.

Bist du schon in der Firma?
Nein, aber ich gehe gleich in die Firma.

Bist du schon auf der Party?
Nein, aber ich gehe gleich auf die Party.

Bist du schon im Park?
Nein, aber ich gehe gleich in den Park.

Bist du schon im Einkaufszentrum?
Nein, aber ich gehe gleich ins Einkaufszentrum.

Bist du schon im Theater?
Nein, aber ich gehe gleich ins Theater.

Bist du schon auf dem Sportplatz?
Nein, aber ich gehe gleich auf den Sportplatz.

33 Verben mit Präpositionen

25

Übung 1

► S. 92

Beispiel:

Ich warte auf den Wetterbericht.	***Ich warte auch darauf.***
Ich warte auf die Referentin.	***Ich warte auch auf sie.***
Ich warte auf den Wetterbericht.	Ich warte auch darauf.
Ich warte auf die Referentin.	Ich warte auch auf sie.
Ich rege mich über unseren Chef auf.	Ich rege mich auch über ihn auf.
Ich rege mich über unnötige E-Mails auf.	Ich rege mich auch darüber auf.
Ich ärgere mich über dieses Mistwetter.	Ich ärgere mich auch darüber.
Ich ärgere mich über den Paketboten.	Ich ärgere mich auch über ihn.
Ich träume von einem eiskalten Bier.	Ich träume auch davon.
Ich träume von unseren Freunden aus dem Urlaub.	Ich träume auch von ihnen.

26

Übung 2

Beispiel:

Ärgerst du dich über die Nachbarn? Sie machen so laute Musik.	***Ja, ich ärgere mich darüber, dass die Nachbarn so laute Musik machen.***
Ärgerst du dich über die Nachbarn? Sie machen so laute Musik.	Ja, ich ärgere mich darüber, dass die Nachbarn so laute Musik machen.
Kannst du dich an das Essen gewöhnen? Es schmeckt ganz anders als zu Hause.	Ja, ich kann mich daran gewöhnen, dass das Essen ganz anders schmeckt als zu Hause.
Gratulierst du ihr heute noch? Sie hat die Prüfung bestanden.	Ja, ich gratuliere ihr heute noch dazu, dass sie die Prüfung bestanden hat.
Rechnest du noch mit ihm? Er kommt wahrscheinlich später.	Ja, ich rechne damit, dass er später kommt.
Freust du dich auf den Urlaub? Wir fahren morgen los.	Ja, ich freue mich darauf, dass wir morgen losfahren.
Regst du dich über den Kollegen auf? Er kommt immer zu spät.	Ja, ich rege mich darüber auf, dass er immer zu spät kommt.

27

Übung 3

Beispiel:

Willst du den Job wechseln? Denkst du darüber nach?	***Ja, ich denke darüber nach, den Job zu wechseln.***
Willst du den Job wechseln? Denkst du darüber nach?	Ja, ich denke darüber nach, den Job zu wechseln.
Machst du in Kroatien Urlaub? Entscheidest du dich dafür?	Ja, ich entscheide mich dafür, in Kroatien Urlaub zu machen.
Siehst du Niko bald wieder? Freust du dich darauf?	Ja, ich freue mich darauf, Niko bald wiederzusehen.
Lernst du die Vokabeln? Fängst du jetzt damit an?	Ja, ich fange jetzt damit an, die Vokabeln zu lernen.
Willst du Karriere machen? Träumst du davon?	Ja, ich träume davon Karriere zu machen.
Du rauchst nicht mehr. Hast du dich daran gewöhnt?	Ja, ich habe mich daran gewöhnt nicht mehr zu rauchen.

34 35 Verben, Adjektive und Nomen mit festen Präpositionen

28

► S. 94–99

Beispiel:

Fokus

aufpassen	***aufpassen auf***
aufpassen	aufpassen auf
sich konzentrieren	sich konzentrieren auf
antworten	antworten auf
stolz	stolz auf
eifersüchtig	eifersüchtig auf

Zukunft
warten
sich freuen
hoffen
neugierig
gespannt

warten auf
sich freuen auf
hoffen auf
neugierig auf
gespannt auf

Zielobjekt
sich entscheiden
sich bedanken
sich entschuldigen
sich interessieren
geeignet

sich entscheiden für
sich bedanken für
sich entschuldigen für
sich interessieren für
geeignet für

Thema – emotional
sich ärgern
sich freuen
sich aufregen
glücklich

sich ärgern über
sich freuen über
sich aufregen über
glücklich über

Thema – sachlich
diskutieren
nachdenken
sich unterhalten
sich informieren
berichten

diskutieren über
nachdenken über
sich unterhalten über
sich informieren über
berichten über

Kontakt
denken
sich erinnern
schreiben
sich gewöhnen
der Gedanke

denken an
sich erinnern an
schreiben an
sich gewöhnen an
der Gedanke an

Suche
suchen
fragen
sich erkundigen
sich sehnen
verrückt

suchen nach
fragen nach
sich erkundigen nach
sich sehnen nach
verrückt nach

Und jetzt ein Test
Beispiel:
aufpassen
aufpassen
sich entschuldigen
diskutieren
sich gewöhnen
fragen
hoffen
glücklich
eifersüchtig

Fokus: aufpassen auf
Fokus: aufpassen auf
Zielobjekt: sich entschuldigen für
Thema – sachlich: diskutieren über
Kontakt: sich gewöhnen an
Suche: fragen nach
Zukunft: hoffen auf
Thema – emotional: glücklich über
Fokus: eifersüchtig auf

29–30 **Hörtext zu Partnerseite 5,** ▶ S. 100

39 Vermutung und Zukunft mit dem Futur

31

► S. 108

Beispiel:

Kommt er später?	***Ja, er wird wohl später kommen.***
Kommt er später?	Ja, er wird wohl später kommen.
Ist er zu Hause?	Ja, er wird wohl zu Hause sein.
Fährt er mit dem Fahrrad?	Ja, er wird wohl mit dem Fahrrad fahren.
Bringt er eine Flasche Wein mit?	Ja, er wird wohl eine Flasche Wein mitbringen.
Hat er heute gearbeitet?	Ja, er wird wohl heute gearbeitet haben.
Hat er mit Tina zu Mittag gegessen?	Ja, er wird wohl mit Tina zu Mittag gegessen haben.
Ist er heute zur Chefin gegangen?	Ja, er wird wohl heute zur Chefin gegangen sein.
Hat er unseren Termin vergessen?	Ja, er wird wohl unseren Termin vergessen haben.

32

Hörtext zu Partnerseite 6, ► S. 112

52 Deklination der Indefinit- und Possesivpronomen

33

► S. 142

Beispiel:

Hast du eine Tasche?	***Ja, natürlich, ich habe eine.***
Hast du eine Tasche?	Ja, natürlich, ich habe eine.
Hast du ein Wörterbuch?	Ja, natürlich, ich habe eins.
Hast du Papier?	Ja, natürlich, ich habe welches.
Hast du einen USB-Stick?	Ja, natürlich, ich habe einen.
Hast du Stifte?	Ja, natürlich, ich habe welche.
Hast du ein Blatt Papier?	Ja, natürlich, ich habe eins.
Hast du Taschentücher?	Ja, natürlich, ich habe welche.
Hast du einen Regenschirm?	Ja, natürlich, ich habe einen.

55 Adjektivdeklination

34

Übung 1

► S. 150

Beispiel:

Das Haus ist aber klein.	***Klein? Das ist ein großes Haus.***
Das Haus ist aber klein.	Klein? Das ist ein großes Haus.
Die Wohnung ist aber dunkel.	Dunkel? Das ist eine helle Wohnung.
Der Garten ist aber ungepflegt.	Ungepflegt? Das ist ein gepflegter Garten.
Das ist aber viel Geld.	Viel? Das ist wenig Geld.
Die Nachbarn sind aber unfreundlich.	Unfreundlich? Das sind freundliche Nachbarn.
Der Film ist aber langweilig.	Langweilig? Das ist ein spannender Film.
Das Buch ist aber dick.	Dick? Das ist ein dünnes Buch.
Die Zeitschrift ist aber alt.	Alt? Das ist eine neue Zeitschrift.
Du brauchst aber wenig Zeit.	Wenig? Ich brauche viel Zeit.

Übung 2
35

Beispiel:

Morgen ist der 11.3. Hast du da einen Termin?	***Ja, am 11.3. habe ich einen Termin.***
Morgen ist der 11.3. Hast du da einen Termin?	Ja, am 11.3. habe ich einen Termin.
Nächsten Montag ist der 15.4. Hast du da Geburtstag?	Ja, am 15.4. habe ich Geburtstag.
In der 22. Kalenderwoche ist Ostern. Hast du da Urlaub?	Ja, in der 22. Kalenderwoche habe ich Urlaub.
Nächste Woche Donnerstag ist der 25.4. Hast du da Zeit?	Ja, am 25.4. habe ich Zeit.
Der 3.10. ist ein Feiertag. Können wir dann nach Hamburg fahren?	Ja, am 3.10. können wir nach Hamburg fahren.
Der 6.7. ist der erste Ferientag. Fahrt ihr dann sofort in Urlaub?	Ja, am 6.7. fahren wir sofort in Urlaub.
Der 1.5. ist ein Feiertag. Ist da die Bibliothek geschlossen?	Ja, am 1.5. ist die Bibliothek geschlossen.
Der 7.9. ist ein Sonntag. Kannst du da zu mir kommen?	Ja, am 7.9. kann ich zu dir kommen.

Übung 3
36

Beispiel:

Fährst du mit dem Zug? Ist der schnell?	***Ja, ich fahre mit einem schnellen Zug.***
Fährst du mit dem Zug? Ist der schnell?	Ja, ich fahre mit einem schnellen Zug.
Fährst du mit der U-Bahn? Ist sie neu?	Ja, ich fahre mit einer neuen U-Bahn.
Gehst du zu der Nachbarin? Ist sie nett?	Ja, ich gehe zu einer netten Nachbarin.
Arbeitest du mit Kollegen zusammen? Sind sie hilfsbereit?	Ja, ich arbeite mit hilfsbereiten Kollegen zusammen.
Arbeitest du bei einer Firma in München? Ist sie innovativ?	Ja, ich arbeite bei einer innovativen Firma in München.
Seit wann bist du schon in Dortmund? Ist es schon ein halbes Jahr?	Ja, ich bin seit einem halben Jahr in Dortmund.
Kommst du vom Seminar? War es interessant?	Ja, ich komme von einem interessanten Seminar.
Bringst du das Auto zur Werkstatt? Ist sie zuverlässig?	Ja, ich bringe das Auto zu einer zuverlässigen Werkstatt.

Übung 4
37

Beispiel:

Das Wetter war schlecht. Konntet ihr deshalb die Radtour nicht machen?	***Ja, wegen des schlechten Wetters konnten wir die Radtour nicht machen.***
Das Wetter war schlecht. Konntet ihr deshalb die Radtour nicht machen?	Ja, wegen des schlechten Wetters konnten wir die Radtour nicht machen.
Auf der Autobahn war ein langer Stau. Bist du deswegen so spät?	Ja, wegen des langen Staus bin ich so spät.
Die Musik war so laut. Hast du deswegen nicht gut geschlafen?	Ja, wegen der lauten Musik habe ich nicht gut geschlafen.
Der Stromausfall kam plötzlich. Konntest du deshalb das Abendessen nicht vorbereiten?	Ja, wegen des plötzlichen Stromausfalls konnte ich das Abendessen nicht vorbereiten.
War die Reparatur dringend? Musstest du deshalb das Auto in die Werkstatt bringen?	Ja, wegen der dringenden Reparatur musste ich das Auto in die Werkstatt bringen.
Die streikenden Arbeiter haben die Gleise blockiert. Seid ihr deshalb mit dem Auto gefahren?	Ja, wegen der streikenden Arbeiter sind wir mit dem Auto gefahren.
Der Schneefall war heftig. Seid ihr deshalb zu Hause geblieben?	Ja, wegen des heftigen Schneefalls sind wir zu Hause geblieben.
Viele Kollegen sind krank. Musst du deshalb Überstunden machen?	Ja, wegen der vielen kranken Kollegen muss ich Überstunden machen.

57 Komparation

38 ***Beispiel:***

▶ S. 156

Berlin ist eine interessante Stadt.	***Ja, Berlin ist eine der interessantesten Städte der Welt.***
Berlin ist eine interessante Stadt.	Ja, Berlin ist eine der interessantesten Städte der Welt.
Die Alpen sind ein hohes Gebirge.	Ja, die Alpen sind eines der höchsten Gebirge der Welt.
Der K2 ist ein schwieriger Berg.	Ja, der K2 ist einer der schwierigsten Berge der Welt.
Shanghai ist eine wichtige Finanzmetropole.	Ja, Shanghai ist eine der wichtigsten Finanzmetropolen der Welt.
Angkor Wat ist ein beeindruckender Tempel.	Ja, Angkor Wat ist einer der beeindruckendsten Tempel der Welt.
Der Burj Khalifa ist ein modernes Gebäude.	Ja, der Burj Khalifa ist eine der modernsten Gebäude der Welt.
Der Amazonas ist ein langer Fluss.	Ja, der Amazonas ist einer der längsten Flüsse der Welt.
Der Delfin ist ein intelligentes Tier.	Ja, der Delfin ist eins der intelligentesten Tiere der Welt.
„Harry Potter" ist ein viel gelesenes Kinderbuch.	Ja, „Harry Potter" ist eins der meistgelesenen Kinderbücher der Welt.

39 **Hörtext zu Partnerseite 8,** ▶ S. 162

61 Wiedergabe von Aufforderungen, Gerüchten und Selbstaussagen

40 ***Beispiel:***

▶ S. 168

Hast du das gehört? Der Minister hat eine Geliebte.	***Was? Der Minister soll eine Geliebte haben? Das glaube ich nicht.***
Hast du das gehört? Der Minister hat eine Geliebte.	Was? Der Minister soll eine Geliebte haben? Das glaube ich nicht.
Hast du das gehört? Die Bürgermeisterin hat Gelder unterschlagen.	Was? Die Bürgermeisterin soll Gelder unterschlagen haben? Das glaube ich nicht.
Hast du das gehört? Die Schauspielerin verdient 10 Millionen mit dem Film.	Was? Die Schauspielerin soll 10 Millionen mit dem Film verdienen? Das glaube ich nicht.
Hast du das gehört? Dem Kollegen wurde gekündigt.	Was? Dem Kollegen soll gekündigt worden sein? Das glaube ich nicht.
Hast du das gehört? Die Bundeskanzlerin ist bei Rot über die Ampel gefahren.	Was? Die Bundeskanzlerin soll bei Rot über die Ampel gefahren sein? Das glaube ich nicht.
Hast du das gehört? Der Chef hat Drogen genommen.	Was? Der Chef soll Drogen genommen haben? Das glaube ich nicht.
Hast du das gehört? Die Lehrer streiken.	Was? Die Lehrer sollen streiken? Das glaube ich nicht.
Hast du das gehört? Der Präsident hat sein Auto zu Schrott gefahren.	Was? Der Präsident soll sein Auto zu Schrott gefahren haben? Das glaube ich nicht.

70 Relativpronomen im Nominativ, Akkusativ und Dativ

41 ***Beispiel:***

▶ S. 186

Kann man mit diesem Schlüssel die Tür öffnen?	***Ja, das ist der Schlüssel, mit dem man die Tür öffnen kann.***
Kann man mit diesem Schlüssel die Tür öffnen?	Ja, das ist der Schlüssel, mit dem man die Tür öffnen kann.
Wohnst du in dieser Wohnung?	Ja, das ist die Wohnung, in der ich wohne.
Gehst du zu dieser Friseurin?	Ja, das ist die Friseurin, zu der ich gehe.
Fährst du mit diesem Bus?	Ja, das ist der Bus, mit dem ich fahre.
Gehört dieser Frau der rote Porsche?	Ja, das ist die Frau, der der rote Porsche gehört.

Bist du mit diesen Leuten in Urlaub gefahren?	Ja, das sind die Leute, mit denen ich in Urlaub gefahren bin.
Kann man bei dieser Firma ein Praktikum machen?	Ja, das ist die Firma, bei der man ein Praktikum machen kann.
Hast du diesem Mann geholfen?	Ja, das ist der Mann, dem ich geholfen habe.
Hast du mit dieser Reaktion gerechnet?	Ja, das ist die Reaktion, mit der ich gerechnet habe.
Habt ihr über diese Themen diskutiert?	Ja, das sind die Themen, über die wir diskutiert haben.
Interessierst du dich für diese Musik?	Ja, das ist die Musik, für die ich mich interessiere.
Hast du diese Tasche verloren?	Ja, das ist die Tasche, die ich verloren habe.
Hast du auf diese E-Mail gewartet?	Ja, das ist die E-Mail, auf die ich gewartet habe.
Bist du so gespannt auf diese Serie?	Ja, das ist die Serie, auf die ich so gespannt bin.
Ist er eifersüchtig auf diesen Mann?	Ja, das ist der Mann, auf den er eifersüchtig ist.
Konntest du dich an diesen Namen nicht erinnern?	Ja, das ist der Name, an den ich mich nicht erinnern konnte.
Ist dir diese Datei kaputtgegangen?	Ja, das ist die Datei, die mir kaputtgegangen ist.

72 Relativpronomen mit *w-*

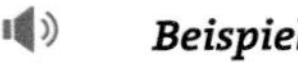

42

Beispiel: ▶ S. 190

Er hat etwas gesagt? Hast du dich auch darüber geärgert?	***Ja, er hat etwas gesagt, worüber ich mich auch geärgert habe.***
Er hat etwas gesagt. Hast du dich auch darüber geärgert?	Ja, er hat etwas gesagt, worüber ich mich auch geärgert habe.
Er hat etwas gemacht. Kannst du das auch nicht verstehen?	Ja, er hat etwas gemacht, was ich auch nicht verstehen kann.
Sie hat etwas mitgebracht. Interessierst du dich auch dafür?	Ja, sie hat etwas mitgebracht, wofür ich mich auch interessiere.
Er hat etwas gefragt. Hast du es auch nicht verstanden?	Ja, er hat etwas gefragt, was ich auch nicht verstanden habe.
Sie kann etwas. Würdest du das auch gerne können?	Ja, sie kann etwas, was ich auch gerne können würde.
Sie haben etwas gekocht. Träumst du auch davon?	Ja, sie haben etwas gekocht, wovon ich auch träume.
Sie haben alles. Hättest du das auch gerne?	Ja, sie haben alles, was ich auch gerne hätte.
Hier gibt es alles. Brauchst du das auch?	Ja, hier gibt es alles, was ich auch brauche.

43–44

Hörtext zu Partnerseite 9, ▶ S. 192

73 Doppelkonnektoren

45

Beispiel: ▶ S. 194

Ich trinke so viel und habe trotzdem Durst.	***Ich auch. Je mehr ich trinke, desto mehr Durst habe ich.***
Ich trinke so viel und habe trotzdem Durst.	Ich auch. Je mehr ich trinke, desto mehr Durst habe ich.
Ich stehe so spät auf und bin trotzdem so müde.	Ich auch. Je später ich aufstehe, desto müder bin ich.
Ich lerne so viel und bin so unkonzentriert.	Ich auch. Je mehr ich lerne, desto unkonzentrierter bin ich.
Ich trinke viel Kaffee und werde so aktiv.	Ich auch. Je mehr Kaffee ich trinke, desto aktiver werde ich.
Die Musik ist laut und ich tanze so gerne.	Ich auch. Je lauter die Musik ist, desto lieber tanze ich.
Das Wetter ist schön und ich habe wenig Lust zu arbeiten.	Ich auch. Je schöner das Wetter ist, desto weniger Lust habe ich zu arbeiten.

74 Negationswörter

46 **Beispiel:** ▶ S. 196

Möchtest du noch einen Kaffee?	***Nein, ich möchte keinen Kaffee mehr.***
Möchtest du noch einen Kaffee?	Nein, ich möchte keinen Kaffee mehr.
Hast du schon die Hausaufgaben gemacht?	Nein, ich habe die Hausaufgaben noch nicht gemacht.
Hast du schon einmal Flamenco getanzt?	Nein, ich habe noch nie Flamenco getanzt.
Brauchst du noch mehr Zeit?	Nein, ich brauche keine Zeit mehr.
Bist du schon einmal im Himalaya gewandert?	Nein, ich bin noch nie im Himalaya gewandert.
Kannst du dieses Jahr noch einen Urlaub machen?	Nein, ich kann dieses Jahr keinen Urlaub mehr machen.
Hast du schon die Getränke eingekauft?	Nein, ich habe noch keine Getränke eingekauft.
Hast du Thomas schon gesehen?	Nein, ich habe Thomas noch nicht gesehen.

76 Position und Direktion

47 **Übung 1** ▶ S. 200

Beispiel:

Kommst du nach unten?	***Ja, ich komme runter.***
Kommst du nach unten?	Ja, ich komme runter.
Gehst du nach draußen?	Ja, ich gehe raus.
Kommst du nach drinnen?	Ja, ich komme rein.
Gehst du nach oben?	Ja, ich gehe rauf.
Gehst du über die Straße?	Ja, ich gehe rüber.
Kommst du zu uns nach oben?	Ja, ich komme rauf.
Gehst du nach drüben?	Ja, ich gehe rüber.
Fährst du nach unten?	Ja, ich fahre runter.

48 **Übung 2**

Beispiel:

Wohin hast du den Schlüssel gelegt?	***Ich habe ihn dorthin gelegt.***
Wo liegt der Schlüssel?	***Er liegt dort.***
Wohin hast du den Schlüssel gelegt?	Ich habe ihn dorthin gelegt.
Wo liegt der Schlüssel?	Er liegt dort.
Wohin hast du die Flasche gestellt?	Ich habe sie dorthin gestellt.
Wo steht die Flasche?	Sie steht dort.
Wohin willst du dich setzen?	Ich will mich dorthin setzen.
Wo sitzt dein Kollege?	Er sitzt dort.
Wohin kann ich meinen Mantel hängen?	Du kannst ihn dorthin hängen.
Wo hängt dein Mantel?	Er hängt dort.

77 Es

49 ***Beispiel:*** ▶ S. 198

Erklärst du mir, wie der Kopierer funktioniert?	***Ja, ich erkläre es dir.***
Erklärst du mir, wie der Kopierer funktioniert?	Ja, ich erkläre es dir.
Zeigst du mir, wo ich das Passwort eingeben muss?	Ja, ich zeige es dir.
Schreiben Sie mir auf, wie ich zu dem Restaurant komme?	Ja, ich schreibe es Ihnen auf.
Sagen Sie der Chefin bitte, dass ich etwas später komme.	Ja, ich sage es ihr.
Zeigen Sie dem Besucher bitte, wo die Kantine ist?	Ja, ich zeige es ihm.
Erklären Sie der Kollegin bitte heute noch, wie sie die Software herunterladen kann.	Ja, ich erkläre es ihr heute noch.
Sagen Sie mir bitte morgen, wann Sie Zeit für ein Gespräch haben.	Ja, ich sage es Ihnen morgen.
Berichten Sie bitte dem Chef im Meeting, was Sie beim Geschäftspartner erreicht haben.	Ja, ich berichte es ihm im Meeting.

78 Funktionsverbgefüge 1

► S. 200

50

Beispiel:	
Haben Sie ihm einen Rat gegeben?	**_Nein, ich habe ihm keinen Rat gegeben._**
Haben Sie ihm einen Rat gegeben?	Nein, ich habe ihm keinen Rat gegeben.
Nehmen Sie jetzt schon Abschied?	Nein, ich nehme jetzt noch nicht Abschied.
Haben Sie einen Antrag gestellt?	Nein, ich habe keinen Antrag gestellt.
Haben Sie das in Auftrag gegeben?	Nein, ich habe das nicht in Auftrag gegeben.
Ist das Problem schon zur Sprache gekommen?	Nein, es ist nicht zur Sprache gekommen.
Hat der Vorschlag zur Diskussion gestanden?	Nein, der Vorschlag hat nicht zur Diskussion gestanden.
Hat sie eine Entscheidung getroffen?	Nein, sie hat keine Entscheidung getroffen.
Hat er die Initiative ergriffen?	Nein, er hat nicht die Initiative ergriffen.

80 Wörter mit *da-*

► S. 206

51

Beispiel:	
Mein Freund wohnt auf einer Pazifikinsel.	**_Da möchte ich auch gerne wohnen._**
Meine Arbeitskollegin fliegt nach Südamerika.	**_Dahin möchte ich auch gerne fliegen._**
Mein Freund wohnt auf einer Pazifikinsel.	Da möchte ich auch gerne wohnen.
Meine Arbeitskollegin fliegt nach Südamerika.	Dahin möchte ich auch gerne fliegen.
Mein Bruder arbeitet in einer großen IT-Firma.	Da möchte ich auch gerne arbeiten.
Ich gehe morgen auf den Antikmarkt.	Dahin möchte ich auch gerne gehen.
Ich mache im Himalaya Urlaub.	Da möchte ich auch gerne Urlaub machen.
Ich fahre heute in den Schwarzwald.	Dahin möchte ich auch gerne fahren.
Ich jogge im Grüneburgpark.	Da würde ich auch gerne joggen.
Ich gehe heute Abend in den besten Club Frankfurts.	Dahin würde ich auch gerne gehen.

52–55

Hörtext zu Partnerseite 10, ► S. 232

Schema für die Wortpositionen im Satz

Dieses Schema ist eine Orientierungshilfe und zeigt die neutrale, unbetonte Position aller möglichen Satzteile. Es können in einem Satz nie alle zusammen vorkommen. Fast alle Satzteile können auf Position 1 stehen, das Subjekt steht dann auf Position 3. ▸ Kapitel 1, 6, 7, 8
Die Pfeile zeigen andere mögliche neutrale Positionen.

Subj | Verb 1 | Refl.-Pron. | Pron. Akk. | Pron. Dat. | Nomen Dat. def. | Nomen Akk. def. | temp | kaus | auch | nicht | mod | lokal | Nomen Dat. ind. | Nomen Akk. ind. | Gefährte | Verb(teil) 2

Subjekt	Verb 1	Reflexiv-pronomen	Pronomen im Akkusativ	Pronomen im Dativ	Nomen im Dativ definit	Nomen im Akkusativ definit	temporal	kausal	auch	nicht	modal	lokal	Nomen im Dativ indefinit	Nomen im Akkusativ indefinit	Verbgefährte	Verb(teil) 2
Wir	lernen						seit Mai				mit Freude				Englisch.	
Mein Freund	hat			mir			heute				aus Versehen	auf den Fuß				getreten.
Ich	werde				dem Lehrer	den Aufsatz	am Montag	aus Angst			pünktlich					abgeben.
Ich	gebe		ihn	ihm			morgen					in der Schule				zurück.
Sie	wünscht	sich	ihn								immer	ganz nah.				
Sie	könnte							vor Freude				auf der Straße	einem Fremden	einen Kuss		geben.
Wir	müssen								auch	nicht	mehr lange				auf die Ferien	warten.
Geld	spielt						schon lange				offen-sichtlich	überall			eine Rolle.	

Präpositionen mit Dativ, Akkusativ und Genitiv

Dativ	
ab	
aus	
bei	
dank	*(wenn das Nomen ohne Artikel und Adjektiv steht, sonst mit Genitiv)*
entgegen	*(vor- oder nachgestellt)*
entsprechend	*(vor- oder nachgestellt)*
gegenüber	*(vor- oder nachgestellt)*
gemäß	*(vor- oder nachgestellt)*
laut	*(selten mit Genitiv)*
mangels	*(wenn das Nomen ohne Artikel und Adjektiv steht, sonst mit Genitiv)*
mit	
nach	
seit	
trotz	*(schriftsprachlich + Genitiv)*
von	
während	*(schriftsprachlich + Genitiv)*
wegen	*(schriftsprachlich + Genitiv)*
zu	
zufolge	*(nachgestellt)*
zuliebe	*(nachgestellt)*

Akkusativ	
bis	*(nur ohne Artikel)*
durch	
entlang	*(nachgestellt, vorgestellt mit Genitiv)*
für	
gegen	
lang	*(nachgestellt)*
ohne	
um	

Dativ oder Akkusativ (Wechselpräpositionen)
an
auf
hinter
in
neben
über
unter
vor
zwischen

Genitiv	
angesichts	
anhand	
anlässlich	
anstelle	
anstatt	
aufgrund	
außerhalb	
beid(er)seits	
bezüglich	
binnen	
dank	*(mit Dativ, wenn das Nomen ohne Artikel und Adjektiv steht)*
diesseits	
entlang	*(vorgestellt, nachgestellt mit Akkusativ)*
hinsichtlich	
infolge	
inmitten	
innerhalb	
jenseits	
kraft	
mangels	*(mit Dativ, wenn das Nomen ohne Artikel und Adjektiv steht)*
mithilfe	
mittels	
oberhalb	
seitens	
trotz	*(umgangssprachlich auch mit Dativ)*
ungeachtet	
unterhalb	
unweit	
vonseiten	
während	*(umgangssprachlich auch mit Dativ)*
wegen	*(umgangssprachlich auch mit Dativ)*
zeit	
zugunsten	
zuungunsten	
zwecks	

Lernliste: Verben, Adjektive und Nomen mit Präpositionen – nach Präpositionen geordnet

mit Akkusativ

	Verben	Adjektive	Nomen
auf	achten		
Fokus	es kommt ... an		
	antworten		die Antwort
	aufpassen		
	sich bewerben		die Bewerbung
	sich beziehen		der Bezug
		eifersüchtig	die Eifersucht
	sich einigen		die Einigung
	sich einstellen		
	hören		
	sich konzentrieren	konzentriert	die Konzentration
		neidisch	der Neid
	reagieren		die Reaktion
	schießen		
	schimpfen		
		stolz	der Stolz
	sich umstellen		
	verzichten		der Verzicht
	wirken		die Wirkung
		wütend	die Wut
	zielen		
auf	sich freuen		die Freude
Zukunft	hoffen		die Hoffnung
		neugierig	die Neugier
		gespannt	die Spannung
	warten		
	sich vorbereiten		die Vorbereitung
für	sich bedanken		der Dank
Zielobjekt	danken		
	demonstrieren		die Demonstration
	sich eignen	geeignet	die Eignung
	sich einsetzen		
	sich engagieren		das Engagement
	sich entscheiden		die Entscheidung
	sich entschuldigen		die Entschuldigung
	halten		
	sich interessieren		
	kämpfen		der Kampf
	sich rächen		die Rache
	sorgen		die Sorge
	stimmen		die Stimme
		verantwortlich	die Verantwortung
	werben		die Werbung
gegen	sich entscheiden		die Entscheidung
Ablehnung		immun	die Immunität
	kämpfen		der Kampf
	protestieren		der Protest
	demonstrieren		die Demonstration
	stimmen		die Stimme
	sich verteidigen		die Verteidigung
	verstoßen		der Verstoß
	sich wehren		

	Verben	Adjektive	Nomen
über	sich ärgern	ärgerlich	der Ärger
Thema: emotional	sich aufregen	aufgeregt	die Aufregung
	sich beklagen		
		entsetzt	das Entsetzen
	sich freuen		die Freude
		froh	
		glücklich	das Glück
	klagen		die Klage
	lachen		
	spotten		der Spott
	staunen		das Erstaunen
	streiten		der Streit
		traurig	die Trauer
	weinen		
		wütend	die Wut
	sich wundern		die Verwunderung
Thema: sachlich	berichten		der Bericht
	sich beschweren		die Beschwerde
	debattieren		die Debatte
	diskutieren		die Diskussion
	sich informieren		die Information
	nachdenken		
	reden		die Rede
	sprechen		das Gespräch
	sich unterhalten		die Unterhaltung
	wissen		das Wissen
um	sich ängstigen		die Angst
Objekt mit Intensität	sich bemühen		das Bemühen
	sich bewerben		die Bewerbung
	bitten		die Bitte
	es geht		
	es handelt sich		
	kämpfen		der Kampf
	sich kümmern		
	sich sorgen		die Sorge
	spielen		das Spiel
	streiten		der Streit
	wetten		die Wette

mit Dativ

	Verben	Adjektive	Nomen
aus	bestehen		
Herkunft / Bestandteile	sich ergeben		
	entstehen		die Entstehung
	stammen		
	übersetzen		die Übersetzung
	sich zusammensetzen		die Zusammensetzung
bei	anrufen		der Anruf
Person / Institution	arbeiten		die Arbeit
	sich bedanken		
		bekannt	
	sich beklagen		
		beliebt	die Beliebtheit
	sich beschweren		die Beschwerde
	sich bewerben		die Bewerbung
	sich entschuldigen		die Entschuldigung
	sich erkundigen		
	sich informieren		
mit	sich auseinandersetzen		die Auseinandersetzung
Partner	debattieren		die Debatte
	diskutieren		die Diskussion
	sich einigen		die Einigung
		befreundet	die Freundschaft
	kämpfen		der Kampf
	reden		
	schimpfen		
	spielen		das Spiel
	sprechen		das Gespräch
	streiten		der Streit
	telefonieren		das Telefonat
	sich unterhalten		die Unterhaltung
	sich vertragen		
		verheiratet	
mit	anfangen		der Anfang
Beginn und Ende	aufhören		
	sich beeilen		
	beginnen		der Beginn
	enden		
		fertig	
	warten		
	zögern		
nach	sich erkundigen		die Erkundigung
Suche	fragen		die Frage
	rufen		der Ruf
	sich sehnen		die Sehnsucht
	suchen	süchtig	die Suche
		verrückt	
	verlangen		
nach	duften		der Duft
Sinne	riechen		der Geruch
	schmecken		der Geschmack
	stinken		der Gestank

	Verben	Adjektive	Nomen
von		begeistert	
Thema	berichten		
	erzählen		
		enttäuscht	
	halten		
	handeln		
	sprechen		
	träumen		der Traum
	überzeugen		die Überzeugung
von	abbringen		
Herkunft /	abhängen	abhängig	die Abhängigkeit
Ausgangspunkt	ausgehen		
	sich befreien	frei	die Befreiung
	sich erholen		die Erholung
	sich ernähren		
	erwarten		die Erwartung
	fordern		
	leben		
		müde	
vor	sich ängstigen		die Angst
Gefahr	sich ekeln		der Ekel
	erschrecken		
	flüchten		
	fliehen		die Flucht
	sich fürchten		die Furcht
	sich schützen		der Schutz
	verheimlichen		
	warnen		die Warnung
zu	beglückwünschen		der Glückwunsch
Anlass	einladen		die Einladung
	gratulieren		die Gratulation
zu		bereit	die Bereitschaft
Kombination	sich eignen		die Eignung
		fähig	die Fähigkeit
	gehören		die Zugehörigkeit
	neigen		die Neigung
	passen		
	zählen		
zu	anregen		die Anregung
Ziel	auffordern		die Aufforderung
	befördern		die Beförderung
	beitragen		der Beitrag
	bringen		
	dienen		
	sich entschließen		der Entschluss
	sich entwickeln		
	ernennen		die Ernennung
	erziehen		die Erziehung
	führen		
	raten		der Rat
	überreden		die Überredung
	verleiten		
	wählen		die Wahl
	werden		
	zwingen		der Zwang

mit verschiedenen Präpositionen

	Verben	Adjektive	Nomen
als	Mit Nominativ		
Identität	arbeiten		die Arbeit
	dienen		
	gelten		
	Mit Akkusativ		
	ansehen		das Ansehen
	bezeichnen		die Bezeichnung
	beschreiben		die Beschreibung
an	Mit Akkusativ		
Kontakt	adressieren		
	sich anpassen		die Anpassung
	denken		der Gedanke
	sich erinnern		die Erinnerung
	sich gewöhnen	gewöhnt	
	glauben		der Glaube
	sich richten		
	schicken		
	schreiben		
	senden		
	Mit Dativ		
	ändern		die Änderung
	erkranken	erkrankt	die Erkrankung
	leiden		das Leiden
	liegen		
	sich orientieren		die Orientierung
	sich rächen		die Rache
		schuldig	die Schuld
	sterben		
	teilnehmen		die Teilnahme
	zweifeln		der Zweifel
auf	Mit Dativ		
Basis	basieren		
	beharren		
	bestehen		
	fußen		
	Mit Akkusativ		
	sich verlassen		
	vertrauen		das Vertrauen
in	Mit Dativ		
Zustand	bestehen		
	sich irren		der Irrtum
	sich täuschen		die Täuschung
	sich unterscheiden		die Unterscheidung
in	Mit Akkusativ		
Transformation	geraten		
	gliedern		die Gliederung
	übersetzen		die Übersetzung
	sich verlieben		
	sich versetzen		
	sich verwandeln		die Verwandlung

Nachschlageliste: Verben, Adjektive und Nomen mit Präpositionen – alphabetisch geordnet

Verben

abbringen von
abhängen von
achten auf
adressieren an
ändern an
anfangen mit
anregen zu
ansehen als
anrufen bei
antworten auf
arbeiten an, bei
auffordern zu
aufhören mit
aufpassen auf
ausgehen von
basieren auf
befördern zu
beginnen mit
beglückwünschen zu
beharren auf
beitragen zu
berichten über *(Thema)*, von *(Thema)*
beschreiben als
bestehen auf *(Standpunkt)*, aus *(Bestandteil)*, in *(Zustand)*
bezeichnen als
bitten um
bringen zu
danken für
debattieren mit *(Partner)*, über *(Thema)*
demonstrieren für *(+)*, gegen *(-)*
denken an
dienen als *(Identität)*, zu *(Zweck)*
diskutieren mit *(Partner)*, über *(Thema)*
duften nach
einladen zu
enden mit
entstehen aus
erkranken an
ernennen zu
erschrecken über *(Situation)*, vor *(Gefahr)*
erwarten von
erzählen von *(oder:* über*)*
erziehen zu
es geht um
es handelt sich um
es kommt ... an auf
fliehen vor
flüchten vor
fordern von
fragen nach
führen zu
fußen auf
gehören zu
gelten als
geraten in
glauben an
gliedern in
gratulieren zu
halten für *(Identität)*, von *(Meinung)*
handeln mit *(Waren)* von *(Inhalt)*
hoffen auf
hören auf
kämpfen für *(Ideelles)*, gegen *(Feind)*, um *(Objekt)*, mit *(Partner)*
klagen über
lachen über
leben von
leiden an *(Krankheit)*, unter *(Situation, Person)*
liegen an
nachdenken über
neigen zu
passen zu
protestieren gegen
raten zu
reagieren auf
reden mit *(Partner)*, über *(Thema)*
riechen nach
rufen nach
schicken an
senden an
schießen auf
schimpfen auf *(Thema)*, über *(Thema)*, mit *(Gesprächspartner)*
schmecken nach
sich ängstigen um *(Objekt)*, vor *(Gefahr)*
sich anpassen an
sich ärgern über
sich aufregen über
sich auseinandersetzen mit
sich bedanken bei *(Person)*, für *(Sache)*
sich beeilen mit
sich befreien von
sich beklagen bei *(Person)*, über *(Thema)*
sich bemühen um
sich beschweren bei *(Person)*, über *(Thema)*
sich bewerben um *(oder:* auf*)* *(Job)*, bei *(Firma)*
sich beziehen auf
sich eignen für *(Einsatz)*, zu *(Zweck)*
sich einigen auf
sich einsetzen für
sich einstellen auf
sich ekeln vor
sich engagieren für
sich entscheiden für *(+)*, gegen *(-)*
sich entschließen zu
sich entschuldigen bei *(Person)*, für *(Sache)*
sich entwickeln zu
sich ergeben aus
sich erholen von
sich erinnern an
sich erkundigen bei *(Person)*, nach *(Information)*
sich ernähren von
sich freuen auf *(Zukunft)*, über *(Jetziges oder Früheres)*
sich fürchten vor

sich gewöhnen an
sich Infomieren bei *(Person)*, über *(Thema)*
sich interessieren für
sich irren in
sich konzentrieren auf
sich kümmern um
sich orientieren an
sich rächen an *(Person)*, für *(Grund)*
sich richten nach
sich schützen vor
sich sehnen nach
sich sorgen um
sich täuschen in
sich umstellen auf
sich unterhalten mit *(Person)*, über *(Thema)*
sich unterscheiden in
sich verlassen auf
sich verlieben in
sich versetzen in
sich verteidigen gegen
sich vertragen mit
sich verwandeln in
sich vorbereiten auf
sich wehren gegen
sich wundern über
sich zusammensetzen aus
sorgen für
spielen mit *(Person)*, um *(Objekt)*
spotten über
sprechen mit *(Person)*, über *(Thema)*, von *(Thema)*
stammen aus
staunen über
sterben an
stimmen für *(+)*, gegen *(-)*
stinken nach
streiten über *(Thema)*, um *(Objekt)*, mit *(Person)*
suchen nach
teilnehmen an
telefonieren mit
träumen von
überreden zu
übersetzen aus *(Ausgangssprache)*, in *(Zielsprache)*
überzeugen von
verheimlichen vor
verlangen nach
verleiten zu
verstoßen gegen
vertrauen in *(oder:* auf*)*
verzichten auf
wählen zu
warnen vor
warten auf
weinen über
werben für
werden zu
wetten mit *(Person)*, um *(Objekt)*
wirken auf
wissen von *(Thema)*, über *(Thema)*
zählen zu
zielen auf
zögern mit *(Aktion)*
zweifeln an
zwingen zu

Adjektive

abhängig von
ärgerlich über
aufgeregt über
befreundet mit
begeistert von
bekannt als *(Identität)*, mit *(Partner)*
beliebt bei
bereit zu
eifersüchtig auf
entsetzt über
enttäuscht von
erkrankt an
fähig zu
fertig mit
frei von
froh über
geeignet zu
gespannt auf
gewöhnt an
glücklich über
immun gegen
konzentriert auf
müde von
neidisch auf
neugierig auf
schuldig an
stolz auf
süchtig nach
traurig über
verantwortlich für
verheiratet mit
verrückt nach
wütend auf *(nur Person)*, über *(Person oder Sache)*

Nomen

die Abhängigkeit von
der Ärger über
der Anfang mit
die Änderung an
die Angst um *(Objekt)*, vor *(Gefahr)*
die Anpassung an
die Anregung zu
der Anruf bei
die Arbeit an *(Projekt)*, bei *(Firma)*
das Ansehen als
die Antwort auf
die Aufforderung zu
die Aufregung über
die Auseinandersetzung mit *(Partner)*, mit *(Objekt)*, über *(Thema)*
die Beförderung zu
die Befreiung von
der Beginn mit
der Beitrag zu
das Bemühen um
die Bereitschaft zu
der Bericht über
die Beschreibung als
die Beschwerde bei *(Person)*, über *(Thema)*
die Bewerbung um *(oder:* auf*)* *(Job)*, bei *(Firma)*

die Bezeichnung als
der Bezug auf
die Bitte um
der Dank für
die Debatte mit *(Person)*, über *(Thema)*
die Demonstration für *(+)*, gegen *(-)*
die Diskussion mit *(Person)* , über *(Thema)*
der Duft nach
die Eifersucht auf
die Eignung für *(Einsatz)*, zu *(Zweck)*
die Einigung mit
die Einladung zu
der Ekel vor
das Engagement für
die Entscheidung für *(+)*, gegen *(-)*
der Entschluss zu
die Entschuldigung bei *(Person)*, für *(Sache)*
das Entsetzen über
die Entstehung aus
die Erholung von
die Erinnerung an
die Erkrankung an
die Erkundigung nach
die Ernennung zu
das Erstaunen über
die Erwartung von
die Erziehung zu
die Fähigkeit zu
die Flucht vor
die Frage nach
die Freude auf *(Zukunft)*, über *(Jetziges oder Früheres)*
die Freundschaft mit
die Furcht vor
der Geruch nach
der Geschmack nach
das Gespräch mit *(Person)*, über *(Thema)*
der Gestank nach
der Glaube an
die Gliederung in
das Glück über
der Glückwunsch zu
die Gratulation zu
die Hoffnung auf
die Information über
der Irrtum in
der Kampf für *(Ideelles)*, gegen *(Feind)*, mit *(Partner)*, um *(Objekt)*
die Klage bei *(Person)*, über *(Thema)*
die Konzentration auf
das Leiden an *(Krankheit)*, unter *(Situation, Person)*
der Neid auf
die Neigung zu
die Neugier auf
die Orientierung an
der Protest gegen
die Rache an *(Person)*, für *(Grund)*
der Rat zu
die Reaktion auf
die Rede über *(Thema)*, von *(Thema)*
der Ruf nach
die Schuld an
der Schutz vor
die Sehnsucht nach
die Sorge um
die Spannung auf
die Stimme für
der Stolz auf
das Spiel mit *(Partner)*, um *(Objekt)*
der Spott über
der Streit mit *(Partner)*, über *(Thema)*, um *(Objekt)*
die Suche nach
die Täuschung in
die Teilnahme an
das Telefonat mit
die Trauer über *(Person oder Thema)*, um *(Person)*
der Traum von
die die Überredung zu
die Übersetzung aus *(Ausgangssprache)*, in *(Zielsprache)*
die Überzeugung von
die Unterhaltung mit *(Person)*, über *(Thema)*
die Unterscheidung in
die Verantwortung für
die Verteidigung gegen
der Verstoß gegen
das Vertrauen in
die Verwandlung in
die Verwunderung über
der Verzicht auf
die Vorbereitung auf
die Wahl zu
die Warnung vor
die Werbung für
die Wette mit *(Person)*, um *(Objekt)*
die Wirkung auf
das Wissen über *(Thema)*, von *(Thema)*
die Wut auf *(Person)*, über *(Person oder Sache)*
die Zusammensetzung aus
der Zwang zu
der Zweifel an

Verben und Adjektive mit Dativ, Genitiv und zwei Akkusativen

Es gibt viele Verben nur mit Nominativ und viele Verben mit Nominativ und Akkusativ, und Verben mit Nominativ, Akkusativ (= Objekt) und Dativ (= Person). Diese folgen einer Logik ▸ Kapitel 31 **und werden hier nicht aufgeführt.**

Verben mit Nominativ und Dativ (und evtl. Präposition)	
abraten	Man hat ihm dringendst davon abgeraten.
ähneln	Deine Schwester ähnelt dir sehr.
antworten	Bitte antworten Sie ihm gleich.
ausweichen	Der Pkw konnte dem Lkw nicht mehr rechtzeitig ausweichen.
befehlen	Sie können mir nichts befehlen!
begegnen	Er ist mir unerwartet auf der Straße begegnet.
beistehen	Wir müssen ihm in dieser Notlage beistehen.
beitreten	Er ist dem Verein schon vor 10 Jahren beigetreten.
danken	Ich danke Ihnen vielmals.
dienen	Womit kann ich Ihnen dienen?
drohen	Ich fühle es, hier droht uns Gefahr.
einfallen	Hast du schon eine Idee? Ist dir schon etwas eingefallen?
entgegenkommen	Wir sind ihr schon sehr weit entgegengekommen.
fehlen	Meine Freunde fehlen mir.
folgen	Bitte folgen Sie den Anweisungen.
gefallen	Diese Krawatte gefällt mir.
gehorchen	Kinder gehorchen nicht immer ihren Eltern.
gehören	Wem gehört das Handy?
gelingen	Die Präsentation ist ihm gut gelungen.
genügen	Das genügt mir nicht.
glauben	Mein Freund glaubt mir nicht.
gratulieren	Alle Kollegen haben mir zur bestandenen Prüfung gratuliert.
gut tun	Eine Woche Erholung wird ihm gut tun.
helfen	Können Sie mir helfen?
hinterherlaufen	Lauf ihr nicht hinterher, sie kommt bestimmt gleich zurück.
es geht	Heute geht es mir gar nicht gut.
missfallen	Die ganze Sache missfällt mir.
misslingen	Leider ist mir der Kuchen misslungen.
sich nähern	Sie nähern sich dem verletzten Tier ganz vorsichtig.
nachlaufen	Willst du deinem Ex wirklich nachlaufen?
nützen	Diese ganzen Bücher nützen mir nicht.
passen	Die Hose ist zu weit, sie passt mir nicht.
passieren	Gestern ist mir etwas Aufregendes passiert.
raten	Ich rate dir, dich sehr intensiv vorzubereiten.
reichen	Jetzt ist es genug, jetzt reicht's mir.
schaden	Rauchen schadet der Gesundheit.
schmecken	Wie schmeckt dir die Suppe?
stehen	Der Hut steht ihr gut.

trauen	Ich traue ihr nicht.
vergeben	Er hat ihm seinen Fehler schon vergeben.
vertrauen	Nach diesem Verrat kann er ihnen nicht mehr vertrauen.
verzeihen	Kannst du mir noch einmal verzeihen?
wehtun	Mir tut der Kopf weh.
widersprechen	Ich möchte Ihnen nicht widersprechen, aber ...
zuhören	Die kleinen Kinder hören der Erzieherin gespannt zu.
zusehen	Die Kinder sahen dem Straßenkünstler neugierig zu.
zustimmen	Das ist auch meine Meinung, ich stimme dir zu.
sich zuwenden	Mit großem Interesse wendet sie sich ihrem Tischnachbarn zu.

Adjektive mit Dativ	
ähnlich	Sie ist ihrem Vater ähnlich.
bekannt	Der Fall ist mir schon lange bekannt.
bewusst	Ich bin mir keiner Schuld bewusst.
böse	Man kann ihm einfach nicht böse sein.
dankbar	Ich bin meinen Eltern dankbar.
fremd	Die Stadt und die Menschen sind mir noch fremd.
gefährlich	Er sieht super aus. Er kann mir gefährlich werden.
klar	Dass der Urlaub so teuer werden würde, war ihm nicht klar.
lästig	Die Hausarbeit ist mir lästig.
möglich	Ist es Ihnen möglich, heute vorbeizukommen?
neu	Herr Schneider ist verheiratet? Das ist mir neu.
nützlich	Seine schnelle Auffassungsgabe war ihm schon oft nützlich.
peinlich	Seine Angeberei ist mir peinlich.
schlecht	Auf dem Schiff wird ihm immer schlecht.
schuldig	Er ist mir nichts schuldig.
sympathisch	Der neue Kollege ist mir sehr sympathisch.
treu	Sie versprach, ihm immer treu zu sein.
überlegen	In Ballsportarten ist mein Bruder mir überlegen.
unterlegen	Im Kraftsport ist er mir unterlegen.
verbunden	Ich fühle mich meiner Schulfreundin immer noch sehr verbunden.
wichtig	Bei der Arbeit ist mir ein gutes Arbeitsklima wichtig.
willkommen	Sie sind uns allen herzlich willkommen.

Verben mit zwei Akkusativen	
abfragen	Sie fragt ihn die neuen Wörter ab.
abhören	Er hört mich die Partizipien ab.
kosten	Das kostet dich einen Euro.
lehren	Meine Tante hat mich die Kommasetzung gelehrt.
nennen	Sie nannten ihn einen Feigling.
schimpfen	Sie schimpfte ihn einen Idioten.
taufen	Die Eltern tauften ihren jüngsten Sohn Benjamin.

Verben mit Nominativ und Genitiv		
Verben	**Alternative ohne Genitiv**	**Beispiel**
sich annehmen	sich kümmern um	Bitte nehmen Sie sich dieser Sache an.
sich bedienen	verwenden, benutzen	Sie bedienten sich aller Mittel, um die Verbraucher zu täuschen.
bedürfen	brauchen	Die Nachbarin bedarf der Unterstützung durch ihre Angehörigen.
sich bemächtigen		Eine große Traurigkeit bemächtigte sich seiner.
entbehren	fehlen	Diese Behauptung entbehrt jeder Grundlage.
sich enthalten		Sieben von 124 Abgeordneten enthielten sich der Stimme.
sich entledigen		Sie entledigten sich ihrer Kleidung und gingen in den See schwimmen.
sich erbarmen	Mitleid haben mit jdm. und helfen	Sie erbarmte sich ihres ungeschickten Nachbarn und half ihm die Verpackung zu öffnen.
sich erfreuen	sich erfreuen an	Der Jubiliar erfreute sich bester Gesundheit.
sich erinnern	sich erinnern an	Sie erinnern sich immer wieder gerne der schönen Stunden, die sie in dem Dorf verlebt haben.
sich erwehren	sich wehren gegen	Er kann sich der Einsicht nicht erwehren, dass ...
gedenken	denken an	Mit einer Schweigeminute gedachte man der Opfer des Anschlags.
sich rühmen	angeben mit	Sie rühmten sich ihrer vielfältigen Sprachkenntnisse.
sich schämen	sich schämen für	Er schämt sich seiner alten Hose.

Verben mit Nominativ, Akkusativ und Genitiv		
Verben	**Alternative ohne Genitiv**	**Beispiel**
anklagen	anklagen + Inf. mit *zu*, anklagen wegen	Man klagte ihn des Mordes an.
beschuldigen	beschuldigen + Inf. mit *zu*	Sie beschuldigte ihn voreilig des Betrugs.
bezichtigen	behaupten, dass	Er bezichtigte sie zu Unrecht des Diebstahls.
entbinden	entbinden von	Der Patient entband seinen Arzt seiner Schweigepflicht.
entheben	aus dem Amt entheben, von dem Amt entheben	Bis zur Klärung der Angelegenheit wurde er aller Ämter enthoben.
überführen		Die kontrollierenden Sportärzte überführten den Sportler des Dopings.
verdächtigen	verdächtigen + Inf. mit zu	Man verdächtigte sie des Mordes.
berauben	rauben + Akkusativ und Dativ	Es gibt Firmen, die Menschen ihrer Lebensgrundlage berauben.

Lernliste: unregelmäßige Verben – nach Vokalen geordnet

Hier finden Sie ausgewählte unregelmäßige Verben ohne *sein* und *haben* und ohne Reflexivpronomen. Mit dieser Liste können sie die Formen leicht lernen. Sprechen, singen und tanzen Sie diese Formen!

e	a	o
bergen	barg	geborgen
brechen	brach	gebrochen
empfehlen	empfahl	empfohlen
erschrecken	erschrak	erschrocken
gelten	galt	gegolten
helfen	half	geholfen
nehmen	nahm	genommen
sprechen	sprach	gesprochen
stechen	stach	gestochen
stehlen	stahl	gestohlen
sterben	starb	gestorben
treffen	traf	getroffen
verderben	verdarb	verdorben
werben	warb	geworben
werfen	warf	geworfen

i	a	u
binden	band	gebunden
dringen	drang	gedrungen
finden	fand	gefunden
gelingen	gelang	gelungen
klingen	klang	geklungen
ringen	rang	gerungen
schlingen	schlang	geschlungen
schwingen	schwang	geschwungen
singen	sang	gesungen
sinken	sank	gesunken
springen	sprang	gesprungen
trinken	trank	getrunken
überwinden	überwand	überwunden
verschwinden	verschwand	verschwunden
zwingen	zwang	gezwungen

i	o	o
bieten	bot	geboten
fliegen	flog	geflogen
fliehen	floh	geflohen
fließen	floss	geflossen
frieren	fror	gefroren
genießen	genoss	genossen
kriechen	kroch	gekrochen
riechen	roch	gerochen

schieben	schob	geschoben
schließen	schloss	geschlossen
verlieren	verlor	verloren
wiegen	wog	gewogen
ziehen	zog	gezogen

ei	**ie**	**ie**
beweisen	bewies	bewiesen
bleiben	blieb	geblieben
entscheiden	entschied	entschieden
leihen	lieh	geliehen
meiden	mied	gemieden
reiben	rieb	gerieben
scheinen	schien	geschienen
schreiben	schrieb	geschrieben
schreien	schrie	geschrien
schweigen	schwieg	geschwiegen
steigen	stieg	gestiegen
treiben	trieb	getrieben
unterscheiden	unterschied	unterschieden
verzeihen	verzieh	verziehen
weisen	wies	gewiesen

ei	**i**	**i**
beißen	biss	gebissen
gleichen	glich	geglichen
greifen	griff	gegriffen
leiden	litt	gelitten
reißen	riss	gerissen
reiten	ritt	geritten
schleichen	schlich	geschlichen
schleifen	schliff	geschliffen
schmeißen	schmiss	geschmissen
schneiden	schnitt	geschnitten
schreiten	schritt	geschritten
streichen	strich	gestrichen
streiten	stritt	gestritten
weichen	wich	gewichen

e	**a**	**e**
essen	aß	gegessen
fressen	fraß	gefressen
geben	gab	gegeben
geschehen	geschah	geschehen
lesen	las	gelesen
sehen	sah	gesehen
treten	trat	getreten
vergessen	vergaß	vergessen

e	a	a
brennen	brannte	gebrannt
denken	dachte	gedacht
kennen	kannte	gekannt
nennen	nannte	genannt
rennen	rannte	gerannt
senden	sandte	gesandt
wenden	wandte	gewandt
stehen	stand	gestanden

a	i	a
braten	briet	gebraten
fallen	fiel	gefallen
fangen	fing	gefangen
halten	hielt	gehalten
lassen	ließ	gelassen
raten	riet	geraten
schlafen	schlief	geschlafen

a	u	a
fahren	fuhr	gefahren
laden	lud	geladen
schaffen	schuf	geschaffen
schlagen	schlug	geschlagen
tragen	trug	getragen
wachsen	wuchs	gewachsen
waschen	wusch	gewaschen

i	a	o
beginnen	begann	begonnen
sich besinnen	besann sich	besonnen
gewinnen	gewann	gewonnen
schwimmen	schwamm	geschwommen
spinnen	spann	gesponnen

e	o	o
heben	hob	gehoben
schmelzen	schmolz	geschmolzen
schwellen	schwoll	geschwollen

i	a	e
bitten	bat	gebeten
liegen	lag	gelegen
sitzen	saß	gesessen

Nachschlageliste: unregelmäßige Verben – alphabetisch geordnet

In der Liste finden Sie die Formen der unregelmäßigen Grundverben. Wenn das Verb ein Präfix hat, sind die Formen genauso:

denken	*denkt*	*dachte*	*hat gedacht*
nachdenken	*denkt nach*	*dachte nach*	*hat nachgedacht*

Ob das Perfekt mit *sein* oder *haben* gebildet wird, hängt von der Bedeutung des Verbs ab:

kommen	*kommt*	*kam*	*ist gekommen*
bekommen	*bekommt*	*bekam*	*hat bekommen*

Infinitiv	**3. Person Singular Präsens (er/es/sie/man)**	**3. Person Singular Präteritum (er/es/sie/man)**	**3. Person Singular Perfekt (er/es/sie/man)**
backen	bäckt/backt	backte/buk *(veraltet)*	hat gebacken
beginnen	beginnt	begann	hat begonnen
beißen	beißt	biss	hat gebissen
bergen	birgt	barg	hat geborgen
sich besinnen	besinnt sich	besann sich	hat sich besonnen
betrügen	betrügt	betrog	hat betrogen
bewegen	bewegt	bewog *(motivieren)* bewegte *(mit Akkusativobjekt)*	hat bewogen hat bewegt
beweisen	beweist	bewies	hat bewiesen
bieten	bietet	bot	hat geboten
binden	bindet	band	hat gebunden
bitten	bittet	bat	hat gebeten
bleiben	bleibt	blieb	ist geblieben
braten	brät	briet	hat gebraten
brechen	bricht	brach	hat/ist gebrochen
brennen	brennt	brannte	hat gebrannt
bringen	bringt	brachte	hat gebracht
denken	denkt	dachte	hat gedacht
dringen	dringt	drang	hat/ist gedrungen
empfehlen	empfiehlt	empfahl	hat empfohlen
entscheiden	entscheidet	entschied	hat entschieden
erschrecken	erschreckt	erschrak *(sich selbst)* erschreckte *(eine andere Person)*	ist erschrocken hat erschreckt
essen	isst	aß	hat gegessen
fahren	fährt	fuhr	hat/ist gefahren
fallen	fällt	fiel	ist gefallen
fangen	fängt	fing	hat gefangen
finden	findet	fand	hat gefunden
fliegen	fliegt	flog	ist geflogen
fliehen	flieht	floh	ist geflohen
fließen	fließt	floss	ist geflossen
fressen	frisst	fraß	hat gefressen
frieren	friert	fror	hat/ist gefroren

Infinitiv	3. Person Singular Präsens (er/es/sie/man)	3. Person Singular Präteritum (er/es/sie/man)	3. Person Singular Perfekt (er/es/sie/man)
geben	gibt	gab	hat gegeben
gehen	geht	ging	ist gegangen
gelingen	gelingt	gelang	ist gelungen
gelten	gilt	galt	hat gegolten
genießen	genießt	genoss	hat genossen
geschehen	geschieht	geschah	ist geschehen
gewinnen	gewinnt	gewann	hat gewonnen
gleichen	gleicht	glich	hat geglichen
greifen	greift	griff	hat gegriffen
halten	hält	hielt	hat gehalten
hängen	hängt	hing *(ohne Akkusativobjekt)* hängte *(mit Akkusativobjekt)*	hat gehangen hat gehängt
heben	hebt	hob	hat gehoben
heißen	heißt	hieß	hat geheißen
helfen	hilft	half	hat geholfen
kennen	kennt	kannte	hat gekannt
klingen	klingt	klang	hat geklungen
kommen	kommt	kam	ist gekommen
kriechen	kriecht	kroch	ist gekrochen
laden	lädt	lud	hat geladen
lassen	lässt	ließ	hat gelassen
laufen	läuft	lief	ist gelaufen
leiden	leidet	litt	hat gelitten
leihen	leiht	lieh	hat geliehen
lesen	liest	las	hat gelesen
liegen	liegt	lag	hat gelegen
lügen	lügt	log	hat gelogen
meiden	meidet	mied	hat gemieden
mögen	mag	mochte	hat gemocht
nehmen	nimmt	nahm	hat genommen
nennen	nennt	nannte	hat genannt
raten	rät	riet	hat geraten
reiben	reibt	rieb	hat gerieben
reißen	reißt	riss	hat/ist gerissen
reiten	reitet	ritt	ist geritten
rennen	rennt	rannte	ist gerannt
riechen	riecht	roch	hat gerochen
ringen	ringt	rang	hat gerungen
rufen	ruft	rief	hat gerufen
schaffen	schafft	schuf *(ein Kunstwerk)* schaffte *(einen Rekord)*	hat geschaffen hat geschafft
scheinen	scheint	schien	hat geschienen
schieben	schiebt	schob	hat geschoben
schlafen	schläft	schlief	hat geschlafen

Infinitiv	3. Person Singular Präsens (er/es/sie/man)	3. Person Singular Präteritum (er/es/sie/man)	3. Person Singular Perfekt (er/es/sie/man)
schlagen	schlägt	schlug	hat geschlagen
schleichen	schleicht	schlich	ist geschlichen
schleifen	schleift	schliff	hat geschliffen
schließen	schließt	schloss	hat geschlossen
schlingen	schlingt	schlang	hat geschlungen
schmeißen	schmeißt	schmiss	hat geschmissen
schmelzen	schmilzt	schmolz	hat/ist geschmolzen
schneiden	schneidet	schnitt	hat geschnitten
schreiben	schreibt	schrieb	hat geschrieben
schreien	schreit	schrie	hat geschrien
schreiten	schreitet	schritt	ist geschritten
schweigen	schweigt	schwieg	hat geschwiegen
schwellen	schwillt	schwoll	ist geschwollen
schwimmen	schwimmt	schwamm	hat/ist geschwommen
schwingen	schwingt	schwang	hat/ist geschwungen
schwören	schwört	schwor	hat geschworen
sehen	sieht	sah	hat gesehen
senden	sendet	sandte/sendete *(eine E-Mail)* sendete *(eine Fernsehsendung)*	hat gesandt/ gesendet hat gesendet
singen	singt	sang	hat gesungen
sinken	sinkt	sank	ist gesunken
sitzen	sitzt	saß	hat gesessen
spinnen	spinnt	spann	hat gesponnen
sprechen	spricht	sprach	hat gesprochen
springen	springt	sprang	ist/hat gesprungen
stechen	sticht	stach	hat gestochen
stehen	steht	stand	hat gestanden
stehlen	stiehlt	stahl	hat gestohlen
steigen	steigt	stieg	ist gestiegen
sterben	stirbt	starb	ist gestorben
stoßen	stößt	stieß	ist/hat gestoßen
streichen	streicht	strich	hat gestrichen
streiten	streitet	stritt	hat gestritten
tragen	trägt	trug	hat getragen
treffen	trifft	traf	hat getroffen
treiben	treibt	trieb	hat getrieben
treten	tritt	trat	hat getreten
trinken	trinkt	trank	hat getrunken
tun	tut	tat	hat getan
überwinden	überwindet	überwand	hat überwunden
unterscheiden	unterscheidet	unterschied	hat unterschieden
verderben	verdirbt	verdarb	ist/hat verdorben
vergessen	vergisst	vergaß	hat vergessen

Infinitiv	**3. Person Singular Präsens (er/es/sie/man)**	**3. Person Singular Präteritum (er/es/sie/man)**	**3. Person Singular Perfekt (er/es/sie/man)**
verlieren	verliert	verlor	hat verloren
verschwinden	verschwindet	verschwand	ist verschwunden
verzeihen	verzeiht	verzieh	hat verziehen
wachsen	wächst	wuchs	ist gewachsen
waschen	wäscht	wusch	hat gewaschen
weichen	weicht	wich	ist gewichen
weisen	weist	wies	hat gewiesen
sich wenden wenden	wendet sich wendet	wandte sich *(an jemanden)* wendete *(das Auto)*	hat sich gewandt hat gewendet
werben	wirbt	warb	hat geworben
werfen	wirft	warf	hat geworfen
wiegen	wiegt	wiegte *(ein Baby)* wog *(das Gewicht)*	hat gewiegt hat gewogen
wissen	weiß	wusste	hat gewusst
ziehen	zieht	zog	hat/ist gezogen
zwingen	zwingt	zwang	hat gezwungen
Hilfsverben			
haben	hat	hatte	hat gehabt
sein	ist	war	ist gewesen
werden	wird	wurde	ist geworden
Modalverben			
dürfen	darf	durfte	hat gedurft / hat ... dürfen
können	kann	konnte	hat gekonnt / hat ... können
müssen	muss	musste	hat gemusst / hat ... müssen
sollen	soll	sollte	hat gesollt / hat ... sollen
wollen	will	wollte	hat gewollt / hat ... wollen

1 Verbposition in einfachen Sätzen

1 1. In diesem Jahr hat Marie keinen richtigen Urlaub gemacht. 2. Sie konnte noch keinen Urlaub nehmen. 3. Denn sie hatte gerade erst in der Firma angefangen. 4. Am liebsten würde sie nächstes Jahr eine Wanderung in den Alpen machen. 5. Sie geht gerne in den Bergen wandern und klettern. 6. Leider macht ihr Freund bei solchen Urlauben nicht mit. 7. Wie könnte sie ihren Freund überzeugen? 8. Er findet ihre Urlaubsideen zu anstrengend. 9. Im Kino wird gerade ein Film über die Alpen gezeigt. 10. Er hat versprochen: Er wird den Film anschauen.

2 1. Früher haben sich nur wenige Studierende für ein Auslandssemester beworben. 2. Für die meisten jungen Leute waren die bürokratischen und finanziellen Probleme zu groß. 3. Außerdem mussten die Studierenden nach dem Auslandsjahr oft ein Studienjahr wiederholen. 4. Durch Stipendienprogramme ist ein Auslandssemester jetzt viel einfacher geworden.
5. Wenn sie an der ausländischen Universität Prüfungen gemacht haben, können sich die Studierenden die Credit Points anerkennen lassen.
6. Weil die meisten Credit Points anerkannt werden, verlieren die Studierenden durch ein Auslandssemester keine Zeit.

3 2. Kreativität *spielt* heute in vielen Lebensbereichen eine wichtige Rolle. 3. In vielen Berufen (kein Komma) brauchen Menschen für ihre tägliche Arbeit *Kreativität*. 4. Beim kreativen Schaffen muss man Dinge aus einer anderen, neuen Perspektive *betrachten*. 5. Wie kann *man* eine solche neue Perspektive finden? 6. Schon seit vielen Jahren *interessiere* ich mich für die Bedingungen, unter denen ein Mensch kreativ sein kann. 7. Kreative Ideen werden manchmal gar nicht auf den ersten Blick *erkannt*. 8. Wenn wir gar nicht daran denken, *stellen* sich kreative Momente oft ganz überraschend ein. 9. Die besten Dinge *fallen* mir unter der Dusche oder beim Joggen ein. 10. Ich möchte Sie *deshalb* abschließend ermutigen, Ihrer Kreativität freien Lauf zu lassen.

4 **Text 1**: Sehr geehrter Herr Kleinkötter, vielen Dank für Ihr Interesse an unserer Produktpalette. Wie Sie gewünscht haben, erhalten *Sie* ein Exemplar unseres gerade erschienenen Produktkataloges. Sie haben *noch* Fragen? (oder: Haben Sie noch Fragen?) Oder wünschen *Sie* weitere Informationen? *Wenden* Sie sich bitte an Herrn Dieckmann unter der Telefonnummer 08421-6899769. Er *berät* Sie gerne.

Text 2: Sehr geehrte Damen und Herren, da ich im kommenden Monat nach Hamburg umziehe, *möchte* ich hiermit meinen Vertrag mit dem Clever-Fit-Fitnesscenter *kündigen*. Meine Mitgliedsnummer lautet: 77305012016. *Buchen* Sie bitte für den Monat Mai keine Mitgliedsbeiträge von meinem Konto *ab*. Ich wäre *Ihnen* dankbar, wenn Sie mir innerhalb von 14 Tagen eine schriftliche Bestätigung der Kündigung schicken *würden*. Wenn Sie Fragen haben, schreiben *Sie* mir bitte an die folgende E-Mail-Adresse: adajan@cleverfit.example.com

5 1. Die modernen Industriestaaten sind seit Jahren mit Hochleistungsnetzen versorgt.
2. Fast alle möchten ihre Handys unterwegs überall / unterwegs überall ihre Handys nutzen können. 3. In den dafür nötigen elektromagnetischen Feldern sehen einige Leute eine Gefahr für die Gesundheit. 4. Sie nehmen an, dass die Dauerbestrahlung in der Nähe von Mobilfunkmasten zu Bluthochdruck und Krebs führt.

6 1. Der zunehmende Autoverkehr sorgt dafür, dass man in den Großstädten mehr im Stau steht als früher. 2. Städte in Deutschland bieten immer noch weniger Radwege an, als von vielen gewünscht. 3. Die Ernährung in den Industriestaaten ist mit weniger Arbeit verbunden als in den letzten Jahrhunderten. 4. Durch die IT-Technik kann man von zu Hause aus genauso gut arbeiten wie im Büro. 5. Die Frage ist, ob die Menschen dieselben geblieben sind wie vor 100 Jahren. 6. Durch die Verbreitung der Künstlichen Intelligenz wird das Leben bald völlig anders sein als noch vor wenigen Jahren.

7 2. Würde ich doch einen tollen Job hier in der Stadt finden! / Fände ich doch einen tollen Job hier in der Stadt! 3. Müsste ich doch morgen nicht arbeiten! 4. Hätte ich das doch nicht gesagt! 5. Würde mir doch jemand helfen! 6. Würde es doch keine Kriege auf der Welt geben! / Gäbe es doch keine Kriege auf der Welt!

8 2. Regnet es morgen, verschieben wir den Ausflug. 3. Treten irgendwelche Nebenwirkungen auf, informieren Sie bitte Ihren Arzt. 4. Sollten sich die

Symptome verschlimmern, gehen Sie bitte zum ärztlichen Notdienst. 5. Möchten Sie den Antrag abgeben, kommen Sie bitte zum Schalter 5. 6. Möchten Sie eine Bestellung aufgeben, drücken Sie bitte die 3.

9 1. Laut einer Umfrage aus dem Jahr 2023 (kein Komma) sind die meisten Menschen in Deutschland mit ihrem Leben im Großen und Ganzen zufrieden. 2. Einig sind sich alle, dass Gesundheit ein wichtiger Aspekt *ist*. 3. Die Frage ist, inwieweit das Glück und die Zufriedenheit von den materiellen Bedingungen *abhängen*. 4. *Hat* man zu wenig Geld, dann ist das Leben oft schwierig und anstrengend. 5. Laut Untersuchungen (kein Komma) können sehr arme Menschen durch mehr Geld glücklich werden. 6. Aber *macht* viel Geld zufrieden und glücklich? 7. Kann man sich jeden Abend ein Essen in einem teuren Restaurant leisten, *wird* dieses Essen zur Normalität und das Glücksempfinden stumpft ab. 8. Könnten wir doch immer *glücklich* sein!

10 2. Ist die Katze aus dem Haus, tanzen die Mäuse auf dem Tisch. 3. Ist der Ruf erst ruiniert, lebt es sich ganz ungeniert. 4. Willst du dir Weisheit erjagen, lerne erst Wahrheit ertragen. 5. Kommt Zeit, kommt Rat. 6. Kräht der Hahn früh auf dem Mist, ändert sich das Wetter oder es bleibt, wie es ist. 7. Regnet es im Mai, ist der April vorbei. 8. Ist der Hunger groß, ist die Liebe klein.

2 Verbposition in Satzverbindungen

1 1. In den ersten Tagen musste ich als Praktikant viel fragen, denn alles war neu für mich. 2. Ich wollte aber nicht zu viel fragen, weil ich den anderen in der Abteilung nicht lästig fallen wollte. 3. In der ersten Woche konnte ich nicht viel selbstständig machen, denn keiner hatte Zeit, mir etwas zu erklären. 4. Die Mitarbeiter haben wenig Zeit für mich, weil sie gerade ein Projekt zu Ende bringen müssen. 5. Sie freuen sich aber, weil ich ihnen Kaffee koche und ihnen die lästigen Kopierarbeiten abnehme. 6. Nächste Woche wird es bestimmt interessanter, denn ich darf in dem neuen Projekt mitarbeiten.

2 1. Im Sommer konnten wir wegen unserer Arbeit keinen Urlaub nehmen, deshalb haben wir noch 20 Urlaubstage. 2. Wir müssen den Urlaub schnell buchen, sonst bekommen wir keine Plätze mehr. 3. Wir fahren lieber mit der Bahn, weil es bequemer als mit dem Auto ist (auch: weil es bequemer ist als mit dem Auto). 4. Ich schaue aus dem Fenster und höre Musik, während ich mit dem Zug fahre. / Während ich mit dem Zug fahre, schaue ich aus dem Fenster und höre Musik. 5. Wir wollen im Urlaub nicht arbeiten, sondern (wir) haben uns vorgenommen, die Handys ausgeschaltet zu lassen. 6. Wir gehen an den Strand und schwimmen, sobald wir angekommen sind. (Oder: Sobald wir angekommen sind, gehen wir an den Strand und schwimmen.)
7. Leider ist das Wetter dort manchmal nicht so gut, aber das macht uns nichts aus.

3 2. Gestern habe ich das Interview gehört und ~~ich habe gestern~~ den Zeitungsartikel gelesen. 3. Meine Lieblingsaktivität ist es, Sprechübungen zu machen, und ~~meine Lieblingsaktivität ist auch~~, mit einem Partner Dialoge zu spielen. 4. Ich möchte an der Prüfung im Oktober oder ~~an der Prüfung~~ im Dezember teilnehmen. 5. Ich möchte nicht nur sprechen lernen, sondern ~~ich möchte~~ auch schreiben ~~lernen~~. Ich möchte nicht nur sprechen ~~lernen~~, sondern ~~ich möchte~~ auch schreiben lernen.

4 Musik ist überall und wir können ihr nicht entfliehen. Die Augen kann man schließen, aber die Ohren **sind** immer offen. Während wir im Einkaufszentrum, beim Zahnarzt oder im Fitnessstudio sind, **hören** wir Musik im Hintergrund. Viele Leute wollen nicht mehr ohne Musik sein. Deshalb **hören** sie in der S-Bahn über Kopfhörer Musik, schalten im Auto das Radio ein, streamen den ganzen Tag Musik oder sie **gehen** in Konzerte. Täglich geben wir Milliarden Euro für Musik aus.
Man kann sich fragen, warum uns Musik so wichtig **ist**. Wie nehmen wir Musik auf, welche Gefühle löst sie in uns aus? Das sind Fragen, die die Wissenschaft **erforscht**.
Sicher ist, dass **es** Musik in allen Kulturen gibt und dass es sie schon seit sehr langer Zeit **gibt**. Schon vor vielen Tausend Jahren haben Menschen Musik gemacht, was der Fund einer 42 000 Jahre alten Flöte in einer Höhle auf der Schwäbischen Alb **beweist**. Wir wissen nicht, wie Musik entstanden ist, aber man nimmt an, dass der Rhythmus sich als Erstes entwickelt **hat**. In der Musik geht es immer um Gefühle. Man kann **jedoch** die Wirkung nicht genau erklären. Ein Musikstück, das auf einen Menschen überwältigend wirkt, **lässt** einen anderen Menschen kalt.

3 Position von Dativ- und Akkusativobjekt

1 1. Wir haben ihn im Zoogeschäft gekauft. 2. Wir wollen ihn ihr zum Geburtstag schenken. 3. Am Geburtstag geben wir sie ihm. 4. Sie möchte ihn sofort sehen. 5. Wir zeigen ihn ihr. 6. Sie gibt es ihm gleich. 7. Er leckt sie ihr. Am Nachmittag zeigt sie ihn ihnen. 8. Am Nachmittag zeigt sie ihn ihnen.

2 1. Die Frau hat den Mann seit langer Zeit zum ersten Mal wieder gesehen. 2. Der Mann hat der Frau den Kaffee bestellt. 3. Die Frau fand den Mann ganz toll. 4. Die Frau hat dem Mann ihre Adresse gegeben. 5. Der Mann hat der Frau Blumen gekauft. 6. Der Mann hat die Frau am Abend besucht. 7. Die Frau hat dem Mann ihr Herz geschenkt.

3 1. Wir kaufen unserer Chefin ein Buch. 2. Wir schenken es ihr zum Geburtstag. 3. Wir schreiben ihr auch eine Karte. 4. Alle bringen es ihr am Morgen. 5. Wir überreichen ihr das Buch in ihrem Büro. 6. Sie gibt allen die Hand. 7. Das Buch gefällt ihr sehr gut. 8. Sie will es uns später leihen. 9. Sie serviert uns dann Sekt in der Cafeteria. 10. Wir trinken ihn mit ihr.

4 1. Der Vater hat *seinem Kind* ein Buch gekauft. 2. Ich möchte *ihm* heute Abend das Buch vorlesen. 3. Oh, der Vater hat *es* gestern der Nachbarin gegeben. 4. Sie will *es* uns morgen zurückbringen. 5. Ich koche *dem Kind* einen Kakao. 6. Ich bringe *ihn* ihm ans Bett.

5 2. Ja, er zeigt sie ihm. 3. Ja, er gibt sie ihnen normalerweise. 4. Ja, ich schicke sie ihnen. 5. Ja, sie leiht es ihm. 6. Ja, ich muss sie ihr mitteilen. 7. Ja, er stellt ihn mir sofort vor. 8. Ja, er zeigt sie ihm.

6 1. er uns 2. es uns 3. er es mir 4. er es uns 5. es uns 6. sie uns 7. wir ihm 8. es mir

4 Position der Angaben im Satz

1 **temporal**: im Sommer, sofort, zwei Stunden lang, beim Sport, während der Arbeitszeit, diese Woche
kausal: aus Liebe, trotz des Regens, wegen seiner Verletzung, vor Freude, ohne Grund
modal: sofort, mit Liebe, gerne, mit dem Auto, mit viel Freude, in großer Eile
lokal: aus London, beim Sport, nach Australien

2 1. vor zwei Wochen mit großer Freude 2. vorgestern aus Nettigkeit unvorsichtigerweise 3. eine Stunde später einige Kilometer entfernt 4. erst Stunden später wegen seines schlechten Gewissens per E-Mail 5. den ganzen Tag wegen seiner Feigheit 6. abends ganz unglücklich mit der U-Bahn (oder: abends mit der U-Bahn ganz unglücklich) 7. eine halbe Stunde lang mit schönen Worten bei mir 8. so schnell wie möglich in einer guten Werkstatt.

3 1. Er geht jeden Samstag gerne mit seinen Freunden aus. 2. Sie sind gestern wie immer in den Club gegangen. 3. Er hat Samstagnacht stundenlang mit Nina auf der großen Tanzfläche getanzt. Oder: auf der Tanzfläche mit Nina 4. Er möchte sie bald irgendwo wiedersehen. 5. Nina hat am Ende trotz ihrer Bedenken noch in dem Club zugesagt. 6. Sie wollen am Sonntagabend zusammen ins Kino gehen. 7. Er hat alle seine Freunde vor Freude im Club zu einem Drink eingeladen. (oder: Er hat vor Freude alle seine Freunde im Club zu einem Drink eingeladen.)

4 1. Ich möchte nächste Woche am Montag um 11 Uhr mit dir frühstücken. 2. Wir waren auf einem Campingplatz auf einer kleinen Insel im Urlaub. 3. Er hatte gestern direkt vor dem Haus auf der Straße in seiner Heimatstadt einen Unfall. 4. Wir möchten in ein paar Jahren zu einem günstigen Zeitpunkt zu unserer Familie in eine Stadt in Italien umziehen. 5. Wir machen nächstes Jahr im Juni für ein paar Tage eine Reise an die Nordsee.

5 2. Wir machen *seit vielen Jahren* aus Nostalgie auf einer Nordseeinsel Urlaub. 3. Mein Sohn hat *als Kind* wegen seiner Allergien hier Kuren machen müssen. 4. Man kann sich wegen der niedrigen Temperaturen *selten* faul in die Sonne legen. 5. Man ist am Abend gerne gemütlich *in der Wohnung*.

6 1. Ich möchte Ihnen heute wegen Ihrer netten Nachfragen gerne in der Klasse meine Heimatstadt präsentieren. 2. Ich beginne erst einmal für einen besseren Überblick anhand dieser Folien mit den geografischen Daten meiner Stadt. 3. Ich werde Ihnen dann zur Befriedigung der touristischen Bedürfnisse mit Bildern die schönsten Sehenswürdigkeiten zeigen. 4. Ich zeige danach im dritten Teil des Referats zur Abrundung des Eindrucks mithilfe von statistischen Angaben einige Probleme auf, die durch den Tourismus entstanden sind. 5. Ich möchte mich schon jetzt von Herzen für Ihr Interesse bedanken.

5 Informationen direkt zum Verb

1 1. Frau Li ist in letzter Zeit immer ab mittags bei der Arbeit im Institut *müde* gewesen. 2. Das hat ihren Chef mit der Zeit *ärgerlich* gemacht. 3. Auch alle Kollegen von Frau Li sind an den Nachmittagen nach und nach *ungeduldig* geworden. 4. Die Situation im Institut hat Frau Li nach einiger Zeit täglich *unsicherer* gemacht. 5. Aber Frau Li hat sich dann nach einem schönen Urlaub auf einer Insel glücklicherweise *viel fitter* gefühlt.

2 1. Ich muss im Wartezimmer immer sehr lange auf den Arzt warten. 2. Ich habe mich oft darüber geärgert. 3. Ich fürchte mich dann die ganze Zeit vor dem Arztbesuch. 4. Dieses Mal war der Arzt glücklicherweise sehr freundlich zu mir. 5. Er hat mir netterweise zum Geburtstag gratuliert. 6. Er hat also daran gedacht.

3 1. Ski / Motorrad / Schlittschuh / Fahrrad **fahren** 2. Theater / Klavier / Fußball / Karten **spielen** 3. Russisch / Französisch / Schwedisch **sprechen** 4. Tango / Russisch / Klavier / Französisch / Schwedisch **lernen** 5. Musik / Radio **hören** 6. Urlaub / Hausarbeit / Musik / Hausaufgaben / Pause **machen**

4 1. Dieses Jahr mache ich glücklicherweise im Sommer Urlaub. 2. Wir buchen den Urlaub immer im Internet. (oder: Wir buchen immer den Urlaub im Internet.) 3. Er hört am Nachmittag immer im Büro Radio. (oder: Er hört immer am Nachmittag im Büro Radio.) 4. Er hat das Radio vor drei Jahren ins Büro gebracht. (oder: Vor drei Jahren hat er das Radio ins Büro gebracht.) 5. Sie spielt seit drei Jahren in der Oper Cello. 6. Sie kauft das Cello übermorgen in diesem Geschäft. (oder: Sie kauft übermorgen das Cello in diesem Geschäft.) 7. Ich möchte nächstes Jahr unbedingt Judo lernen. 8. Er hat schon gegen den Weltmeister Schach gespielt. 9. Sie spricht schon mit zehn Jahren ausgezeichnet Russisch.

5 Ich möchte Ihnen gerne einen Rat geben, wie Sie am besten ein Referat halten können. Sie sollten nicht nur eine Rede halten, sondern auch gegenüber den Zuhörern zum Ausdruck bringen, dass sie Ihnen jederzeit Fragen stellen können. Sie müssen natürlich so gut informiert sein, dass Sie immer eine Antwort geben können. Am besten ist es, wenn Sie am Ende des Referats eine Diskussion miteinander führen.

6 2. <u>Urlaub gehabt</u>. 3. <u>ist</u> ... <u>teuer</u> – <u>essen geht</u>. 4. <u>treiben</u> ... <u>Sport</u>. 5. <u>üben</u> ... <u>Kritik</u>. 6. <u>gehe</u> ... <u>schwimmen</u>. 7. <u>hat</u> ... <u>Fragen gestellt</u>.

6 Position von *nicht*

1

links von nicht						***rechts von nicht***		
Pronomen	Dativ-objekt	Akkusativ-objekt	temporal	kausal	**nicht**	modal	lokal	Verb-gefährte
sich, ihr	meiner Frau	das Klavier, den Herrn	gestern, letzten Sommer, manchmal	wegen der Nachbarn, trotz der Kälte, aus Liebe		mit Mühe, ungern, mit Liebe	oben, zu Hause	um die Kinder, Klavier, spazieren

2 2. Ich bin zehn Minuten später nicht ins Bad gegangen. 3. Ich habe um 8.00 Uhr nicht in der Küche gefrühstückt. 4. Ich bin danach nicht aus dem Haus gegangen. 5. Ich bin kurz darauf nicht in den Zug eingestiegen. 6. Ich bin um 9.00 Uhr nicht im Büro angekommen. 7. Mein Chef hat sich an diesem Morgen nicht gefreut.

3 2. Er konnte auch nicht spazieren gehen. 3. Er will nicht so faul sein. 4. Deshalb konnte er sich nicht von der Arbeit erholen. 5. Er war den ganzen Tag nicht damit zufrieden. 6. Aber nächsten Sonntag will er nicht auf seinen Sport verzichten.

4 2. Er versteht mich nicht gut. 3. Ich kann heute Abend nicht kommen. 4. Sie geht nicht auf den Balkon. 5. Wir gehen nicht gerne ins Museum. 6. Er wollte seiner kleinen Schwester den Teddy nicht schenken. 7. Sie passt diesen Dienstag am Abend nicht auf die Tochter ihrer Nachbarin auf. 8. Er möchte in diesem Sommer im Urlaub nicht surfen gehen. 9. Sie verabredet sich heute nicht im Café. 10. Die Prüfungen konnten letztes Jahr nicht im Institut abgehalten werden. 11. Ich kenne den neuen Kollegen nicht.

5 1. ein paar Mal 2. eine schöne Zeit 3. eine andere 4. der anderen 5. weil sie so schön war 6. er

7 Position von *auch* und Fokuspartikeln

1

temporal	kausal		nicht	modal	lokal	Verbgefährte
morgen, letzte Woche, nachts	wegen des Staus, aufgrund von Krankheiten	a u c h	nicht mehr, noch nie	höflich, mit dem Auto	zu Hause, in ihrem Büro	zum Geburtstag, Musik, eine Rolle

2 2. Ich bin gestern auch mit meinem Hund spazieren gegangen. 3. Ich habe gestern auch Musik gehört. 4. Wir sind gestern auch ins Kino gegangen. 5. Wir mussten gestern wegen der vielen Leute auch lange Schlange stehen. 6. Der Film hat uns gestern auch nicht so gut gefallen.

3 1. Ingenieure setzen Roboter auch gerne für gefährliche Aufgaben ein. 2. Moderne Technik spielt auch bei jungen Leuten eine große Rolle. 3. In der Zukunft werden Roboter auch immer selbstständiger handeln. 4. Einige Menschen befürchten durch den Einsatz von Robotern auch große Nachteile. 5. Roboter werden schon jetzt auch in Krankenhäusern eingesetzt. 6. Einige Länder experimentieren auch mit selbstfahrenden Autos und Bussen.

4 **Musterlösungen:** 1. Auch mein Kollege (nicht nur ich) / auch heute (nicht nur gestern) / auch im Seminar (nicht nur in der Vorlesung) / auch eine Präsentation gehalten (nicht nur einen Vortrag) 2. Auch mein Zug (nicht nur eurer) / auch wegen des Unwetters (nicht nur wegen der Betriebsstörung) / auch in Butzbach (nicht nur in Bad Nauheim) 3. Auch in der Kantine (nicht nur in der Besprechung) / habe auch ich (nicht nur du) / auch beim Kaffeetrinken (nicht nur beim Arbeiten) / auch viele alte Freunde getroffen (nicht nur Kollegen)

5 2. Man muss (auch) in der Lage sein, (auch) mit Niederlagen umzugehen. 3. Sie müssen deshalb oft auch in einem Brotberuf arbeiten. 4. Sie kaufen sich auch gerne eine teure professionelle Ausrüstung. 5. Viele Jugendliche interessieren sich deshalb auch für diese Sportarten. 6. Sport und Bewegung sind für die körperliche Gesundheit von großer Bedeutung. (Auch) Für die geistige Fitness spielen sie eine Rolle.

6 1. Sogar 2. ebenfalls 3. bloß 4. ausgerechnet

8 Informationsverteilung im Satz

1 Korrekt sind: einen, den, einer, Die, einen, den, der, einen

2 1. Wir essen heute zum Mittagessen einen Salat. 2. Ich würde jetzt gerne einen Tee trinken. 3. Könntest du heute aus dem Supermarkt eine Packung Kaffee mitbringen? 4. Ich habe vor dem Mittagessen einem Kollegen geholfen. 5. Die Firma wird dieses Jahr neue Bildschirme für alle Angestellten anschaffen. 6. Es gibt heute wegen des Stromausfalls keinen Kaffee.

3 1. Er hat seiner Freundin letzte Woche einen Ring geschenkt. 2. Sie hat dem Freund einen Kuss gegeben. 3. Sie haben der Kollegin zum Geburtstag eine Schachtel Pralinen geschenkt. (oder: Sie haben der Kollegin eine Schachtel Pralinen zum Geburtstag geschenkt.) 4. Die Kollegin hat die Pralinen einer Freundin weitergegeben. 5. Die alte Dame erzählte den Kindern im Kindergarten jeden Freitag eine spannende Geschichte. 6. Sie erzählte die Geschichten in den letzten Jahren vielen Kindern.

4 2. Nein, nach Frankfurt kommt Lisa nicht. 3. Nein, der Chefin gehört die Tasche nicht. 4. Nein, geschrieben habe ich die Notizen nicht. 5. Nein, im August habe ich keinen Urlaub.

5a 2. jeden Morgen / im Fahrstuhl 3. leider / genau / erkennen / genau erkennen 4. am Wochenende 5. heute / sogar seiner Schwester / seiner Schwester / beim Umzug 6. mir / lediglich mit einem Kopfschütteln / mit einem Kopfschütteln 7. heute / über die Besprechung / in der Mittagspause / über die Besprechung in der Mittagspause

6 1. Schlafen tue ich heute nicht. 2. Arbeiten musste sie ihr Leben lang nicht. 3. Gesehen haben wir viel. 4. Weinen tut das Kind nicht.

9 Konjunktiv 2 der Gegenwart: Formen

1 2. Wenn sie ins Ausland gehen würde, würde sie ihren Freund selten sehen. 3. Wenn ich mich um den Job bewerben würde, hätte ich eine Chance. 4. Wenn du Zeit hättest, würde ich gern mit dir ins

Kino gehen. 5. Wenn wir schneller laufen würden, würden wir rechtzeitig kommen. 6. Wenn er ins Café mitkommen würde, würde sie sich freuen.

2 3. müsste ... aufstehen 4. würden ... erledigen 5. wäre, – 6. hätten 7. würde ... nehmen 8. hätten 9. fliegen dürfte 10. wäre, – 11. wäre, – 12. würde ... sehen 13. wären, – 14. hätte, – 15. könnte ... träumen 16. wäre, – 17. würde ... vorstellen 18. wäre 19. wären, –

3 1. ~~machte ich nicht.~~ 2. ~~wissen würden~~ – ~~dann kauften sie~~ 3. ~~sänge~~ 4. beide Formen möglich – ~~dann versuchten es alle~~ 5. ~~trügest~~ – beide Formen möglich 6. beide Formen möglich – ~~würde eine Traumhochzeit sein~~

4 1. würden die E-Mails schneller beantwortet. 2. würde sie besser gesehen. 3. würden sie nicht so viel verkauft. 4 würde sie mehr gekauft.

5 sie würde zu dir hinüberfliegen und würde dir tausend Grüße bringen – sie würden von mir kommen – ich würde sie an dich senden – sie würde dir dieses Liedchen singen – du würdest dabei an mich denken

10 Konjunktiv 2 der Vergangenheit: Formen

1 **Konjunktiv 2 der Gegenwart:** wir würden kaufen, ich wäre, sie hätten, sie könnte tanzen, es würde genutzt, sie sollten verkauft werden

Konjunktiv 2 der Vergangenheit: wir hätten gekauft, ich wäre gewesen, sie hätten gehabt, sie hätte tanzen können, es wäre genutzt worden, sie hätten verkauft werden sollen

2a 1. er wäre gegangen 2. wir hätten gegessen 3. sie wären gekommen 4. ich wäre gewesen 5. du wärst geblieben 6. wir hätten gehabt 7. ihr wärt gewesen 8. er hätte gebraucht 9. es wäre nicht gegangen 10. sie hätten gesehen

2b 1. sie hätte fahren wollen 2. er hätte vergessen wollen 3. wir hätten arbeiten müssen 4. wir hätten es benutzen können 5. sie hätten es wissen müssen 6. ich hätte es nicht machen können 7. du hättest kommen sollen 8. es hätte geben müssen 9. wir hätten tanzen können

3 1. hätten 2. hätten 3. wären 4. hätte 5. hätten 6. hättest 7. Wärst 8. hätten 9. wären 10. wären 11. würden 12. würden 13. würde 14. würdest

4 1a) Wenn ich damals Geld gehabt hätte, hätte ich große Reisen gemacht. 1b) Wenn ich vier Wochen Urlaub bekommen würde (bekäme), würde ich eine Weltreise machen. 2a) Du hättest gestern das tolle Kleid kaufen sollen. 2b) ..., könntest du morgen ein Kleid von mir anziehen. 3a) Sonst würde ich joggen gehen. 3b) Sonst wäre ich joggen gegangen.

5a 1. Die Oper hätte eröffnet werden können. 2. Die Fehler im Programm hätten gefunden werden müssen. 3. Die Arbeit wäre besser erledigt worden. A Der Programmierer wäre nicht gestört worden. B Nicht so viele Angestellte wären entlassen worden. C Auf der Baustelle wäre nicht so oft gestreikt worden.

5b 2-A: Die Fehler im Programm hätten gefunden werden müssen, wenn der Programmierer nicht gestört worden wäre. 3-B: Wenn nicht so viele Angestellte entlassen worden wären, wäre die Arbeit besser erledigt worden.

11 Höflichkeit, Vorschläge, Ratschläge und Vorwürfe

1 2. Würden Sie bitte das Fenster schließen? 3. Wären Sie so freundlich, mir ein Glas Wasser zu geben? 4. Würde es Ihnen etwas ausmachen, den Kunden vom Flughafen abzuholen? 5. Dürfte ich Sie bitten, mir die Internetadresse des Kunden zu sagen? 6. Würden Sie bitte einen Moment draußen warten? 7 Dürfte ich dich bitten, mir die Unterlagen zu geben? 8. Wärst du so nett, mir mit dem neuen Programm zu helfen? 9. Würdest du mir den Gefallen tun und mir einen Kaffee mitbringen? 10. Könntest du den Kollegen Bescheid sagen?

2 1. Du könntest in die Konzerthalle gehen. 2. Du könntest auf den Rheinwiesen Beachvolleyball spielen. 3. Du könntest auf die Königsallee gehen. 4. Du könntest Schloss Benrath besichtigen.

3a 1. Du könntest / Sie könnten abends Yoga machen. 2. Du könntest / Sie könnten ins Kino gehen. 3. Er könnte einen Sprachkurs besuchen. 4. Sie sollten eine App benutzen, die an Termine erinnert. 5. Du solltest / Sie sollten sich unbedingt bewerben. 6. Du solltest / Sie sollten keinen Streit anfangen.

3b 1. Du hättest / Sie hätten gestern Abend Yoga machen sollen! 2. Du hättest / Sie hätten zur Party von Jil gehen sollen! 3. Er hätte vorher einen Sprachkurs besuchen sollen! 4. Sie hätten früher losfahren sollen! 5. Du hättest dich / Sie hätten sich bewerben sollen! 6. Du hättest / Sie hätten keinen Streit anfangen sollen!

4 1. Wir hätten ins Theater gehen können 2. Wir hätten das Museum besuchen können 3. Wir hätten joggen können 4. Wir hätten bei mir schön zusammen kochen können 5. Du hättest mit Angela ins Kino gehen können 6. Wir hätten früher losgehen sollen

5 1. wäre ich nicht zum Chef gegangen 2. würde ich den Computer erst einmal runterfahren 3. würde ich einen Kaffee trinken 4. hätte ich vorher gefragt 5. wäre ich vorhin in der Mittagspause nach draußen gegangen 6. hätte ich den Urlaub früher beantragt

12 Wünsche, irreale Wünsche, irreale Bedingungen

1 2. Er würde gerne interessante Aufgaben bekommen. 3. Er wäre gerne entspannter. 4. Er würde gerne mehr verdienen. 5. Er würde gerne wissen, wie es nach dem Praktikum weitergeht. / Er wüsste gerne, wie es nach dem Praktikum weitergeht.

2a 2. Wenn doch gute Tänzer mit mir tanzen würden! / Würden doch auch gute Tänzer mit mir tanzen! 3. Wenn doch meine Füße in den Tanzschuhen nicht schmerzen würden! / Würden doch meine Füße in den Tanzschuhen nicht schmerzen! 4. Wenn es doch eine sternenklare Nacht geben würde / gäbe! / Würde es doch eine sternenklare Nacht geben! / Gäbe es doch eine sternenklare Nacht! 5. Wenn es heute Abend doch auch romantische Musik geben würde / gäbe! / Würde es doch heute Abend auch romantische Musik geben! / Gäbe es doch heute Abend auch romantische Musik!

2b 1. Wäre die Musik bloß nicht so furchtbar gewesen. 2. Wenn ich bloß nicht immer mit Paul hätte tanzen müssen. / Hätte ich bloß nicht immer mit Paul tanzen müssen! 3. Wenn ich bloß bequemere Schuhe mitgebracht hätte! / Hätte ich bloß bequemere Schuhe mitgebracht! 4. Wenn Luca doch schon am Anfang gekommen wäre! / Wäre Luca doch schon am Anfang gekommen! 5. Wenn es doch nicht in Strömen geregnet hätte! / Hätte es doch nicht in Strömen geregnet!

3 1C Wenn Toni und Maja mehr Urlaub hätten, würden sie den Urlaub ein paar Tage verlängern. 2B Wenn sie Geld hätten, könnten sie ein Auto mieten. 3E Wenn das Wetter morgen gut wäre, könnten sie eine Bergtour machen. 4D Wenn sie nicht alle Papiere verloren hätten, wären sie nicht zur Polizei gegangen. 5A Wenn sie sich nicht gestritten hätten, wäre der Urlaub wunderbar gewesen.

4 1. Ohne Schlüssel hätten wir im Auto übernachten müssen. 2. Ohne Dosenöffner hätten wir nichts zu essen gehabt. 3. Mit Badeanzug hätten wir uns im See erfrischen können. 4. Mit Boot hätten wir in das Restaurant auf der anderen Seite des Sees fahren können. 5. Mit WLAN hätten wir uns einen Film anschauen können. 6. Gut, dass du mitgekommen bist. Ohne dich wäre der Urlaub nicht so schön gewesen.

5 1. Selbst wenn alle Autos Winterreifen gehabt hätten, wären sie den Berg nicht hochgekommen. 2. Auch wenn ich eine halbe Stunde eher losfahren würde, könnte ich die Fähre nicht mehr bekommen. 3. Auch wenn ich weniger Bücher mitnehmen würde, könnte ich meinen Koffer nicht als Handgepäck aufgeben. 4. Selbst wenn ich genügend Geld dabeigehabt hätte, hätte ich nicht im Bordrestaurant essen können. 5. Auch wenn es beim Start in Berlin keine Verzögerung gegeben hätte, hätte unser Flieger nicht pünktlich in Frankfurt landen können.

13 Irreale Vergleiche und irreale Folgen

1a **Bemerkung:** *Du tust so,...* und *du siehst aus,..* *als ob* und *als wenn* sind austauschbar.
1. Du siehst aus, als ob du gerne tanzen würdest.
2. Du siehst aus, als ob du müde wärst.
3. Du tust so, als wenn du keine Zeit hättest.
4. Du siehst aus, als ob du ein Problem hättest.
5. Du siehst aus, als ob du etwas erzählen möchtest / wolltest.

1b **Bemerkung:** *Sie sieht aus,...* und *Sie macht den Eindruck ,..*und *als ob* und *als wenn* sind austauschbar

1. Sie sieht aus, als ob sie viel gearbeitet hätte. 2. Sie sieht aus, als ob sie gerade aus dem Urlaub zurückgekommen wäre. 3. Sie macht den Eindruck, als wenn sie schlecht geschlafen hätte. 4. Sie sieht aus, als ob sie eine große Chance bekommen hätte.

5. Sie macht den Eindruck, als wenn sie sich aufgeregt hätte.

1c 1. als ob sie 60 wäre 2. als wenn du erkältet wärst 3. als ob du etwas Schreckliches gesehen hättest 4. als wenn du eine ganze Fußballmannschaft erwarten würdest 5. als ob der Zug gleich abfahren würde 6. als ob sie alles wissen würde / wüsste

2 1. Der Politiker weicht den Fragen aus, als hätte er etwas zu verbergen. 2. Er redet unbeirrt weiter, als würde er die Zwischenrufe nicht hören. 3. Er verbreitet von sich das Bild, als hätte er von der Affäre nichts gewusst. 4. Er wechselt das Thema, als wollte er sich nicht dazu äußern. 5. Er beendete die Pressekonferenz nach wenigen Minuten, als würde er damit rechnen, unangenehme Fragen gestellt zu bekommen. 6. Die Journalisten rufen laut weitere Fragen, als hätten sie nicht gehört, dass die Pressekonferenz zu Ende ist.

3 1. als würde er neben sich stehen. 2. als hätten die Bewohner sie fluchtartig verlassen. 3. als hätte ein Treffen stattgefunden. 4. als hätte ein Kampf stattgefunden. 5. als wäre seit Jahren kein Mensch mehr hierhergekommen. 6. als würden sie damit rechnen, dass die Beute hier versteckt wäre.

4 1. Er ist viel zu arrogant, als dass er zuhören würde. 2. Er ist viel zu schüchtern, als dass er nachgefragt hätte. 3. Er fuhr viel zu schnell, als dass er hätte bremsen können. 4. Er war viel zu bequem, als dass er im Haushalt geholfen hätte. 5. Er war viel zu ängstlich, als dass er einen Streit gewagt hätte. 6. Er ist zu stolz, als dass er mich um Hilfe gebeten hätte. 7. Er ist zu selbstbewusst, als dass er sich um das Gerede gekümmert hätte.

5 2. Fast hätte ich meinen Reisepass vergessen. 3. Fast wäre er herausgefallen. 4. Fast hätte ich mich verplappert. 5. Fast wäre ich am Steuer eingenickt.

14 Passiv in allen Zeiten

1 1.b, 2.b, 3.b, 4.a, 5.b

2 1. Das Formular wird zugeschickt. 2. Du wirst nach deiner Qualifikation gefragt. 3. Die Unterlagen werden geprüft. 4. Ihr werdet gut behandelt. 5. Wir werden über das Ergebnis informiert. 6. Ich werde zum Vorstellungsgespräch eingeladen. 7. Der Vertrag wird unterschrieben. 8. Die Dokumente werden ausgedruckt.

3 2. Das Baby wurde gefüttert. 3. Das Zimmer wurde aufgeräumt. 4. Der Fernseher wurde ausgeschaltet. 5. Der Pullover wurde gewaschen. 6. Die Haare wurden geföhnt. 7. Die Waschmaschine wurde repariert. 8. Die Pralinen wurden aufgegessen.

4 1. Früher wurden alle Waren in der Nähe produziert. 2. Heute werden die Waren auf der ganzen Welt produziert. 3. Früher wurden keine exotischen Früchte in Deutschland gegessen. 4. Heute werden im Supermarkt das ganze Jahr über Orangen, Ananas und Mangos verkauft. 5. Früher sind von den meisten Leuten keine Reisen in fremde Länder gemacht worden. 6. Heute werden häufig mehrere Urlaube pro Jahr im Ausland gemacht. 7. Früher sind Produkte in einem Land hergestellt worden. 8. Heute werden Einzelteile auf der ganzen Welt von den Firmen gekauft und (sie werden) zu einem Produkt zusammengebaut. 9. Früher sind Produkte mit unterschiedlichen Standards von den Firmen hergestellt worden. 10. In den letzten Jahren sind viele Produkte standardisiert worden.

5 2. 20 000 Euro sind in einer Plastiktüte gefunden worden. 3. Ein Hund ist aus dem Fluss gerettet worden. 4. (Die) Trickdiebe sind festgenommen worden. 5. 2000 Hektar Wald sind durch (ein) Feuer vernichtet worden.

6 2. 1999 wurde mit dem Bau begonnen. 3. Der Gotthardtunnel wurde 17 Jahre lang gebaut. 4. 28,2 Millionen Kubikmeter Gestein wurden aus dem Berg geholt. 5. Insgesamt wurden 2400 Bauarbeiter eingesetzt. 6. Die Baustelle wurde von mehreren 100 000 Besuchern besichtigt. 7. Die beiden Tunnelröhren wurden mit hochmodernen Maschinen gebohrt. 8. Nachdem der Bau des Tunnels beendet worden war, wurde er am 1. Juni 2016 feierlich eröffnet. 9. Für die erste Fahrt durch den Tunnel wurden 1000 Tickets an Schweizer Bürger verlost. 10. Nachdem der Tunnel sechs Monate getestet worden war, wurde er von über 300 Zügen täglich genutzt.

7 2. Die Leute würden nicht bedroht. 3. Die Kollegen und Kolleginnen würden informiert. 4. Die Angestellten würden nicht entlassen. 5. Der Verkehr würde nicht durch Bauarbeiten behindert. 6. Ich würde nicht dauernd beim Lesen gestört.

8 1. Meine Geldbörse wäre nicht gestohlen worden. 2. Das Auto wäre nicht beschädigt worden. 3. Die Parkanlagen wären nicht zerstört worden. 4. Das Auto wäre repariert worden. 5. Mein Flug wäre nicht gecancelt worden. 6. Der Drucker wäre repariert worden.

9 2. würden ... gehalten 3. werde ... vorbereitet 4. würden ... eingeladen 5. werde ... organisiert 6. werde ... geplant

10 2. Der Pressesprecher verkündete, das Festival sei gut vorbereitet worden. 3. Die Anwohner sagten, der Müll sei nicht pünktlich abgeholt worden. 4. Der Bürgermeister gab zu, mehrere Geschäfte seien von Unbekannten gplündert worden. 5. Die Verkehrsministerin wies darauf hin, der Verkehr sei wegen Bauarbeiten umgeleitet worden.

11 2. Die Polizei sei schnell informiert worden. 3. Die Diebe seien von der Polizei verfolgt worden. 4. Einer der Diebe sei festgenommen worden. 5. Nach dem zweiten Täter werde noch gefahndet. 6. Das Auto der Täter werde genau untersucht.

12 2. Ja, das Büro wird wahrscheinlich heute noch geputzt werden. 3. Ja, du wirst bestimmt auch noch gefragt werden. 4. Ja, wir werden wahrscheinlich noch informiert werden. 5. Ja, die Verträge werden morgen bestimmt unterschrieben worden sein. 6. Ja, der Kopierer wird bis nächste Woche bestimmt repariert worden sein.

13 1. Sie wurde gestern von einem berühmten Arzt operiert. 2. Schäden in Millionenhöhe sind durch das Hochwasser verursacht worden. 3. Ein Fußballspieler ist durch den Blitz verletzt worden. 4. Sie wurde von einer neidischen Kollegin gemobbt. 5. Der Familie konnte durch das Engagement der Nachbarn geholfen werden. 6. Der Studierende ist durch den / vom DAAD finanziell unterstützt worden. 7. Der Dieb ist von niemand(em) gesehen worden. 8. Das Angebot ist von allen angenommen worden.

14 1. durch 2. Durch bewusste**n**, von jede**m** 3. von den 4. mit, mit, durch 5. Durch d**en** 6. Von d**en** 7. mit

15 2. gezeigt ~~geworden~~ **worden** 3. ~~von einem~~ **durch** ein Feuer 4. informiert ~~werden~~ **worden** 5. abgesagt worden ~~wurde~~ **war** 6. ~~sind~~ **werden** ... ausgestellt werden 7. würden ~~geführt~~ zurzeit gerade **geführt** 8. ~~sind~~ werden erwartet

15 Passiv mit Modalverben in allen Zeiten

1 2. Ich möchte gefragt werden. 3. Das Gerät soll überprüft werden. 4. Du musst unterstützt werden. 5. Wir sollen eingeladen werden. 6. Was darf in einem Bewerbungsgespräch nicht gefragt werden?

2 2. Hier darf kein Müll abgeladen werden. 3. Hier darf der Rasen nicht betreten werden. 4. Hier dürfen keine Fotos gemacht werden. 5. Hier muss ein Ausweis gezeigt werden. 6. Hier müssen Handys ausgeschaltet werden.

3a 1. Die Transportsicherung muss entfernt werden. 2. Der Akku muss eingelegt werden. 3. Das Netzkabel muss angeschlossen werden. 4. Der Akku muss aufgeladen werden. 5. Eine Internetverbindung muss hergestellt werden. 6. Die Software muss im Internet registriert werden.

3b 2. dass der Akku eingelegt werden musste. 3. dass das Netzkabel angeschlossen werden musste. 4. dass der Akku aufgeladen werden musste. 5. dass eine Internetverbindung hergestellt werden musste. 6. weil die Software im Internet registriert werden musste.

4 2. Das Dokument hatte überprüft werden müssen. 3. Die Arbeit hat erledigt werden sollen. 4. Das Haus hatte renoviert werden müssen. 5. Die neue Technologie musste getestet werden. 6. Die Ausstellung hat von 9.00 bis 17.00 Uhr besichtigt werden können.

5 1. informiert werden konnten – hatte ... informiert werden müssen / musste ... informiert werden 2. renoviert worden war – konnte ... aufgeführt werden 3. hatte erreicht werden können – sollten ... gefeiert werden 4. komplett gesperrt werden musste – durfte ... benutzt werden / hatte ... benutzt werden dürfen 5. unbezahlte Überstunden hatten gemacht werden müssen – sollte ... ein Protest organisiert werden

6 1. unsere Arbeit durch die neue Datenbank schneller wird durchgeführt werden können. 2. das Programm wird geändert werden müssen. 3. die neue Software problemlos wird installiert werden können. 4. werden an die neue Umgebung angepasst werden müssen. 5. werden sofort eingesetzt werden können. 6. werden die Angestellten vom Support unterstützt werden müssen. 7. werden bestimmt schnell gefunden werden können.

7 2. Eigentlich sollten sie sofort zurückgebracht werden. 3. Eigentlich müssten wir unterstützt werden. 4. Eigentlich sollten sie heute erledigt werden. 5. Eigentlich müsste der Auftrag heute bearbeitet werden. 6. Eigentlich könnten die Angestellten gut bezahlt werden.

8 2. + Ich denke, die E-Mail könnte nach der Mittagspause geschrieben werden. – Nein,die E-Mail hätte schon längst geschrieben werden müssen. Sie müsste sofort geschrieben werden. 3. + Ich denke, über das Problem könnte beim nächsten Treffen gesprochen werden. – Nein, über das Problem hätte schon längst gesprochen werden

müssen. Darüber müsste sofort gesprochen werden. 4. + Ich denke, diese Aufgabe könnte nach dem Urlaub erledigt werden. – Nein, diese Aufgabe hätte schon längst erledigt werden müssen. Sie müsste sofort erledigt werden.

9 2. sie schon längst hätte getestet werden müssen
3. sie schon längst hätten gereinigt werden müssen
4. sie schon längst hätten verschickt werden müssen

10 2. Die Lokalpolitikerin versprach, dass die neuen Glasfaserleitungen von allen genutzt werden könnten. 3. Die Vertreter der Umweltschutzorganisationen hoben hervor, dass der Schutz der Umwelt nicht vernachlässigt werden dürfe. 4. Die Gesundheitsministerin kündigte an, dass das Gesetz in der letzten Woche vor der Sommerpause verabschiedet werden müsse. 5. Der Pressesprecher der Bahn entschuldigte sich, dass die Verspätung gestern bedauerlicherweise nicht habe verhindert werden können. 6. Die Pressesprecherin der Polizei wies darauf hin, dass die Autobahn nach dem Unfall für zwei Stunden habe gesperrt werden müssen. Oder: gesperrt werden müsse.

11 2. Viele Angestellte können für die neuen Aufgaben umgeschult werden. 3. Außerdem soll auch neues Personal eingestellt werden. 4. Die Maschinenteile sollen im Ausland gekauft werden. 5. Die eingeführten Produkte müssen verzollt werden.

16 Alternativen zum Passiv

1 2. Man muss immer bedenken, dass sich fast alles trainieren lässt, und durch regelmäßiges Training lässt sich das meiste immer mehr verbessern.
3. Auch jede Prüfung lässt sich vorbereiten und üben, wenn man genug Zeit investieren kann.
4. Aber nicht alles lässt sich planen und der Erfolg lässt sich nicht garantieren, denn wir Menschen sind nicht perfekt.

2 1. Ist ... zu retten 2. sind zu heilen 3. sind ... zu ertragen 4. ist ... zu ändern 5. sind ... zu übersetzen 6. sind ... zu schaffen 7. ist zu erwarten 8. Sind ... abzuschaffen 9. ist ... auszuwechseln 10. sind ... zu ernähren

3 1. Der Pullover ist bei 30 Grad waschbar. 2. Das Möbelstück ist zum Transport zerlegbar. 3. Die Einrichtung ist jederzeit variabel. 4. Ein korrupter Mensch ist käuflich. 5. Glas ist gut recycelbar.
6. Das Auto ist nicht mehr reparabel.

4 2. Es hat sich keine genaue Voraussage machen lassen. 3. Diese Argumente werden zu ignorieren sein. 4. Dieser Termin würde sich kaum einhalten lassen / ließe sich kaum einhalten. 5. Manche Blumen seien essbar. 6. Diese Aufgabe sei kaum zu bewältigen. 7. Die Schrift war total unleserlich.
8. Das hat sich machen lassen. 9. Die Katastrophe wäre vorherzusehen gewesen.

5 **Zeile 1:** Man kann die Pläne ändern. - Die Pläne lassen sich ändern. - Die Pläne sind änderbar.
Zeile 2: Der Vertrag konnte nicht gekündigt werden. – Der Vertrag war nicht zu kündigen.
Zeile 3: Wie wird man die Umweltverschmutzung aufhalten können? – Wie wird sich die Umweltverschmutzung aufhalten lassen? – Wie wird die Umweltverschmutzung aufhaltbar sein?
Zeile 4: Die Batterie hat ersetzt werden können. – Die Batterie ist zu ersetzen gewesen.
Zeile 5: Man könnte Sehfehler operieren. – Sehfehler würden sich operieren lassen / ließen sich operieren. – Sehfehler könnten operabel sein.
Zeile 6: Die Aufgabe hätte gelöst werden können. – Die Aufgabe wäre zu lösen gewesen.
Zeile 7: Man könne das Phänomen nicht erklären. – Das Phänomen lasse sich nicht erklären. – Das Phänomen sei unerklärlich /nicht erklärlich / nicht erklärbar.
Zeile 8: Die Krankheit hatte geheilt werden können. – Die Krankheit war zu heilen gewesen.

6a **-bar:** reparierbar, brauchbar, sichtbar, verwendbar, ersetzbar, ertragbar, erklärbar
-lich: erträglich, käuflich, erklärlich; bei dem Verb ersetzen -lich nur bei unersetzlich
-abel: reparabel, transportabel

6b 1. erklärlich /erklärbar 2. reparabel/reparierbar
3. unbrauchbar 4. unersetzlich 5. transportabler
6. verwendbar 7. unerträglich 8. sichtbar

7 1. Mit einem Computer können viele Aktivitäten und Arbeiten durchgeführt werden. 2. Daten können in der Cloud oder auf einem USB-Stick gespeichert werden. 3. Die Tastatur darf nicht mit fettigen Fingern angefasst werden. 4. Daten auf dem Stick können gelöscht oder überspielt werden.
5. Der Bildschirm muss / kann mit einem trockenen Tuch gereinigt werden. 6. Ein sicheres Passwort muss verwendet werden. 7. Ein Anti-Viren-Programm muss / kann installiert werden.
8. Der Computer muss immer richtig heruntergefahren werden.

8a 1. ist ... abzuschließen 2. dürfen ... entsorgt werden 3. erkennbar sind, ist ... zu informieren 4. ist ... zu reinigen 5. dürfen ... abgestellt werden 6. sind ... zu schließen 7. ist ... sauber zu halten

8b 1. muss ... abgeschlossen werden 2. sind keine Abfälle zu entsorgen 3. erkannt werden können / muss ... informiert werden 4. muss ... gereinigt werden 5. sind keine Fahrräder oder Krafträder abzustellen 6. müssen ... geschlossen werden 7. muss sauber gehalten werden

17 Formen mit Passivbedeutung

1 2. Hier läuft es sich gut. 3. Damit fährt es sich gut. 4. Hier sitzt es sich gut. 5. Wie schreibt sich „Libyen"? 6. Das Buch verkauft sich gut.

2 1. Für die zu registrierenden Bücher legen sie bitte eine Datei an. 2. Die auszuleihenden Bücher müssen mit einem roten Punkt gekennzeichnet werden. 3. Alle zu erneuernden Schriften mit Einbänden machen Sie bitte für den Versand an die Buchbinderei fertig. 4. Noch zu kontrollierende Bücher sehen Sie bitte außerhalb der Öffnungszeiten durch. 5. Auszusortierende Schriften bieten wir unseren Benutzern günstig zum Verkauf an. 6. Zu entsorgende Zeitschriften und Bücher sammeln Sie bitte in dem dafür vorgesehenen Korb.

3 2. Er gehört bestraft. 3. Sie gehört genäht. 4. Er gehört ins Krankenhaus (gebracht). 5. Es gehört in die Werkstatt (gebracht) und repariert. 6. Die Versicherung gehört informiert.

4 2. Ich habe gesagt bekommen / gekriegt... 3. Er bekommt / kriegt immer geholfen. 4. ...habe ich die ganze Firma gezeigt bekommen / gekriegt 5. ...dann habe ich Tee serviert bekommen / gekriegt 6. Ich habe das Auto kostenlos repariert bekommen / gekriegt. 7. ...haben wir von vielen Nachbarn und Nachbarinnen Kuchen gebracht bekommen / gekriegt.

5 1. Der Schauspieler genießt auf der ganzen Welt Bewunderung. 2. Glücklicherweise erfährt die Politik der Integration bei den meisten Menschen Akzeptanz. 3. Der neu angelaufene Film erfuhr viel Lob. 4. Das neue Verfahren kommt ab sofort zur Anwendung. 5. Manche Wünsche gehen leider nie in Erfüllung. 6. Auf der Messe stehen viele neue Modelle zur Auswahl.

6 2. die Aufgaben, die heute erledigt werden müssen / sollen, stehen an erster Stelle 3. beginnen wir mit den Projekten, die leicht beendet werden können. 4. das Ziel, das wir erreichen können. 5. die Auszeichnung, die gewonnen werden kann 6. Die Korrekturen, die noch vorgenommen werden müssen

18 Passivsätze ohne Subjekt

1 1. In Süddeutschland wird viel Ski gefahren. 2. Fast nur in Deutschland wird auf Autobahnen unbegrenzt schnell gefahren. 3. Unter Jugendlichen wird in sozialen Netzwerken viel kommuniziert. 4. Auf Hochzeitspartys wird fast immer viel getanzt. 5. Auf dem Land wird häufig mit dem Auto gefahren.

2 **im Kasino:** wird um Geld gespielt / wird auf die richtige Zahl gewartet / wird vor Enttäuschung geweint / wird vor Freude gejubelt

im Schwimmbad: wird schwimmen gelernt / wird um die Wette geschwommen / wird getaucht / wird vom Sprungturm gesprungen / wird geduscht / wird viel gelacht und gescherzt / wird vor Freude gejubelt

auf einer Hochzeitsparty: wird getanzt / wird gut gegesen / wird viel gelacht und gescherzt / wird geküsst / wird vor Freude gejubelt

3 1. Ihm wird zum Geburtstag gratuliert. 2. Ihnen wird herzlich für ihre Hilfe gedankt. 3. Den Gastgebern wird bei der Vorbereitung geholfen. 4. Den falschen Versprechungen wird nicht geglaubt. 5. Über die schwierige Situation wird viel diskutiert.

4 2. Jetzt wird aber sofort mitgeholfen! 3. Jetzt wird aber geschlafen! 4. Jetzt wird aber gegessen! 5. Nach dem Fußballspielen wird aber geduscht!

5 1. Den Betroffenen wird schnell und unbürokratisch geholfen. 2. Dem Beschuldigten ist nicht geglaubt worden. 3. Dem Vorwurf der mangelnden Unterstützung war widersprochen worden. 4. In der Vorbereitung ist sorgfältig auf alle Details geachtet worden. 5. Es wurde versprochen, über Vor- und Nachteile zu diskutieren.

6a 1. Über die verschiedenen Lösungsansätze ist diskutiert worden. 2. In der kommenden Woche wird mit allen Beteiligten gesprochen. 3. Auf Langstreckenflügen wird nicht viel geschlafen. 4. Auf ein angemessenes Angebot wurde vergeblich gewartet. 5. An die nötigen Sicherheitsvorkehrungen wurde nicht gedacht.

6b 1. Man hat über die verschiedenen Lösungsansätze diskutiert. 2. Man wird in der kommenden Woche mit allen Beteiligten sprechen. 3. Man schläft auf Langstreckenflügen nicht viel. 4. Man wartete vergeblich auf ein angemessenes Angebot. 5. Man dachte nicht an die nötigen Sicherheitsvorkehrungen.

7 *Es* ist nötig in den Sätzen: 2, 3, 5.

19 Wann ist Passiv möglich, wann nicht?

1 Passiv möglich bei: operieren, tauschen, kämpfen, zerstören, bauen, schlagen, diskutieren

2a Passiv möglich in Satz 3 und 4 und 6

2b 3. Den Versprechungen der Werbung wird von niemandem geglaubt. 4. Der alten Dame wird von den Passanten über die Straße geholfen. 6. Mir wird von allen geraten, die neue Stelle anzunehmen.

3 1. – 2. Auf den Seen wird (von vielen Leuten) Schlittschuh gelaufen. 3. – 4. – 5. Die Eisfläche wird von der Stadt oder einem Sportverein vorbereitet und poliert. 6. – 7. Neue Schlittschuhe werden oft gebraucht, weil sie schnell wachsen. 8. – 9. Deshalb werden (von vielen Leuten) die Koffer gepackt und es wird zum Wintersport in die Alpen gefahren.

4a 1. Während der EM sehe ich einen Monat lang fern. 2. Ich habe das Interview mit dem Trainer gesehen. 3. Die Trainerin legt meine Hand auf den Rücken meines Partners. 4. Sie legt ihre Füße auf den Tisch. 5. Er liest das ganze Buch 6. Er liest den ganzen Tag.

4b 2. Das Interview mit dem Trainer ist von mir gesehen worden. 5. Das ganze Buch wird von ihm gelesen.

5 2. eigener Körperteil 3. Verb des Wissens 4. reflexives Verb 5. unpersönliche Verben des Geschehens 6. Nomen-Verb-Verbindung 7. Verb des Wissens 8. Nomen-Verb-Verbindung

6 **Zeile 2:** Aber sie wusste nicht, ob sie von ihm auch geliebt wurde. **Zeile 3:** Alle ihre Freundinnen wurden nach ihrer Meinung gefragt. Ihr wurde geraten, den jungen Mann direkt zu fragen. **Zeile 5/6:** denn eine andere Frau wurde von ihm geliebt

20 Wechselpräpositionen

1 1a Er geht auf der Straße. 1b Er geht auf die Straße. 2a Sie joggt in den Park. 2b Sie joggt im Park. 3a Sie gehen an den Strand. 3b Sie gehen am Strand. 4a Das Auto fährt an die Kreuzung. 4b Das Auto fährt an der Kreuzung rechts. 5a Sie springen ins Wasser. 5b Sie springen im Wasser. 6a Der Lastwagen fährt auf die Autobahn. 6b Der Lastwagen fährt auf der Autobahn.

2 1. am 2. ins 3. auf einen 4. am 5. unter einem 6. in der 7. neben einem 8. zwischen / neben den beiden 9. auf dem 10. ins 11. hinter / zwischen / auf 12. auf die 13. im 14. an oder auf den 15. in einer 16. Über 17. im 18. am

3 Richtig ist: 1. den Oman 2. in die Dominikanische Republik – auf die Philippinen – in die Mongolei 3. in der Schweiz 4. im Sudan – in den Libanon 5. in die Türkei 6. in der Slowakei 7. in den USA

4 1. Im 2. In der 3. In meiner 4. In der – auf dem 5. Im 6. Im – in vielen – auf der 7. auf die 8. Auf dem 9. auf das dritte

21 Oft gebrauchte lokale Präpositionen

1 **Wohin?** ins Kino, auf die Wiese, nach Deutschland, zu meiner Mutter, in den Regen, auf die linke Seite, zum Schwimmen, an die/ zur Bushaltestelle, in die Türkei, zu Siemens, an den Fluss

Wo? im Kino, auf der Wiese, in Deutschland, bei meiner Mutter, im Regen, auf der linken Seite, beim Schwimmen, an der Bushaltestelle, in der Türkei, bei Siemens, am Fluss

Woher? aus dem Kino, von der Wiese, aus Deutschland, von meiner Mutter, aus dem Regen, von der linken Seite, vom Schwimmen , von der Bushaltestelle, aus der Türkei, von Siemens, vom Fluss

2 vom Strand, vom Sportplatz, aus dem Büro, von der Arbeit, vom Markt, aus dem Supermarkt, von zu Hause, aus dem Haus, aus der Ludwigsstraße, von der Straße, vom Berg, aus dem Gebirge, aus der Zeitung, aus dem Schwimmbad, aus der Sonne, vom Sonnenbaden, aus dem Restarant, vom Essen

3 Er kommt gerade **aus dem** Bett. Den Schlafanzug hat er **von** seinem Bruder geliehen. Gestern ist er **aus** dem Krankenhaus gekommen. Dort wurde er **von** seiner Mutter abgeholt. Seine Mutter musste

ihm helfen, **nach** oben in die Wohnung zu gehen. Sie wohnt nicht weit **von** ihm **auf** der anderen Seite der Straße. Solange er noch nicht gesund ist, kann sie jeden Tag **zu** ihm kommen und ihm frisches Obst **vom** Markt mitbringen. Sie macht das gerne, denn er ist für sie der liebste Mensch **auf der** Welt. Er kann jetzt viel Zeit **am** Computer verbringen und **im** Internet eine Reise aussuchen, denn er möchte **nach** Spanien oder **in die** Türkei fahren, um sich **in der** Sonne gut zu erholen.

4 1. bei – an 2. im – nach 3. im – auf eine 4. im / auf dem – in die 5. am – ins 6. am – zu 7. beim – ins 8. in der – an

22 Weitere lokale Präpositionen

1 1. unterhalb von 800 Metern 2. Oberhalb von 3000 Metern 3. Oberhalb der Baumgrenze 4. Diesseits und jenseits des Flusses. 5. beiderseits der Straße 6. innerhalb der Stadt / außerhalb der Stadt 7. inmitten der Stadt. 8. außerhalb des Raumes 9. Diesseits und jenseits der Grenze

2 1. gegenüber / unweit der 2. durch das 3. ab der 4. um den 5. gegen die 6. Von hier aus 7. Unweit / gegenüber der Tür

3 1. bis zur – Bis 2. bis zum – Bis 3. bis zur – bis 4. bis – bis zur

4 1. die Küste entlang 2. Entlang des Strandes 3. die Straße entlang 4. Entlang der Bahnstrecke 5. entlang der Auffahrt 6. Entlang der Autobahn 7. den Fluss entlang

23 Die wichtigsten temporalen Präpositionen

1 **am** Montag – **um** 9.00 Uhr – **im** Mai – **an** dein**em** Geburtstag – am nächsten Freitag / nächsten Freitag – **um** Mitteracht – **auf der** Party – **beim** Wandern – 2035 – **im** Urlaub – **im** Sommer – **in der** Frühlingszeit – **an** Ostern – **auf dem / beim** Ausflug – **nach / vor / gegen / am** Ende der Vorstellung – **am** 23.4. – **im** Jahre 2035 – **bei** Regen – **auf dem** Weg zur Arbeit – **(im)** übernächsten Herbst – **am / nach / vor** Feierabend – **in den** Ferien – **im** nächsten Jahrhundert – **gegen** 10.00 Uhr.

2 2. auf der Hochzeit 3. beim Fußballspiel 4. im Sommer 5. auf dem Flug 6. in seiner Jugend 7. am Wochenende 8. in der Weihnachtszeit 9. auf der Reise

3 1. vor – in 2. in – nach 3. vor – nach; auch möglich: vor 4. in – nach 5. vor – in / nach – in / nach

4 1. vor – seit 2. vor – vor – seit 3. Seit – vor 4. vor – Seit 5. seit - Vor 6. vor – seit

5 1. Auf – bei 2. beim – Auf 3. auf – beim – bei 4. Auf - bei 5. Bei der – auf dem

6 1. Um 2. gegen 3. Um 4. um

24 Weitere temporale Präpositionen

1 **Anfang / Ende**: ab, bis, von ... an **begrenzter Zeitraum**: außerhalb, binnen, innerhalb, von ... bis, zwischen **Dauer**: lang, zeit, über

2 1. Von ... bis 2. lang / über 3. über das 4. außerhalb / innerhalb 5. zu 6. ab

3 1. außerhalb unser**er** Sprechzeiten 2. binnen / innerhalb eine**r** Stunde 3. ab / mit 4. innerhalb / binnen ein**es** Jahr**es** 5. zeit seine**r** Präsidentschaft 6. als – als 7. innerhalb – mit

4 1. Mit 2. zum 3. über 4. lang 5. bis 6. Zwischen 7. lang 8. über 9. Zum 10. von ... an

5 1. bis – bis zum 2. Bis – Bis zur 3. Bis – bis zum 4. bis – bis zum

6 1. vom 2.9. bis zum 16.9. 2. von Montag bis Freitag 3. von 9 bis 18 Uhr 4. Von / Vom 5. bis (zum)

25 Kausale Präpositionen

1 Wegen Diebstahls wurde er vor Gericht gestellt. Mangels Beweisen wurde er freigesprochen. Angesichts dieser Ungerechtigkeit gab es Proteste im Gerichtssaal. Kraft seiner Autorität ermahnte

der Richter das Publikum. Anlässlich seines Freispruchs veranstaltete er ein großes Fest. Dank positiver Presseberichte fühlte er sich rehabilitiert.

2 1. vor – aus 2. vor –aus 3. aus – vor 4. aus – vor 5. Aus – vor 6. vor – aus

3 Sie haben *aus* Liebe geheiratet. In der Nacht vor der Hochzeit konnte sie *wegen* des bevorstehenden Ereignisses *vor* Aufregung nicht schlafen. Auf der Hochzeit hat sie *vor* Rührung geweint, er hat *vor* Aufregung gezittert. Aber sie haben *vor* Glück gelacht und gestrahlt. *Wegen* ihrer kranken Mutter haben sie in ihrem Heimatdorf geheiratet. Sie haben *aus* vielen Gründen nur wenige Leute eingeladen und *wegen* Terminproblemen in den Sommerferien haben auch noch einige Gäste abgesagt. Beim Tanzen ist er ihr *aus* Versehen auf den Fuß getreten. *Aus* Leichtsinn haben sie die Feier in einem viel zu teuren Restaurant veranstaltet. Und dann konnten sie *wegen* Geldmangels nur eine kurze Hochzeitreise machen.

4 1. Dank einer großen Spende 2. Anlässlich meines Geburtstags 3. Mangels eines geeigneten Werkzeuges 4. Angesichts seiner Sprachkenntnis 5. Dank des Geldes 6. Mangels genügender Anmeldungen 7. Angesichts der Katastrophe 8. Anlässlich unseres 20-jährigen Jubiläums

5 1. infolge eines Kontrollverlustes 2. vor Ärger 3. Angesichts der Heftigkeit 4. Aufgrund der Berichte 5. kraft seines Amtes 6. aufgrund dieser Maßnahme

26 Präpositionen zur Redewiedergabe und Referenz

1 2. Laut einer Studie beträgt der Anteil von Frauen in Führungspositionen 28 %. 3. Der Regierung zufolge geht es Deutschland gut. 4. Nach der Statistik / Der Statistik nach sind zurzeit in Deutschland rund 5% der Einwohner arbeitslos. 5. Gemäß § 1 des Grundgesetzes / § 1 des Grundgesetzes gemäß sind alle Menschen vor dem Gesetz gleich. 6. Dem Vorstand zufolge ist der Umsatz im letzten Jahr leicht zurückgegangen. 7. Nach einer Untersuchung / Einer Untersuchung nach machen die Deutschen zu wenig Pausen. 8. Gemäß den Sicherheitsvorschriften / Den Siherheitsvorschriften gemäß muss hier ein Helm getragen werden.

2 2. In Bezug auf die Lage ist Frankfurt ein guter Standort. 3. Bezüglich Ihrer Beanstandungen versichern wir Ihnen, dass wir uns bemühen, alle Mängel zu beheben. 4. Mit Blick auf das Wetter ist Spanien Deutschland vorzuziehen. 5. In Hinsicht auf die schwierige Situation des Studenten sollten wir seine Leistungen positiver sehen. 6. Hinsichtlich der Methoden der Datenerhebung sind die Ergebnisse mit Skepsis zu betrachten. 7. Mit Blick auf die Nebenwirkungen ist das Medikament kritisch zu sehen.

3 2. Wir haben die Ausstattung entsprechend der Gruppengröße / der Gruppengröße entsprechend verändert. 3. Der Ort der Veranstaltung variiert entsprechend dem Wetter / dem Wetter entsprechend. 4. Die Motivation, eine bestimmte Sprache zu lernen, verändert sich entsprechend der wirtschaftlichen Kraft eines Landes / der wirtschaftlichen Kraft eines Landes entsprechend. 5. Der tägliche Kalorienbedarf ist entsprechend dem Alter / dem Alter entsprechend unterschiedlich. 6. Die Höhe der Einkommenssteuer steigt entsprechend dem Einkommen / dem Einkommen entsprechend.

4 2. Die Einnahmen der Stadt werden natürlich entsprechend der Menge der Touristen / der Menge der Touristen entsprechend steigen. 3. Hinsichtlich der Ästhetik ist die neue S-Bahn-Linie nicht begrüßeswert. 4. Hinsichtlich der Umweltschäden ist der Bau kritisch zu betrachten. 5. Laut Umweltschützern fallen der neuen S-Bahnlinie wertvolle Baumbestände zum Opfer. 6. Die Anzahl der S-Bahn-Wagen wird entsprechend dem Verkehrsaufkommen / dem Verkehrsaufkommen entsprechend variiert. 7. Laut verändertem Paragraf wird Schwarzfahren ab sofort mit einer höheren Strafe belegt.

27 Präpositionen mit verschiedenen Positionen

1a **immer vor dem Nomen:** laut, neben, vor, trotz, außerhalb, infolge
immer nach dem Nomen: lang, zuliebe, zufolge
mal vor, mal nach dem Nomen: gegenüber, entlang, gemäß, wegen, zugunsten

1b 1. Ihrer Meinung nach/ Nach ihrer Meinung ist Hamburg die interessanteste Stadt in Deutschland. 2. Den Informationen auf der Website zufolge soll es hier eine Beratungsstelle geben. 3. Gemäß (dem) Mietvertrag/ Dem Mietvertrag gemäß müssen Wasser und Strom separat gezahlt werden. 4. Seiner Freundin zuliebe verzichtet er auf die gefährliche Bergtour.

2 1. Auf den Rat ihres Arztes hin geht sie regelmäßig ins Fitnessstudio. 2. Vom Fernsehturm aus hat man einen wunderbaren Blick auf die Stadt. 3. Von diesem Moment an waren sie Freunde. 4. Vom Fenster im 10. Stock aus sehen sie den Karnevalsumzug. 5. Um das Kind herum liegen viele Spielsachen. 6. Von seinen Äußerungen her würde man ihn für konservativ halten.

3 1. Er hat um des Friedens willen nachgegeben. 2. Um eines hohen Zieles willen muss man oft Nachteile in Kauf nehmen. 3. Sie hat ihre Schwägerin um der Beziehung zu ihrem Bruder willen nicht zurechtgewiesen. 4. Wir müssen unsere persönlichen Streitigkeiten um des Projekts willen zurückstellen.

28 „Sprechende" Präpositionen

1 1. meiner Mutter zuliebe 2. zugunsten der gegnerischen Mannschaft 3. unseren Kindern zuliebe 4. zugunsten welcher Partei 5. meinem Lehrer zuliebe

2 1. Entgegen 2. Im Gegesatz zu 3. Entgegen 4. Im Gegensatz zu 5. Im Gegensatz zu

3 1. Im Falle 2. zuliebe 3. Zwecks 4. Im Gegensatz zu 5. zugunsten 6. seitens 7. Ungeachtet 8. mithilfe

4 1. anstelle 2. mittels 3. mittels 4. Zwecks 5. anstelle

5 **Entgegen** allen Erwartungen konnte die Kriminalpolizei den Einbruch nach drei Monaten doch noch aufklären. **Anhand** der Spuren konnte der Dieb endlich überführt werden. Man hatte ihn **mittels** DNA-Abgleich identifizieren können. **Anstelle** eines Werkzeugs hatte er nur einen einfachen Kleiderbügel zum Öffnen der Tür benutzt. Die beim Einbruch gestohlenen Objekte wurden **seitens** der Polizei sichergestellt.

29 Bedeutungen von *in, an, auf, über, unter, vor*

1 **lokal**: 1, 2, 5, 13, 17, 19, 24, 25 **temporal**: 6, 8, 14, 20, 21, 22 **Verb / Nomen mit fester Präposition**: 10, 11,12, 16, 18, 23 **feste Wendung / weitere Bedeutung**: 3, 4, 7, 9, 15, 26

2 1. aus 2. auf – vor 3. an – unter 4. in 5. auf – auf 6. Auf – an 7. unter – auf 8. in

3 1. auf – über die / auf die 2. über das – unter 3. auf – über 4. darüber – unter 5. Unter – über 6. darüber – auf 7. über das / am 8. An – vor dem

30 Bedeutungen von *um, bei, von, nach, aus, mit, zu*

1 **lokal**: 2, 6, 8, 9, 20 **temporal**: 7, 14 **Verb/Nomen mit fester Präposition**: 5, 15, 16, 18 **feste Wendung / weitere Bedeutung**: 1, 3, 4, 10, 11, 12, 13, 17, 19

2 1. Bei – zum 2. von – aus 3. mit – aus 4. aus – nach 5. um 6. Aus – Von – aus – zu – zu

3 1. Um – bei – zu (einer) 2. Aus – um 3. Bei – um 4. zum – zum 5. Beim – nach – bei

31 Verben mit Nominativ, Akkusativ und Dativ

1 **nur mit Nominativ**: schreien, arbeiten, telefonieren, sein
mit Nominativ und Akkusativ: nehmen, lesen, fragen, treffen, essen, führen, hören, rufen, bearbeiten, anrufen, mögen, lieben, haben, besitzen
mit Nominativ, Akkusativ und Dativ: geben, vorlesen, kochen, stehlen
mit Nominativ und Dativ: antworten, begegnen, schaden, nützen, folgen, zuhören, gehören, gefallen, vertrauen, passieren

2 1. Meine Heimat fehlt mir. 2. Halt, die Tasche gehört mir! 3. Es geht mir nicht gut. 4. Der Kuchen schmeckt mir nicht. 5. Das Knie tut ihm weh. 6. Jana ähnelt ihrer Schwester. 7. Das Kleid steht dir nicht. 8. Die Stadt gefiel uns nicht. 9. Rauchen schadet der Gesundheit. 10. Der Termin passt ihm nicht.

3 1. Der Bruder hört laute Musik. 2. Die Schwester ruft ihren kleinen Bruder. 3. Der Bruder antwortet der Schwester. 4. Die Schwester fragt ihren Bruder.

5. Seine Antwort gefällt der Schwester nicht. 6. Der Bruder liest einen Comic. 7. Die Schwester warnt den Bruder vor schlechter Lektüre. 8. Die Schwester liest dem kleinen Bruder ein gutes Buch vor. 9. Der Bruder hört der Schwester zu. 10. Die Schwester leiht dem Bruder das Buch.

4 1. Eine 2. ihren 3. sie 4. ihn 5. Sie 6. einen 7. romantischen 8. ein 9. hübsches 10. ihnen 11. Der 12. ihnen 13. ein 14. Es 15. ihnen 16. sie 17. den 18. Das 19. einen 20. guten 21. dem 22. ihnen 23. das 24. der 25 ihr 26. einen 27. wunderschönen 28. die 29. das 30. sie 31. das 32. ein 33. den 34. Gästen 35. einen 36. sie 37. keinem 38. sie 39. Das 40. kein 41. gutes 42. den 43. Gästen 44. sie 45. den 46. sie 47. ein 48. großer 49. Die 50. sie 51. sie 52. keinen 53. Menschen

5 1. Der Onkel lehrte den Neffen eine Fremdsprache. 2. Die Stunden kosteten den Lerner kein Geld. 3. Der Lehrer fragte den Schüler die Vokabeln ab. 4. Der Junge schimpfte den Onkel einen Blödmann. 5. Der Onkel nannte seinen Verwandten einen Dummkopf.

32 Verben mit Genitiv

1 1. Sie dachte an ihre Großeltern. 2. Er benutzte das Wörterbuch. 3. Wir brauchen alle Liebe und Zärtlichkeit. 4. Sie freute sich über ihre Enkelkinder/ Sie (er)freute sich an ihren Enkelkindern. 5. Mutter Theresa kümmerte sich um die Armen. 6. Man behauptet, dass er lügt. / Ihm wird unterstellt zu lügen.

2 1. entheben – enthielt sich 2. bezichtigen 3. erfreut sich 4. gedenken 5. bedient sich 6. angeklagt 7. überführt

3a 1. Der Käufer beschuldigt den Autohändler des Betrugs. 2. Die Frau bezichtigt ihren Mann der Lüge. 3. Der Chef enthebt den Kollegen seiner Pflichten. 4. Die Polizei überführt den Kriminellen des Mordes. 5. Der Kaufhausdetektiv verdächtigt den jungen Mann des Diebstahls. 6. Der Staatsanwalt klagt den Beschuldigten eines Vergehens an. 7. Der Präsident entbindet den Minister seiner Ämter. 8. Man beraubt die Insassen eines Gefängnisses der Freiheit.

3b 2. Ihr Mann wird der Lüge bezichtigt. 3. Der Kollege wird seiner Pflichten enthoben. 4. Der Kriminelle wird des Mordes überführt. 5. Der junge Mann wird des Diebstahls verdächtigt. 6. Der Beschuldigte wird eines Vergehens angeklagt. 7. Der Minister wird seiner Ämter entbunden. 8. Die Insassen eines Gefängnisses werden der Freiheit beraubt.

4 1. Die 2. – 3. bester 4. – 5. die 6. – 7. – 8. der 9. lieben 10. Verstorbenen 11. Die 12. – 13. einen 14. – 15. – 16. – 17. des 18. Hundes 19. des 20. Hundes 21. Die 22. – 23. eines 24. Kommentars 25. seiner 26. guten 27. – 28. des 29. gesamten 30. Besitzes 31. seiner 32. – 33. seiner 34. Die 35. das 36. – 37. der 38. – 39. eines 40. Rechtsanwalts

5 1. 10 % der Abgeordneten enthielten sich der Stimme. 2. Verwandte nahmen sich der Kinder der Versorbenen an. 3. Er rühmte sich seines Erfolges. 4. Der Kaufhausdetektiv verdächtigte die Dame des Diebstahls. 5. Nach einer schweren Operation bedurften die Patienten intensiver Pflege. 6. Der Minister wurde nach dem Skandal aller Ämter enthoben.

33 Verben, Nomen und Adjektive mit Präpositionen

1 2. Woran arbeitet er schon seit Tagen? 3. Mit wem diskutierten sie ausführlich über die Gestaltung des Flyers? 4. Wozu konnte ich mich nicht entschließen? 5. Bei wem bedankte sich die Chefin für ihr Engagement? 6. Nach wem hat Tanja gefragt?

2 1. Wovon – von – davon 2. Woran – daran – an 3. Worüber – über – darüber – darüber

3 1. um 2. dazu 3. davon 4. in 5. darum 6. davon 7. über 8. dazu 9. bei – für

4 1. Erinnerst du dich noch daran , wie wir beide nach Berlin gefahren sind? 2. Du hast dich darüber geärgert, dass du dein Handy vergessen hattest. 3. Ich habe mich schnell daran gewöhnt, ein paar Tage ohne Handy zu sein. 4. Weil du dich darauf verlassen konntest, dass du mein Handy benutzen durftest. 5. Ich konnte nicht ganz darauf verzichten, meine Nachrichten zu lesen.

5 2. Sie rechnet immer damit, dass unerwartete Probleme auftauchen. 3. Sie haben danach gefragt, wann der Zug ankommt. 4. Sie schwärmt davon, eine Weltreise zu machen. 5. Wir haben uns darüber beschwert, dass das Essen so spät kam. 6. Er erinnert sich leider überhaupt nicht mehr daran, was im Text steht. 7. Wir wollen noch

einmal darüber nachdenken, ob wir uns an dem Projekt beteiligen.

34 Verben, Adjektive und Nomen mit festen Präpositionen mit Akkusativ

1 a/b **Thema (emotional)**: über, lachen, der Ärger **Zielobjekt**: für, der Dank, dankbar, demonstrieren **Ablehnung**: gegen, demonstrieren, sich wehren **Kontakt**: an, senden, leiden, die Erinnerung **Objekt mit Intensität**: um, bitten, sich kümmern **Fokus**: auf, sich konzentrieren, aufpassen **Zukunft**: auf, sich vorbereiten, hoffen

2 sich streiten: über, um; achten: auf; die Hoffnung: auf; sich entscheiden: für / gegen; die Demonstration: für / gegen; sich aufregen: über; nachdenken: über; sich kümmern: um; es geht: um; sich erinnern: an; der Gedanke: an; denken: an; gespannt: auf; glücklich: über; verantwortlich: für; die Verantwortung: für; neidisch: auf; der Neid: auf; traurig: über; sich bemühen: um

3 1. Zwei Katzen streiten sich um einen Ball. 2. In den Übungen müssen Sie auf die Präpositionen achten. 3. Er hat die berechtigte Hoffnung auf eine höhere Position. 5. Heute findet eine Demonstration gegen die Arbeitslosigkeit statt 6. Ich rege mich manchmal sehr über die Korruption auf.

4 1. für 2. seine 3. dafür / darum 4. daran 5. um 6. eine 7. / 8. darüber 9. auf 10. die 11. für 12. eine 13. / 14. daran

5 1. auf 2. dafür 3. darüber 4. darüber 5. um 6. an 7. um / auf 8. auf 9. darüber 10. über 11. auf 12. darauf 13. darüber 14. um 15. um

6 Auf dem Bild ist ein Fernrohr.

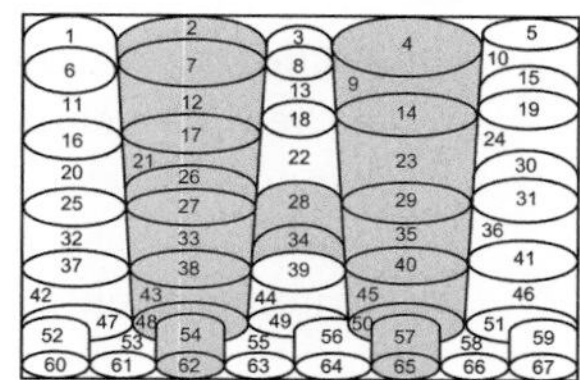

7 1. auf – über 2. für – gegen 3. für – gegen 4. über – um 5. für – um

8 an dem Sprachkurs – an meine erste Lehrerin – an die Schule – an sie – an sie – an einer schweren Krankheit – meine erste Lehrerin

9 1. auf 2. für / gegen 3. über 4. über 5. um 6. an 7. an 8. über 9. auf 10. für 11. auf 12. auf

10 1. auf 2. an – an 3. darüber 4. über – daran 5. daran 6. für – für 7. auf 8. gegen 9. darüber – darauf

35 Verben, Adjektive und Nomen mit festen Präpositionen mit Dativ

1a/b **Gefahr**: vor, warnen, die Angst **Beginn / Ende**: mit, enden, fertig **Partner**: mit, sich unterhalten, reden **Person / Institution**: bei, sich melden **Thema / woher**: von, die Befreiung, der Traum **Anlass / Kombination**: zu, passen, sich eignen **Herkunft**: aus, die Übersetzung, die Befreiung **Basis**: auf, beruhen **Sinne**: nach, stinken, **Suche**: nach, die Frage, die Sucht

2 1. zu 2. bei 3. von 4. mit 5. nach 6. bei / auf 7. bei 8. von 9. auf / aus 10. vor 11. mit

3 1. bei 2. bei 3. bei 4. bei 5. mit 6. nach 7. zu 8. damit 9. von 10. aus 11. nach 12. damit 13. von 14. vor 15. danach 16. aus 17. von 18. darauf 19. zu

36 Bildung der Vergangenheitszeiten

1 **haben**: hatte, hat gehabt, hatte gehabt; **sein**: war, ist gewesen, war gewesen; **arbeiten**: arbeitete, hat gearbeitet, hatte gearbeitet; **gehen**: ging, ist gegangen, war gegangen; **auftreten**: trat auf, ist aufgetreten, war aufgetreten; **wollen**: wollte, hat gewollt, hatte gewollt; **denken**: dachte, hat gedacht, hatte gedacht

2 1. hat gezogen 2. ist umgezogen 3. hat sich umgezogen 4. hat angezogen 5. hat geschlafen 6. ist eingeschlafen 7. ist gefahren 8. hat sich verfahren 9. hat getroffen 10. ist begegnet 11. ist gelaufen 12. hat sich verlaufen 13. ist getreten 14. hat getreten 15. ist eingetreten 16. hat betreten 17. ist geblieben 18. hat gestanden 19. ist aufgestanden 20. ist eingestiegen 21. ist umgestiegen 22. hat bestiegen 23. ist gelungen 24. ist gewesen

3 **Richtig**: ist gewesen – hat versucht – ist getreten – ist geblieben – geworden ist – gewachsen ist – hat gestartet – hat veröffentlicht – sind eingetroffen – haben gewohnt – ist gefahren – hat gehabt – ist gekommen – hat aufgestellt – hat gemacht

4 1. Wir haben jahrelang einen Golf gefahren. – Das Auto ist zuverlässig, aber nicht sehr schnell gefahren. 2. Das Institut hat eine neue Initiative gestartet. – Jetzt sind viele Kurse gestartet. 3. Früher hat man die Wäsche auf der Wiese getrocknet. – Dort ist die Wäsche nicht so schnell getrocknet. 4. Das Kleid ist unglücklicherweise zerrissen. – Der Hund hat das Kleid leider zerrissen. 5. Sein letzter Bleistift ist abgebrochen. – Da hat er sein Studium frustriert endgültig abgebrochen. 6. Der Spieler hat die Kugel mit viel Kraft gerollt. – Die Kugel ist genau in die Mitte gerollt.

5 1. fiel 2. kam ... herbei 3. drohte 4. zitterte 5. piepste 6. sagte 7. hatte 8. rief 9. entschuldigte sich 10. ließ 11. stürzte 12. lief herbei 13. schrie 14. antwortete 15. sprach 16. rettete

37 Besondere Perfektformen: Modalverben und *sehen, hören, lassen*

1 Früher hat man in allen Restaurants rauchen dürfen. Man hat eigentlich überall rauchen können: in Cafés, im Bahnhof und in Restaurants. Aber dann hat man den Rauch nicht mehr einatmen wollen. Man hat in der Öffentlichkeit nicht mehr rauchen dürfen. Nach dem Rauchverbot haben die Raucher und Raucherinnen zum Rauchen auf die Straße oder auf den Balkon gehen müssen. Und heute gibt es noch mehr Einschränkungen für sie.

2 1. Jenny weinte, weil sie nach Hause gehen musste. 2. Sie wollte nicht nach Hause gehen, denn sie wollte mit ihrer Freundin weiterspielen. 3. Sie weinte so, dass sie nicht mehr sprechen konnte. 4. Sie sollte nach Hause gehen, obwohl sie gar keine Hausaufgaben mehr machen musste. 5. Immer sagte ihre Mutter, was sie machen sollte. 6. Jenny weinte oft, wenn sie etwas nicht machen durfte.

3 1. Ich habe einer Kollegin eine schlechte Nachricht überbringen sollen. Ich habe das nicht gekonnt. 2. Gestern habe ich alles selbst unterschreiben sollen, heute habe ich das auf keinen Fall gesollt. 3. Früher hat man ohne Sicherheitsgurt Auto fahren dürfen. Schon 1984 hat man das nicht mehr gedurft. 4. Vor 20 Jahren habe ich noch am Marathonlauf teilnehmen können. Nach meiner Krankheit habe ich das nicht mehr gekonnt. 5. Als Kind hat man manche Sachen unbedingt machen wollen. Später hat man manchmal das Gleiche machen müssen und man hat es dann gar nicht mehr gewollt. 6. Zuerst haben wir unbedingt zehn Kinder haben wollen, aber nach dem dritten Kind haben wir das nicht mehr gewollt.

4 Ich habe meinen Nachbarn mit seinem Auto nach Hause kommen sehen. Sofort habe ich ihn mit seiner Frau streiten hören. Am liebsten habe ich zu den Nachbarn gehen wollen, um sie zu stoppen. Aber es ist nicht meine Sache gewesen und deshalb habe ich sie streiten lassen.

5 1. hat untersuchen lassen 2. bei der Untersuchung andere Patienten hat schreien hören 3. drei Tage im Krankenhaus hat bleiben sollen 4. auf keinen Fall im Krankenhaus hat bleiben wollen 5. die Probleme hat kommen sehen 6. den Patienten schließlich hat nach Hause gehen lassen 7. dann eine Woche lang ein Medikament hat nehmen müssen

38 Gebrauch von Zeiten der Vergangenheit

1 Ich war in einer Bürgerinitiative engagiert. Ich habe mich einmal pro Woche mit anderen getroffen, die die gleichen Ziele verfolgt haben wie ich. Das war anstrengend und manchmal hatte ich keine Lust. Vor allem, wenn ich wenig Freizeit hatte, wollte ich lieber zu Hause bleiben. Aber wenn ich dann bei einem Treffen war, hat es mir doch immer gefallen. Denn wir haben eine wichtige Arbeit gemacht und (haben) dazu beigetragen, die Demokratie zu erhalten. Jedes Mal musste eine Person das Protokoll schreiben, damit die Abwesenden auch informiert wurden. Diese Aufgabe war nicht beliebt und niemand wollte sie machen. Aber jeder ist nur einmal in sechs Monaten drangekommen. Und wenn wir dann ein Gespräch mit einer wichtigen Persönlichkeit hatten oder etwas über uns in der Zeitung gestanden hat, wussten wir alle wieder, dass wir das Richtige getan haben.

2 1. Nachdem ich kurz nachgedacht hatte, habe ich die Reise spontan gebucht. 2. Nachdem ich die Reise gebucht hatte, ist mir eingefallen, dass ich noch keinen Urlaub beantragt hatte. 3. Nachdem ich mit meiner Chefin gesprochen hatte, war ich deprimiert, weil ich keinen Urlaub nehmen durfte. 4. Nachdem ich meiner Kollegin alles erzählt hatte, hat sie eine Lösung für mich gefunden: Sie hat ihren eigenen Urlaub verschoben. 5. Nachdem ich aus dem Urlaub zurückgekommen war, habe ich die Kollegin zum Dank zu einem wunderbaren Abendessen eingeladen.

3 Hi Moritz, wolltest du nicht gestern auch zur Vorlesung „Informatik für Geisteswissenschaftler" gehen? Alle meine Freunde sind auch hingegangen. Ich dachte, du interessierst dich auch für die Nutzung von Künstlicher Intelligenz. Es war wieder super interessant. Leider konnte ich nicht alles verstehen, deshalb wollte ich gerne mit dir noch darüber sprechen. Aber ich habe dich nicht gesehen, obwohl ich nach der Vorlesung noch vor der Tür gewartet habe. Ich habe jedoch Carina getroffen und einen Kaffee mit ihr getrunken. Leider hatte sie nur wenig Zeit, sie musste zur nächsten Vorlesung. Na ja, da bin ich alleine in die Bibliothek gegangen und habe an meiner Präsentation gearbeitet. Wie ist es, kommst du morgen in die Mensa?

4 1. hast 2. gemacht 3. verabschiedet 4. hatten 5. bin 6. gefahren 7. (bin) 8. gegangen 9. Wolltest 10. / 11. gab 12. / 13. wollte 14. / 15. bin 16. ausgestiegen 17. (bin) 18. gefahren 19. angekommen bin 20. standen / haben 21. (gestanden) 22. hat gebltzt 23.war 24. / 25. habe 26. herausgefunden 27. war 28. habe 29. bekommen 30. gefilmt 31. gezählt 32. wurden / worden sind

5 1. 1966 startete die Serie „Raumschiff Enterprise" in den USA. 2. Erst sechs Jahre später im Mai 1972 wurde die erste Folge in Deutschland ausgestrahlt. 3. Aber nachdem das Raumschiff in Deutschland „gelandet" war, eroberte es die Herzen des Publikums in Lichtgeschwindigkeit. 4. Bis „Raumschiff Enterprise" populär wurde, war das Genre Science-Fiction verlacht worden. 5. Nachdem die TV-Serie Kultstatus erlangt hatte, wurde sowohl der Name „Enterprise" für die erste Raumfähre der USA 1975 als auch die Bezeichnung des ersen Klapphandys der Welt als „StarTAC" möglich.

39 Vermutung und Zukunft mit dem Futur

1a 1. Sie werden den Projektbericht heute abgeben müssen. 2. Es wird heute Fisch in der Kantine geben. 3. Die Firma wird weitere Mitarbeiter einstellen. 4. Wir werden heute länger bleiben und die Kollegen unterstützen müssen.

1b 1. Der Chef wird gestern Abend von der Geschäftsreise zurückgekommen sein. 2. Seine Reise wird interessant gewesen sein. 3. Er wird Erfolg gehabt haben. 4. Er wird von den Geschäftspartnern zu einem guten Abendessen eingeladen worden sein.

2 1. Ich werde in der nächsten Zeit immer einkaufen gehen. 2. Ich werde auf Lukas' Fahrrad gut aufpassen. 3. Tina wird sich nie wieder über mich beklagen müssen. 4. Ich werde euch sofort anrufen, wenn ich angekommen bin.

3 1. In 100 Jahren wird es keine Nationalstaaten mehr geben. 2. Entfernungen werden keine Rolle mehr spielen. 3. Techniker werden neuartige Reiseformen erfinden. 4. Sie werden durch Roboter ersetzt werden.

4 1.wird – sein 2. beendet haben werden – werden 3. wird – therapieren können – wird – gefunden haben 4. verstanden haben werden – werden – finden

5 1. wird – sein – wird – vergessen haben 2. werden – vergessen haben / haben – vergessen 3. wird – sein – eingezogen seid – habt – geschafft – werdet – sein

6 1. Abgeschlossenheit in der Gegenwart 2. Vergangenheit – Vergangenheit – Abgeschlossenheit in der Zukunft 3. Abgeschlossenheit in der Zukunft – Vergangenheit – Vergangenheit

40 Überblick über die Zeiten im Deutschen

1 **sein**: war gewesen, war, ist gewesen, ist, wird sein, wird gewesen sein **haben**: hatte gehabt, hatte, hat gehabt, hat, wird haben, wird gehabt haben **sehen**: hatte gesehen, sah, hat gesehen, sieht, wird sehen, wird gesehen haben **fahren**: war gefahren, fuhr, ist gefahren, fährt, wird fahren, wird gefahren sein **mitbringen**: hatte mitgebracht, brachte mit, hat mitgebracht, bringt mit, wird mitbringen, wird mitgebracht haben **gekauft werden**: war gekauft worden, wurde gekauft, ist gekauft worden, wird gekauft, wird gekauft werden, wird gekauft worden sein **helfen wollen**: hatte helfen wollen, wollte helfen, hat helfen wollen, will helfen, wird helfen wollen **rauchen dürfen**: hatte rauchen dürfen, durfte rauchen, hat rauchen dürfen, darf rauchen, wird rauchen dürfen,

2 **Plusquamperfekt**: 1, 2, 13 **Präteritum**: 3, 4, 5, 7, 8, 9, 10, 11, 15, 19, 20, 23 **Perfekt**: 22 **Präsens**: 6, 16, 17, 24 **Futur 1**: 21 **Konjunktiv 2 Gegenwart**: 12, 14 **Konjunktiv 2 Vergangenheit**: 18

41 Modalverben in der Grundbedeutung

1a 1. muss / soll 2. muss 3. soll – sollst 4. darf 5. müssen – dürfen 6. muss – soll 7. Soll – muss

1b 1. möchte 2. gemocht 3. wollte 4. Willst / Magst / Möchtest – möchte 5. will – will / möchte – mag

1c 1. darf – müssen 2. musst 3. musst 4. darfst 5. darf 6. darfst – musst

2 1. kann 2. Darf 3. darf/kann 4. Kannst 5. Darf

3 1A – 2B – 3A – 4A – 5B – 6B – 7A – 8B – 9B

4 1. Er hat sofort nach Hause zu kommen. 2. Er braucht nicht anzurufen. 3. Sie hat mir nicht vorzuschreiben, was ich tun soll. 4. Was habe ich heute noch zu erledigen? 5. Sie braucht heute keine Überstunden zu machen.

5 2. Ich muss noch diese Arbeit erledigen. 4. Er braucht keinen Ausweis vorzuzeigen. 5. Bei der Arbeit muss man pünktlich kommen.

6 1. Darf 2. müssen 3. wollen 4. müssen 5. sollen 6. können 7. müssen

7 1. müsste/sollte 2. solltest / müsstest 3. könntest 4. solltest 5. könntest 6. müsstest

8 1. sollten 2. dürfen 3. müssen 4. müssen 5. dürfen 6. muss 7. muss 8. sollte 9. darf 10. darf 11. sollte 12. darf

9 1. kann – muss 2. darf – kann 3. kann 4. wollte 5. kannst 6. kann 7. muss 8. kannst

42 Andere Bedeutung von Modalverben: Vermutungen über die Gegenwart

1a 1. sehr wahrscheinlich 2. vielleicht / möglicherweise 3. wahrscheinlich 4. vielleicht / möglicherweise

1b 2. Das Kleid dürfte sehr viel kosten. 3. Der Schlüssel muss auf dem Tisch liegen. 4. Du könntest / kannst hier ausrutschen.

2 2. Die Arbeitslosigkeit dürfte auf niedrigem Niveau bleiben. 3. Die Firmen können / könnten Probleme haben, geeignetes Personal zu finden. 4. Die Digitalisierung dürfte in vielen Bereichen zunehmen. 5. Die Prognosen sagen, dass die Anzahl der Jugendlichen ohne Schulabschluss in den kommenden Jahren sinken müsste. 6. Die Rentner dürften weniger Geld bekommen.

3 2. Die Party kann bis in den Morgen gehen. 3. Er muss schon im Büro sein. 4. Mein Computer kann einen Virus haben. 5. Der Strom muss ausgefallen sein. 6. Die Störung kann den ganzen Tag dauern.

4 **Notwendigkeit**: 1, 3, 6 **Vermutung**: 2, 4, 5

5 **Fähigkeit**: 1, 4, 5 **Vermutung**: 2, 3, 6

6 1. Das Klima auf der Erde dürfte sich in den nächsten Jahren stärker erwärmen. 2. In Zukunft könnte es neue Technologien geben, die Einfluss auf die Erderwärmung nehmen können. 3. Die Erderwärmung dürfte nicht mehr komplett zu stoppen sein. 4. Der Klimawandel dürfte dazu führen, dass einige Tiere aussterben.
5. Die Klimaveränderung könnte auch weitreichende Auswirkungen auf das Zusammenleben der Menschen haben. 6. Der Klimawandel könnte durch politische Maßnahmen verlangsamt werden. 7. Größere Teile von einigen tiefliegenden Ländern könnten unter Wasser stehen und unbewohnbar werden.

43 Andere Bedeutungen von Modalverben: Vermutungen über die Vergangenheit

1 1. Sie könnten / können / mögen einem Betrug zum Opfer gefallen sein. 2. Sie dürften unvorsichtig gewesen sein. 3. Die Betrüger müssen ihr Konto ausgespäht haben. 4. Sie dürften ihre PIN-Nummer nicht gut gesichert haben. 5. Es könnten / können / mögen schon über einen längeren Zeitraum Summen bgebucht worden sein.

2 1. Das Leben der einfachen Menschen im Mittelalter ist bestimmt anstrengend gewesen/ Man kann als sicher annehmen, dass das Leben der einfachen Menschen im Mittelalter anstrengend gewesen ist. 2. Im Winter haben die Bewohner in den Burgen vermutlich gefroren. / Man kann vermuten, dass die Bewohner in den Burgen im Winter gefroren haben. 3. Die Ernährung der Menschen ist vermutlich sehr wenig abwechslungsreich gewesen. / Man kann vermuten, dass die Ernährung der Menschen sehr wenig abwechslungsreich gewesen ist. 4. Man kann als sicher annehmen, dass das Wissen der Mönche über Naturheilmittel sehr groß gewesen ist. / Das Wissen der Mönche über Naturheilmittel

ist bestimmt sehr groß gewesen. 5. Es hat möglicherweise Heilmittel und Arzneien gegeben, die wir heute nicht mehr kennen.

3 1. Der Brand könnte von Kindern verursacht worden sein. 2. Die Wahl dürfte nur geringe Auswirkungen auf den Aktienmarkt gehabt haben. 3. Durch den Konkurs dürften viele kleine Aktionäre ihr Geld verloren haben. 4. Die Speicherung der persönlichen Daten dürfte nicht legal gewesen sein. 5. Der Fund könnte der Polizei neue Erkenntnisse über den Mordfall gebracht haben. 6. Der Politiker dürfte 10 Millionen Steuern hinterzogen haben.

4 2. Eine Bande könnte den Schmuck gestohlen haben. 3. Die Diebe müssen / müssten gesehen worden sein. 4. Die Diebe könnten von Komplizen gewarnt worden sein.

5 **Notwendigkeit:** 2, 4, 5; **Vermutung:** 1, 3, 6

6 ohne Lösung

44 Das Verb *lassen*

1 2. nicht machen / aufhören 3. nicht mitnehmen 4. nicht selbst machen 5. erlauben 6. Aufforderung zu gemeinsamer Aktion 7. etwas für eine andere Person / andere Personen tun 8. kann ... werden

2 1. Ich habe meine schwere Tasche im Auto gelassen. 2. Wir haben den Vogel fliegen lassen. 3. Er hat sich im Krankenhaus untersuchen lassen. 4. Sie haben mich nicht ausreden lassen. 5. Meine Schwester hat das Naschen nicht gelassen. 6. Das Kleid hat sich wasche lassen. 7. Ich habe mein Fahrrad hiergelassen. 8. Die Hitze hat die Flüsse austrocknen lassen.

3 3. Nein, ich lasse es reparieren. (2) 4. Ja, ich lasse ihn im Bett schlafen. / Nein, ich lasse ihn nicht im Bett schlafen. (3) 5. Nein, ich lasse den Schirm zuhause. (1) 6. Ja, ich lasse sie im Auto rauchen./ Nein,ich lasse sie nicht im Auto rauchen. (3) 7. Ja, lasst uns anfangen zu essen. (4) 8. Nein, ich lasse ihn reinigen. (2) 9. Nein, ich lasse sie hier. (1) 10. Nein, ich lasse sie renovieren. (2)

4 2. Sie konnte das Schimpfen nicht lassen. (7) 3. Die Prüfung lässt ihn nervös werden. (8) 4. Lass das (sein)! (7) 5. Das lässt sich machen (6) 6. Lass mich den Kaffee holen. (5) 7. Lass mich die Kinder für dich ins Bett bringen (5) 8. Lass das Reden und komm. (7) 9. Lassen sich diese zwei Dinge kombinieren? (6) 10. Lassen Sie mich das erledigen. (5) 11. Seine Sorgen ließen ihn nicht schlafen. (8) 12. Der Charakter eines Menschen lässt sich nicht ändern. (6)

5 2. Lass / Lassen Sie sie reparieren. 3. Lass / Lassen Sie das Naschen. 4. Lass / Lassen Sie ihn nachts Klavier spielen! 5. Lass dein / Lassen Sie Ihr Auto hier. 6. Ja, das lässt sich noch ändern./ Nein, das lässt sich nicht mehr ändern. 7. Lass / Lassen Sie sie fahren. 8. Lass / Lassen Sie sie schneiden. 9. Lass / Lassen Sie mich helfen. 10. Lasst / Lassen Sie uns losgehen! 11. Lass dich / Lassen Sie sich durch die Prüfung nicht nervös machen. 12. Lass / Lassen Sie das Kaffeetrinken.

45 Trennbare und untrennbare Verben 1

1 1. eintragen – eingetragen, betragen – betragen, vertragen – vertragen , ertragen – ertragen, austragen – ausgetragen 2. verfahren – verfahren, einfahren – eingefahren, erfahren – erfahren, ausfahren – ausgefahren, befahren – befahren , wegfahren – weggefahren 3. abfragen – abgefragt, erfragen – erfragt, nachfragen – nachgefragt, befragen – befragt, ausfragen – ausgefragt 4. vorkommen – vorgekommen, verkommen – verkommen, auskommen – ausgekommen, emporkommen – emporgekommen, entkommen – entkommen 5. empfinden – empfunden, vorfinden – vorgefunden, erfinden – erfunden, abfinden – abgefunden, befinden – befunden, herausfinden – herausgefunden 6. darstellen – dargestellt , abstellen – abgestellt, anstellen – angestellt, bestellen – bestellt, verstellen – verstellt, feststellen – festgestellt, entstellen – entstellt

2 1. Er sah täglich 6 Stunden fern. 2. Sieh dich auf der Straße vor! 3. Bei dieser kleinen Schrift verliest man sich leicht. 4. Sie hat aus Versehen die wertvolle Vase zerschlagen. 5. Sie hat immer wieder gute Projekte vorgeschlagen. 6. Vor Schreck fielen mir alle Papiere herunter. 7. Die Sendung missfiel uns. 8. Am besten enthalten Sie sich bei der Abstimmung. 9. Halten Sie unbedingt die Regeln ein.

3 abfliegen, einpacken, ausgehen, anstreichen, einnehmen, abhängen

4 1. Wenn du weggehst, schließ bitte die Tür ab., Kannst du sie mir anschließen?, Sie können Ihr Geld hier im Tresor einschließen., Die Gruppe schließt ihn aus. 2. Es ist kalt, zieh den Mantel an.,

Im Zimmer kannst du den Mantel ausziehen., Deshalb zieht die Verkäuferin 20 Euro vom Preis ab., Kind, weil du ein Fenster kaputt gemacht hast, ziehe ich dir 20 Euro vom Taschengeld ab., Sie können gleich einziehen. 3. Das Fleisch schmeckt besser, wenn wir es zuerst in Wein einlegen., Es ist schwer, eine Gewohnheit abzulegen., Vor der Party legte sie ihren Schmuck an. 4. Ich bin zu dick, ich muss abnehmen., Beim Flohmarkt haben wir 240 Euro eingenommen. Wenn man im Ausland lebt, nimmt man auch die Gewohnheiten des Landes an. 5. Stell bitte den Fernseher ab. Ich muss die Helligkeit einstellen. Bitte stell den Fernseher an.

5a aussteigen: der Bus, das Auto; absteigen: das Pferd, das Fahrrad;

5b eingeben: einen Code; Daten in einen Computer; ausgeben: Geld; abgeben: seinen Geschwistern Schokolade

6 2. Warum bezweifeln Sie meine Worte? 3. Ich beantworte die Frage. 4. Befolgen Sie meinen Rat. 5. Die alte Frau beklagt ihre Einsamkeit. 6. Wir sollten unsere Pläne besprechen. 7. Wie beurteilen Sie die Situation?

7 1. entwaffnet 2. entthront 3. entmachtet 4. entsalzt 5. enträtselt

8 Ich wollte es erreichen (A), eine gute Gastgeberin zu werden. Leider habe ich nie das Kochen erlernt (A). Aber ich habe mich selbst ermutigt (B) und beschlossen, fertiges Essen zu kaufen und es zu Hause zu erwärmen (B). Ich erhitzte (B) also die gekauften Speisen, aber bis die Gäste kamen, war alles schon wieder erkaltet (B). Als es klingelte, musste ich noch schnell ein paar Kakerlaken erschlagen (A). Das dauerte ein bisschen länger und meine Freunde waren dann vor der Tür schon halb erfroren (A). Endlich saßen alle am Tisch, aber ein Freund erfragte (A), woher das gute kalte Essen komme. Da errötete (B) ich und erklärte (B) die Situation. Na ja, Rom ist auch nicht an einem Tag erbaut (A) worden.

9 missbrauchen – missverstehen – missdeuten – misslingen – missglücken
1. missbraucht 2. misslungen / missglückt
3. misverstanden / missdeutet

10 1. zerschnitten 2. zerkocht 3. zerreden 4. zerbrochen 5. zerlesen

11a

bis zum Ende / Tod	falsch	weg	Adjektiv + machen / werden
verdursten, verhungern verbrennen, verreiben, verbluten, verblühen, vertrocknen	sich verschreiben, sich verhören, sich vertippen, sich versprechen sich verfahren vertauschen, verschlafen, sich verlaufen, verlegen, sich vertun	vererben, verkaufen, vermieten verschenken, verjagen, verreisen	verkleinern, verkürzen, verbessern, verschlechtern, vergrößern, verlängern, vereinfachen, verblöden, verteuern, verarmen

11b 1. verschrieben 2. verhört 3. vertippt 4. verlaufen 5. vertan 6. verschlafen

11c 1. verdurstet 2. verhungert 3. vertrocknet 4. verbrennt

11d 1. verkaufe 2. vererbt 3. verreisen 4. vermiete

11e 1. verschlechtert 2. verlängern 3. verteuert – verarmen 4. verblödest 5. verkürzen

12 1. verfärbt, entfärben 2. zerlegt, belege, verlegt 3. zerschlagen, erschlagen 4. erraten, verraten. 5. befahren, verfahren. 6. bestehen, entmutigt, ermutigt.

46 Trennbare und untrennbare Verben 2

1 1. wiederholt 2. wiedergekommen 3. untergegangen 4. unterschrieben 5. überfahren 6. übergelaufen 7. umgestellt 8. umarmt 9. durchsucht 10. streiche ... durch

2 2. Unsere Nachbarn umzäunen ihren Garten zum Schutz gegen Tiere. 3. Wir bauen es um. 4. Ich tausche ihn um. 5. Um einen Parkplatz zu finden, umrunde ich den Platz oft fünfmal. 6. Wir umfahren sie auf unserem Weg nach Neuschwanstein. 7. Ich schreibe ihn um. 8. Umschreiben Sie das Wort.

3 1. Ich hole ihn wieder. 2. Bitte wiederholen Sie die Regel. 3. Ich ziehe einen Pullover unter. 4. Er unterzieht sich schon der dritten Prüfung in dieser Woche. 5. Wir setzen mit dem Boot über. 6. Ich übersetze vom Deutschen ins Englische. 7. Aber ich

durchdringe das Problem noch nicht. 8. Kein Wasser dringt durch.

4 1. einzuberufen 2. einberufen 3. zu veranstalten 4. veranstaltet 5. abverlangt 6. zu beanspruchen 7. zu beurteilen 8. beurteilt

47 Genusregeln

1 2. der Blitz (Wetter) 3. die Wäscherei (Ende -ei) 4. die Thematik (Ende -ik) 5. die Vier (Zahlen) 6. das Lesen (Verben im Infinitiv) 7. der Sozialismus (Ende -ismus) 8. das Verzeichnis (Ende -nis) 9. die Fiktion (Ende -ion) 10. der Traktor (Ende -or) 11. der Wein (Alkohol) 12. die Besatzung (Ende -ung) 13. die Kappe (Ende -e) 14. der April (Zeitangabe) 15. die Ananas (Obst) 16. die Fakultät (Ende -tät) 17. die Leidenschaft (Ende -schaft) 18. das Rot (Farbe) 19. die Transparenz (Ende -enz) 20. die Schrift (Verb ohne -en und t) 21. die Verlegenheit (Ende -eit) 22. der Volvo (Automarke) 23. das Gold (Metall) 24. der Gang (Verb ohne -en) 25. das Häuschen (Ende -chen) 26. das Argument (Ende -ment) 27. das Angenehme (Adjektive + e)

2

der	die	das
der Sonderling, die Sonderlinge der Laborant, die Laboranten der Monarchist, die Monarchisten der Magnet, die Magneten	die Hemmung, die Hemmungen die Impression, die Impressionen die Eitelkeit, die Eitelkeiten die Mimik, (Kein Plural) die Magie, (kein Plural) die Realität, die Realitäten die Schreinerei, die Schreinereien	das Ornament, die Ornamente das Böse, (kein Plural) das Fädchen, die Fädchen das Verhängnis, die Verhängnisse das O, die Os das Bauen, (kein Plural) das Jetzt, (kein Plural) das Kohlendioxid, (kein Plural)

3 1. der 2. das 3. der/die (Pl.) 4. die 5. die 6. das 7. die 8. die 9. die 10. die 11. das 12. das 13. der 14. die 15. das 16. das 17. die 18. der 19. die 20. das 21. die 22. das 23. der/die (Pl.) 24. die 25. die 26. das 27. die 28. die 29. der 30. der 31. der 32. die

4 die Ankunft – das Ankommen, das (Sich-)Verspäten – die Verspätung, die Explosion – das Explodieren, die Landung – das Landen, der Bericht – das Berichten, die Schrift – das Schreiben – die Schreibung – der Schreiber – die Schreiberin – die Schreiberei, die Korrektur – das Korrigieren – der Korrektor – die Korrektorin, der Druck – das Drucken – der Drucker – die Druckerin – die Druckerei, der Verkauf – das Verkaufen – der Verkäufer – die Verkäuferin, die Kündigung – das Kündigen, die Reinigung – das Reinigen – der Reiniger, das Lernen – der Lerner – die Lernerin – die Lernerei, die Erfindung – das Erfinden – der Erfinder – die Erfinderin, die Benutzung – das Benutzen – der Benutzer – die Benutzerin, das (Sich-)Bewerben – die Bewerbung – der Bewerber – die Bewerberin,das (Sich-)Sorgen – die Sorge, das (Sich-)Erinnern – die Erinnerung, die Erscheinung – das Erscheinen, der Widerspruch – das Widersprechen, die Berücksichtigung – das Berücksichtigen, die Steigung – das Steigen, der Anruf – der Anrufer – die Anruferin – das Anrufen, das Weinen, das Engagement – das Engagieren, die Abfahrt – das Abfahren

5 1. Die Bionik (f) ist eine Wissenschaft (f), die sich mit d**em** Übertragen (n) von Erscheinungen (f) d**er** Natur (f) auf d**ie** Technik (f) beschäftigt. (Ende -ik / Ende -schaft / Verb im Infinitiv / Ende –ung / Ende -ur / Ende -ik)

2. Ein Beispiel dafür ist d**er** Einfall (m) von Leonardo da Vinci, d**en** Vogelflug (m) auf ein**e** Flugmaschine (f) zu übertragen. (Verb ohne -en / Verben ohne -en / Ende -e)

3. In d**er** Bionik (f) geht es um d**as** Erkennen (n) von Lösungen (f) d**er** Natur (f), zum Beispiel d**ie** Lüftung (f) in d**em** Bau (m) von Termiten. (Ende -ik / Verb im Infinitiv / Ende -ung / Ende -ur / Ende – ung / Verb ohne -en)

4. D**ie** interdisziplinär**e** Forschung (f) in d**er** Bionik (f) ist interessant für Naturwissenschaftler (m), Ingenieure (m), Designer (m), und andere. (Ende -ung / Ende -ik / männliche Personen (grammatisch))

5. Unter anderen fördert d**as** Bundesministerium (n) für Arbeit (f) und Soziales (n) die Projekte d**er** Bionik (f). (Ende -um / Verb ohne -en + t / Adjektiv / Ende -ik)

6. Durch diese Subvention (f) konnten viel**e** Ergebnisse (n) aus d**er** Bionik (f) Produktreife (f) erlangen und vermarktet werden. (Ende -ion / Ende -nis / Ende -ik / Ende -e)

48 Artikelgebrauch

1 1. Ich kenne einen Mann. 2. Der Mann hat noch nie das Meer und noch nie die Sonne gesehen. Aber er hat das schönste Lied der Welt gehört. 3. Die Frau, die neben ihm wohnt, hat es auf dem Klavier gespielt. 4. Sie spielt jeden Tag zwei Stunden ohne Pause Klavier. 5. Die Nachbarin heißt Lisa und der Mann fühlt für sie große Sympathie. 6. Die gute Lisa ist Krankenschwester von Beruf.

2 1. Der *(im Satz definiert)* Nachbar links von mir frühstückt jeden Morgen auf 2. dem *(aus der Situation)* Balkon. Er isst immer 3. eine *(zum 1. Mal genannt)* Scheibe Brot mit 4. Käse *(unzählbar)*. Dazu trinkt er 5. Kaffee (unzählbar) / einen Kaffee *(zum 1. Mal genannt)*. Er ist 6. Buchhalter *(Beruf)* von 7. Beruf *(Funktionsverbgefüge)*. Ich bin sicher, er liebt 8. die *(im Satz definiert)* Frau von nebenan. 9. Die Frau *(vorher genannt)* ist nicht sehr hübsch, aber für ihn ist sie wahrscheinlich 10. die *(Superlativ)* Schönste auf 11. der Welt (es gibt nur eine). Wenn 12. der *(vorher genannt)* Mann 13. die *(vorher genannt)* Nachbarin trifft, scheint er sowohl 14. Freude *(unzählbar)* als auch 15. Angst *(unzählbar)* zu spüren. Er hat wohl 16. Schwierigkeiten *(Plural, zum 1. Mal genannt)* ohne 17. Stottern *(ohne)* mit 18. Frauen *(generalisierend, Plural)* zu sprechen. Das ist 19. ein (*zum 1. Mal genannt*) Problem, wenn man so schüchtern ist. Also habe ich 20. der (*vorher genannt*) Nachbarin gesagt, dass ich 21. den (*im Satz definiert*) Eindruck habe, dass 22. Herr Katz *(Name)* ein bisschen verliebt in sie ist. 23. Die (*im Satz definiert*) Reaktion, die sie gezeigt hat, war 24. eine (*zum 1. Mal genannt*) Überraschung für mich: Sie mag 25. den (*vorher genannt*) Nachbarn auch und möchte ihn in 26. ein (*zum ersten Mal im Text*) schickes Restaurant einladen. Ich wünsche den beiden 27. Glück (*unzählbar*).

3 **Zum ersten Mal genannt**: 15, 18
Im Text vorher genannt: 9, 11, 16
Es gibt die Sache nur einmal: 1, 7, 8, 10, 17, 21, 22, 23
Daten: 4, 20
Wird im Satz definiert: 2, 3, 12, 19
Unzählbares: 6
Namen (Ohne Adjektiv): 5, 13, 14

4 In 1. Friesach (*Name*) kann bis 7. Mai 2. eine Ausstellung (*zum 1. Mal genannt*) über 3. den österreichischen Bergsteiger und Schriftsteller Heinrich Harrer (*im Satz definiert*) besucht werden. 4. Hörbeiträge (*zum ersten Mal genannt, Plural*) wie 5. Interviews (*zum ersten Mal genannt, Plural*) und 6. Vorträge (*zum ersten Mal genannt, Plural*) 7. des 2006 verstorbenen Abenteurers (*im Satz definiert*) sind ebenso 8. (ein) Teil (*zum 1. Mal genannt*) 9. der Ausstellung (*vorher genannt*) wie 10. Fotografien (*zum ersten Mal genannt, Plural*) und 11. Dokumentationen (*zum ersten Mal genannt, Plural*) 12. der berühmten Reisen (*im Satz definiert*) 13. Harrers (*Name*).

5 1. Ein Aktivist (*zum ersten Mal genannt*) ist leider in 2. eine sehr peinliche Situation (*zum ersten Mal genannt*) geraten. Als 3. der Aktivist (*vorher genannt*) zu 4. der Verleihung (*im Satz definiert*) 5. eines Preises (*zum ersten Mal genannt*) gehen wollte, wähte er 6. einen falschen Gürtel.(*zum 1. Mal genannt*) Als er dann zusammen mit 7. der Präsidentin (*es gibt nur eine*) für 8. ein Foto (*zum ersten Mal genannt*) posierte, rutschte ihm 9. die Hose (*bekannt aus der Situation*) bis zu 10. den Füßen (*bekannt aus der Situation*) herunter. Nur 11. die Urkunde (*im Satz definiert*), die er sich vor 12. den Körper (*bekannt aus der Situation*) hielt, verdeckte notdürftig 13. die Unterhose, (*bekannt aus der Situation*) wie 14. Fotos (*zum ersten Mal genannt, Plural*) zeigten. 15. Die Präsidentin (*vorher genannt*) blickte während 16. der Szene (*bekannt aus der Situation*) auf 17. die Beine (*bekannt aus der Situation*) 18. des Aktivisten (*vorher genannt*) und lächelte diskret. Gerade 19. engagierten Aktivisten / einem engagierten Aktivisten (*generalisierend*) wünscht man so ein Missgeschick (*zum 1. Mal genannt*) nicht.

49 Genitiv

1 1. der Vater meiner Kinder 2. die Lehrer meiner Tochter 3. die Direktorin des Gymnasiums 4. die Verwandten meines Mannes 5. die Interpretation des Textes 6. die Anzahl der Teilnehmer 7. die Hälfte der Gruppe 8. die Präsentation des Ergebnisses 9. die Verantwortung der Eltern 10. der Fehler des Kindes 11. das Urteil der Richterin 12. die Entschuldigung des Autofahrers 13. der Computer meines alten Kollegen 14. das Büro meines netten Chefs 15. die Arbeit des neuen Reinigungspersonals 16. der Urlaub des kompetenten Assistenten

2 1. das Handy meiner Schwester – das Handy des Lehrers – Peters Handy – das Handy des Kindes 2. das Auto meines Freundes – Annas Auto – das Auto der Kollegin – Frau Meyers Auto

3 2. Dort steht das Haus meiner Eltern 3. Das ist der Hof eines alten Sonderlings 4. Der Spielplatz aller Kinder war an diesem Bach.

4 1. an der Firma meiner Frau 2. Tanjas Arbeitsplatz 3. das Fotogeschäft einer chinesischen Künstlerin 4. Frau Wangs Geschäft 5. in Clemens' Büro

5 1. die Idee der Bundeskanzlerin – Marias Idee – die Idee eines großen Teams – die Idee eines Selbstständigen – Herrn Walters Idee – die Idee vieler älterer Menschen 2. 90% aller Jugendlichen – 90% der gut verdienenden Erwachsenen – 90% des verfügbaren Einkommens – 90% dieses Umsatzes – 90% der diesjährigen Inflation – 90% des beeindruckenden Wirtschaftswachstums

6a 2. Der berühmteste Sohn Frankfurts ist Goethe. / Frankfurts berühmtester Sohn ist Goethe. 3. Die Hauptstadt Österreichs ist Wien. / Österreichs Hauptstadt ist Wien. 4. Die Hauptstadt der Türkei ist Ankara. 5. Der längste Fluss Deutschlands ist der Rhein. / Deutschlands längster Fluss ist der Rhein.

6b 1. Deutschlands Strände sind sehr schön, aber nicht so sonnig. / Die Strände Deutschlands sind sehr schön, aber nicht so sonnig. 2. Europas Politiker und Politikerinnen müssen viele Probleme lösen. / Die Politiker und Politikerinnen Europas müssen viele Probleme lösen. 3. Deutschlands Autobahnen sind sehr gut ausgebaut. / Die Autobahnen Deutschlands sind sehr gut ausgebaut. 4. Brasiliens Regenwälder sind wichtig für das Klima in der ganzen Welt. / Die Regenwälder Brasiliens sind wichtig für das Klima in der ganzen Welt. 5. Afrikas Schriftsteller und Schriftstellerinnen sind in den letzten Jahren immer bekannter geworden. / Die Schriftsteller und Schriftstellerinnen Afrikas sind in den letzten Jahren immer bekannter geworden.

7 2. Das ist eine typische Frankfurter Spezialität. 3. Die Münchner Luft ist meistens sehr frisch. 4. Der Dortmunder Fußballklub ist seit vielen Jahren sehr erfolgreich. 5. Die kreative Berliner Szene zieht junge Menschen aus der ganzen Welt an.

8 1. Deutschlands 2. der berühmtesten Weihnachtsmärkte 3. Dresdener 4. von vier Wochen 5. des Marktes 6. des Platzes 7. der Welt 8. von Gewürzen / der Gewürze 9. von Glühwein / des Glühweins 10. der Besucher und Besucherinnen 11. Kälte oder Regens 12. des Marktes 13. aller Kinder 14. des Adventskalenders 15. der Weihnachtsmärkte 16. Dresdens 17. der Elbe 18. des Flusses 19. eines berühmten Denkmals 20. des Goldenen Reiters

9 1. dessen D 2. deren C 3. deren A 4. dessen B

10 1. Der Titel der Grafik lautet: Die Nutzung erneuerbarer Energien seit 2020. 2. Die Grafik basiert auf einer Umfrage des statistischen Amtes der Stadt Wendburg. 3. Durchgeführt wurde eine Erhebung der Daten in 1000 Haushalten Wendburgs. 4. Die Grafik zeigt die Ausgaben für Energie aller Haushalte in der Stadt. 5. Die Höhe der Ausgaben für Energie ist in Tausend angegeben. 6. In der Legende wird die Bedeutung der im Schaubild verwendeten Abkürzungen erklärt. 7. Die Säulen des Diagramms zeigen den durchschnittlichen Stromverbrauch. 8. 2021 gaben gut 80% der Befragten an, dass sie einen stärkeren Ausbau der erneuerbaren / von erneuerbaren Energien wünschen. 9. Man kann vermuten, dass ein Haushalt, dessen Strom aus Sonnenenergie gewonnen wird, weniger Geld für Energie ausgibt. 10. Bezüglich des erfassten Zeitraumes kann man feststellen, dass es kaum Veränderungen gibt.

11 1. Meinetwegen 2. Deinetwegen 3. derentwegen 4. Unseretwegen 5. seinetwegen 6. Ihretwegen

12 1. Das sind die Stadtgrenzen, innerhalb deren / derer die Stadt im Mittelalter entstanden ist. 2. Die Namen auf diesem Brunnen sind die Namen von Opfern der Diktatur, deren / derer wir am 9. November gedenken. 3. Der Dom, dessen Turm 157 Meter hoch ist, ist seit 1996 Weltkulturerbe der UNESCO. 4.Der Karneval, während dessen alle Schulen und viele Betriebe geschlossen sind, ist ein Wahrzeichen der Stadt.
Es handelt sich um Köln

50 n-Deklination

1 1. der Finne 2. der Assistent 3. der Automat 4. der Affe 5. der Brite 6. der Friede 7. der Löwe 8. der Fürst 9. der Pole 10. der Ochse 11. der Mensch 12. der Student

2 1. Finnen, Herrn, Namen 2. Löwen, Bären, Affen 3. Assistenten, Doktoranden, Psychologen, Anglisten, Praktikanten

3 1. Chinesen 2. Türke 3. Portugiesen 4. Spanier 5. Fotografen 6. Architekten 7. Professor 8. Tänzer 9. Lehrer 10. Pianisten 11. Studenten 12. Lehrer 13. Mann 14. Namen 15. Doktorand 16. Unterricht 17. Herrn 18. Glauben 19. Türken 20. Chinesen 21. Christen 22. Kollegen 23. Menschen 24. Chinesen 25. Mann 26. Herzens

4 1. Automaten, Maschine, Gerät(e)s, des Herzens / Herzes 2. Architekten, Ingenieurs, Professors, Psychologen 3. Namens, Begriff(e)s, Buchstabens, Helden 4. Freiheit, Friedens, Glück(e)s 5. Menschen, Christen, Atheisten, Muslim(s) 6. Frage, Gedankens, Experiments

5 Herr**n** Seifert ...
Sehr geehrter Herr**/** Seifert,
wir freuen uns, Sie im nächsten Monat**/** im Kreise**/** der Kollege**n** begrüßen zu dürfen. An Ihrem ersten Arbeitstag**/** werden wir Ihnen einen Praktikant**en** als Ihren persönlichen Assistent**en** an die Seite**/** stellen. Er wird Sie zum Betriebs-Fotograf**en** begleiten, der für Sie einen Dienstausweis**/** anfertigen wird. Danach erfolgt die Vorstellung**/** beim Präsident**en** des Unternehmens. Im Name**n** der gesamten Abteilung**/**

51 Drei Deklinationen

1 1. Kind, Erwachsenen, Erwachsenen, Kinder, Erwachsene, Erwachsenen 2. Angestellten, Angestellten, Selbstständigen, Selbstständigen, Selbstständige, Angestellte 3. Arbeitslosen, Arbeitslose, Millionär 4. Vorgesetzten, Bruder, Verwandter, Freund 5. „Alter", Jugendlichen, Jungen, Alten, Frauen

2 1. Da steht ein Jugendliche**r** / ein Junge / ein Teenager 2. Das ist mein Neffe / mein Verwandte**r** / mein Sohn 3. Ich mag den Neffe**n** / den Verwandte**n** / den Sohn 4. Da steht ein Franzose / ein Japaner / ein Deutscher 5. Ich spreche mit einem Franzose**n** / einem Japaner / einem Deutsche**n** 6. Das ist mein Chef / ein Arbeitslose**r** / ein Selbstständige**r** 7. Das sind die Chef**s** / die Arbeitslose**n** / die Selbstständige**n** 8. Das ist mein Bekannte**r** / mein Freund / mein Nachbar 9. Das ist die Frau meines Bekannte**n** / meines Freund**es** / meines Nachbar**n** 10. Ich kenne einen Patient**en** / einen Kranke**n** / einen Arzt 12. Ich kenne Patient**en** / Kranke / Ärzte 13. Ich spreche mit Patient**en** / Kranke**n** / Ärzte**n**

3 2. alles Gute 3. nichts Schlimmes 4. wenig Interessantes 5. das oft Gekaufte 6. viel Schönes 7. etwas Modernes 8. alles Gewünschte

4 1. Gute 2. neuen 3. Positives 4. Großes 5. Machbares 6. Realisierbares 7. große 8. Gute 9. neue 10. Magisches 11. höhere

52 Deklination der Indefinit- und Possessivpronomen

1a 1. einen 2. welche 3. einem 4. Keiner 5. kein(e)s 6. welche / ein(e)s 7. Einer/ Eine 8. welche

1b 1. mein(e)s, dein(e)s 2. deiner 3. Ihre, meiner 4. meinen

2 1. irgendein(e)s 2. irgendeiner/ irgendeine 3. irgendein(e)s 4. irgendeinem

3 1. einem 2. einen 3. einem 4. einem 5. einen 6. einem 7. man 8. man, einem

4 1. einem 2. einen (man) 3. man 4. man 5. einem 6. einen 7. einen 8. man 9. man 10. einem

5 1. einer 2. welche 3. Einer – einen 4. Kein(e)s 5. Keiner 6. welchen

6 1. Die Wanderung im Amazonas war *eines* meiner schönsten Erlebnisse. 2. *Eines* meiner Ziele für das nächste Jahr ist es, meine Fortbildung erfolgreich abzuschließen. 3. *Eine* meiner besten Freundinnen wohnt jetzt am anderen Ende der Welt, in Neuseeland. 4. *Einer* unserer Mitarbeiter kommt morgen bei Ihnen vorbei. 5. Von *einem* wie ihm hätte ich das nicht erwartet.

53 Indefinitpronomen für Menschen

1 1. Jede/Jeder 2. Jede/Jeder 3. Alle 4. Alle 5. Jede/Jeder 6. jeder/jede – alle 7. jede/jeder – alle

2 1. Jede/ Jeder 2. jemand 3. Jede/Jeder 4. jemand 5. jeder/jedem 6. jemand 7. jemand 8. jede/jeden 9. jemand

3 1. jemand 2. er/sie 3. jemand 4. jemand 5. niemand 6. er/sie

4 1. er/sie 2. seinen 3. man 4. er 5. er/sie 6. sie

5 1. Niemand 2. Jeder/Jede 3. er/sie 4. er/sie 5. niemand(em) 6. Niemand 7. er/sie 8. jemand(em) 9. er 10. Jeder/Jede

54 Indefinitpronomen für Menschen und Dinge

1 1. hoffen, wird 2. ist 3. helfen, ist 4. Können 5. macht, haben 6. sind, ist

2 1. alles 2. alle 3. alle 4. alles 5. alle 6. allen 7. alle 8. alle 9. alles 10. alle 11. alle 12. allen

3 1. beide 2. beide**n** 3. alle 4. alle**n** 5. alle**m** 6. alle**s** 7. manche**s** 8. Einige 9. beide**m**

4 1. beide 2. beide 3. beides 4. einiges / manches 5. manches / einiges 6. einige / manche 7. Manches / Einiges 8. Manche / Einige 9. beide 10. beiden

5 1. nichts 2. nicht 3. nichts / nicht 4. nichts 5. nicht 6. nicht 7. nichts

55 Adjektivdeklination

1a neu**er** Bahnhof, ein neu**er** Bahnhof, der neu**e** Hauptbahnhof; neu**es** Schild, ein neu**es** Schild, das neu**e** Schild für Elektro-Tankstellen; neu**e** Straße, eine neu**e** Straße, die neu**e** Umgehungsstraße; neu**e** Parkplätze, die neu**en** Parkplätze für die Schule

1b ohne historisch**en** Platz, für einen historisch**en** Platz, für den historisch**en** Rathausplatz; für modern**es** Wohnen, für ein modern**es** Haus, für das modern**e** Rathaus; ohne alt**e** Brücke, für eine alt**e** Brücke, ohne die alt**e** Fußgängerbrücke; für grün**e** Busse, für die grün**en** Elektrobusse

1c mit gut**em** Wein, mit meinem nett**en** Freund, mit dem nett**en** Freund meiner Schwester; bei gut**em** Wetter, zu keinem neu**en** Café, in dem nett**en** Café; bei gut**er** Musik, mit meiner nett**en** Kollegin, zu der nett**en** Nachbarin, von nett**en** Kollegen, von den nett**en** Kollegen

1d wegen laut**en** Verkehrs, wegen eines laut**en** Lkws, wegen des laut**en** Lkws vor dem Haus; trotz gut besucht**en** Kinos, trotz eines gut besucht**en** Kinos, trotz des gut besucht**en** Kinos; wegen defekt**er** Bahn, wegen einer defekt**en** Bahn, wegen der defekt**en** Bahn; trotz viel**er** Unfälle, trotz der viel**en** Unfälle

2a Die Ferienwohnung liegt in sehr ruhiger Lage. Sie hat zwei kleine Schlafzimmer und einen großzügigen Wohn-Ess-Bereich mit einer modern ausgestatteten Einbauküche. Von dem kleinen Südbalkon aus haben Sie einen beeindruckenden Blick auf den blauen See und die hohen Berge.

2b Die Ferienwohnung liegt in sehr ruhige**r** Lage. Sie hat zwei klein**e** Schlafzimmer und einen großzügig**en** Wohn-Ess-Bereich mit einer modern ausgestattet**en** Einbauküche. Von dem klein**en** Südbalkon aus haben Sie einen beeindrucken**den** Blick auf den blaue**n** See und die hohe**n** Berge.

3 1. guten – kühles – erfrischende – heiße 2. weißen – langes rotes – schwarze – hohe 3. gutes – schönen – frische – kalten – leichter – bunten – stärkere – herzhaften 4. normaler – gute – kleines – fürsorgliche – kluge – anspruchsvollen – Nette – gute

4 1. Gute – viele – gute – guten – guten 2. gute – liebsten – langweiligen 3. neue – guten – interessante – interessanten

5 1. viele – viel 2. rosa – lila – rosafarbenes – lilafarbene 3. klein – viel – mehr 4. wenig – viele – mehr

6 1. dunkel – dunkle 2. flexibel – flexible 3. ungeheure 4. teures – akzeptables 5. saure – sauren

7 1. sonnig**en** 2. gestrig**en** 3. gemütlich**en** 4. bekannt**en** 5.bekannt**e** 6. entspannt**er** 7. diesjährig**e** 8. potenziell**en** 9. aktuell**en** 10. alltagstauglich 11. sportlich 12. Klar**e** 13. hell**e** 14. bequem**e** 15. viel**en** 16. sportlich**en** 17. romantisch**e** 18. perfekt**en** 19. anregend**er** 20. gut**er**

8 1. alt**e** 2. autogerecht**en** 3. viel**en** 4. radfahrerfreundlich**en** 5. lebenswert**e** 6. wenig 7. gefährlich 8. eigen**en** 9. gelegen**en** 10. reich**en** 11. grundlegend**e** 12. südamerikanisch**e** 13. verkehrsberuhigt**e** 14. neu**e** 15. neu**es** 16. städtisch**es** 17. kurz**er** 18. gefährlichst**en** 19. friedlich**en** 20. hoh**er** 21. nachhaltig**e** 22. attraktiv**es** 23. luftverschmutzend**en** 24. öffentlich**en** 25.viel 26. öffentlich**en** 26. sicher 27. gesund

9 1. teuersten deutschen Städte 2. in guter Lage 3. bezahlbar_ 4. die steigenden Mieten 5. mit geringem Einkommen 6. eine akzeptable Wohnung 7. viele Leute 8. eine kleinere Wohnung 9. der großen Städte 10. teuren Arbeitsweg 11. mit wenig_ Geld 12. bezahlbare Wohnungen

56 Artikelwörter und Adjektivdeklination

1 1. manch**es** 2. jen**en** 3. all**e** 4. beid**en** 5. etlich**e** 6. irgend**einen** 7. Solch**e** 8. viel**e** 9. einig**en** 10. viel 11. mehrer**e** 12. all**en** 13. lauter

2 1. groß**er** 2. anwesend**en** 3. älter**en** 4. unterschiedlich**en** 5. Verwandt**en**, Bekannt**en**

3 1. unglaublich**er** 2. größer**en** 3. sinnvoll**en** 4. groß**es**

4 1. wichtig**en** 2. nachvollziehbar**en** 3. unnötig**en** 4. weitergehend**en** 5. neu**en** 6. weiter**en**

5 1. gute 2. Angestellten 3. Selbstständige 4. Selbstständigen 5. nette 6. netten 7. gute 8. andere

57 Komparation

1 1. hellere 2. größere 3. bessere 4. näher 5. teurer 6. mehr 7. höheren 8. lieber 9. längeren 10. schlechtere 11. dunklere 12. kleinere 13. mehr

2 1. anspruchsvollste 2. besten 3. fitteste 4. glücklichste 5. platteste 6. größte 7. wenigsten 8. meisten 9. liebste 10. beste

3 1. das intelligenteste 2. am klügsten 3. Am erstaunlichsten 4. das begabteste 5. das lernfähigste
6. der kürzesten / kürzester 7. die mitfühlendsten 8. Die meisten 9. die bösesten 10. am schlimmsten

4 Georg Riemer hatte vor kurzer Zeit *das erstaunlichste Erlebnis* seines Lebens. Als er ins Flugzeug nach New York einstieg, wo er *seinen besten Freund* besuchen wollte, und seinen Sitznachbarn ansah, konnte er seinen Augen nicht trauen: Der Mann neben ihm sah ihm *ähnlicher als* sein Bruder! Der Mann war *weniger* überrascht als er. Nachdem sie sich *mehrere Sekunden* angeschaut hatten, mussten sie erst einmal lachen. Nach *längerer* Unterhaltung stellten sie fest, dass sie nicht verwandt sind. Es war einer *der erstaunlichsten, größten* Zufälle, die man sich denken kann.

5 1. dunkelste 2. weniger 3. schwächer 4. Helleres 5. leiser 6. lauter 7. plastischer 8. schöner 9. der beliebteste 10. früherer 11. mehr 12. schlechter

6 1. großzügiger als 2. mehr als 3. anders als – häufiger als 4. schönste 5. einsamste 6. ungeliebteste
7. schöner als 8. persönlicher 9. passender als 10. genauso wie, größte

7 2. Die Zugspitze ist einer der höchsten Berge Europas. 3. Die Mona Lisa ist ein(e)s der berühmtesten Gemälde der Welt. 4. Die Gazelle ist ein(e)s der schnellsten Tiere der Welt. 5. San Francisco ist eine der schönsten Städte der USA. 6. Das Nashorn ist eine der gefährdetsten Tierarten Afrikas. 7. Die Nordseeküste ist eine der schönsten Regionen Deutschlands. 8. Marilyn Monroe ist eine der bekanntesten Schauspielerinnen der Filmgeschichte.

8 1. schnellstens 2. mindestens 3. spätestens 4. wenigstens 5. erstens 6. zweitens 7. dringendst 8. spätestens 9. höchstens

9 1. kleinstmöglichen 2. nächstgelegene 3. bestverdienende / höchstverdienende 4. bestgelegene / höchstgelegene 5. größtmöglichen 6. nächstmöglichen 7. meistgeschätzte

10 1. ältere – alte 2. länger – lange 3. Jüngere – junge 4. gute – bessere

11

	absoluter Komparativ	normaler Komparativ
1. Mein jüngerer Bruder beginnt jetzt auch mit dem Studium.	○	ⓧ
2. Viele denken, jüngere Leute machen immer Lärm.	ⓧ	○
3. Bleibst du länger hier?	ⓧ	○
4. Letztes Jahr waren wir vier Wochen länger hier.	○	ⓧ
5. Ich beneide meine älteren Kollegen. Sie können bald in Rente gehen.	○	ⓧ
6. Man sollte für ältere Leute in der Bahn einen Platz frei machen.	ⓧ	○
7. Manchen Leuten stehen hellere Farben besser, manchen dunklere.	ⓧ	○
8. Ich würde auf jeden Fall die hellere Wohnung mieten.	○	ⓧ
9. Ich möchte in näherer Zukunft eine Weltreise machen.	ⓧ	○
10. Geh doch zum Bäcker. Das ist näher.	○	ⓧ

58 Partizip I und II als Adjektiv

1 2. ein tickender Wecker 3. eine weinende Frau 4. eine lachende Frau 5. ein gebrauchtes Auto 6. verstecktes Geld 7. eine brennende Zigarette 8. (zwei) spielende Kinder 9. ein gegessener Apfel

2a 1. fliegende Fische 2. kochendes Wasser 3. eine brennende Kerze 4. eine schmerzende Wunde 5. ein überzeugendes Argument 6. die untergehende Sonne 7. sinkende Temperaturen

2b 1. ein geöffnetes Fenster 2. gefärbte Haare 3. gekochte Kartoffeln 4. lackierte Nägel 5. ein ermordeter König 6. ein gebratenes Steak 7. eine abgeschlossene Tür

3 1. Aktiv 2. Aktiv 3. Passiv 4. Passiv 5. Aktiv oder Passiv 6. Passiv

4 2. Die aufgehende Sonne ist die Sonne, die aufgeht. 3. Ein selbst gebackener Kuchen ist ein Kuchen, der selbst gebacken wurde. 4. Gekochter Schinken ist ein Schinken, der gekocht wurde. 5. Ein Verletzter ist jemand, der verletzt wurde. 6. Ein wiedergewählter Präsident ist ein Präsident, der wiedergewählt wurde. 7. Ein Reisender ist jemand, der reist. 8. Ein landendes Flugzeug ist ein Flugzeug, das landet 9. Ein gelandetes Flugzeug ist ein Flugzeug, das gelandet ist. 10. Beantwortete E-Mails sind E-Mails, die beantwortet wurden.

5 1. die bezahlte Rechnung / die bezahlende Käuferin 2. die geputzte Wohnung / der putzende Hausmeister 3. der denkende Mensch / die gedachte Antwort 4. der reparierende Mechaniker / das reparierte Auto 5. das gebackene Brot / die backende Bäckerin 6. die kochende Person / das gekochte Ei 7. die kaufende Kundin / der gekaufte Kuchen 8. der korrigierte Text / der korrigierende Lehrer 9. der singende Chor / das gesungene Lied

6 2. reparierte Maschine 3. sich von selbst reinigender Ofen 4. hell brennende Lampe 5. vollgetanktes Auto 6. weit gereister Mann 7. ständig schweigende Leute 8. oft verkauftes Buch 9. wütend gesprochene Worte

7 1. besuchte 2. benutztes 3. eingebaute 4. schwitzende 5. hupenden 6. schimpfenden 7. beschriebenen 8. fahrenden

Partnerseite 8

Satz 2: Er liest ein E-Book.; **Satz 5**: Vor ihm steht ein leeres Glas.; **Satz 6**: Rechts neben ihm ...; **Satz 14**: und kleine lila Ohrringe.; **Satz 25**: ...sieht man viele rote Flecken.

59 Indirekte Rede und Konjunktiv 1

1 1. ich würde gehen / er gehe 2. er komme / wir würden kommen 3. es passiere 4. Wir würden wissen / ich wisse 5. ich müsse / Sie müssten 6. er könne / wir könnten 7. ich dürfe / er dürfe 8. er glaube / sie würden glauben 9. ich hätte / er habe / Sie hätten 10. ich sei / er sei / wir seien / Sie seien 11. ich würde untersucht / er werde untersucht 12. er werde geschrieben / sie würden geschrieben

2 1. Sie sagten, sie hätten keinen Hunger. 2. Du hast behauptet, er sage immer die Wahrheit. 3. Wir waren der Meinung, das Leben sei schön. 4. Ich habe gesagt, das Medikament helfe gegen Schmerzen. 5. Sie hat gemeint, ihr helfe es nie. 6. Sie erzählte, ihr Mann frage seine Mutter immer nach ihrer Meinung. 7. Sie meinte, manche Männer seien wie Kinder. 8. Sie hat berichtet, sie könne von ihrem Fenster aus alles sehen. 9. Sie meint, ihr würdet zu viel kaufen / wir würden zu viel kaufen. 10. Er sagte, er werde dauernd von seinem Chef kritisiert.

3 1. sei 2. reiße 3. könne 4. missverstehen 5. sei 6. erkennen 7. könne 8. habe 9. überweise 10. hoffe 11. sei 12. zitieren 13. werde

4 1. Sie fragt ihn, woran er denke. 2. Er fragt sie, warum sie das wissen wolle. 3. Sie fragt ihn, ob er sauer auf sie sei. 4. Er fragt sie, was es heute zum Abendessen gebe. 5. Sie fragt ihn, ob er wieder an seine neue Kollegin denke. 6. Er fragt sie, wieso er an sie denken solle. 7. Sie fragte ihn, warum Männer nicht auf eine einfache Frage antworten könnten. 8. Er fragte sie, wie es komme, dass Frauen so kompliziert seien.

5 In der Zeitung wird berichtet, das alte Rathaus werde renoviert. Bei dieser Gelegenheit werde es gleichzeitig umgebaut. Nach den Umbaumaßnahmen werde auch die städtische Bibliothek im Rathaus zu finden sein. Zusätzlich werde es dort ein großes Medienzentrum geben. Während der Bauarbeiten würden alle Abteilungen des Rathauses in Containern untergebracht. Die Öffnungszeiten sollten beibehalten werden. In vier Monaten würden die Renovierungsarbeiten abgeschlossen sein.

60 Indirekte Rede – Vergangenheit

1 1. er sei gelaufen 2. wir hätten gelacht 3. es sei passiert 4. ich sei aufgestanden 5. ihr hättet verloren 6. er sei gekommen 7. wir hätten gewusst 8. er habe gebracht 9. ich sei genommen worden 10. ich hätte gehen müssen 11. er habe kommen sollen 12. wir hätten arbeiten müssen 13. sie habe nicht einschlafen können 14. wir seien gefragt worden 15. es sei gefunden worden

2 1. Die angeklagte Frau sagte aus, sie habe sich einen Fahrschein gekauft. 2. Der Kontrolleur widersprach, er habe die Frau ohne gültigen Fahrschein angetroffen. 3. Die Frau entgegnete, sie habe einen Fahrschein gehabt. 4. Der Kontrolleur konterte, es sei der falsche Fahrschein gewesen. 5. Die Frau wandte ein, für diesen Fahrschein habe sie sogar 30 Cent mehr bezahlt. 6. Der Richter fragte,warum er der Frau eine Strafe gegeben habe. 7. Der Kontrolleur entgegnete, er habe sie darauf aufmerksam machen müssen, dass der Fahrschein für ein anderes Gebiet gewesen sei. Das sei seine Pflicht gewesen. 8. Die Frau bemerkte, sie sei sehr ungerecht behandelt worden.

3a **Gegenwart:** Das jüngste Opfer sei elf Jahre alt., Die Hintergründe der Tat seien unklar.
Vergangenheit: Festnahmen habe es bislang nicht gegeben., Es seien rund 100 Schüsse zu hören gewesen.,
Schließlich hätten sich die Gondeln doch in die Stationen fahren lassen, sodass ein Feuerwehreinsatz überflüssig geworden sei.

3b Die Polizeisprecherin sagte: „Das jüngste Opfer ist elf Jahre alt. Die Hintergründe der Tat sind unklar. Festnahmen hat es bislang nicht gegeben.", Augenzeugen sagten: „Es sind rund 100 Schüsse zu hören gewesen.", Ein Sprecher der Bahn sagte: „Schließlich haben sich die Gondeln doch in die Stationen fahren lassen, sodass ein Feuerwehreinsatz überflüssig geworden ist."

4 Von ihrer Leidenschaft getrieben ist eine junge Frau im Kamin ihres Liebhabers stecken geblieben. Die Feuerwehr in Assenheim konnte Franziska L. erst nach 5 Stunden befreien, wie der Fernsehsender Rhein-Main-TV berichtete. Der Eigentümer des Hauses *habe* seine Identität nicht *preisgeben wollen*. Er sagte dem Sender, er *sei* mehrfach mit Franziska L. *ausgegangen*, nachdem er sie im Internet *kennengelernt habe*. Sie *habe* einen „echt coolen" Eindruck *gemacht*, bis er sie auf seinem Dach *wiedergefunden habe*.

61 Wiedergabe von Aufforderungen, Gerüchten und Selbstaussagen

1 1. Der Moderator bittet den Politiker, er möge sich (bitte) zu dieser Angelegenheit äußern. 2. Die Lehrerin ruft dem Schüler zu, man dürfe hier nicht rauchen. 3. Der Sprachlehrer sagt zu den Teilnehmern, sie sollten den Text auf Seite 52 lesen. 4. Der Pilot sagt zu den Passagieren, sie sollten / mögen / müssten sitzen bleiben, bis die Anschnallzeichen erloschen seien. 5. Die Mutter sagt zu ihren Kindern, sie sollten / müssten endlich ihre Hausaufgaben machen, sonst dürften sie nicht fernsehen. 6. Der Fluggast sagt zum Flugbegleiter, er möge ihm (bitte) einen Kaffee bringen. 7. Die Chefin sagt zum Abteilungsleiter, er möge (bitte) das Meeting organisieren. 8. Der Abteilungsleiter sagt zum Angestellten, er solle an alle Kollegen schreiben und für einen Raum sorgen. 9. Der Angestellte sagt zum Hausmeister, er müsse schnellstens den Konferenzraum aufräumen. 10. Die Chemikerin sagt zum Besucher, hier müsse er eine Schutzbrille tragen.

2 1. München soll die teuerste Stadt Deutschlands sein. München soll schon immer die teuerste Stadt Deutschlands gewesen sein. 2. Frau Blümchen will die schönste Frau der Welt sein. Frau Blümchen will früher auch die schönste Frau der Welt gewesen sein. 3. In Berlin soll am meisten los sein. Früher soll in Hamburg am meisten los gewesen sein. 4. Andrea will alles können. Andrea will auch als Kind schon alles gekonnt haben.

3 1. Unser Bürogebäude soll saniert werden. 2. Sie wollen ein Gespräch darüber gehört haben. 3. Mein Kollege will der erfolgreichste Mitarbeiter der Firma sein. 4. Mein anderer Kollege will schon immer erfolgreicher als alle anderen gewesen sein. 5. Der Wettbewerb um die nächste Beförderung soll sehr hart werden. 6. Dieses Jahr soll keine Weihnachtsfeier stattfinden. 7. Eine Kollegin will das schon lange wissen. 8. Frau Geller soll eine Gehaltserhöhung gefordert haben. 9. Frau Geller will eine extrem kompetente Person sein. 10. Die Kantine soll geschlossen werden. 11. Die Geschäftsführung will mit den betroffenen Mitarbeitenden bereits gesprochen haben.

4 1. In einem Supermarkt der Kette „Kaufmehr" soll sich gestern ein ganz besonderer Fall ereignet haben. 2. Eine Kassiererin will einen Mann mit

weißem Bart und prall gefülltem Rucksack gesehen haben. Sie bat ihn, er möge sie in seinen Rucksack sehen lassen. 4. Der Mann antwortete, sie solle ihn in Ruhe lassen. 5. Die Kassiererin soll den Filialleiter herbeigeholt haben. 6. Der befahl dem Kunden, er solle / müsse seinen Rucksack öffnen. 7. Der Bärtige, in dessen Rucksack eine große Menge unbezahlter Schokolade war, will der Weihnachtsmann sein.

5

Falscher Chirurg festgenommen
In Argentinien wurde ein 63-jähriger Deutscher festgenommen, der sich seit Jahren unter falschem Namen als Chirurg ausgegeben haben soll. Der Mann, der lediglich eine Ausbildung zum Zahnarzthelfer absolviert haben soll, soll in verschiedenen Krankenhäusern gearbeitet haben und auch mehrfach Operationen durchgeführt haben. Dabei soll er gefälschte Papiere benutzt haben. Er will sogar eine Herzoperation erfolgreich gemeistert haben.

Nach unbestätigten Informationen hat er sich seit Jahren unter falschem Namen als Chirurg ausgegeben.
Den Gerüchten zufolge hat der Mann lediglich eine Ausbildung zum Zahnarzthelfer absolviert,(hat) in verschiedenen Krankenhäusern gearbeitet und (hat)auch mehrfach Operationen durchgeführt.
Man geht davon aus, dass er gefälschte Papiere benutzt hat.
Er behauptet, dass er sogar eine Herzoperation erfolgreich gemeistert hat.

62 Temporale Nebensätze

1 1. Nachdem ich gefrühstückt habe, dusche ich. 2. Bevor / Ehe ich schlafen gehe, putze ich mir die Zähne. 3. Während ich bügele, höre ich Radio. 4. Wenn ich U-Bahn fahre, lese ich immer Zeitung. 5. Bis der Zug ankommt, lese ich immer Zeitung. 6. Sobald / Sowie ich im Büro ankomme, checke ich die E-Mails. 7. Seit(dem) ich studiert habe, habe ich einen guten Job.

2 1. Wenn er sonntags seine Mutter besucht hat, haben sie zusammen Kaffee getrunken. 2. Als er gestern seine Mutter besuchte, war kein Kaffee mehr da. 3. Als die Mutter zum Supermarkt gehen wollte, gab er ihr Geld. 4. Als er fünf Jahre alt war, hat seine Mutter ihm Geld gegeben. 5. Wenn er als Kind einkaufen ging, durfte er damals das Restgeld behalten.

3 1. Wenn 2. Als 3. wenn 4. Als 5. Als 6. als 7. wenn 8. als

4 1. fertig gewesen war 2. eingekauft habe 3. gekommen ist 4. sind wir ins Kino gegangen. 5. Wir waren spät zu Hause / Wir sind spät zu Hause gewesen 6. Wir sind schnell ins Bett gegangen 7. Wir können nicht einschlafen

5 1. Nachdem 2. Ehe / Bevor 3. Während 4. Sobald, bis 5. Seit, bevor/ ehe 6. Als, solange, sooft

63 Kausale und konzessive Nebensätze

1 1. weil / da ich mit meinen Freunden im Ausland in Kontakt bleiben möchte. 2. obwohl ich weiß, dass meine Privatsphäre nicht gut geschützt ist. 3. weil / da man für das Berufsleben leicht neue Kontakte finden kann. 4. obwohl ich schon einmal Cyber-Mobbing erlebt habe.

2 1. Weil 2. obwohl 3. Da 4. obwohl 5. da

3 1. Obwohl wir lange im Stau gestanden haben, haben wir die Fähre noch erreicht. 2. Obschon wir das Ferienhaus zwei Wochen vorher fest gebucht haben, war es nicht für uns vorbereitet. 3. Auch wenn wir viel Ärger mit der Agentur hatten, hatten wir gute Laune. 4. Obzwar der Ferienort sehr teuer ist, haben wir nicht auf das Geld geschaut und sind gut essen gegangen. 5. Selbst wenn wir noch eine Woche Urlaub von der Firma bekommen könnten, könnten wir keine Reise machen, weil wir unser Urlaubsgeld ausgegeben haben.

4 1. sie in der Natur leben wollten. 2. auf den Straßen der Autoverkehr vorherrschte und es wenig Platz für Kinder gab. 3. die Fahrt von außerhalb zur Arbeit lange dauerte 4. viele attraktive städtische Wohngebiete entstanden sind, zumal es in den Großstädten auch bessere Betreuungsmöglichkein für Kinder gibt.

5 1. Ungeachtet dessen, dass Skipisten ein ökologisches Problem sind, fahren viele Leute Ski.

2. Ungeachtet dessen, dass Kunstschnee viel Wasser und Strom verbraucht, setzen die Skigebiete Kunstschnee ein, um ihren Gästen ein großes Pistenangebot zu schaffen. 3. Ungeachtet dessen, dass es zu Ferienanfang immer lange Staus gibt, ist das Auto ein beliebtes Verkehrsmittel für den Urlaub. 4. Ungeachtet dessen, dass es in vielen Regionen Probleme mit der Wasserversorgung gibt, bieten die Hotels ihren Gästen große Swimmingpools an.

64 Konsekutive Nebensätze

1 2. Ich warte auf eine wichtige Nachricht von meinem Kollegen, sodass ich sehr unruhig bin. 3. Ich habe kein Ladekabel dabei, sodass ich mein Handy nicht laden kann. 4. Ich kenne die Handynummer von dem Kollegen nicht, sodass ich ihn auch nicht von einem anderen Handy aus anrufen kann. 5. Ich antworte dem Kollegen nicht, sodass er bestimmt ärgerlich werden wird.

2 1. Ich habe dermaßen/so viel Arbeit, dass ich mir nicht einmal einen Kaffee zwischendurch machen kann. 2. Die Arbeit ist dermaßen/so dringend, dass ich einen Kollegen bitten muss, mir zu helfen. 3. Wir schreiben so/dermaßen schnell, dass wir vor der Mittagspause fertig werden. 4. Wir haben die Arbeit so/dermaßen gut erledigt, dass die Chefin zufrieden ist und uns eine Extrastunde Mittagspause gibt. 5. Das Essen in der Kantine ist meistens so/dermaßen schlecht, dass ich mit dem Kollegen in ein Restaurant in der Nähe gehe.

3

	konsekutiv	nicht konsekutiv
1. Er ist so fleißig, dass er sein Studium eher abschließen kann.	ⓧ	◯
2. Sie ist so intelligent, dass ihr das Lernen keine Mühe macht.	ⓧ	◯
3. Er bereitet sich so gut wie möglich vor und hofft, dass er besteht.	◯	ⓧ
4. Sie interessiert sich so für das Projekt, dass sie in den Semesterferien freiwillig ein Praktikum dort macht.	ⓧ	◯
5. Er freut sich so, dass er die Klausur bestanden hat.	◯	ⓧ
6. Sie arbeitet so schnell und möchte nicht, dass man ihr hilft.	◯	ⓧ

4 1. Ich arbeite erst seit zwei Monaten in der Firma, weshalb/weswegen ich keinen Urlaub nehmen kann. 2. Meine Kollegin ist heute krank, weshalb/weswegen ichmich auch um ihre Kunden kümmern muss. 3. Der Drucker in meiner Abteilung ist kaputt, weshalb/weswegen ich zum Drucken in den zweiten Stock gehen muss. 4. Heute Morgen hat es immer wieder Probleme mit dem Internet gegeben, weshalb/weswegen ich noch nicht fertig mit meiner Arbeit bin. 5. Mein Kollege telefoniert dauernd, weshalb/weswegen ich mich schlecht konzentrieren kann.

5

	Fragewort	Konnektor
1. Die neue Filiale ist erfolgreich, weshalb daran gedacht wird, weitere Filialen in der Region aufzubauen.	◯	ⓧ
2. Die Diskussionen darüber, weshalb die anderen Regionen weniger erfolgreich waren, werden noch andauern.	ⓧ	◯
3. Die positive Entwicklung der letzten Jahre hat sich etwas abgeschwächt, weswegen die Firmenleitung eine Überprüfung angeordnet hat.	◯	ⓧ
4. Man möchte wissen, weswegen die Zahlen trotz guter gesamtwirtschaftlicher Entwicklung eingebrochen sind.	ⓧ	◯

6 1. Sehr viele Menschen essen dermaßen viel Zucker, dass sie ihrer Gesundheit schaden. 2. In vielen Fertigprodukten sind große Mengen von Zucker versteckt, sodass wir oft nicht merken, wenn wir Zucker zu uns nehmen. 3. Der süße Geschmack ist den Menschen angeboren, weshalb die meisten Menschen süße Nahrungsmittel mögen. 4. Viele Menschen sind abhängig von süßen Nahrungsmitteln, sodass s mehr Zucker essen, als für ihre Gesundheit gut ist. 5. Der Zucker geht schnell ins Blut, sodass wir gerne einen Schokoriegel essen oder ein süßes Getränk trinken, wenn wir erschöpft sind. 6. Aber Zucker ist nicht nur schädlich, er enthält auch nützliche Stoffe, weshalb er für die Konservierung von Lebensmitteln oder sogar zur Wundheilung eingesetzt werden kann.

7 1. Sie hat zu große Schmerzen, als dass sie noch weiterlaufen könnte. 2. Er fährt zu schnell, als dass

er noch bremsen könnte. 3. Er ist zu nett, als dass ich ihm einen Wunsch abschlagen könnte. 4. Wir haben selbst zu viel zu tun, als dass wir euch helfen könnten. 5. Das Wetter ist zu schlecht, als dass wir schwimmen gehen könnten.

65 Konditionale und adversative Nebensätze

1 1. Wenn man eine neue Sprache lernen möchte, braucht man ein gutes Buch und Unterricht. 2. Falls man genug Zeit zum Üben hat, kommt man schnell voran. 3. Auch wenn man manchmal denkt, dass es sehr anstrengend ist, lohnt es sich weiter durchzuhalten. 4. Falls man Muttersprachler kennt, sollte man versuchen, viel mit ihnen zu sprechen. 5. Selbst wenn man nicht jedes Wort versteht, kann man ein interessantes Gespräch führen.

2 1. Außer wenn es regnet und stürmt, gehe ich jeden Tag spazieren. 2. Nur wenn es richtig heiß ist, gehe ich ins Schwimmbad. 3. Auch wenn das Wetter an der Nordsee nicht immer schön ist, fahre ich gerne an die Nordsee. 4. Nur wenn das Wetter stabil ist, sollte man eine Bergtour in den Alpen machen.

3

	adversativ	temporal	nicht eindeutig
1. Während es heute regnet, geht man davon aus, dass das Wetter morgen besser wird.	⊗	○	○
2. Während es heute geschneit hat, habe ich am Fenster gesessen und vom Skiurlaub geträumt.	○	⊗	○
3. Während sie sich auf die Prüfung vorbereitete, musste sie mehrmals pro Woche im Café als Kellnerin jobben.	○	⊗	○
4. Während sie Angst vor jeder Prüfung hatte und Tag und Nacht lernte, ging er auch weiter seinen Hobbys nach.			
5. Während ich jogge, spielt meine Freundin Basketball.	○	○	⊗
6. Während ich gut kochen kann, macht meine Freundin nur Fertiggerichte.	○	○	⊗

4a 1. Wenn man kein Sicherheitsprogramm auf dem Computer hat, kann der Computer leicht von Schadsoftware angegriffen werden. 2. Falls man seine Passwörter nicht gut schützt, können Kriminelle persönliche Daten ausspähen. 3. Gesetzt den Fall, dass man einen Computervirus auf dem Computer hat, muss man ein Antivirenprogramm einsetzen. 4. Selbst wenn man ein Antivirenprogramm auf dem Computer installiert hat, hat man keine hundertprozentige Sicherheit. 5. Sofern man keine unbekannten Dateien und Programme auf den Computer lädt, ist die Gefahr, dass der Computer von Schadsoftware befallen wird, geringer.

4b 1. Sollte man kein Sicherheitsprogramm auf dem Computer haben / Hat man kein Sicherheitsprogramm auf demComputer installiert, (dann) kann der Computer leicht von Schadsoftware angegriffen werden. 2. Sollte man seine Passwörter nicht gut schützen / Schützt man seine Passwörter nicht gut, (dann) können Kriminelle persönliche Daten ausspähen. 3. Sollte man einen Computervirus auf dem Computer haben / Hat man einen Computervirus auf dem Computer, (dann) muss man ein Antivirenprogramm einsetzen. 4. Sollte man ein Antivirenprogramm auf dem Computer installiert haben / Hat man ein Antivirusprogramm auf dem Computer installiert, (dann)hat man (auch) keine hundertprozentige Sicherheit. 5. Sollte man keine unbekannten Dateien und Programme auf den Computer laden / Lädt man keine unbekannten Dateien und Programm auf den Computer, (dann) ist die Gefahr, dass der Computer von Schadsoftware befallen wird, geringer.

5 2. Während 1996 ca. 2 Prozent der Menschheit online waren, waren es 20 Jahre später schon fast 50 Prozent. 1996 waren ca. 2 Prozent der Menschheit online, während es 20 Jahre später schon fast 50 Prozent waren. 1996 waren ca. 2 Prozent der Menschheit online, wohingegen es 20 Jahre später schon fast 50 Prozent waren. 3. Während die Deutschen gerne Kleidung oder Elektrogeräte im Internet kaufen, kaufen sie Möbel nicht gerne online. Die Deutschen kaufen gerne Kleidung oder Elektrogeräte im Internet, während sie Möbel nicht gerne online kaufen. Die Deutschen kaufen gerne Kleidung oder Elektrogeräte im Internet, wohingegen sie Möbel nicht gerne online kaufen.

66 Modale Nebensätze (Methode)

1 2. Starten Sie das Gerät, indem Sie gleichzeitig auf den Startknopf und den Hebel drücken. 3. Reinigen Sie das Gerät, indem Sie die Abdeckung öffnen und die Glasplatte mit einem weichen Tuch abwischen. 4. Laden Sie die Software herunter, indem Sie auf den grünen Button klicken. 5. Starten Sie das Programm, indem Sie den Sicherheitscode eingeben und auf Start klicken.

2 2. Man kann Wörter besser behalten, *dadurch dass* man sie laut spricht. Man kann *dadurch* besser Wörter behalten, *dass* man sie laut spricht. 3. Viele lernen auch besonders gut, *dadurch dass* sie die neuen Wörter auf Karteikarten schreiben und sie immer zum Lernen bei sich tragen. Viele lernen auch *dadurch* besonders gut, *dass* sie die neuen Wörter auf Karteikarten schreiben und sie immer zum Lernen bei sich tragen. 4. Man übt sprechen, *dadurch dass* man viel mit anderen spricht. Man übt *dadurch* sprechen, *dass* man viel mit anderen spricht. 5. Man kann auch sprechen üben, *dadurch dass* man mit sich selber spricht. Man kn auch *dadurch* sprechen üben, *dass* man mit sich selber spricht. 6. Man kann seine Sprachkenntnisse verbessern, *dadurch dass* man viel in der Fremdsprache liest. Man kann *dadurch* seine Sprachkenntnisse verbessern, *dass* man viel in der Fremdsprache liest. 7. Eine gute Aussprache kann man auch erwerben, *dadurch dass* man Muttersprachlern zuhört. Eine gute Aussprache kann man auch *dadurch* erwerben, *dass* man Muttersprachlern zuhört. 8. Wie bei allen Dingen kann man zum Erfolg kommen, *dadurch dass* man hartnäckig an der Sache dranbleibt. Wie bei allen Dingen kann man *dadurch* zum Erfolg kommen, *dass* man hartnäckig an der Sache dranbleibt.

3 1. dadurch dass/indem jeder von uns weniger Auto fährt. 2. dadurch dass/indem wir moderne, energiesparende Geräte benutzen. 3. dadurch dass/indem man Geräte nicht auf Standby stehen lässt. 4. dadurch dass/indem man Solarenergie nutzt 5. dadurch dass/indem sie energiesparende Technologien entwickeln. 6. dadurch dass/indem wir uns alle politisch dafür engagieren.

4 1. Er hat nach dem Studium mehrere Praktika gemacht, wodurch er erste Berufserfahrungen gewonnen hat. 2. Sie hat zusätzlich eine Fremdsprache gelernt, wodurch ihre Chancen sich auf dem Arbeitsmarkt verbessert haben. 3. Sie hat einige Jahre in einer Zeitarbeitsfirma gearbeitet, wodurch sie viele unterschiedliche Firmen kennengelernt hat. 4. Er hat an einem Kurs für Bewerbungstraining teilgenommen, wodurch sein Auftreten selbstbewusster und souveräner geworden ist.

5

	modal	kausal
1. Dadurch, dass man viel Obst und Gemüse isst, bleibt man gesund.	ⓧ	◯
2. Ich bereite mich dadurch auf den Skiurlaub vor, dass ich regelmäßig ins Fitnessstudio gehe.	ⓧ	◯
3. Dadurch, dass die Kurse häufig ausgefallen sind, musste ich oft alleine trainieren.	◯	ⓧ
4. Ich beuge dadurch Rückenschmerzen vor, dass ich durch Krafttraining meine Muskeln aufbaue.	ⓧ	◯
5. Sie trainiert viel, wodurch sie ihre Muskeln aufbaut.	ⓧ	◯
6. Ein Gerät war leider kaputt, wodurch sie sich verletzt hat.	◯	ⓧ

1. Indem man viel Obst und Gemüse isst, bleibt man gesund. 2. Ich bereite mich auf den Skiurlaub vor, indem ich regelmäßig ins Fitnessstudio gehe. 4. Ich beuge Rückenschmerzen vor, indem ich durch Krafttraining meine Muskeln aufbaue. 5. Sie baut ihre Muskeln auf, indem sie viel trainiert.

67 Infinitiv mit und ohne *zu*

1 1. Es ist schön, Klavier zu spielen. 2. Ich möchte unbedingt Klavier spielen. 3. Ich habe Lust, Klavier zu spielen. 4. Ich freue mich darauf, Klavier zu spielen. 5. Ich lerne jetzt Klavier (zu) spielen. 6. Ich lasse mein Kind Klavier spielen. 7. Ich finde es gut, Klavier zu spielen. 8. Ich fange an, Klavier zu spielen. 9. Ich höre mein Kind Klavier spielen. 10. Ich gehe jetzt Klavier spielen. 11. Ich muss jede Tag Klavier spielen. 12. Ich liebe es, Klavier zu spielen.

2 1. tanzen sehen 2. tanzen zu können 3. Klavier spielen hören 4. zu bewegen 5. ruhig stehen 6. auch tanzen 7. Wochenende tanzen 8. tanzen können 9. zu erreichen

3 2. Ich habe den Film gesehen. Ich habe Charlie Chaplin lachen sehen. 3. Wir sind ins Kino

gegangen. Wir sind essen gegangen. 4. Ich bin zu Hause geblieben. Ich bin auf dem Sofa sitzen geblieben. 5. Ich habe dich in Ruhe gelassen. Ich habe dich schlafen lassen. 6. Ich habe Englisch gekonnt. Ich habe den Text übersetzen können.

4 Jeden Abend habe ich gemütlich ferngesehen und spät habe ich dann meine Nachbarn nach Hause kommen sehen. Ich habe immer schon ihr Auto um die Ecke fahren hören und habe dann nicht mehr ruhig sitzen bleiben können, denn dann haben sie in der Wohnung über mir erst mal Wasser in die Badewanne laufen lassen. Ich habe sie durch die Wohnung rennen (hören) und laut sprechen hören. Meinen Fernseher habe ich dann nicht mehr gehört. Und natürlich habe ich bei dem Lärm nicht einschlafen können. Ich habe es erst gar nicht versuchen wollen. Ich habe gewusst: Ich habe bei ihnen klingeln und mich beschweren sollen. Aber ich habe das lieber bleiben lassen. Ich habe sie gar nicht sehen wollen.

5 2. zu bezahlen 3. angesteckt zu werden 4. gefunden zu haben 5. geworden zu sein 6. zu singen 7. ausgewählt und eingeladen zu haben 8. zu geben 9. ausgelacht zu werden 10. zu verlieren 11. worden zu sein 12. gesungen zu haben

68 Nebensatz mit *dass* und Infinitiv mit *zu*

1 1. Ich finde es gut, einen Nervenkitzel zu spüren. 2. Es macht mir Spaß, eine Gänsehaut am Körper zu haben. 3. Es ist nur schade, dass meine Frau dauernd Angst um mich hat. 4. Ich freue mich schon darauf, im Schwimmbad vom Zehnmeterbrett zu springen. 5. Es ist super, dass andere viel ängstlicher als ich sind. 6. Es gefällt mir, keine Angst zu haben. 7. Ich habe nur Angst, dass meine Frau mich verlässt.

2 1.Es ist ein schönes Gefühl, gebraucht zu werden. 4. Ich hoffe sehr, noch pünktlich zu kommen. 5. Ich bin froh, das gemacht zu haben.

3 2. Ich bin gerade dabei, Geschenke einzupacken. 3. Im Stadtparlament ist man gerade dabei, das zu diskutieren. 4. Ich bin gerade dabei, sie zuzubereiten. 5. Ich war gerade dabei, die Pakete einzupacken, als du mich gestört hast. 6. Ich bin seit 15.00 Uhr dabei, Plätzchen zu backen. 7. Ich war gerade dabei, den Weihnachtsbaum aufzustellen.

4

	zu	um ... zu
Ich arbeite, ...	◯	⊗
Ich versuche, ...	⊗	◯
Wir hoffen, ...	⊗	◯
Sie mussten ihr Haus verkaufen, ...	◯	⊗
Wir sind ausgewandert, ...	◯	⊗
Viele Leute haben Angst, ...	⊗	◯
Wir brauchen einen Kredit, ...	◯	⊗

	zu	um ... zu
Es ist immer gut, ...	⊗	◯
Er lernt Deutsch, ...	◯	⊗
Sie hatte das Gefühl, ...	⊗	◯
Findest du es richtig, ...?	⊗	◯
Er hat die Hoffnung, ...	⊗	◯
Ich schreibe meinen Lebenslauf, ...	◯	⊗
Manchmal ist es unmöglich, ...	⊗	◯

5 1. Man hat viele Leute befragt, um zu wissen, was Armut bedeutet. 2. Viele Leute haben nicht die Möglichkeit, sich aus der Armut zu befreien. 3. Es ist schwierig, Armut zu definieren. 4. Manche Familien sind zu arm, um ihren Kindern gute Bildungschancen zu geben. 5. Kinder aus wohlhabenden Familien haben gute Chancen, eine gute Ausbildung zu bekommen. 6. Die UN hat deshalb beschlossen, einen Weltkindertag zu gründen. 7. Es gibt Veranstaltungen, um auf die Lage der Kinder aufmerksam zu machen. 8. Wir müssen beginnen, die Armut zu bekämpfen.

6 1. Er gestand ihr, sich in sie verliebt zu haben. 2. Er erinnerte sie daran, ihn täglich anzurufen. 3. Er teilte ihr mit, sie auf ewig zu lieben. 4. Er bat sie, immer bei ihm zu bleiben. 5. Er flehte sie an, ihn nicht zu verlassen. 6. Sie entschied kurze Zeit später, ihn zu verlassen. 7. Er rief ihr zu, ihn trotzdem täglich anzurufen. 8. Er informierte sie drei Jahre später, sie nicht vergessen zu haben.

69 Finale und modale Infinitiv- und Nebensätze

1 1. Arbeiten Sie, um zu leben? Oder... 2. ... leben sie, um zu arbeiten? 3. Natürlich muss man arbeiten, um Geld zu verdienen. 4. Aber die meisten suchen einen Job, damit ihre Eltern glücklich sind. 5. Dann arbeiten sie weiter, damit der Chef zufrieden ist. 6. Dann arbeiten sie mehr, damit sich ihre Familie alles kaufen kann. 7. Später gehen sie dann gerne morgens aus dem Haus, um mal Zeit außerhalb

der Familie zu haben. 8. Manche arbeiten auch, um Spaß zu haben und um sich bei ihrer Arbeit zu verwirklichen. 9. Andere arbeiten weniger, um Freizeit zu haben.

2 1. Nach der Arbeit kocht er das Essen, anstatt sich aufs Sofa zu setzen und erst mal ein Bier zu trinken. 2. Im Kino sieht er Dokumentarfilme mit seiner Frau an, anstatt darauf zu bestehen, Action- oder Science-Fiction-Filme zu sehen. 3. Am Morgen kocht er als Erster Kaffee und macht Frühstück, anstatt dass seine Frau aufsteht. 4. Am Samstag begleitet er seine Frau beim Einkaufen, anstatt die Sportschau im Fernsehen zu sehen. 5. Am Abend bringt er die Kinder ins Bett und liest ihnen vor, anstatt dass seine Frau das macht. 6. Danach macht er leise Ordnung in den Kinderzimmern, anstatt dass seine Kinder aufräumen. 7. Wenn es verschiedene Wünsche oder Meinungsverschiedenheiten gibt, gibt er nach, anstatt darüber zu diskutieren.

3 1. Er geht nie ins Bett, ohne die Tür dreimal abzuschließen. 2. Er geht nie aus dem Haus, ohne zu kontrollieren, ob er wirklich abgeschlossen hat. 3. Er fährt nie Auto, ohne nachzusehen, ob alle Räder dran sind. 4. Er fliegt nie mit dem Flugzeug, ohne dass der Pilot ihm seine Lizenz zeigen muss. 5. Er lacht nie, ohne sich vorher die Zähne zu putzen. 6. Er trifft keine Frau, ohne vorher Informationen über sie eingeholt zu haben / einzuholen. 7. Er führt kein Gespräch, ohne dass der Gesprächspartner sich über ihn wundert.

4 1. Mein Mann sieht Sport im Fernsehen, anstatt Sport zu treiben. 2. Ich treibe Sport, um fit zu bleiben. 3. Ich mache jeden Tag Fitnesstraining, anstatt ein Fitnessstudio zu besuchen. 4. Ich jogge seit 60 Minuten, ohne eine Pause zu machen. 5. Morgens gehe ich schwimmen, anstatt im Park zu joggen. 6. Ich melde mein Kind im Sportverein an, damit es Sport treibt. 7. Ich kaufe meinem Mann ein Fahrrad, damit er nicht jeden Tag mit dem Auto fährt. 8. Das neue Fahrrad steht im Keller, ohne dass mein Mann es benutzt. 9. Ich würde gern mal wieder mit meinem Mann tanzen, um Spaß zu haben.

70 Relativpronomen im Nominativ, Akkusativ und Dativ

1 **Nominativ**: 1. der 2. die 3. die 4. das **Akkusativ**: 1. den 2. die 3. das 4. die **Dativ**: 1. dem 2. dem 3. der 4. denen **mit Präposition**: 1. zu der 2. mit denen 3. über die 4. für das

2 1. die, von der, die, die 2. das, das, auf dem, das 3. der, auf den, dem, für den 4. die, über die, die, denen

3 1. Die Ministerin hat auf einer Veranstaltung, zu der mehr als tausend Bürgerinnen und Bürger gekommen sind, das neue Gesetz vorgestellt. 2. Die Bürgerinnen und Bürger, denen man vollständige Informationen versprochen hatte, waren verärgert. 3. Nach dem neuen Gesetz müssen die Lebensmittel, die Zucker enthalten, gekennzeichnet werden. 4. Über das neue Gesetz, gegen das es viele Demonstrationen gab, ist heute im Parlament diskutiert worden.

4 2. Der Kollege, der dafür zuständig ist, kommt erst morgen wieder. 3. Der Laptop, mit dem ich geschrieben habe, ist abgestürzt. 4. Kannst du bitte auf diese Anfrage antworten, die ich dir weitergeleitet habe? 5. Das Handy, mit dem ich gerade telefonieren wollte, habe ich gestern neu gekauft.

71 Relativpronomen im Genitiv

1 1. dessen, dessen, dessen, dessen 2. deren, deren, deren, deren 3. dessen, dessen, dessen, dessen 4. deren, deren, deren, deren

2 1. deren Software 2. mit deren jungen Ingenieuren 3. dessen Funktionweise 4. dessen Qualität 5. von dessen besonderen Eigenschaften

3 1. Ich suche eine Lampe, *deren* Design mir gefällt. 2. Ich mag Möbel, *deren* Design etwas Besonderes ist. 3. Gestern war ich bei einem Freund, *dessen* Wohnung originell eingerichtet ist. 4. Mein Freund, *dessen* Geschmack sehr sicher ist, will mir helfen, eine schöne Lampe zu finden. 5. Er kennt auch ein Lampengeschäft, *dessen* Angebot exklusiv ist.

4 1. Maria, mit deren Bruder ich nach Italien in Urlaub gefahren bin, kommt heute auch mit in die Mensa. 2. Ich gehe heute zu Professor Steiner, von dessen Vorlesungen alle so begeistert sind. 3. Die meisten Studierenden, deren Wohnheim 5 Kilometer außerhalb liegt, ärgern sich darüber, dass der Bus so selten fährt. 4. Hast du schon die Note für das Referat, von dessen Inhalt ich nächtelang geträumt habe, gesehen? / Hast du schon die Note für das Referat gesehen, von dessen Inhalt

ich nächtelang geträumt habe? 5. Ich bin meiner Freundin, ohne deren Hilfe ich keine so gute Note für mein Referat bekommen hätte, dankbar. 6. Alle wollen in das Tutorium bei Max Schönherr, von dessen Aussehen alle / sie begeistert sind, gehen. / Alle wollen in das Tutorium bei Max Schönherr gehen, von dessen Aussehen alle begeistert sind.

5 1. innerhalb derer / deren 2. innerhalb dessen 3. anlässlich dessen 4. aufgrund derer / deren

6 1. Es war eine sehr merkwürdige Tat, deren / derer man ihn bezichtigte. 2. Der Diebstahl, dessen man ihn verächtigte, ging auf ein Missverständnis zurück. 3. Die Offenheit, deren / derer es in guten Teams bedarf, war leider nicht gegeben. 4. Der Betrug, dessen man ihn anklagte, beruhte auf einem Rechenfehler.

72 Relativsätze mit *w-* und *als*

1 1. wohin 2. als 3. woher 4. als 5. wo

2 2. Ich habe ein Geschenk bekommen, worüber ich mich sehr gefreut habe. 3. Ich habe einen alten Freund getroffen, was ich sehr schön fand. 4. Ich habe einen alten Freund getroffen, den ich sehr nett finde. 5. Zum Essen gab es Nudeln, die ich gerne mag. 6. Als Vorspeise gab es Obst, was ich ein bisschen komisch fand. 7. Zum Essen gab es etwas, was ich ein bisschen komisch fand.

3 1. was 2. der 3. das 4. was 5. worauf 6. was 7. das

4 1. worüber / worauf 2. was 3. was 4. worüber 5. worauf 6. was 7. womit

5 2. Wen, (den) 3. Wer, (der) 4. Wem, dem 5. Wem, der 6. Wen, (den)

6 2. Wer viele Ideen hat und sie auch umsetzt, den kann man eigeninitiativ nennen. 3. Mit wem ich schon lange zusammenarbeite, den kenne ich ziemlich gut. 4. Zu wem ich Vertrauen habe, mit dem arbeite ich gerne zusammen. 5. Wer viele unterschiedliche Herausforderungen zu meistern hat, dessen Belastbarkeit muss groß sein. 6. Was nicht einfach ist, (das) stellt eine Herausforderung dar. 7. Wessen Soft Skills gut sind, dessen Ansehen im Unternehmen ist hoch.

Partnerseite 9

Die Nachbarin ist die Diebin. Sie hat die Fotos gestohlen, weil der Nachbar, mit dem sie ein Verhältnis hatte, sie damit erpressen wollte.

73 Doppelkonnektoren

1 1. nicht nur ... sondern auch / sowohl ... als auch 2. sowohl ... als auch / nicht nur ... sondern auch 3. weder ... noch 4. Je ... desto / umso 5. Entweder ... oder 6. Einerseits ... andererseits 7. zwar ... aber 8. teils ... teils / nicht nur ..., sondern auch / einerseits ... andererseits

2 2. Je mehr Sport man treibt, desto fitter ist man. 3. Je mehr Geld man verdient, desto mehr Geld gibt man aus. 4. Je mehr Kinder man hat, desto mehr Arbeit und (desto mehr) Spaß hat man. 5. Je weniger man schläft, desto müder ist man. 6. Je älter man ist, desto lieber ist man allein. 7. Je schneller man arbeitet, desto schneller ist man fertig. 8. Je besser man kochen kann, desto leckerer ist das Essen.

3 1. In der Nähe gibt es weder ein gutes Restaurant noch eine gemütliche Kneipe. 2. Die Fahrt zum Restaurant ist zwar ziemlich weit, aber es lohnt sich. 3. Als Vorspeise gibt es sowohl kalte als auch warme Speisen. 4. Die Gerichte sind teils mit Knoblauch, teils mit frischen Kräutern gewürzt. 5. Der Wein hat nicht nur einen exzellenten Geschmack, sondern auch genau die richtige Temperatur. 6. Im Restaurant können Sie entweder bar oder mit Kreditkarte bezahlen. 7. Je öfter ich in dieses Restaurant gehe, desto / umso begeisterter bin ich. 8. Einerseits würde ich gerne jeden Tag in dem Restaurant essen, andererseits ist zu Hause essen auch gemütlich. / es auch gemütlich, zu Hause zu essen.

4 1. ein desto höheres Gehalt bekommt man. 2. eine desto höhere Position hat man. 3. ein desto schlechteres Betriebsklima herrscht in der Firma. 4. eine desto größere Ermüdung der Anwesenden zeigt sich. 5. ein desto größerer Unwille aufseiten der Betroffenen ist zu bemerken.

5 1. Die Show war nicht nur in der Presse beworben worden, sondern man hatte in der Umgebung

auch viele Plakate aufgehängt. 2. Die Veranstaltung war nicht nur für die Einheimischen attraktiv, sondern es kamen auch viele Touristen. 3. Es gab nicht nur sehr gute Musik, sondern man konnte auch spektakuläre Tanzdarbietungen sehen. 4. Nicht nur die Bühne war sehr groß, sondern die Lichtanlage war auch hervorragend./..., sondern auch die Lichtanlage war hervorragend. 5. Die Presse war nicht nur begeistert, sondern empfahl auch eine Verlängerung der Show. 6. Obwohl der Eintritt nicht nur teuer war, sondern auch gleichzeitig ein wichtiges Fußballspiel stattfand, / ...sondern gleichzeitig auch ein wichtiges Fußballspiel stattfand, war die Veranstaltung sehr gut besucht.

74 Negationswörter

1 Ich habe nichts! Mein Leben ist ohne Freude! Ich habe kein Geld und keine Freunde. Und ich bin unbeliebt / nicht beliebt, keiner mag mich. Ich kann nirgendwohin fahren. Ich war noch nie in fremden Ländern und ich kann nie mehr / niemals mehr wegfahren. Ich habe einfach nie / niemals Glück! Meine Situation ist absolut inakzeptabel.

2 1. er kommt nicht mehr/ dass er nicht mehr kommt. 2. ich war noch nie in diesem Club. 3. ich trinke nie 4. ich habe noch nie Salsa getanzt. 5. ich habe keine Lust mehr (zu bleiben). 6. ich habe noch keinen Führerschein. / ich habe ihn noch nicht 7. (mache ich ihn) nicht mehr . 8. ich hatte noch nie einen / noch keinen 9. kein Geld mehr

3 1. nicht / nichts 2. nicht 3. nicht 4. keine 5. nicht 6. kein 7. nicht 8. nicht 9. nichts / nicht 10. keine 11. nicht 12. nichts 13. nichts

4 1. ohne 2. nichts 3. kein 4. keine 5. nie 6. in- 7. Niemand 8. un- 9. keine 10. keine 11. noch nie 12. nirgendwo 13. nicht mehr 14. kein

75 Irgend...

1 1. irgendjemand / irgendwer 2. Irgendwann 3. irgendetwas 4. irgendwann 5. irgendetwas 6. irgendwo 7. irgendwer / irgendjemand 8. irgendwann 9. irgendetwas

2 1 irgendeinem, irgendeiner 2. irgendwelche, irgendwelche 3. irgendein, irgendeine, irgendeine, irgendeines, irgendeinen, irgendeinem

3 1. Können wir das Problem heute irgendwie lösen? 2. Er kommt irgendwann zu mir ins Büro. 3. Ich mache spontan zwei Wochen einfach irgendwo Urlaub. 4. Hast du für die Nachbarn irgendetwas im Garten gegrillt? / Hast du irgendetwas für die Nachbarn im Garten gegrillt? 5. Die Katze hat das Fleisch heute Morgen irgendwo gestohlen. 6. Du musst dich unbedingt irgendwann bei deiner Lehrerin entschuldigen. / Du musst dich irgendwann unbedingt bei deiner Lehrerin entschuldigen. 7. Ich habe mich schon den ganzen Tag irgendwie komisch gefühlt.

4 2. Sie ist heute Nacht irgendwann nach Hause gekommen. / Sie ist irgendwann heute Nacht nach Hause gekommen. 3. Er hat irgendwelche Probleme. 4. Sie kommt nicht allein zur Party, sie bringt irgendjemand(en) mit. 5. Als er kam, hat er irgendwie komisch reagiert. 6. Er hat irgendetwas gesagt. 7. Ich fühle mich irgendwie schlecht. 8. Sie hat sich irgendein Motorrad gekauft. 9. Sie ist irgendwohin gegangen. 10. Das Baby hat irgendwo Schmerzen. 11. Ich möchte irgendwo anders sein. / Ich möchte an irgendeinem anderen Ort sein.

5 Auf unserem nächsten Betriebsausflug wollen wir *irgedwohin* fahren. Es ist nicht leicht, *irgendein* Ziel zu finden, das allen gefällt. Es gibt immer *irgendeinen/irgendjemand(en)*, der nicht zufrieden ist. Jetzt haben wir eine Liste mit *irgendwelchen* Orten zusammengestellt, über die wir abstimmen. Hoffentlich finden wir *irgendetwas*. Ich möchte gerne *irgendwo* gut essen auf dem Ausflug.

76 Position und Direktion

1 2. rauf und runter / nach oben und nach unten 3. runter / nach unten 4. rüber / nach drüben 5. rauf / nach oben 6. rauf / nach oben 7. raus / nach draußen 8. rein / nach drinnen

2 1. da / dort, dahin / dorthin 2. hierher 3. dahin / dorthin 4. dahin / dorthin 5. da / dort 6. überallhin, nirgendwo 7. überall, nirgendwo

3 1. *Setzt* du das Baby bitte *in den* Kinderstuhl? Es möchte immer neben *der* Oma *sitzen*. 2. Mein Fahrrad *steht im* Keller. Du kannst deins *in den*

Garten oder *an die* Mauer *stellen*. 3. Er *stellt* die Blumen *ins* Wasser. Die Vase *steht* schon *auf dem* Tisch. 4. Kannst du bitte das Baby *ins* Bett *legen*? 5. Kommst du mit *ins* Schwimmbad? Ich möchte mich ein bisschen *in die* Sonne *legen*. 6. Der Vater *setzt sich* heute *auf das* Sofa. Sonst *sitzt* er immer *im* Sessel. 7. Wir haben das Bild jetzt *ins* Esszimmer *gehängt*. Früher *hing* es *im* Wohnzimmer. 8. Kannst du bitte die Bücher *auf den* Stuhl *legen*? *Auf dem* Tisch *liegt* schon so viel Papier.

4 1. gehangen 2. gestellt 3. gesessen 4. gelegen 5. gesetzt 6. gehängt 7. gelegt 8. gestanden

77 Es

1 Heute geht **es** mir gut, denn die Sonne scheint und **es** regnet nicht. Mir gefällt **es** sehr, wenn das Wetter gut ist, vor allem wenn **es** warm ist. Leider gibt **es** nicht so oft schönes Wetter in Deutschland. Manchmal denke ich, **es** wäre gut, auszuwandern. Aber **es** ist auch nicht so leicht, die Heimat zu verlassen und in einem anderen Land neu anzufangen. Und **es** hängt ja nicht nur vom Wetter ab, wie man sich fühlt.

2 2. Bei dem vorliegenden Buch handelt es sich um einen modernen Roman. 3. Für ein gutes Arbeitsklima kommt es auf die Beziehungen zu Kollegen und Kolleginnen und Chef oder Chefin an. 4. Heute geht es mir nicht so gut wie gestern. 5. Er hat es leider jeden Morgen eilig. 6. Beim Einkaufen lohnt es sich, auf die Preise zu achten. 7. Unsere Stimmung hängt vom Wetter ab. 8. Es ist im Winter in Deutschland nicht immer möglich, in den Bergen Ski zu fahren.

3 1. Vorgestern wurde ihm gekündigt. 2. Dass ihm gekündigt wurde, ärgert ihn. 3. Das Geld fehlt. 4. Jetzt ist es wichtig zu sparen. 6. Viele Tage mit viel Freizeit folgen. 7. So lange zu arbeiten, machte ihn immer müde. 8. In der Region gibt es nicht viele Stellen. 9. Auf die Kollegen kommt es an, ob er sich bei der Arbeit wohlfühlen wird. 10. Natürlich ist es gut, eine Arbeit zu haben. 11. Ein gutes Gehalt zu haben, ist vielleicht gut. 12. Keine große Rolle spielt (es), wie viel man verdient. 13. Über Arbeit und Geld wird viel zu viel geredet.

4 1. 2, 2. 2, 3. 3, 4. 1 (es = das Gewitter), 5. 4, 6. 3, 7. 3 8. 1 (es = das Auto), 9. 2, 10. 1 (es = das Wasser)

5 **Es** ist wichtig, genügend Vitamin D zu haben, denn **es** schützt unseren Körper vor vielen Krankheiten. Vitamin D ist eigentlich kein Vitamin, **es** ist ein Prohormon. Unser Körper erzeugt **es** (=Vitamin D) mithilfe des Sonnenlichts zunächst als Provitamin D. **Es** ist gut, dass das Provitamin D lichtempfindlich ist, denn wenn wir länger in der Sonne bleiben, wird **es** (=Vitamin D) wieder abgebaut. Deshalb ist **es** unmöglich, eine Vitamin-D-Vergiftung zu bekommen. **Es** kommt also nicht darauf an, besonders lange in der Sonne zu bleiben, sondern regelmäßig kurze Sonnenbäder zu nehmen. Ich tue **es** möglichst täglich.

78 Funktionsverbgefüge 1

1 2. Bitte nehmen Sie Platz. 3. Die Lehrer geben jede Woche mehr als 20 Stunden Unterricht. 4. Sollen wir für nächste Woche eine Verabredung treffen? 5. Ich habe bei der Behörde gefragt. Aber sie haben noch keine Antwort gegeben. 6. Ich möchte (für das nächste Wochenende) einen Vorschlag (für das nächste Wochenende) machen. 7. Das Wetter spielt bei unseren Plänen natürlich auch eine Rolle.

2 1. Wir müssen in dieser Angelegenheit bald eine Entscheidung treffen. 2. Wir müssen unbedingt das Thema Arbeitszeit zur Sprache bringen. 3. Die Arbeitnehmer wollen in Streik treten. 4. Arbeitnehmer und Arbeitgeber wollen am nächsten Wochenende weitere Verhandlungen führen. 5. Die Arbeitgeber müssen dazu Stellung nehmen. 6. Beide Seiten müssen einen Beitrag zu einem Ergebnis leisten.

3 2. Durch die Fehlentscheidungen des Managements kamen die Mitarbeitenden in Bedrängnis. 3. Der Betrebsrat wollte sofort mit den Verantwortlichen ein Gespräch führen. 4. Durch die kurzfristigen Entlassungen standen die Mitarbeitenden unter Druck, schnell eine neue Arbeit zu finden. 5. Jeder Einzelne muss in dieser Situation selbst die

Initiative ergreifen. 6. Alle Maßnahmen werden schon ab nächster Woche in Kraft treten.

4 2. keine / nicht Anklage erheben 3. nicht in Gang kommen 4. nicht in Kraft treten 5. kein Risiko eingehen 6. nicht die Konsequenz ziehen 7. nicht die Initiative ergreifen 8. nicht / keine Kritik üben 9. keine / nicht Rücksicht nehmen 10. nicht den Eindruck machen 11. nicht den Rat geben 12. keinen Vertrag schließen 13. nicht zu Ende gehen 14. nicht in Schwung kommen 15. nicht / keinen Einfluss nehmen

5a 1. Einfluss ... nehmen
2. einen Rat ... geben
3. einen Vertrag ... schließen
4. ein Risiko ... eingehen
5. eine Frage ... stellen
6. zu Ende ... gehen
7. einen Antrag ... stellen
8. eine Entscheidung ... treffen
9. Kritik ... üben
10. ein Gespräch ... führen
11. Rücksicht ... nehmen
12. Eindruck ... machen

5b 1. Die Kollegen hatten ihr den Rat gegeben, dieser Klasse keinen Unterricht zu geben. 2. Sie hat den Rat nicht beachtet und trotzdem einen Vertrag geschlossen. 3. Sie ist das Risiko eingegangen und hat dem Direktor eine Frage gestellt. 4. Sie haben ein ausführliches Gespräch miteinander geführt. 5. Ihr Vertrag endete früher, weil sie den Antrag gestellt hatte. 6. Sie hatte eine falsche Entscheidung getroffen und übte Kritik an sich selbst.

79 Funktionsverbgefüge 2

1 1. Viele der Teilnehmenden haben die Absicht, dem Präsidenten eine Frage zu stellen. 2. Sie üben Kritik an der Politik der letzten Jahre. 3. Sie möchten auf die Entscheidung Einfluss nehmen. 4. Sie erheben Anklage gegen die Verantwortlichen des Skandals. 5. Sie nehmen Anstoß daran, dass der Präsident sie zu spät informiert hat. 6. Sie hoffen, dass sie bei vielen Menschen Unterstützung finden. / Sie hoffen, bei vielen Menschen Unterstützung zu finden.

2 1. bringen, gekommen ist 2. bringen, kommst, ist 3. geraten war / gekommen war, gebracht hatte, gewesen war 4. geraten ist, steht, haben ... ausgeübt 5. schenken, finden 6. versetzt, gerate

3 1. steht, stellt 2. genießt, bringen ... entgegen 3. stehen, stellt 4. getreten, stehen 5. stehen, setzt

4 2. Der Redner genoss großen Respekt. 3. Den Teilnehmenden standen Fahrräder für Tagestouren zur Verfügung. 4. Durch die schwierigen Wetterverhältnisse kamen die Teilnehmenden in eine schwierige Lage. 5. Ein kleines Mädchen in der Reisegruppe war auf eine gute Idee gekommen. 6. Der Vorschlag erfuhr Zustimmung.

5 2. Ich muss diese lästige Angelegenheit jetzt endlich zum Abschluss bringen. 3. Gestern habe ich einen neuen Plan zur Ausführung gebracht. 4. Ich habe meine Nachbarn in Erstaunen versetzt.
5. Als sie wieder laut wurden, hat mein Hund ihnen eine Nachricht überbracht.

6a 1. geben 2. stehen 3. stellen 4. finden 5. wecken 6. machen 7. stoßen 8. nehmen 9. leisten 10. begehen

6b 2. Einfluss nehmen 3. unter Beweis stellen 4. den Anfang machen 5. Ersatz leisten 6. unter Strafe stellen / stehen 7. in Rechnung stellen 8. auf Probleme stoßen 9. Neugier wecken 10. Fahrerflucht begehen

7 1. versetzt 2. begangen habe 3. schloss 4. hat ... geweckt 5. versetzte 6. schloss 7. weckt

8 stellen, stellen, stehen, steht, steht, stellen

9a 1. etwas in Zweifel ... ziehen
2. zum Ausdruck ... bringen
3. in Betracht ... ziehen
4. sich eine Meinung ...bilden
5. den Beweis ... erbringen
6. im Gegensatz ... stehen
7. Anklage ... erheben
8. Beifall ... finden
9. zur Einsicht ... kommen
10. die Konsequenz ... ziehen
11. in Vergessenheit ... geraten
12. in Erfahrung ... bringen

9b 1. Die Polizei konnte den Beweis erbringen, dass Herr N. zur Tatzeit am Tatort war. 2. Der Staatsanwalt erhob Anklage gegen ihn wegen öffentlicher Ruhestörung. 3. Der Angeklagte brachte seine Sicht der Ereignisse sehr eloquent zum Ausdruck. 4. Seine Aussage fand Beifall beim Publikum. 5. Allerdings standen die Aussagen des Angeklagten im Gegensatz zu denen der drei Zeugen. 6. Der Richter zog die Angaben des Angeklagten in Zweifel. 7. Der Angeklagte gelangte / kam zu der Einsicht, dass ihm nur noch die vollständige Wahrheit helfen konnte. 8. Er hoffte, dass diese unglückliche Angelegenheit bald in Vergessenheit geraten würde.

80 Wörter mit *da-*

1 2. als ich aus dem Haus gehen wollte 3. auf dem Feldberg 4. als wir im Schwimmbad ankamen 5. als wir gerade die Straße überqueren wollten 6. auf der Party

2 1. früher 2. Damals 3. Damals 4. damaliger 5. früher, früher

3a 2. Ich sehe oft mit meinen Freunden Serien. Dabei essen wir gerne Chips. 3. Computerspiele spielen ist auch ein Sport. Dabei trainiert man die Auge-Hand-Koordination. 4. Kochen ist eine anspruchsvolle Tätigkeit. Dabei muss man sich konzentrieren. 5. Er lebt so ungesund. Er arbeitet bis in die Nacht und trinkt dabei viel Kaffee. 6. Bitte stör mich nicht. Ich schreibe gerade das Protokoll. Dabei muss ich mich konzentrieren.

3b 2. Wir sind gerade dabei, aus dem Haus zu gehen. 3. Ich bin gerade dabei, die Blumen zu gießen. 4. Sie ist gerade dabei, mit ihrer Mutter zu telefonieren. 5. Ich bin gerade dabei, das Protokoll zu schreiben. 6. Du bekommst das Dokument sofort. Ich bin gerade dabei, es abzuschicken.

4 3. Er joggt regelmäßig fünfmal pro Woche. Während er joggt, hört er klassische Musik. 4. Er joggt regelmäßig fünfmal pro Woche, obwohl er eigentlich keine Zeit dafür hat. 5. Sie spricht kaum Deutsch, obwohl sie schon zwei Jahre in Deutschland lebt. 6. Sie spricht gut Deutsch. Während sie Deutsch spricht, macht sie manchmal noch ein paar kleine Fehler.

5 3. ... mein Ziel war es, für meine Gäste alles gut vorzubereiten. 4. ... mit der Ankunft meiner Gäste kurz vor acht hatte ich nicht gerechnet. 5. ... mit einem Jobwechsel sind leider einige Probleme verbunden. 6. ... mein Ziel ist es, nicht mehr so weit zur Arbeit fahren zu müssen.

6 1. bin dafür 2. dabeihat 3. dabei sein 4. bin ... dabei 5. dableiben 6. dalassen 7. drüberschauen 8. Mach ... daraus 9. Hast ... dabei 10. dranbleibt 11. ist ... dabei

7 lokales Adverb (Ort / Richtung) 6, 11
temporales Adverb 8, 10, 16
verweist auf einen kommenden Nebensatz 1, 9
Pronomen bei Verben mit Präpositionen 14, 19, 20, 21
verweist auf den vorherigen Satz 3, 4, 5, 7, 20
konsekutiver Konnektor 12, 18
Konnektor für zwei gleichzeitige Handlungen 15
Nebensatzkonnektor 13, 17
konzessiver Konnektor 2
Präfix von einem Verb 11

81 Modalpartikeln

1 Sag mal, kommst du *heute / eigentlich*? Du wolltest mir *doch* Bescheid sagen.
Ich muss heute Abend *wohl* länger arbeiten. Ich habe *ja* auch keine Lust, aber ich kann den Kollegen *doch* nicht so sitzen lassen. / aber ich kann *doch* den Kollegen nicht so sitzen lassen. Er hilft mir *ja* auch immer. Dann muss ich *eben* alleine ins Kino gehen. Der Film läuft *doch* bis Ende der Woche. Hast du das *etwa* vergessen? Es ist *aber* auch wirklich schwierig, einen Termin zu finden. Was läuft denn nächste Woche?
Da läuft „Barbie". Aber willst du etwa in den Film gehen? Reg dich doch nicht gleich auf! Du gehst ja auch Unterhaltungsfilme.

2 1. Fahr *ja* vorsichtig! 2. Komm *bloß* nicht zu spät! 3. Sag das *bloß* nicht weiter! 4. Kauf *bloß* nicht schon wieder so viel Brot!

3 2. Ich habe doch bis gerade gearbeitet. (das weißt du auch, vorwurfsvoll) 3. Das ist aber blöd! (emotional) 4. Unsere Gäste kommen doch gleich. (vorwurfsvoll) 5. Dann müssen sie eben mithelfen. (resignierend) 6. Tina und Marco machen das doch gerne. (das wissen wir beide) 7. Na gut, aber fang du doch schon mal mit dem Salat an. (freundlicher / weniger direkt) 8. Willst du etwa jetzt noch einkaufen? (ungläubig, erstaunt) 9. Dafür haben wir aber keine Zeit mehr! (emotional) 10. Das können wir ja aufbacken. (das wissen wir beide) 11. Meine Güte, die sind vielleicht pünktlich! (überrascht, erstaunt)

4 eigentlich, aber, schon
eigentlich, ja, wohl, ja
bloß, etwa, ja mal, ja, doch, ruhig, mal

5 1. Resignation 2. Überraschung 3. starker Wunsch 4. Warnung 5. Besorgnis 6. Vermutung 7. Resignation 8. Besorgnis

6 2. (keine Modalpartikel) 3. (starkes Erstaunen) 6. (Ungläubigkeit)

82 Nominalisierung

1 2. das Vergehen der Zeit 3. das Weinen des Kindes 4. die Verspätung des Angestellten 5. der Ärger des Chefs 6. die Landung der Raumsonde 7. die Explosion der Bombe 8. der Bericht des Journalisten

2 2. Die Korrektur des Textes durch den Redakteur 3. Der Druck der Zeitung durch die Druckerei 4. Der Verkauf der Presseerzeugnisse durch den Händler 5 Das Lesen des Artikels durch den Pressesprecher 6. Das Dementi der Aussage durch den Politiker

3 2. Ihre Bewerbung um eine Stelle bei der Zeitung 3. Ihre Sorge um die Werbeeinnahmen. 4. Deine Warnung vor zu viel Medienkonsum. 5. Deine Erinnerung daran, wie es ohne Internet war. 6. Unsere Furcht davor, einsam zu sein.

4 2. Ihre mehrfachen Anrufe 3. Sein unaufhörliches Weinen 4. Unser starkes Engagement 5. Seine morgige Abfahrt 6. Unsere häufigen Irrtümer

5 1. Ihr fehlendes / mangelndes Engagement ... 2. Sein mangelndes / fehlendes Wissen ... 3. Ihre fehlende / mangelnde Überraschung ... 4. Die unzureichende Begeisterung ... 5. Seine unzureichende Bemühung / sein unzureichendes Bemühen ... 6. Das fehlende Dokument / Das Fehlen des Dokuments ...

6 2. Die Korrektur der Hausaufgaben durch die Lehrerin ... 3. Die gründliche Reinigung des Schwimmbades durch das Personal ... 4. Die Entlassung von über 50 Mitarbeitenden durch die Firma ... 5. Die Erfindung der Glühbirne durch Edison ... 6. Die Unterschätzung der Fähigkeiten von Tieren durch die Wissenschaft ...

7 2. Wegen des Widerspruchs des Politikers ... 3. Zur Berücksichtigung aller Aspekte ... 4. Seit der Wiedervereinigung Deutschlands ... 5. Vor dem weiteren Steigen / Ansteigen der Zinsen ... 6. Durch Umstellung des Satzes ...

8 2. der Wille / Wunsch des Konsumenten, alles bequem bezahlen zu können 3. das Verbot, hier zu parken 4. die Möglichkeit / Fähigkeit / Berechtigung, die Prüfung abzulegen 5. die Möglichkeit, hier im Winter Ski zu fahren 6. die Fähigkeit, drei Sprachen zu sprechen 7. die Pflicht, einander zu helfen 8. die Möglichkeit, alles im Internet zu kaufen 9. die Berechtigung / Möglichkeit, mit diesem Schulabschluss in Deutschland zu studieren

9 2. die gestrige Verspätung der Angestellten 3. die Benutzung des Konferenzraums durch die Teilnehmenden 4. bei Erscheinen der Zeitung 5. beim Fernsehen 6. der Ärger des Autofahrers 7. der Export der Möbel durch die Firma 8. die Übersetzung des Romans durch den bekannten Autor 9. die Verbesserung ihres Resultats 10. sein ausführlicher Bericht über den Unfall 11. der Kampf der Organisation gegen Analphabetismus 12. seine Fähigkeit, gut Deutsch zu sprechen 13. mein Wunsch, meine Meinung zu äußern 14. das Verbot zu rauchen / das Rauchverbot

10 2. Die Lösung des Falls durch die Polizei dauerte nur zwei Stunden. 3. Wegen der Konkurrenz einer Köchin mit ihrem Kollegen war es zwischen den beiden schon oft zum Streit gekommen. 4. Bei ihrem diesmaligen Streit war die Köchin hinausgestürmt und hatte das Abschalten des Herdes vergessen. 5. Nach Festnahme der Köchin durch die Polizei gestand sie ihre Schuld. 6. Der Bürgermeister der Stadt äußerte seine Betroffeheit über den Vorfall.

11 Es geht hier um den *Erfolg und Absturz eines Kunstberaters*. Als er eine Feier im MoMa in NY veranstaltete, freute sich der Kunstberater über *das Kommen von* Madonna und Yoko Ono. Heute sitzt er in Haft.
H.A. wurde 1952 in Deutschland geboren und studierte vor dem Aufbau eines Firmenimperiums Sozialpädagogik. Er verdiente *durch die Ausstattung* großer Unternehmen in Deutschland und angrenzenden Ländern mit Kunst Millionen. Um zu verstehen, wie der Kunstberater aufstieg, kann *die Lektüre* eines seiner zwei autobiografischen Bücher empfohlen werden. Der Autor ist unter anderem stolz *auf den Import des* Berufs des Kunstberaters aus den USA nach Deutschland. Viele Kunstschaffende meinen allerdings, dass sich *durch das Aufkommen von Kunstberatern, die Art des Kunsthandels* verändert hat. Vorher kauften normalerweise nur *Kunstinteressierte* Gemälde und Skulpturen. Nun seien Sammler und Sammlerinnen vor allem an der *Anlage von Geld / Geldanlage* interessiert. *Der Erfolg von H.A.* basiert wohl vor allem *auf seiner Fähigkeit*, schnell Interesse und Begeisterung zu wecken. Der Prozess gegen H.A. begann Ende 2014, *nach 6 Monaten in Untersuchungshaft / nach einem sechsmonatigen Aufenthalt in Untersuchungshaft*. Ihm wird *der Betrug* mehrerer Firmen um etliche Millionen Euro vorgeworfen. Es ist der größte Skandal in der Kunstszene, *seit der Fälschung* von Kunstwerken durch W. Betracchi.

83 Links- und Rechtsattribute

1 2. Auf der internationalen alljährlich stattfindenden Tourismusbörse unter dem Funkturm in Berlin 3. der wachsenden Bedeutung der Tourismusbranche für das Land 4. engagierten 5500 Ausstellern, die bei der ITB für ihre Reiseziele werben 5. Angehende Tourismusmanager der Universität Mannheim – zahlreichen Kriterien wie Standbau, Informationsgehalt, Servicequalität, Freundlichkeit und besondere Effekte

2 2. die hohe Arbeitsmoral, die manche Leute haben 3. das häufige Absolvieren eines Praktikums 4. die unterschiedlichen Erfahrungen des Bewerbers, die die Jobaussichten vergrößern 5. eine vor 15 Jahren absolvierte, veraltete Ausbildung, die nicht mehr nützlich ist 6. die von mir gewünschte, attraktiv scheinende Stelle bei einer bekannten Firma 7. die in der Nähe liegende Firma, die die Stelle ausgeschrieben hat 8. ein überzeugender, fehlerloser / fehlerfreier Lebenslauf 9. der in letzter Zeit gestiegene Ehrgeiz, eine gute Stelle zu finden 10. die sorgfältig auszuwählende Kleidung im Vorstellungsgespräch, deren Wichtigkeit nicht unterschätzt werden darf 11. die große Freude meiner Freundin, eine neue Stelle gefunden zu haben

3 1. ein selbstfahrendes Auto 2. ein kürzlich erfundenes Verkehrsmittel 3. ein zeitsparender Transportweg 4. das neue, von einem Japaner erfundene Verkehrsmittel 5. das neue, mit einem Autopiloten ausgestattete Fahrzeug 6. die gerade eingefahrene U-Bahn 7. der ohne Fahrer / fahrerlos (zu) fahrende Bus 8. das neue, noch einmal auf Mängel zu überprüfende Fahrzeug 9. das flächendeckend einzusetzende Verkehrsmittel

4 1. Die Wale und Delfine, die regelmäßig an der Wasseroberfläche auftauchen, atmen Luft. 2. Bei einem Meerestier, das neben einem Schiff schwimmt und springt, wird es sich um einen Gemeinen Delfin oder einen Schlankdelfin handeln. 3. Ein Schlankdelfin hat einen Körper, der fast vollständig mit Flecken bedeckt ist. 4. Der Blau-Weiße Delfin kann aufgrund seiner Streifen, die von den Augen bis zum Schwanz gehen, leicht identifiziert werden. 5. Bei den Tümmlern, die in Gruppen von 30 bis 40 Exemplaren zusammen leben, leben die Männchen getrennt von den Weibchen mit ihrem Nachwuchs. 6. Die Meeressäugetiere, die Sauerstoff atmen, können bis zu einer Stunde die Luft anhalten. 7. Ein Wal, der bis zu 1000 m tief taucht, kann über eine Stunde unter Wasser bleiben.

5 1. Die sich schnell vermehrenden Tauben sind an vielen Orten unbeliebt. 2. Das Töten von Tauben ist allerdings eine nicht zu gestattende Maßnahme 3. Deshalb werden mancherorts extra hierfür gezüchtete Bussarde eingesetzt. 4. Die an vier Tagen pro Woche freigelassenen Bussarde sollen die Tauben abschrecken. 5. Ein sich in der Nähe befindender Bussard macht Tauben solche Angst, dass sie ihre Fluggewohnheiten ändern. 6. Diese üblicherweise an Flughäfen praktizierte Art der Taubenbekämpfung basiert auf den natürlichen Verhaltensweisen der Vögel. 7. Nach mehreren unter Aufsicht von Experten durchgeführten Testflügen, wurde diese Art der Taubenbekämpfung für äußerst gut befunden. 8. Diese von Experten und Expertinnen als mit dem Tierwohl vereinbar bezeichnete Praxis ist sehr effizient.

6 1. Die von allen zu beachtenden Regeln sind unten aufgelistet. 2. Dringend zu beseitigende Schäden sind umgehend dem Hausmeister zu melden. 3. Andere auszuführende Reparaturarbeiten sollten auf der monatlichen Zusammenkunft aller Bewohner und Bewohnerinnen besprochen werden. 4. Im Voraus telefonisch zu vereinbarende Termine für den Sperrmüll sollten mit den anderen Bewohnern und Bewohnerinnen abgesprochen werden. 5. Als Sperrmüll abzuholende Gegenstände dürfen erst einen Tag vor dem vereinbarten Termin auf die Straße gestellt werden. 6. Als Sondermüll zu entsorgender Müll ist in der Garage zu lagern.

84 Präposition – Adverb – Konnektor 1

1 1. Nachdem, Nach, danach 2. Bevor, Vor, davor / vorher / zuvor 3. Während, Während, währenddessen, gleichzeitig 4. Wenn, Beim, dabei 5. Bis, Bis, Bis dann 6. Seit(dem), Seit, seitdem

2 1. währenddessen 2. danach 3. Bis, während 4. Bevor/ Wenn, vor 5. vor, seitdem / danach 6. da 7. als 8. beim / nach, bis

3 1. Nachdem man lange geflogen ist, hat man oft Probleme mit der Anpassung an die Zeit. 2. Wenn die Sommerzeit beginnt, werden die Uhren 1 Stunde zurückgestellt. 3. Seitdem auf Sommer- bzw. Winterzeit umgestellt wird, gibt es Klagen von einigen Leuten. 4. Bevor man eine Prüfung hat, kann man oft schlecht schlafen. 5. Während man eine Prüfung hat, scheint die Zeit zu rennen. 6. Als

ich meine letzte Prüfung hatte, ist die Zeit viel zu schnell vergangen. 7. Bis dann das Prüfungsergebnis bekannt gegeben worden ist, verging die Zeit quälend langsam. / Aber die Zeit verging quälend langsam, bis dann das Prüfungsergebnis bekannt gegeben wurde.

4 1. Vor dem Bau der Autobahn 2. Bei einem Stau 3. Seit den Reparaturen der Autobahn 4. Bis zum Ende der Reparaturen 5. während der Sperrung der Autobahn 6. Nach Beendigung der Bauarbeiten

85 Präposition – Adverb – Konnektor 2

1 1. ~~Aufgrund~~ 2. ~~Denn~~ 3. ~~weil~~ 4. ~~denn~~ 5. ~~Obwohl~~ 6. ~~trotz~~ 7. ~~Trotzdem~~ 8. ~~deshalb~~ 9. ~~infolge~~ 10. ~~Deshalb~~ 11. ~~Infolge~~ 12. ~~demgegenüber~~ 13. ~~doch~~ 14. ~~Wohingegen~~ 15 ~~demgegenüber~~

2 1. Obwohl es wissenschaftliche Erkenntnisse gibt, gehen einige Politiker ... 2. Weil / Da sich das Klima wandelt, wird der Meeresspiegel ... 3. Fliegen ist schädlich für die Umwelt, wohingegen / während Bahnfahren umweltfreundlich ist. 4. Das Klima wandelt sich, sodass / weshalb / weswegen sich die Landwirtschaft umstellen muss.

3 1. Infolge der kulturellen Prägung von Sprachen geht bei einer Übersetzung ... 2. Wegen / Aufgrund der vielen kulturellen Assoziationen von literarischen Texten müssen sich Übersetzer ... 3. Im Gegensatz zu Gebrauchstexten sind literarischen Texte oft ... 4. Ungeachtet / trotz der schlechten Bezahlung der Übersetzer literarischer Texte gibt es ...

4 2. In China wurde Papiergeld zum ersten Mal im 7. Jahrhundert eingesetzt, wohingegen es in Europa erst im 15. Jahrhundert aufkam / Papiergeld wurde zum ersten Mail in China im 7. Jahrhundert eingesetzt. Dagegen kam es in Europa erst im 15. Jahrhundert auf. 3. Da Gold und wertvolle Materialien schwer und unpraktisch sind, hat man Papiergeld erfunden. / Man hat Papiergeld erfunden. Gold und wertvolle Materialien sind nämlich schwer und unpraktisch. / Man hat Papiergeld erfunden, denn Gold und wertvolle Materialien sind schwer und unpraktisch. 4. Obwohl die Einführung des Euro ohne Probleme verlief, waren viele Menschen am Anfang skeptisch. / Trotz der problemlosen Einführung des Euro waren viele Menschen am Anfang skeptisch. / Die Einführung des Euro verlief zwar ohne Probleme, aber viele Menschen waren am Anfang skeptisch. 5. Der 20- und der 50-Euro-Schein sind häufig gefälscht worden, sodass die Notenbanken in Europa neue Sicherheitsmerkmale einarbeiten mussten. / Der 20- und der 50-Euro-Schein sind häufig gefälscht worden. Aus diesem Grund mussten die Notenbanken in Europa neue Sicherheitsmerkmale einarbeiten. / Infolge von häufigen Fälschungen des 20- und des 50-Euro-Scheins mussten die Notenbanken in Europa neue Sicherheitsmerkmale einarbeiten. 6. Während man in Deutschland in Geschäften immer noch mit Münzgeld und Scheinen bezahlen kann, haben andere Länder schon mehr elektronische Bezahlsysteme eingesetzt. / In Deutschland kann man in Geschäften immer noch mit Münzgeld und Scheinen bezahlen. Demgegenüber haben andere Länder schon mehr elektronische Bezahlsysteme eingesetzt.

86 Präposition – Adverb – Konnektor 3

1 1. Bei 2. Wenn 3. Es sei denn 4. damit 5. Zum 6. Dadurch dass 7. Dadurch 8. Durch 9. Mit 10. Indem 11. So 12. Anstatt dass 13. Stattdessen 14. Anstatt 15. Ohne 16. ohne dass 17. wie 18. gemäß 19 Genauso

2 1. Kochen lernt man am besten dadurch, dass man bei einem guten Koch oder einer guten Köchin zuschaut. 2. Um ein gutes Essen zu kochen, braucht man vor allem gute Zutaten. 3. Wenn man größere Einladungen hat, ist es viel Arbeit, das Essen selbst zuzubereiten. 4. Anstatt teure Lebensmittel aus fernen Ländern zu kaufen, / Anstatt dass man teure Lebensmittel aus fernen Ländern kauft, kann man auch regionales Gemüse verwenden. 5 Ich koche das Gericht, wie es im Rezept meiner Großmutter steht / wie es meine Großmutter gekocht hat.

3 1. Dadurch dass / Indem ich Yoga mache, kann ich mich körperlich und geistig fit halten. 2. Ich gehe regelmäßig in den Yogakurs, falls / wenn / sofern ich keine Überstunden machen muss. 3. Indem / Dadurch dass ich regelmäßig meine Yogaübungen mache, kann ich immer gut schlafen. 4. Anstatt in den Yogakurs zu gehen, macht mein Freund einen Tai-Chi-Kurs. 5. Ich finde, man braucht sportliche Aktivität, um sich wohlzufühlen.

4 1. Mithilfe elektronisch gesteuerter Lastwagen könnte der Verkehr auf den Autobahnen optimiert werden. 2. Im Falle vermehrter Unfälle mit

selbstfahrenden Autos wird die Skepsis in der Bevölkerung steigen. 3. Zwecks Steigerung der Akzeptanz von selbstfahrenden Autos müssen die Autobauer großen Wert auf Sicherheit legen. 4. Gemäß Straßenverkehrsordnung müssen Autos in Deutschland einen Fahrer haben. 5. Bei rasanter Weiterentwicklung der Forschung im Bereich der künstlichen Intelligenz werden selbstfahrende Autos in absehbarer Zeit auf unseren Straßen selbstverständlich sein.

87 Kommaregeln

1 1. Da das Interesse am Opernball groß ist, sind die Karten meist schon lange vorher ausverkauft. 2. Natürlich braucht man die passende Kleidung, um am Opernball teilnehmen zu können. 3. Wer am Opernball teilnehmen kann, der gehört zu den wichtigen Leuten und trifft andere wichtige Leute. 4. Nachdem der Bundespräsident eingezogen ist und junge Damen und Herren die Tanzveranstaltung mit einem Walzer eröffnet haben, wird die Tanzfläche für alle freigegeben. 5. Der große Opernball, auf dem sich viel Prominenz trifft, findet jedes Jahr an Fasching statt.

2 1. Die Gäste kamen mit dem Auto, mit dem Fahrrad und einige zu Fuß. 2. Sie wollten essen und trinken, flirten oder tanzen. 3. Es gab Kaviar, Lachsbrötchen, eine Fischsuppe und zum Nachtisch eine Mousse au Chocolat. 4. Lange nach Mitternacht tanzten viele Gäste noch, unterhielten sich angeregt und tranken Wein.

3 1. Mein Kollege, ein Vater von zwei kleinen Kindern, macht Homeoffice. 2. Seine Kinder, zwei und vier Jahre alt, sind heute krank. 3. Mein anderer Kollege, ein sehr karriereorientierter junger Mann, regt sich darüber auf. 4. Er meint, die Kinder könnten ja im Kindergarten, dem Kindergarten in der Firma, betreut werden.

4 Berlin, die Hauptstadt von Deutschland, ist immer eine Reise wert. Mit über einer Million Übernachtungen ist Berlin der attraktivste Ort in Deutschland, der Gäste aus der ganzen Welt anzieht. Die Interessen der Menschen sind natürlich unterschiedlich, aber es ist für jeden Geschmack etwas dabei. Bei einer Schiffstour auf der Spree und dem Landwehrkanal kann man die Stadt aus einer anderen Perspektive sehen. Während man auf dem Schiff gemütlich einen Kaffee trinkt, kann man das Regierungsviertel und das historische Zentrum vom Wasser aus betrachten. Musikbegeisterte können zwischen drei Opern, der Komischen Oper, der Staatsoper und der Deutschen Oper, wählen. Und Feierende finden nicht nur auf dem Ku'damm interessante Bars, sondern auch in vielen anderen Stadtteilen angesagte Locations, die bis in die frühen Morgenstunden geöffnet haben.

5 1. Die Schauspielerin, die in der neuen Serie die Hauptrolle spielt, hat schon 100 000 Follower auf Instagram. 2. Die Begeisterung für prominente Personen ist etwas, was viele Leute teilen. 3. Schauspielerinn, Sportlerinnen und Musikerinnen sind häufige Vorbilder für junge Frauen. 4. Sie interessieren sich dafür, wie ihre Vorbilder leben, was sie denken und wie sie es geschafft haben, so berühmt zu sein. 5. Nach wenigen Jahren können die Vorbilder, die zunächst von allen bewundert werden, auch schon wieder in Vergessenheit geraten sein.

6 Unter Eltern in der Wissenschaft und in der Politik wird darüber gestritten, ob schon kleine Kinder mit Computern spielen und lernen sollten oder nicht. Die einen sagen, dass wir in einer informationstechnischen Welt leben und die Kinder schon früh mit Computern umgehen müssen, damit sie für die zukünftige Welt fit werden, wohingegen die anderen betonen, dass es wichtig ist, dass Kinder die Welt erkunden, bevor sie mit Bildschirmmedien umgehen. Nur wenn Kinder die Möglichkeit haben zu spielen, sich zu bewegen und mit ihren Sinnen die Welt zu verstehen, können sie sich zu einer starken Persönlichkeit entwickeln, die ihre Fähigkeiten sinnvoll einsetzen kann, das meinen die Computergegner. Wenn man den Computer exzessiv nutzt, befürchten sie Sucht, Depressionen und andere Krankheiten. Während die Computergegner, häufig ältere Menschen, überall Gefahren sehen, betonen die Befürworter, dass sich die Menschen schon immer an neue Technologien gewöhnen mussten und das auch erfolgreich gemacht haben. Bei der Einführung der Eisenbahn hatten einige Menschen Angst vor den hohen Geschwindigkeiten von 30 bis 40 km/h, wohingegen heutige Menschen auch bei Tempo 400 gemütlich Musik hören oder lesen. Sie fordern gerade deshalb mehr Umgang mit Computern, mehr Programmierkurse auch für Kinder, damit unsere Gesellschaft sachverständig mit der Computertechnologie umzugehen lernt.

88 Besondere Formen der mündlichen Sprache

1 1. **Dialog 1:** Hast du das verstanden? Erklärst du mir das mal? - Nein, ich verstehe auch nichts. Was soll denn das sein? - Das ist ein Tipp von einer Kollegin, der Weg zu einem Restaurant. - Vielleicht kommt sie heute noch. Dann kannst du sie noch einmal fragen. **Dialog 2:** Na, wie geht's? - Es geht so. Ich war am Wochenende ganz alleine. Das war ein bisschen langweilig. - Schade. Ich habe auch nichts gemacht. Willst du nächsten Samstag in einen Club gehen? Bei mir in der Nähe gibt es einen tollen. Da haben sie immer gute Musik.

2 2. Wohin geht ihr denn heute? 3. Dagegen habe ich nichts. 4. Dafür kann ich nichts. 5. Woher kommt das denn? Damit kannst du doch gar nichts machen.

3 2. Nein, den Ordner, den habe ich nicht gelöscht. 3. Nein, die Vorspeise, die habe ich noch nie probiert. 4. Nein, der Schlüssel, der liegt nicht in der Schublade.

4 2. Ja, das Handy da(, das) gehört mir. 3. Ja, den Zettel da(, den) brauche ich noch. 4. Ja, die spielenden Kinder da(, das) sind meine Kinder.

5 1. Wann kommen deine Freunde zurück aus dem Urlaub? 2. Kommt deine Freundin auch mit ins Kino? 3. Ich fange jetzt noch nicht an mit dem Bericht.

Register

absoluter Komparativ **157**
Adjektivdeklination **150, 154**
Adverb **226, 228, 230**
Akkusativ(objekt) **18, 88, 90**
Angaben
  Position im Satz **20, 24, 26**
  Zeitangaben **20, 24, 26**
  Modalangaben **20, 24, 26**
  Kausalangaben **20, 24, 26**
  Lokalangaben **20, 24, 26**
  temporale Angaben **20, 24, 26**
Artikel **130**
Artikelgebrauch (definit und indefinit) **132**
auch **26**
Aussagesatz **12**
Betonung im Satz **28**
da- **210**
dass **182**
Dativ(objekt) **18, 88**
definiter Artikel **132**
Deklination **140**
Deklination der Artikelwörter **154**
Deklination der Indefinit- und
  Possesivpronomen **142**
Doppelkonnektoren **194**
eingeschränkter Superlativ **156**
es **202**
Fokuspartikeln **26**
Funktionsverbgefüge **22, 204, 206**
Futur **108, 111**
  Futur 1 **108, 111**
  Futur 2 **108, 111**
Gegenwart **111**
Genitiv **134**
Genus **130**
Genusregeln **130**
Hauptsatz **211, 228, 230**
Hauptsatzkonnektor **211, 228, 230**
Imperativ **168**
indefiniter Artikel **132, 150, 154**
Indefinitpronomen **142, 144, 146**
indirekte Rede **164**
  indirekte Rede Vergangenheit **166**
  Wiedergabe von Aufforderungen,
    Gerüchten und Selbstaussagen **168**
Infinitivsätze (final, modal) **184**
Infinitiv mit *zu* **180, 182**
Infinitiv ohne *zu* **180**
Information direkt zum Verb (= Verbgefährte) **22**
Informationsverteilung im Satz **28**
irgend- **198**
irreale Bedingungen **38**
irreale Folgen **40**
irreale Vergleiche **40**
irrealer Wunschsatz **38**
kausale Präpositionen **74**
Kommaregeln **234**
Komparation **156**
Konditionalsatz **176, 230**
Konjunktiv **32, 34, 36, 38, 40, 164**
  Konjunktiv 1 **164**
  Konjunktiv 2 **32, 34, 36, 38, 40**
Konnektor **16, 170, 172, 174, 176, 178,**
  184, 194, 226, 230
lassen **122**
Linksattribut **222**
lokale Angaben **20, 24, 26**
lokale Präpositionen **66, 68**
modale Angaben **20, 24, 26**
modales Partizip **56**
Modalpartikeln **214**
Modalverben **114**
  Passiv mit Modalverben **48**
Modalverben (andere Bedeutungen)
  Vermutung über die Gegenwart **118**
  Vermutung über die Vergangenheit **120**
  Wiedergabe von Aufforderungen,
    Gerüchten und Selbstaussagen **168**
mündliche Kommunikation **236**
n-Deklination **138, 140**
Nebensatz **16, 182, 184, 186, 188, 190, 194, 229, 230**
  temporal **170**
  kausal **172**
  konzessiv **172**
  konsekutiv **174**
  adversativ **176**
  konditional **176**
  modal **178**
Negationswörter **196**
nicht (Position im Satz) **24**
Nomen
  Deklination **138, 140**
  Genus **130**
  mit Präposition **92, 94, 98**
  Nomen-Verb-Verbindung **56, 204, 206**
Nominalisierung **218**
Nullartikel **132**
Objekt **88, 90**
Objekt mit Präposition **92**
Partizip I **56, 160**
Partizip II **56, 160**
Partizip I und II als Attribut **160**
Partizipialattribut **223**
Passiv **44, 48, 58, 60**
  im Konjunktiv **32**
  ohne Subjekt (unpersönliches Passiv) **58**
  Alternativen **52, 56**
  Formen mit Passivbedeutung **56**
Perfekt **102, 106, 110**
  besondere Perfektformen **104**
Plusquamperfekt **102, 106, 110**
Position 0 **16**
Position 1 **12, 28**
Position 2 **12, 16**
Position und Direktion **200**
Präfix **124, 128, 196, 200**

Präpositionalpronomen **22, 92**
Präpositionen **64, 66 , 68, 92, 94, 98**
  der Redewiedergabe **76**
  der Referenz **76**
  kausale Präpositionen **74**
  lokale Präpositionen **66, 68**
  mit verschiedenen Positionen **78**
  mit verschiedenen Bedeutungen **80, 82, 84**
  temporale Präpositionen **70, 72**
  Wechselpräpositionen **64**
Präsens **110**
Präteritum **102,106, 110**
Pronomen **18, 24, 26, 134, 142**
Rechtsattribut **222**
Redewiedergabe **76, 164, 166, 168**
Relativpronomen **186, 188, 190**
Relativsatz **186, 188, 190, 223**
Satzbrücke **12**
Satznegation **24**
Satzteile **12, 13, 16, 28**
satzverbindende Adverbien **226, 228, 230**
Subjekt **16 ,20, 24, 26, 44, 48, 88**
Superlativ **156**
Superlativ-Adverbien **156**
Teilnegation **24**
temporale Präpositionen **70, 72**
trennbare und untrennbare Verben **124, 128**
Umformung von Sätzen **222, 226, 228, 230**
Umgangssprache **236**
unpersönliches Passiv **58**
unregelmäßige Verben **102**
Verben mit Genitiv **90**
Verben mit Nominativ, Akkusativ,
  Dativ, Genitiv **88, 90**
Verben mit Präpositionen **92, 94, 98**
Verbgefährte **22**
Verb(teil) 2 **12, 22**
Vergangenheit **102, 106, 110**
Wechselpräpositionen **64**
Wortposition **12, 16, 18, 20, 22, 24, 26, 28**
Zeitengebrauch **106, 110**
Zustandspassiv **160**

Quellen und Copyright-Angaben zu den Audio-Dateien

Quellen

S.33 Übung 5: Rhingulf Eduar Wegener: „Ach hätte die Rose Flügel“ (ca. 19. Jh.)
S.103 Übung 5: frei nach Äsop: „Die Fledermaus und das Wiesel“

Copyright-Angaben zu den Audio-Dateien

Sprechtraining

Studio: speak low, Berlin
Sprecherinnen und Sprecher: Julian Mehne, Monika Oschek, Nina West
Regie und Aufnahmeleitung: Harald Krewer
Tontechnik: Matthias Erb, Marian Bolt
Redaktion: Stephanie Manz, Julia Schulte

Partnerseiten

Studio: Clarity Studio, Berlin
Sprecherinnen und Sprecher: Piet Gampert, Marianne Graffam
Regie und Aufnahmeleitung: Susanne Kreutzer
Tontechnik: Dimitris Kritikos, Pascal Thinius
Redaktion: Barbara Welzel